KB099512

어느 광고인 수첩

어느 광고인 수첩

발 행 | 2024년 02월 28일
저 자 | 조광익
펴낸이 | 한건희
펴낸곳 | 주식회사 부크크
출판사등록 | 2014.07.15.(제2014-16호)
주 소 | 서울시 금천구 가산디지털1로 119 SK트윈타워 A동 305호
전 화 | 1670-8316
이메일 | info@bookk.co.kr

ISBN | 979-11-410-7421-0

www.

어느
광고인
수첩

조광익 지음

CONTENT

제2장 제작 업무 수첩

제작 오리엔테이션 전 사전준비를 충실하게 해야 합니다.
제작팀과는 연애하듯 기술이 필요합니다.
제작 회의 시 카피 말고 콘셉트를 이야기하세요.
기획 스스로도 생각하는 크리에이티브는 가지고 있어야 합니다.
제작물, 크리에이티브 리뷰에도 노하우가 필요합니다.
촬영 장비에 대한 기본 지식을 가지고 있어야 합니다.
촬영장에서는 보이지 않는 룰이 있습니다.
광고물의 법적인 문제등에 걸리지 않도록 주의해야 합니다.
제작물을 볼 때는 제작 단계별 상황을 고려해야 합니다.
국내 촬영과 해외 촬영은 분명한 차이가 있습니다.
광고 시사는 하나의 패션쇼 이벤트 같기도 합니다.
때론 제작물을 기획이 설명할 수도 있습니다.
제작 스텝과 업무 진행 시 가급적 구두로 전달하지 마세요.
영상광고 제작 자체의 업무만큼 관련된 내용도 매우 많습니다.
라디오 광고 제작 건도 간단하다고 생각하면 안 됩니다.
작은 제작물들은 과정보다는 변수에 대응을 잘 해야 합니다.
소재 출고되어 게재되는 순간까지 긴장을 놓지 마세요.
제작물 관련 계약사항을 리스트화 하여 종합적으로 관리하세요.
제작물에 출현하는 모델 업무는 AE의 몫입니다.
PPM단계에서 AE도 많은 고민이 필요합니다.
외부 제작 스텝과 파트너쉽으로 일했으면 합니다.

제3장 미디어 업무 수첩

미디어 브리프는 가급적 구체적으로 기술하는 것이 좋습니다.
미디어의 다양한 개념들의 이해가 필요합니다.
구매, 바잉, 청약에 있어서는 타이밍이라는 것이 있습니다.
자신만의 미디어 팩트 북을 만들어 보세요.
집행 상황에 대한 현황판을 만들어 두면 편리합니다.
필요에 따라 바잉 가이드나 위시리스트를 활용합니다.
매거진 등도 집행 시 신경 쓸 것이 많습니다.
플래너, 바이어들과 이슈를 미리 공유하면 도움이 됩니다.
미디어별 소재 출고의 방법과 프로세스가 다릅니다.
제안시에도 전략과 나름의 기준이 있어야 합니다.
집행 리포트에 미리미리 관심을 가져 보세요.
한번 집행된 소재 다시 활용될 수 있습니다.
때론 AE가 미디어 업무를 대신해야 하는 경우도 있습니다.
작은 미디어 업무도 소홀히 생각하지 마세요.
문서화된 업무연락이 기본입니다.
예산 집행에 문제가 생기지 않도록 모니터 하세요.
플래닝에 최적화된 바잉 가이드를 제시하려고 노력해야 합니다.
전파 광고 제공 자막/제공 멘트도 광고입니다.
집행 시 현장 확인을 하는 경우도 있을 수 있습니다.
사고시 당황하지 말고 빠르고 정확하게 하세요.
계약업무에 익숙해져야 합니다.

제4장 경쟁PT 업무 수첩

프로세스 전반을 알고 있어야 잘 따라갈 수 있습니다.
개발, 경쟁PT를 유치하는 것은 연차와 상관없다고 생각합니다.
정보탐색 및 정보 보안 관리에 소홀히 하지 마세요.
내부 보고도 신경 써야 합니다
진행의 윤활유같은 역할을 해야 합니다.
미팅 리포트를 활용도를 높이면 효과적입니다.
팩트 북 작성이 경쟁PT의 절반이라고 생각합니다.
한번쯤 기본으로 돌아가 생각하세요.
승리의 키가 되는 것을 찾아야 합니다.
모든 스텝에게 힘이 되도록 솔선수범이 필요합니다.
PT의 전체적인 구성에도 콘셉트가 필요합니다.
프레젠테이션은 자신감과 끊임없는 연습만 있을 뿐입니다.
자신만의 프레젠테이션 칼라가 필요합니다.
멀티미디어에 달인이 되면 큰 도움이 됩니다.
PT진행시 오퍼레이팅은 한 명이 하는 것이 좋습니다.
PT사고 최소화는 현장확인이 기본입니다.
체크 리스트를 활용해 보세요
PT중에는 하야할 것, 지켜야 할 것들이 있습니다.
끝났다고 끝이 아닙니다.
체력관리를 잘해야 합니다.
PT승리 후 기쁨은 오래가지 않습니다.

제5장 IMC, 디지털, BTL 업무 수첩

아이데이션과 효과적인 실행을 위해 기본기가 필요합니다.
부서, 스텝 협업 시 일반 광고와는 다른 스킬이 있어야 합니다.
오리엔테이션시 사례별 경험이 많을수록 좋습니다.
전체적이고 세부적인 통합적 관리가 필요합니다.
종합적인 결과 리포팅은 필수입니다.
평상시 아이디어를 수집하세요
타깃에 대한 이해를 보다 깊이 있게 해야 합니다.
프로젝트를 주도하면서도 스텝들의 진행을 서포트 해야 합니다.
오프라인 프로모션은 서포터 역할을 잘 해야 합니다.
미디어 콘텐츠사와는 사전 계약 조율이 중요합니다.
아티스트와 협업 시 적합성이 기준이 됩니다.
광고 캠페인 PR을 기획이 진행하는 경우도 있습니다.
광고주간 코마케팅은 상호 시너지가 핵심입니다.
PPL 콘텐츠 마케팅을 보는 시각을 가져야 합니다.
디테일한 프로모션 제작물을 직접 하는 경우도 있습니다.
크리에이티브 미디어는 실행 가능성이 중요합니다.
디지털 바이럴 후킹 요소 만드는 것이 핵심입니다
시작부터 브랜드 CI, BI 회사와 협업할 수도 있습니다.
스포츠 마케팅은 해당 규정을 잘 알아야 합니다.
커머스, 퍼포먼스 마케팅에 대한 이해도 필요합니다.

제6장 광고회사 업무 수첩

매주하는 주간업무는 형식적으로만 보지 마세요.
스테이터스 리포트는 여러 용도로 활용됩니다.
자신만의 파워 북을 만들어 업무 관리에 활용해 보세요.
기안품의는 수시로 발생합니다.
실적에 대한 개념을 가지고 있어야 합니다.
수상 등 대내외적인 성과관리에도 신경을 써야 합니다.
잡지는 업무에 좋은 영감을 주는 것 같습니다.
회사 크리덴셜은 꾸준한 관리와 변화가 필요합니다.
파일관리를 효율적으로 하세요.
업무 네트워크의 연락처를 효과적으로 관리하세요.
광고 회사의 보안은 기본입니다.
부서간 업무에 대해 원만한 관계 유지를 위해 노력해야 합니다.
팀 살림에 대한 것도 실무AE의 몫입니다.
전화예절도 상황 별 스킬이 필요합니다.
부재중 업무 공백의 문제가 발생하지 않도록 해야 합니다
면허나 여권, 각종 증명서는 미리미리 만들어 두어야 합니다.
팀이나 회사를 옮기게 될 경우 아름다운 마무리가 중요합니다.
때론 맥가이버, X맨, 슈퍼맨이 되어야 합니다.
가급적 다양한 광고주를 경험하세요.

제7장 광고회사생활 수첩

머리말

본 책은 본인이 경험했던 광고회사(상암커뮤니케이션즈, 휘닉스커뮤니케이션즈, HS애드, 이노션월드와이드, 하이애드원, 인터콤어소시에이션)에서 AE업무를 하면서 수첩(다이어리)에 메모하였던 내용을 엮어 정리한 것입니다.

광고, 커뮤니케이션의 최전선에서 실무를 담당하면서, 겪은 실제 경험을 바탕으로 기술하였습니다. 광고에 입문하려는 분들과 현업에서 열심히 일하시는 광고주나 광고인들에게 도움이 되셨으면 합니다. 책의 내용은 제가 경험한 것들에게 대한 이야기들입니다. 독자분들의 생각과는 차이가 있을 수 있습니다. 이점 널리 이해해주시고 열린 마음으로 읽어 주셨으면 합니다.

특히, 이 책이 있기까지 저와 함께 했던 많은 광고주, 광고회사 선후배님들 그리고, 대학생연합광고동아리 애드피아에게 진심으로 감사드립니다.

저자의 광고회사 수첩들

제1장 광고주 업무 수첩

광고회사 AE에게 있어 광고주 업무는 비즈니스의 시작이자 끝을 의미한다고 할 수 있습니다. 왜냐하면 AE는 광고주로부터 광고 업무에 관한 오리엔테이션을 받는 것을 시작으로 내부/외부의 스텝과 함께 결과물을 만들고 그 결과물을 광고주에게 제시하여 협의하는 일련의 과정을 광고주와 지속적으로 커뮤니케이션하는 업무전체의 중앙에 위치해 있기 때문입니다.

이런 위치로 인해서 자연스레 광고회사 내부의 스텝들과는 다르게 AE들은 광고주와 가장 많은 커뮤니케이션을 하게 되고 업무를 진행하게 됩니다.

본 장에서는 AE 실무 최전선에 있는 분들에게 광고주와의 커뮤니케이션 상에서 발생하는 다양하고 많은 업무들이나 광고주와의 비즈니스를 위해 기획팀 내에서 실무AE가 알아야 할 업무상의 태도까지 그간의 경험상의 이야기와 덧붙여 공유해 보고자 합니다.

오리엔테이션에서 많은 것을 얻어내세요.

우리가 알고 있는 오리엔테이션(이하OT)은 광고주(광고팀/홍보팀/마케팅팀/기획팀/브랜드팀/커뮤니케이션팀) 명칭은 다르지만, 광고회사 AE와 주로 접촉하는 광고주 광고업무 담당부서로부터 광고 업무의 맨 처음 받게 되는 업무입니다. 일의 실질적인 시작이자 첫 단추를 끼운다고 할 수 있기 때문에 OT는 매우 중요한 업무라고 할 수 있습니다.

광고주 담당자들과 광고회사 담당자들이 함께 모여 해당 프로젝트를 광고주로부터 마케팅 상황, 소비자 상황, 타깃, 제품, 광고 방향 등을 듣게 됩니다. 광고업무상에서 통상적인 OT 프로세스를 거치기도 하지만, 실제 광고회사에 근무하다 보면 다양한 형태와 예측하지 못한 상황에서 OT를 받게 되고 업무를 수행해야 하는 경우가 매우 많은 것이 현실입니다. 본인도 아직 OT를 많이 받아보았다고 할 수는 없지만, 광고기획업무를 10년 이상 받아보면서 OT시에 많은 것을 얻어내는 것이 매우 중요한 포인트라고 말할 수 있는 것 같습니다.

보다 정확하게 이야기 하자면, '날카로운 광고방향을 찾아내기 위해, 스텝과의 업무진행시 누수를 예방하기 위해서 OT시 명확하고 구체적인 것을 최대한 알아내라'라는 것이 더 맞을 것 같습니다.

대표적으로 경쟁 프레젠테이션의 OT는 통상 우리가 알고 있는 OT의 프로세스를 가장 잘 나타내는 형태로 보면 됩니다. 광고주는 광고회사에 프레젠테이션 관련 참여 의사를 알리는 초청공문을 보내고 참여를 하기로 하였다면, 내부 관련 스텝들, 다른 경쟁회사와 함께 OT를 받게 됩니다. (따로 받는 경우도 있지만, 통상 함께 공개석상에서 OT를 받습니다) 이런 경우는 실무자들은 OT를 참석하기 전의 준비가 오히려 중요하다고 할 수 있습니다.

OT스케줄이 나와 있는 상황에서 AE는 해당 광고주의 기존 광고물을 검색하거나, 광고비, 광고주 기업이나 브랜드 사이트, 광고주 관련 기사를 사전에 검색하여 기본지식을 공유할 수 있도록 준비해야 합니다. 이런 기초적인 자료를 사전에 준비하여 공유를 하게 되면, 기획팀이나 관련 스텝들이 OT를 받는 과정에서 과제에 대한 이해도가 좀 더 높아질 수 있기 때문입니다. 다만, 다른 경쟁 광고회사가 함께 있는 자리에서는 전략적인 질문을 가급적 하지 말아야 합니다. 자칫 전략적인 부분이 노출될 수도 있기 때문에 이후에 광고주를 별도 방문을 해서 얻어내야 합니다. 물론 질문을 위해 사전에 자료를 보고 질문 내용을 만들어 숙지해야 합니다. 이렇듯 경쟁 프레젠테이션 OT의 경우는 실무 AE에게 있어 OT 과제의 명확성과 이해도를 높이기 위해 사전 준비가 매우 중요하다고 할 수 있겠습니다.

기존 광고주의 OT는 공식적인 형태도 있지만, 현업을 하는 과정에서 발생하다 보니 보다 다양한 상황과 형태로 이루어집니다. 더욱이 바로 실제 실행과 직결되어 있기 때문에 과제뿐만 아니라 실행이라는 현실적인 문제가 없는 것까지도 구체적으로 확인하고 얻어내야 하는 큰 차이가 있습니다.

TV와 같은 큰 프로젝트와 같은 경우는 광고주의 광고관련팀에서도 중요도가 매우 높은 것이 때문에 일정한 스케줄을 잡아 미팅하면서 여러 사람이 협의하므로, 실무 입장에서는 사전에 필요한 기존 광고관련 업무 자료를 준비해 가면 되고, 광고주와 광고회사간 커뮤니케이션 되는 내용을 충실히 메모를 해두면 됩니다. 메모라고 간략하게 이야기했지만, AE의 메모하는 습관은 매우 중요합니다. 그냥 머리 속에 넣어두면 되겠지 하는 소홀히 하는 태도나 개인적인 의견을 함께 섞어 메모하게 되면 아무리 작은 것이라도 추후 제작물에 반영이 될 수도 있고, 심지어 광고방향을 크게 좌우할 수 있는 것이기 때문에 크게 낭패를 볼 수 있다는 것을 명심해 두어야 합니다. 오히려 AE입장에서 광고주 실무자로부터 직접 오는 다양한 형태의 OT는 상기에 언급한 것들과는 다르게 세심한 확인이 필요합니다. 예를 들면 유선으로 업무협의를 하다가 OT를 받거나, 광고주를 방문하여 협의를 하던 중 갑작스럽게 받거나, 메일이나 기타 채널을 통해 간략한 관련 OT자료를 받으면서 일어나는 경우도 있으며, 광고주 내부 경영진의 긴급한 의사결정에 따라 OT자체가 부족한 경우 등 다양한 경우에 실무AE는 대응을 통해 업무 진행을 위한 충분한 OT내용을 얻어내야 합니다.

우선 업무를 수행해야 할 상품이나 브랜드에 대한 정보가 명확한지, 충분한지를 빠르게 파악하는 것입니다. 혹 빈약하다면 관련 자료에 대한 요청을 바로 하거나, 내부 검토 후 광고주로부터 추가적인 자료를 받아야 합니다.

그리고 해당 프로젝트의 광고주 내부적인 배경이나 검토하고 있는 접근 방향이 있는지도 확인해야 할 필요가 있습니다. 진행 시 아무리 설득적인 광고를 만들더라도 광고주 내부적으로 어쩔 수 없는 상황으로 꼭 전달해야 할 메시지나 표현이 있을 수도 있기 때문입니다.

프로젝트의 일의 범위와 일정 또한 자세하고 명확하게 확인해야합니다. 예를 들어 신문광고를 제작하더라도 사이즈가 무엇인지, 미디어는 어디까지 나가는지, 신문 사이즈가 다른 큰 사이즈로 변형된다 던지, 신문이외에 포스터나 다른 제작물로 변형되어 사용되는지 여부등을 확인해야 합니다. 신문광고를 애초에 9단21형태로 제작이 되었는데, 추후 전면으로 변형되어 나가야 할 경우라면 이미지가 작아 시간 및 비용이 추가적으로 발생할 수 있기 때문입니다.

그리고 광고주에게 필요한 시안이나 썸네일, 카피 등 프로젝트의 제시 일정이나 집행 일정 등을 확인해야 합니다. 아예 급한 스케줄이라면 어쩔 수 없지만, 우선 일정부분은 해당 제작팀과 협의한 후에 가능여부를 확인하고 최종적으로 광고주와 일정을 공유하는 것이 필요합니다. OT받는 자리에서 제작팀과 협의하지 않고 일정을 임의로 정리할 경우 자칫 제작팀에 무리가 갈 수도 있기 때문입니다. 이는 제작팀뿐만 아니라 다른 스텝과의 업무진행에서도 같은 것이라고 할 수 있습니다.

마지막으로는 OT자체 부족한 경우입니다. 광고주 내부적으로 정리가 미흡하거나, 경영진의 의사로 인해 급하게 진행되면, 사실상 OT가 부족해질 수 있습니다. 광고주부터 급하게 'OO제품 8월 신문광고 급하게 준비해야 합니다' 이런 짧은 OT를 받았다면, 광고 배경에 대한 것을 확인하고, 실무AE 입장에서는 해당 제품의 현재 상황이나 이슈를 기사 검색 등을 통해 확인하는 것들이 필요합니다. 8월이라는 시즌을 생각한다면 실무AE입장에서는 '휴가철'이라는 이슈를 추가적으로 활용하여 광고물 제작에 참고하는 것도 방법일 수 있습니다.

이렇듯 OT는 실제 우리가 생각한 것과는 다르게 이루어지는 경우가 매우 많기 때문에 그때마다 모든 변수를 고려한 다는 것은 쉽지 않을 것입니다. 다만, 어떠한 상황이던 간에 광고주와 광고회사가 만족할 수 있는 결과물을 얻어 내기 위해 OT상에서는 명확하고 구체적인 다양한 것들을 최대한 이끌어 내야 하는 것이 필요하다는 것을 잊지 말았으면 합니다.

컨택 리포트 100% 활용하세요.

실무AE들은 유선 또는 미팅이던 광고주와 다양한 형태의 커뮤니케이션을 하게 됩니다. 또한 광고물의 제작OT, 수정협의, 진행 계획 협의 등 이슈 자체도 여러 가지라고 할 수 있습니다. 이럴 때 우리가 가장 많이 사용하게 되는 문서와 업무 중에 컨택 리포트(Contact Report)업무가 있습니다. 광고주와 커뮤니케이션한 내용을 각 광고회사 내부 양식에 따라 간략하게 작성하게 되는데, AE 실무 시 가장 많이 하는 일중에 하나입니다.

일반적으로 컨택 리포트에는 광고주와 미팅이나 유선협의를 하면서 메모한 내용을 광고주, 브랜드나 제품, 날짜, 참여자와 건명을 간략하게 기입하고 커뮤니케이션한 내용을 기술하게 됩니다. 쉽게 보면 광고주와 커뮤니케이션을 한 내용을 그냥 간략하게 기술하는 단순한 업무처럼 보이지만, 관련 업무를 잘 마스터하고 효과적으로 활용한다면 귀찮은 업무가 아닌 오히려 도움이 되는 업무라고 생각합니다.

우선 광고주에게 들은 내용에 대한 개인적인 생각을 메모하지 않아야 합니다. 자칫 함께 메모하여 컨택 리포트를 작성하게 되면, 내부 스텝들이 꼭 해야 하는 것으로 오해할 수도 있고, 광고주와 공유하게 되면 광고주 입장에서는 하지 않은 내용이 들어가 있을 수 있기 때문입니다.

컨택 리포트의 내용을 기술할 때 메모를 그대로 이서하는 것이 아니라, 명료하고 심플하게 정리하는 것이 필요합니다. 협의시에 여러 가지 내용을 메모했겠지만 실제 기술하는 것은 '광고주 결정사항', '합의사항', '수정사항', '진행일정', '기타 참고사항'등으로 구분하여 관련 내용을 제작 스텝이 보더라도 '아! 어떤 안이 결정 났구나', '수정은 무엇 이구나'라는 것을 내용만 보아도 쉽게 알 수 있도록 정리해야 합니다.

이렇게 정리된 컨택 리포트는 우선 광고주와의 서로 공유하는 약속 문서입니다. 작성된 컨택 리포트 모두를 매번 광고주와 공유하는 것은 아니지만, 광고주가 요청한 사항이나, AE와 협의 완료된 사항, 일정 등을 필요에 따라서는 상호 공유하여 추후 수정사항이나, 진행사항에 혼선이 없도록 하는 중요한 문서로 활용해야 합니다. 필요에 따라서는 기획팀 내부에서 공유하고 날인을 받아 광고주에게 날인 받은 문서를 원본형태로 발송하기로 합니다.

컨택 리포트는 단순히 서로 공유하여 문서로 보관하는 것이 아니라, 제작 스텝과의 회의 자료이자, 추후 결과물이 나왔을 때 확인하는 Check List입니다. 광고주와 협의 및 합의된 내용을 컨택 리포트에 기술하고 난 후에 광고 제작물에 관한 건이라면 제작 스텝과 연락하여 회의를 진행하면서 컨택 리포트의 내용을 하나하나 다시 확인시켜주고, 수정이나 방향에 대한 의견을 제시해 주는 회의 자료로서 중요하게 사용됩니다. 그리고, 추후 제작물의 수정이 반영되어 다시 수정된 제작물을 보게 될 경우는 컨택 리포트를 하나하나 보면서 수정의견이 제대로 반영되었는지 확인하는 문서로 사용됨을 잊지 말아야 합니다. 이는 단순히 제작팀에만 국한된 것은 아닙니다. 실무AE는 광고주와 다양한 업무와 커뮤니케이션을 하게 되므로 기획팀 내부 협의용으로 사용된다 거나, 미디어팀과의 미디어 회의자료, 마케팅팀에게 관련 요청 자료 등 다양하게 사용됩니다.

컨택 리포트를 체계적으로 보관을 하게 되면, 해당 광고주와의 그간의 업무진행 내용을 알게 되는 자료로도 활용될 수 있습니다. 요청사항의 내용, 주요 제작물의 의사결정 스타일등 추후 담당 광고주의 변동이 있을 경우 참조하게 되면, 초기에 광고주와의 커뮤니케이션 누수를 줄일 수 있는 자료가 될 것입니다. 이때, 컨택 리포트의 파일 자체를 시계열과 건명으로 파일명화 하면 추후 관련 내용을 찾거나 확인할 때 도움이 됩니다. 예를 들어 '연도 월일_광고주_브랜드/제품_건명_세부 건명' 식으로 정리하는 것입니다. 처음에는 복잡하고 귀찮을 수도 있지만, 활용성 측면에서는 매우 좋은 방법이라고 생각이 됩니다.

컨택 리포트의 활용성은 이렇듯 다양하지만, 광고주와의 커뮤니케이션 내용을 반드시 기획팀내부와 공유하고 내부 기타 부서와 직접적인 업무 외적인 상황 외에도 공유가 필요하다면 메일을 발송하여 상호 공유하는 것이 좋습니다. 또한, 대내외적으로 매우 중요한 이슈가 정리된 컨택 리포트라면 기획팀 내부에서 협의를 하면서 꼼꼼하게 정리하는 것이 필요한 경우도 있습니다.

광고AE 실무를 하면서 가장 많이 작성하는 문서 중 하나이지만, 가장 활용도가 높은 만큼 작성하는 방법과 활용하는 방법을 알게 된다면 효과적이며, 효율적인 업무관리가 될 것입니다.

모니터링에 소홀히 하지 마세요.

모니터링 업무는 작게는 아침에 출근하여 경쟁사 신문광고를 살피는 것부터 경쟁사의 마케팅 동향 확인까지 정말 다양하다고 할 수 있습니다. 어떻게 보면 대단히 귀찮을 수 있는 업무이지만, 소홀히 하였을 때 발생하는 문제가 상대적으로 큰 업무라고 할 수 있습니다.

예를 들어 경쟁사 모니터를 소홀하게 하다 어느 날 갑자기 경쟁사 광고가 갑자기 집행되어 집행된 사실을 광고주로부터 연락을 받아 적절한 대응이 안 되었을 경우는 광고주로부터의 신뢰를 잃을 뿐만 아니라 광고회사 내부적으로도 큰 문제가 발생할 수 있다는 것입니다. 이렇듯 모니터링 업무는 전장에서 레이더로 감시하며 혹시 모르는 상황에 미리 대응하기 위한 업무로서 광고 실무 AE들이 소홀히 하지 말고 챙겨야 하는 업무라고 할 수 있습니다.

[제작물, 광고비 모니터링]

실무AE들이 가장 많이 하는 모니터링 중에 하나는 제작물, 광고비 모니터입니다. 자신이 담당하고 있는 브랜드나 제품, 그리고 경쟁사의 광고집행 동향을 파악하는 가장 일반적인 방법으로 정기적 또는 비정기적으로 이루어집니다. 모니터 방법으로는 광고 제작물의 경우는 회사 광고물 전문 사이트나 TVCF사이트에서 집행 후 업로드 된 광고물을 다운받거나 캡처하여 광고주 보고용 자료나 내부 공유용 자료로 가공하여 모니터 자료로 활용됩니다.

광고비는 관련 사이트를 통해 광고비를 검색하여 집행 동향을 모니터하게 됩니다. 단순한 모니터 과정이지만, 광고물 하나를 찾더라도 광고물의 콘셉트이나, 모델, 주요 카피 내용, 혹 행사 내용 등 특별한 이슈가 있는지를 살펴보아야 합니다. 특히, 경쟁사의 광고물일 경우는 더욱 광고물의 구체적인 부분까지 파악한 후에 광고주와 공유해야 합니다. 분명 광고주 입장에서도 궁금할 수 있는 부분이며, AE입장에서도 당연히 알고 있어야 할 것이기 때문입니다.

또한, 광고비의 경우도 월별, 연간, 프로그램 등 다양한 방법으로 검색을 하게 되는데, 이때도 단순한 검색이 아닌 집행 패턴이나 내역이 특별한 이슈가 없었는지를 보는 것도 중요합니다. 광고비가 갑자기 늘었던 이슈가 모니터 되었다면 신제품 출시 시점이었기 때문인지, 제품 교체였는지, 내부 사정에 의한 것인지 등 다양한 이슈가 있을 수 있기 때문에 광고비를 모니터 함에 있어서도 궁금증을 가지고 해야 합니다.

[경쟁사 동향 모니터링]

일반적인 광고물 및 광고비 모니터링과는 달리 경쟁사 모니터는 앞으로 발생할 상황에 대해 미리 알게 되는 중요한 모니터 업무입니다. 그렇기 때문에 경쟁사 모니터는 광고주나 광고회사 내부적으로도 매우 관심 있게 보는 모니터링 중에 하나입니다. 경쟁사 모니터 방법은 사실상 어려운 프로그램이나 별도의 전문화된 방법이 있는 것은 아닙니다. 자신이 담당하는 브랜드나 제품과 경쟁하는 브랜드나 제품을 광고하는 다른 광고회사의 AE와 연락하여 정보를 공유하는 것입니다. 물론 광고주간 공유하기도 하지만, 커뮤니케이션 측면에서 보다 깊이 있는 정보를 얻어내기 위해 광고회사AE가 연락하여 모니터링하는 경우가 많이 있습니다.

이런 경쟁사 모니터시에는 담당하는 AE입장에서 상대방에게 줄 것과 받을 것을 명확하게 하는 것이 중요합니다. 또 혹 보안상 밝히기 어려운 것이 있다면, 수위를 조정하여 정보를 공유하는 것도 필요합니다. 그렇다고 처음부터 무턱대고 담당AE에게 물어보는 것은 사실 예의가 아닙니다. 우선적으로 담당하는 회사가 어디인지 누가 담당하는지를 파악하고 사전에 인사를 나누는 것이 필요합니다. 그런데 의외로, 많은 AE들이 이러한 친분을 무시하고 전화하지 않거나 쑥스러워하는 것을 종종 보게 됩니다. 제작물 모니터시 궁금한 점 또한 경쟁사 브랜드나 제품을 담당하는 AE로부터 알게 되므로, 경쟁사 AE를 알아두는 것은 모니터링에 기본이라고 할 수 있습니다. 이렇게 파악된 내용은 내부양식에 의해 간략히 정리하여 내용의 보고여부를 결정하여 내부 회의 후 광고주와 공유하는 프로세스를 거치게 됩니다.

[판매 및 마케팅 관련 모니터링]

모니터링 중 자신이 담당하는 제품이나 브랜드의 판매 및 매출 현황 등 마케팅관련 모니터링도 중요합니다. 더욱이 광고탄력성이 높은 제품의 경우 광고 집행과 매출 추이를 주목하여 보게 됩니다. 광고 탄력성이 높지 않은 제품군일지라도 광고반응이나 브랜드 관련 지표는 그 추이를 주목해서 보게 됩니다. 따라서, 일정 시간이나 시점이 되면 브랜드나 제품에 따라 다르지만, 조사회사의 조사 크래킹 결과나 매출 마감 자료 등을 AE들이 광고주에게 요청하여 조사 결과 발표회 등에 참석하거나 자료를 요청하여 내부 팀원들과 공유하는 것이 필요합니다.

내부적으로 매출추이가 중요한 제품이나 브랜드의 경우 주간 업무회의 등의 자료로 쓰일 수도 있고, 매출이 지속적으로 감소하게 될 경우 대응책을 내 놓아야 갑작스러운 상황이 생길 수도 있으므로 정기적인 확인 및 자료공유는 필수라고 생각합니다.

특히, Call에 민감한 광고주의 경우는 거의 매일 자료와 시간대별로 Call 반응을 확인하여 대응방안을 마련하게 되므로, 추이에 관심을 가지고 지켜보아야 하는 것이 AE의 임무 중 하나일 것이다.

[미디어 집행 모니터링]

미디어 집행 모니터링은 미디어관련 실무를 다룰 때 겹치는 부분이기도 합니다. 그러나, AE입장에서 제작된 제작물이 집행되는 것을 모니터하는 것은 꼭 미디어 업무가 아니더라도 실제 집행에 문제가 없는지 확인하는 모니터링은 광고주와 아주 밀접한 관련이 있는 업무입니다.

TV집행시 집행 소재가 소리는 잘 들리는지, 화면 칼라에 문제는 없는지, 자막 사이즈는 작지 않은지를 확인한다 거나, 신문 집행 후 교정지와 비교하여 어느정도 차이가 있는지를 보거나, 라디오는 소리가 잘 들리는지, 옥외는 실제 집행된 상태가 어떤 지를 확인하는 등 자신이 담당하는 광고주 제품이나 브랜드에 관련된 제작물 잘 집행이 된 것을 확인하는 것은 사실 광고주도 매우 관심을 가지는 실무임으로 혹 문제가 생겼을 경우는 바로 연락을 하여 조치를 취해야 합니다 예를 들어 화장품이나 식품, 주부, 여성제품의 광고주는 잡지광고를 대단히 많이 합니다. 잡지광고를 집행하고 나서 제대로 집행되었는지 잡지 집행 결과보고를 별도로 할 정도입니다.

외국계 패션, 쥬얼리, 화장품광고주는 그 강도가 더 강한 것 같습니다. 한 장 한 장 모니터 하면서 기사면과 서비스가 제대로 나갔는지, 경쟁사의 광고는 어떻게 게재되었는지 페이퍼로 리스트 하면서 게재지를 자르거나, 별도 책에 클립을 하여 광고주에게 모니터 합니다. 미디어팀에서 이월 잡지들을 볼 때 보면 엄청난 면 경쟁이 눈에 보이게 됩니다. 보통 20~25일경에 게재지를 받아 클립하고 모니터 하여 집행결과를 광고주와 공유합니다. 그때, 집행리스트와 비교하면서 제대로 나가고 있는지를 보고, 문제된 미디어의 경우는 추가 집행 요청을 하기도 합니다.

패션이나 화장품 같은 경우는 칼라문제로 종종 심하게 문제가 되기도 합니다. 미디어사는 이럴 경우 서비스를 얻어내기도 하는데, 잡지는 칼라구현이 잘되고 주부나 여성의 열독률이 높아 광고물 자체가 회사나 제품의 이미지와 직결되기 때문에 그만큼 결과물에 더 신경 쓰게 됩니다.

이런 잡지 모니터링 이외에도 온라인, 트랜드 등 다양한 모니터링을 하게 되지만, 모니터링의 핵심은 사후관리를 통해 향후 발생할 문제를 최소화한다는 것과 혹시 모르는 상황을 미리 알아내어 가까운 미래를 대응한다는 차원에서 매우 중요한 실무AE라고 할 수 있으므로 절대 소홀히 여겨서는 안됩니다.

월간 리포트를 만들고 보면서 평상시에 공부하세요.

월간 리포트(Monthly Report)는 담당하고 있는 광고주에 대해 1개월 동안 집행된 자사의 제작물, 광고비등에 관한 내용이나, 경쟁사의 정보를 정리하여 광고주에게 제시하는 Book형태의 결과물입니다. 월간 리포트는 일반적으로 실무 연차들이 주로 작성하는 업무이지만, 가장 기본적으로 이루어 져야 하는 업무이므로 작성시 꼼꼼하고 깔끔하게 작성하는 것이 중요하며, 개인적인 업계동향이나 지식을 쌓는데 도움을 주기 때문에 적극적인 자세로 해야 합니다.

월간 리포트의 주요 내용은 만약 지금이 12월이라면, 11월에 있었던, 관련 업계내의 활동 동향 즉 기사 자료, 광고비 집행 내역, 집행 광고물, 프로모션, 기타 자료 등입니다. 들어가는 내용이나 분량은 광고주나 국내나 국외에 따라 내용은 약간씩 다르다고 할 수 있습니다.

[업계 동향 기사자료]

1차적으로는 업계동향을 정리하게 되는데, 해당 월의 기사자료를 실제 신문이나 인터넷에서 검색하여 각 부분별로 나누어 정리하게 됩니다. 정리할 때 모든 기사를 다 정리하는 것이 아니라, 중복율이 높거나, 광고주와 매우 관련성이 높은 기사를 중심으로 정리해야 합니다. 정리 시 기사 내용을 다운받아 그대로 얹히거나, 스크랩한 기사를 드래그 하여 파워포인트로 편집하여 정리하게 됩니다. 여기서 중요한 것은 기사를 그냥 따다 붙이는 것이 아니라, 기사의 동향이 어떻게 변하고 있는지 숲을 보는 느낌으로 정리하면서 트랜드를 읽어내려고 노력해야 합니다.

단순하게 기사 자료 스크랩한다는 기분으로 하게 될 경우는 귀찮은 업무로 여겨질 수도 있지만, 기사내용을 정리하면서 본다고 생각하면 실제 거시적인 환경이 실제 담당하고 있는 브랜드에 어떠한 영향을 미치는지, 광고주 입장에 서라면 앞으로 어떤 이슈와 커뮤니케이션 활동을 해야 할지를 나름 판단하는 것이 필요합니다.

[광고물 자료]

통상 회사 광고물 검색 사이트나 관련 사이트를 활용하면, 해당 월에 집행된 광고물을 알게 되는데, 광고주와 브랜드의 순서대로 정리하되, 신규 광고물과 현 집행중인 광고물에 대해서도 스토리보드와 카피를 넣어 함께 나타내야 해당 월에 어떤 것이 기존이고 신규인지 구분해 주어야 파악하기가 쉬워집니다. 그리고, 경쟁사 모니터시 모니터 된 자료를 수시로 모아두면 월간 리포트 작업시 별도의 작업을 하지 않더라도 편리하게 작성할 수 있습니다. 물론, TV광고물뿐 아니라, 인쇄, 온라인 등 스크랩할 수 있는 광고물들을 모두 모으는 것이 좋습니다. 경쟁사 모니터시 광고물 분석을 하게 되지만, 월간 리포트를 정리하면서는 다른 광고물과 함께 종합적으로 정리하게 되므로, 보다 넓은 시각에서 경쟁사와 자사의 제작물의 차이점, 어떠한 광고물이 더 경쟁적으로 효과적이었는지를 나름 가늠해 보는 것이 필요합니다. 광고물 하나를 제작하기 위해 상당히 어려운 과정을 거친다는 것을 알기 때문에 해당 비주얼이 왜 쓰였는지, 왜 그러한 카피가 쓰였는가를 곰곰이 생각하고 나름 다시 분석하는 과정을 거친다면 보다 효율적인 월간 리포트 작성업무가 될 수 있습니다.

[광고비 자료]

광고비 정리는 광고주의 특성에 따라 정리하는 형태가 어려가지 일 수 있습니다. 월간 리포트에 광고비만 간단히 넣는 경우도 있고 미디어팀이 해당 부분만 미디어 효과를 포함하여 미디어 전체 보고서로 별도로 정리하는 경우도 있습니다. 월간 리포트에 간단히 넣을 경우는 종합적인 업종 누계형태로 나타내고, 이후 브랜드별, 경쟁사별, 미디어 별 광고비만 정리하기도 합니다. 만약 AE가 해당 부분을 정리하여 넣어야 한다면, 광고 데이터 프로그램을 활용하여 실제 5대미디어별 광고비(TV, RD, 신문, 잡지, CATV)가 어떻게 사용되었고, 월별로 변화된 것이 있는지를 확인하는 것이나, 실제 전년대비 어떠한 형태로 변화되고 있는지, 어떠한 이슈가 있었는지를 파악하여 추후 월간 리포트 공유 시 이러한 부분의 궁금증이 나온다면 코멘트를 함께 정리하여 궁금증을 해소해 주는 것이 필요합니다. 광고비 또한 단순 집행 량을 보는 것이 아니라, 집행의 변화와 그 속에서의 의미를 찾아내는 것이 중요하기 때문입니다.

[기타 첨부 자료]

월간 리포트는 사실 위에 내용 이외에도 광고주의 특성에 맞추어 다양한 내용을 추가하게 됩니다. 판촉 프로모션이 집중적으로 이루어지는 광고주라면 해당 부분의 내용을 집중적으로 강화하는 것이 필요하며, 이를 위해 관련 자료를 스크랩하여 함께 첨부해야 합니다. 또한, 제품 경쟁이 치열한 제품이나 브랜드의 경우는 신제품 출시 동향을 함께 넣어야 합니다. 또한, 마케팅 커뮤니케이션의 최신 트랜드나, 타깃 트랜드 등 한달 동안 이슈가 되었던 다양한 케이스를 필요에 따라 정리하여 첨부하기도 합니다. 꼭 자사의 제품이나 브랜드 관련 사례뿐만 아니라, 광고주의 마케팅 커뮤니케이션 활동에 도움이 될 만한 내용은 평소에 모아두었다 정리하면 훨씬 더 알찬 월간 리포트가 될 것입니다.

이렇게 매월 작성된 월간 리포트는 어떤 경우는 광고주와 함께 회의하는 자리에서 브리핑 되기도 하고 미디어팀에서 분석된 미디어 효과분석자료(Post buy: 전월 집행된 광고비에 대한 미디어 효과분석자료로 매월 1회 미디어 플래너가 정리하여 광고주에게 전달되는 미디어 중심자료)와 함께 프린트 물이나 데이터 형태로 광고주에게 전달되기도 합니다. 월간 리포트가 빛을 발하는 경우는 광고주와의 Annual PT, 경쟁PT, 워크샵 시 다양한 자료로 가공되는 기본 자료가 되어 광고주와의 실무 진행 시 효과적으로 사용될 수 있으며, 또한, 자신이 진행한 월간 리포트를 통한 학습으로 다양한 회의 시 전략방향에 대한 이해를 높이거나 의견을 협의하는데, 많은 도움을 받을 수 있을 것입니다.

계약서 관리를 철저히 하세요.

광고회사에서 계약서관련 업무는 광고 업무의 시작을 위해 광고주와 광고 회사 간 맺는 광고 대행계약부터, TV광고 제작시 유명 모델을 캐스팅할 경우 AE는 모델과의 계약, 광고주와의 대행 종료로 인한 대행 계약의 해지까지 계약업무는 광고 업무의 처음부터 끝까지 전 부분에서 발생하는 업무라고 할 수 있습니다. 따라서, 단순히 계약을 맺는 것에서 끝나는 것이 아니라, 맺어진 이후 그것이 이후 업무의 전반에 영향을 끼치게 되므로, 업무 진행 시 계약조건에 위배되지 않도록 숙지하고, 만약에 상황에 참고하여 문제가 발생하지 않도록 유의해야 합니다.

[광고대행 계약서]

광고대행계약서는 광고 비즈니스 전반을 좌우하는 계약서라고 할 수 있습니다. 광고 업무를 시작하기 전에 광고주와 체결하는 계약서로 통상 1년 단위로 계약을 갱신하게 되며, 광고 대행계약서는 광고주와 광고회사 간의 업무 관련하여 다양한 내용을 기술하여 명기하게 되는데, 일반적으로 대행 범위의 규정, 대행기간, 청구, 세금계산서 발행, 보안 유지, 법적인 문제 해결 등의 내용이 들어갑니다. 일반적인 광고대행계약서라면 회사 내 계약서 양식에 따라 작성하면 되고, 광고주와의 검토 후 을부터 날인하여 광고주와 한 부씩 보관하면 됩니다. 다만, 반드시 내부 관리스텝의 사전 확인을 해야 한다는 것과, 광고주 등록을 위해 사업자 등록증을 받아야 한다는 것, 그리고, 원본 및 사본 관리를 잘 해야 하는 실무적인 부분들이 있습니다. 그러나, 통상적이지 않은, 부분 대행, 제작 대행, 미디어 대행, 관공서 등 특수한 상황의 경우는 계약서 자체도 복잡해지고 첨부서류도 늘어나는 경우가 있습니다.

광고대행계약서 AE들이 가장 자주 쓰고 싶어 하는 계약서입니다 하지만, 상기 계약서를 하나 작성하기 위해서는 많은 스텝들 과의 협업을 통한 노력이 반드시 필요합니다.

[방송광고 대행계약 확인서]

광고주와 광고대행계약 업무가 종료되면, 전파광고를 하는 광고주의 경우는 한국방송광고공사(이하 코바코)나 미디어랩사에 제출하는 계약서를 작성하게 됩니다. 방송광고 대행계약 확인서가 그것인데, 광고주와 대행계약이 체결된 이후에 방송광고를 위해서 코바코에 전달하는 등록 서류입니다. 서류자체는 한 장이지만, 이 한 장으로 방송광고를 가능하게 되기 때문에 잘 챙겨야 하는 문서입니다. 서류의 주요 내용은 코바코에서 제공하는 정해진 양식을 채워 보내주는 것인데, 주요 내용은 대행계약기간, 해당 품목, 연락처 등이 들어 있습니다. 업무자체는 방송 미디어를 구매하는 미디어 바잉팀을 통해 진행하게 됩니다. 방송광고대행계약확인서 업무 시에는 광고주가 광고 업무가 시급할 경우는 신속하게 진행해야 하기 때문에 미디어 청약 업무를 효과적으로 지원하기 위해 우선적으로 해야 할 필요가 있는지 확인하는 것, 품목을 구체적으로 명기하는 것, 시점을 언제로 할 것인지에 대한 협의가 매우 중요합니다.

[방송광고 대행연장 확인서]

방송광고 대행연장 확인서 업무는 대행계약 확인서의 유효기간이 만료되는 시점에 연장을 하게 될 경우 작성하는 서류로 만약 별 문제없이 연장된다면 해당시점 보름전이나 한달 전에 광고주에게 업무 연락하여 날인을 받아 진행하면 됩니다. 프로세스는 방송광고대행계약확인서 업무 진행과 동일하나, 품목의 변동 여부나 기간을 한번 더 확인해야 하는 것이 중요합니다.

[방송광고 대행 해지 확인서]

방송광고대행해지확인서는 담당 광고주의 광고 대행 계약기간이 만료되어 연장되지 않거나, 경쟁PT등을 통해 광고 대행이 다른 광고회사로 이관될 작성하는 서류로 작성시 기존 광고회사는 더 이상 전파광고를 하지 못하게 됩니다. 이후 후속 대행사에서 업무를 이관 받아 진행하게 됩니다. 통상 해지 서류는 광고주와 기존 광고회사가 상호 날인하여 후속 광고회사가 있을 경우 전달해 줍니다. 급한 광고 계획이 없다면 상관없지만, 후속 광고회사가 급하게 업무를 진행할 경우는 날인업무를 빠르게 진행해 주어야 합니다. 대부분의 경우 AE들이 가장 쓰기 싫어하는 계약서라고 할 수도 있습니다.

[모델 계약서]

모델 계약서는 AE업무 중 가장 꼼꼼하고 작성하기 어려운 계약서 중의 하나입니다. 특히 일반 모델보다 유명모델의 경우는 그 조항 하나하나를 점검하면서 따지기 때문에 충분한 사전 준비와 협의가 필요합니다. 일반적으로 들어가는 내용은 광고주와 광고회사 모델의 규정 계약 품목의 범위 계약 금액 지급 방법출연 회수 법적인 문제등이 주로 들어가게 됩니다. 보통은 유명 모델 에이전시와 AE가 1차적으로 협의를 하게 됩니다. 이때 모델 에이전시는 모델의 소속사나 소속사가 없을 경우 모델 개개인과 직접적으로 협의합니다. 아무래도 비용부분과 회수가 큰 이슈가 됩니다. 모델 측과 1차 협의된 내용을 광고주와 협의하여 다시 조정된 부분을 모델 에이전시가 재차 협의하여 최종 합의된 내용을 계약서에 기본 골자로 만들게 됩니다. 통상 6개월이나, 1년 정도로 계약을 하게 되며, 6개월일 경우 1편, 1년일 경우 2~3회 정도 출연하게 됩니다.

AE는 사전에 출연자의 금액을 확인하고 해당 프로젝트에 합당한 금액을 합의하는 것이 중요합니다. 또한, 출연회수/편수도 광고주의 광고계획을 사전에 확인하여 불필요하거나 너무 적게 출연하지 않도록 조정하는 것도 필요합니다. 큰 이슈는 아니지만, 광고주가 대리점이나 지점이 있는 경우 계약기간 내 제작된 영업용 전단지 등이 모두 회수되거나 폐기되지 않고 일부 대리점이나 지점에 남아 있을 경우 문제 삼지 않는다는 조항 등 통제되지 않는 변수를 광고주에 따라 계약내용에 고려하는 것도 필요합니다.

앞서 언급한 계약관련 내용은 AE들이 많이 다루는 계약서 중 대표적인 것들만 언급했지만, 이외에도 BGM(Background Music: 광고물에 사용되는 배경음악)에 대한 계약서나, 국내외 해외 라이 센싱, 업무 협약서, CI/BI/디지털/보안 계약서등 다양한 것을 작성하게 됩니다.

정해진 계약서라면 크게 문제가 없지만, 계약서 관련 어떤 업무라도 가장 중요한 것은 우선적으로 앞으로 일어날 통제 불가능한 변수까지 가능한 고려한다는 것입니다. 생각하기는 힘들 수 있겠지만, 계약서 작성시 만에 하나 발생할 수 있는 문제를 최대한 고려하여 계약서의 조항에 삽입하고, 문항자체를 명료하고 구체적으로 정리하는 것이 매우 중요합니다.

그리고, 계약서 자체는 분명 '갑'과 '을'등의 업무를 분장하고 역할 수행을 명확히 하고자 하는 하나의 약속이므로, 협의 시 비즈니스 적인 마인드를 최대한 AE가 가지고 있어야 합니다. Give & Take의 마인드라고 해야 맞을 것 같습니다. 그렇다고 무조건 다 주거나, 요구하거나 하는 것은 오히려 문제를 발생시킬 수 있습니다.

마지막으로 가장 중요한 것은 계약서의 이행과 관리 모니터입니다. 앞서도 언급했지만, 계약서를 날인하고 끝나는 것이 아니라, 관련 업무를 진행함에 있어 제대로 수행되고 있는지, 계약기간 종료 시점에 광고주와 재계약 여부등을 협의하는 시점관리 모니터입니다. AE들 중 자칫 모델 계약기간, 방송광고 대행 계약 기간 등을 잊고 있다가 갑자기 생각나서 광고주와 뒤늦게 협의하는 경우를 종종 보게 됩니다. 이럴 경우는 광고주 입장에서도 예산 품의 시점을 놓쳐 재계약에 어려움을 겪을 수도 있으니, 만료되기 1~2개월 전 일정한 날짜에 협의하여 계약 업무를 원활하게 진행하는 것이 필요합니다.

방법적으로는 협의하고 작성 후 날인하여 원본을 가지고 있다 하더라도 그것이 끝이 아니라 그 계약내용을 항시 숙지하고 있을 수는 없지만, 별도의 표를 만들어 관리하는 것이 필요합니다. 그리고, AE가 직접적으로 쓰지 않는 계약서도 있기 때문에 별도로 체크하여 놓아야 합니다.

기본적으로는 해당 브랜드와 제품으로 구분하여 광고대행계약기간, 방송광고 대행계약, 모델의 계약기간, 혹 다른 이미지 초상권이라면 초상권 계약 기획 쪽에서 쓰지는 않지만, BGM사용기간 등을 분류하여 계약기간과 추가 사용 가능 여부 등을 내용에 기재하여 관리해야 합니다. 그리고, 갱신이 필요할 경우를 대비하여 본인만 알 수 있도록 해당 시점에 별도 표기하는 것이 필요합니다. 이런 철저한 관리를 통해 혹 발생될 수 있는 상황에 광고주에게 알려 추가 비용 협의 등에 어려움이 없도록 해야 합니다.

신선한 아이디어를 수시로 메모하고 고민하세요.

광고회사에 들어오기 전에는 광고회사에서 아이디어 짜내고 전략을 짜고, 크리에이티브 한 제작물만 만드는 것이 대부분이라고 생각하지만, 실제 광고회사에 들어오면 아이디어를 내는 시간보다 실무입장에서는 다른 업무를 하기에 빠듯하기 일쑤입니다. 그러나, 분명 광고회사는 아이디어를 만드는 업종이고 광고주는 항상 신선하고 강력한 아이디어를 원하고 있습니다. 이런 차원에서 분명 바쁜 실무에서도 아이디에이션은 매우 중요한 업무임에 틀림없고, AE 실무자들도 잘 풀리지 않을 경우 머리를 맞대고 수시로 회의하게 됩니다.

또한, 아이디어 회의 상에서 화두는 단순한 광고 전략만을 이야기하는 것은 아닙니다. 광고전략의 아이디어는 기본이고, 카피수정의 방향, 신제품 아이디어, 판촉 아이디어, 현수막 문구 방향 등 크고 작은 광고주 관련된 다양한 이슈가 테이블에 올라오게 됩니다.

더구나 바쁜 실무에서 아이디에이션을 통해 빠르고 적절한 아이디어를 낸다는 것 쉬운 일이 아닙니다. 천재가 아닌 이상은 끊임없는 노력이 필요할 뿐이라고 이야기하고 싶고 오래된 연차인 저 에게도 여전히 힘들고 고통스러운 업무라고 이야기하고 싶습니다.

다만, 아이디어를 만들어 내거나 아이디에이션하는 관점부터 바꾼다면 보다 조금은 도움이 될 만한 방법이 있다고 생각됩니다.

첫째, 아이디어 업무를 창조가 아닌 이종 간의 조합 또는 융합이라는 것이라고 생각하는 관점의 전환이 필요합니다. 왜냐하면, 지구상에 존재하는 모든 광고물들을 가만히 보면 완전히 창조적인 없던 것은 거의 없기 때문입니다. 우리가 알고 있는 상식들을 관점만 바꾸어 해석하면 'Surprising' 하게 느껴지도록 만들기 때문입니다. 따라서, 전혀 없던 무에서 창조적인 생각을 하려고 하지 말고 평소에 가지고 있던 것들에 대한 재해석과 발전을 시킨다는 관점을 기본적으로 가졌으면 합니다.

둘째는 좋은 아이디어를 만들기 위한 행동을 하는 것입니다. 평소에 신선한 것, 관심 있는 것, 특별한 것, 또는 너무 평범한 것 등을 조금씩 모으면서 공부한다고 생각했으면 합니다. 영화 '본콜렉터'를 보면 주인공이 몸은 마비되어 있지만, 수집광이라는 평소 자신의 습관이 앉아서도 천리를 보고 남들이 생각하지 못한 생각을 하는 것을 볼 때 효과적인 아이디에이션을 위해 평소에 모으고 공부하는 습관은 매우 도움이 될 것이라고 생각합니다.

요즘에는 이런 수집을 위한 좋은 프로그램들이 많이 있는 것 같습니다. 과거에는 프린트하여 바인딩 형태로 활용했지만, 그것도 오래 못 가게 되어 컴퓨터 프로그램을 활용하여 수집하는 것이 많이 도움이 되는 것 같습니다. 그렇다고, 자료를 모으기 위한 수집은 일이 되므로 평소 인터넷 서핑, 신문을 보다 자연스러운 상황에서 아이디어 작업에 도움이 되는 것들을 모아 분류된 파일 함에 넣어두면 필요시 아이디에이션의 원천으로 참고하게 됩니다.

이런 행동은 사실 제작팀에서 많이 볼 수 있습니다. 제작팀의 경우 아이데이션을 위해 다양한 광고 서적과 비주얼 관련 서적을 참조하게 됩니다. 그러한 것들을 보다가 아이디어를 만드는 제작을 보면 AE입장에서도 같은 것이 아닌가 생각하게 됩니다.

그리고, 평소에 관심 있는 사이트 들을 단순히 즐기고 지나갈 것이 아니라, 별도의 카테고리로 구분을 하여 분류를 해주면 실제 아이디에이션시에 적잖은 소스들을 쉽게 테이블 위에 꺼내어 놓을 수 있을 것입니다. 특히, 실제 아이데이션시에 다양한 자료를 놓고 회의를 하는 경우가 많은데, 순간순간 활용 가능한 아이디어를 바로 이야기하게 되기 때문에 노트북을 가지고 필요에 따라 검색하면서 Ide아이데이션을 진행하다 필요한 아이디어를 이야기하는데 큰 도움을 얻을 수 있을 것입니다.

그러나, 사실 콜렉팅만 하고, 검색 폴더만 만든다고 아이디어를 이야기하는 것은 쉬운 것은 아닙니다. 무조건 수집하는 과정 자체가 중요하다 기보다는 수집하는 과정에서 AE가 '어떤 상황에서 사용하면 좋겠구나'라고 나름의 기준을 가지고 분류를 하는 생각을 하면서 하는 것이 더 중요하다고 할 수 있습니다. 그리고 그러한 분류를 나름 자신만이 알 수 있도록 표시를 해 두고 시간이 날

때 틈틈이 보면서 발전시켜가는 것이 필요하며, 그러한 과정이 반복되고 누적되면 실제 아이데이션시 찾아내는 것이나 적합한 아이디어를 만들어 내는 것에 가까워집니다.

셋째는 마지막은 고민의 과정을 통해 누적된 아이디어의 가공입니다. 앞서 언급했지만, 100% 창조된 광고물은 없다고 감히 이야기를 드렸습니다. 그렇다고 아이데이션에서 모방한다는 개념은 절대 주의해야 합니다. 자료를 수집하고 나름의 생각과 판단에 의해 분류를 하였다면, 해당 자료가 어떻게 해서 어떤 근본에 의해 만들어졌는지 그 프레임에 대한 이해를 깊이 새겨보는 것이 필요합니다.

실패한 것이든, 성공한 것이든 간에 어떠한 기본 프레임에 의해 만들어 졌는지를 나름 유추해 보면서 겉모습을 모방하는 것이 아니라 그렇게 만들어진 가장 기저에 있는 프레임을 찾아내어 활용하려고 애써보는 것입니다. 사실 본인도 아직 잘 모르는 것이지만, 분명 완벽하게 창조적인 아이디어는 없다는 전제하에서 시각을 바꾸어 본다면 의미 있는 과정이 될 것이라고 생각이 됩니다. 매우 어려운 과정이지만, 끊임없는 성공과 실패를 통해서 나름의 노하우를 찾아내게 될 것이라고 생각합니다. 일단 신선한 아이디어를 만들어 내기 위해 평소 메모하고 콜렉팅하는 습관을 길러보는 것이 필요합니다.

광고주 관련 이슈에 미리 기민하게 대응해야 합니다.

'OO 제품에 이상한 이물질 발견'/'OO제품 사용 중 폭발'
'해당 제품 기준치이상 발견'/'OO우유 파동'
'OO 제품 불매운동'/'트랜스 지방 사용 제품 퇴출'
'OOO푸드 광고 규제'/'연예인 OOO씨 사망'
'OOO OO상 수상'/'OOO선수 미국 LPG 우승'
'OOO선수 금메달 획득'/'OOO대표 4강 진출'
'OOO 에베레스트 정복'/'세계최초 FDA승인'/'최단기간 판매1위'
상기 관련 기사가 갑자기 온라인이나 매스컴에서 다루어 졌다면, AE입장에서는 무엇을 해야 할 까요? AE는 광고주의 OT를 받아 업무를 진행하는 것 외에도 담당 광고주의 브랜드나 제품관련 이슈가 발생했을 시 사전에 예측하여 광고주의 요청 전 능동적으로 관리 및 대응하는 것도 필요합니다. 크게는 긍정적인 이슈와 부정적인 이슈 관리가 있는데, 공통적인 점은 타이밍을 놓치지 않고 신속하게 판단하여 진행해야 한다는 것입니다.

부정적 이슈관리는 '위기관리 커뮤니케이션'이라고 부르기도 하는데, 위기관리란 어제 오늘의 이야기가 아니라, 언제나 불시에 발생할 수 있는 무서운 것이라 할 수 있습니다. 더구나 대응이나 관리가 잘못되었을 경우 엄청난 사태를 불러올 수도 있는 것입니다. 예전 일본의 모식품회사에 경우에는 제품에 문제가 생겨 소비자들 사이에서 붉어지면서 확산되어 소비자들 사이에서 외면당하면서 결국 해당 회사가 퇴출된 사례가 있을 정도로 아주 중요한 업무라고 할 수 있습니다. 이렇게 엄청난 결과를 초래하는 것이다 보니 이러한 문제가 터질 경우 이에 대한 해명이나 해결을 위해 광고주와 광고회사가 적극적으로 노력하는 것이 현실입니다.

광고주의 경우 혹 몇 번 문제를 겪다 보면 아예 운영매뉴얼까지 만들어 위기를 극복하는 경우도 있고, 어떤 광고주는 해당 위기가 발생했을 때 광고회사에 커뮤니케이션적으로 접근하는 방법이나 사례 등을 요청하는 경우도 있습니다. 또 어떠한 경우는 실제 간이 조사를 통해 현재 위기에서 우리 제품이나 브랜드가 마케팅을 계속 해야 할지 아니면 조용히 있어야 할지를 판단하는 상황이 발생할 수도 있습니다.

직접적으로는 관계가 없을지라도 문제가 아니더라도 모 국가에 부정적 이미지가 발생했다면, 해당 국가에서 수입되어 국내에 판매되는 제품이나 브랜드에 소비자들이 해당 국가의 브랜드이기 때문에 구매에 영향을 줄지 안 줄지를 매우 궁금해할 수도 있습니다.

따라서, 어떠한 경우 든 광고주의 위기가 닥쳤을 경우 광고주는 광고회사에 이러한 위기를 극복하는 방법을 요구하게 되며, 그것이 신문상의 공고나, 사과광고로 진행될 수도 있습니다. 이럴 경우는 제작의 크리에이티브보다는 문구중심으로 광고주와 카피, 그리고 기획이 대단히 긴밀하게 카피방향을 협의하게 됩니다. 그리고, 이러한 사과광고나 공고는 해당 광고주의 CEO나 오너까지도 신중하게 카피를 보게 되기도 합니다.

어떤 경우는 광고를 아예 집행되는 광고를 Off-air 경우도 있습니다. 이럴 때는 AE가 한국방송광고공사나 미디어사에 긴급으로 미디어팀을 통해 연락하여 전달하되, Off-air하는 명분이 이해가 될 수 있도록 분명한 것이어야 하며 편집 스케줄상 불가피하게 온 에어 되는 경우도 있으니 편집 스케줄의 타이밍 또한 잘 확인 해야 합니다. 불가피하게 나갈 경우는 광고주에게 사전에 알려주어 집행된 후에 문제가 되지 않도록 해야 합니다. 이러한 위기의 문제는 예고되는 경우보다 갑작스럽게 아침 일찍 아님 저녁 늦게 오는 경우도 있어 경험이 전혀 없는 경우는 처리하기가 대단히 어려운 것이 사실입니다.

고통스러운 위기 관리의 상황이 있는 반면 광고주의 긍정적인 이슈에 빠르게 대응해야 하는 때도 있습니다. 담당하는 광고주, 제품이나 브랜드가 수상을 하는 경우입니다. 대부분 이러한 수상은 사전에 예측되기 때문에 그나마 대응하기가 수월한 편입니다. 또한, 대통령의 노벨상 수상과 같은 국가적으로 경축할 만한 사항에 대해서도 직접적인 연관성은 없지만, 기업측면에서 신문광고나 TV에 자막 등을 넣어 긍정적인 이슈에 대응하는 경우도 있습니다. 긍정적인 이슈도 이런 예측 가능한 것은 사전에 데이터나 자료를 받게 되어 대응을 하기가 상대적으로 쉽지만, 예측하기 어려운 상황에 대해서는 시나리오별로 광고물 작업을 미리 해 두었다가 그때 그때 상황에 맞추어 대응해야 하는 경우도 있습니다.

대표적으로 어떤 스포츠 스폰서십에 들어가 있을 때 16강, 8강, 4강, 결승, 그리고 우승했을 경우를 고려하면서 24시간 대기하며 해당상황이 발생했을 경우의 시나리오별로 시안이나 콘티를 만들어 바로 대응해야 하는 상황이 그러한 예라고 할 수 있습니다.

이럴 경우는 정말 며칠밤을 밤을 꼬박 새우게 되며, 광고회사 입장에서야 정말 빌링 올라가고 좋은 일이지만, AE입장에서는 며칠 동안 관련 스텝들과 고생하게 됩니다. 그래서, AE들끼리도 저녁에 TV를 보다 누가 우승이라도 하면, 'OO광고회사는 고생께나 하겠구나, 사진 구하러 난리겠네.'라고 쓴 웃음을 지으며 이야기하기도 합니다.

TV 집행이 필요할 경우는 실제 촬영이 불가하면 스틸이나, 방송국이나 관련 영상 이미지를 구매해서 TV로 편집 진행하는 경우도 있습니다. 이럴 때는 정상적인 스케줄로는 상상도 못하게 진행되게 됩니다. 통상 1~2개월 걸리는 TVCM 제작스케줄을 감안한다면 과거 김연아 선수가 우승 했을 당시 모가전 브랜드에서 관련 수상 장면을 활용하여 수일 만에 온에어 한 것을 보면 보다 이해하기가 쉬울 것입니다.

불과 몇 가지 예를 들지는 않았지만, 긍정적인 이슈 든, 부정적인 이슈 든 간에 이슈관리 업무는 타이밍을 놓치는 순간 이미 지나간 이야기가 되고 맙니다. 어떤 마케터는 마케팅은 타이밍이라고 이야기합니다. 개인적으로는 광고실무에서 이슈 관리 업무를 가장 잘 규정하는 것이라 할 수 있을 것 같습니다. 이슈관리에 있어서 정답은 따로 없는 것 같습니다. 다만, 이러한 이슈관리를 위해 AE로 관련업무를 대하는 태도는 분명 있습니다.

첫째, 평소에 자신이 담당하는 브랜드나, 제품이 아니더라도 관련 케이스에 대해 공부하는 것이 필요합니다. 특히, 위기가 발생했을 때 대응하는 방법들에 대해서는 광고주가 요청할 수도 있는 부분이므로 반드시 알아 두고 준비해 두는 것이 좋은 것 같습니다.

둘째, 앞서 언급했듯이 발생했을 시 대응해야 하는 관련 스텝과의 업무 커뮤니케이션입니다. 신속하게 대응해야 하는 만큼 빠른 의사결정을 이뤄낼 수 있고, 효과적인 답변을 얻을 수 있도록 결정과정을 최소화할 수 있고 빠르게 피드백 할 수 있는 채널을 구축하는 것입니다. 정상적인 프로세스로 진행할 경우 버스가 이미 떠난 상황이 될 수 있으므로 발생했을 시 어떠한 프로세스가 가장 빠를지를 판단해야 합니다.

마지막으로 평소 모니터링에 신경 쓰는 것입니다. 광고 모니터뿐만 아니라, 이슈가 발생할 수 있을 만한 뉴스거리에 나름의 해석을 통해 준비해 놓는 것입니다.

차음료를 담당하고 있는 AE나 목 관련 제품을 담당하고 있는 AE에게는 뉴스에서 '올해는 황사가 심해질 것' 이런 기사를 듣게 되었을 경우 머리에 '핑' 하고 도는 것이 필요할지도 모릅니다. 그때는 뭔가 기획팀 내부에서 협의하여 사전에 광고주에게 미리 알고 뭔가를 제시한다면 판매 증대 등 다양한 측면에서 높은 기여를 하게 될 수도 있게 될 수도 있습니다. 이렇듯 이슈관리는 실무 AE가 단순히 수동적으로 움직이는 것이 아니라, 광고주보다 오히려 일정부분에서 앞서서 예측하는 능동적인 업무라고 말 수 있습니다. 직접적인 광고 기획, 제작 업무 외 광고주 업무에도 AE 역할이 필요할 때가 있습니다. 광고회사 AE로 근무하다 보면 생각지도 못했던 여러 가지 일들을 AE들이 해결해야 하며, 광고 기획이나 제작과 직접적인 연관성이 없는 업무를 보고서화 하거나 브리핑을 해야 할 때도 많이 있습니다. 예를 들면

브랜드 BI나 회사의 CI를 바꾸는데 광고회사 의견은…

상품이 새로 나왔는데 광고회사 의견은…

옥외광고 설치해 놓았는데 과연 효과는…

온라인이 나을지 케이블이 나을지…

캐릭터 마케팅의 성공사례가 있는지…

불황기 광고를 해야 하는 이유…
회사 사가를 바꾸어야 하는데 어떻게 해야 할지.
모델을 바꾸어야 할 타이밍은 아닌지…
바이럴 마케팅 성공사례는 없는지…
회사의 비전을 새로 했는데 의견은 어떤 지…
깐느 같은 곳에 가는 것이 비용투입대비 과연 의미…
광고 교육하는 기관은 어떤 곳이 있는지…
미디어 전문 Agency는 어디가 있는지…
기념식, 오픈, 체육대회, 워크샵, 준공식이 있는 혹 재미있는
아이디어가 없는지 등…

실무AE 입장에서 처음에는 '어 왜 AE들이 해야 하지?'라고 의문이 들 수도 있고'어떻게 해결해야 하지'라고 막연한 생각이 들 수도 있을 것입니다. 물론 모든 것을 해결할 수 있는 것은 아니지만, 무조건 관련 요청에 대하여 단박에 잘라 버리는 것도 잘 못된 것이라 생각이 듭니다.

왜냐하면, 광고주 광고 담당팀에서 바로 발생한 건이 아니라 유관부서나 타 부서에서 가장 관련성이 높다고 판단했기 때문에 업무 협조가 온 탓에 해결에 대한 고민을 광고회사로 왔을 경우도 있기 때문에 함께 업무를 진행하는 파트너로서 함께 고민해 주는 것도 어떻게 보면 당연할 수 있습니다.

또한, 광고회사의 기획이라는 개념을 놓고 본다면 단순 자원을 효율적으로 배분하는 계획적인 업무를 하는 것이 아니라, 시장에서 담당 제품이나 브랜드의 소비자 인식상에 문제를 진단하고 해결하여 효과적인 배분까지 생각하는 광의적인 개념의 기획으로서 다르게 본다면 해결이 아주 불가능한 것이 아닐 수 있기 때문입니다. 더구나 광고주 내부 결재 과정이 진행되는 것을 광고회사 AE들이 가장 잘 알고 있고 이해도가 높기 때문에 유사 업무가 발생하였을 시에는 원활한 업무진행을 위해서라도 함께 진행하는 경우가 많이 있다고 할 수 있습니다.

우선적으로 이러한 업무가 발생할 경우에는 실무AE는 광고주에게 관련 업

무의 배경을 명확히 알아야 한다는 것입니다. 광고에서도 광고를 하려는 목적이 분명하고 구체적일수록 결과물이 명확하게 나오듯이 요청하게 된 배경과 목적, 어느 정도의 결과물이 나와야 하는지에 대한 Work Scope까지를 분명하게 알아 내어야 합니다. 그래야, 직접 해결을 하든 스텝부서를 참여시켜 진행을 하든 과제의 실마리를 보다 쉽게 찾아 가고 정리할 수 있게 됩니다.

다음으로 업무 분장과 구체적인 브리프입니다. 분명 과제를 받게 되면 팀의 리더들은 어떻게 숙제를 풀어갈지에 대해 고민하게 되고 업무 롤을 나누어 주어 내부에서 찾아야 할지 스텝과 협의해야 할지, 아님 비용이 투입되어야 할지에 대한 판단을 하게 됩니다. 만약 한 부분의 스텝과 업무를 진행하게 되면 크게 문제가 아니지만, 여러 스텝이 한꺼번에 공동으로 진행하게 되면, IMC업무를 챙기듯이 업무분장을 하고 종합적으로 AE가 정리하며 진행할 필요가 있습니다.

또한, 아무리 사소한 관련 업무라 해도 광고의 전문 업무가 아닌 상황에서는 브리프 자체를 매우 구체적으로 작성해야 합니다. 물론 광고 브리프 자체도 구체적으로 작성하는 것은 당연한 것이지만, 스텝에서 볼 경우 외적인 업무 자체가 생소할 수 있기 때문에 친절하게 하나 설명할 수 있도록 시작에서 결과물의 요청사항까지 자세하게 기술하여 정리해야 합니다.

특별히 이런 경우는 AE의 의견을 많이 넣는 것이 좋을 수도 있는 것 같습니다. 통상 크리에이티브 브리프나, 광고와 직접적인 업무 브리프 상에서는 가급적 기획 쪽에서 합의된 공통된 의견을 정리하여 협의하는데, 생소하고 어려운 업무일수록 스텝에서 풀어갈 수 있는 아이디어 팁을 최대한 많이 넣어 이해도를 높이는 것이 업무 시간을 줄이는 데로 매우 도움이 될 수 있습니다. 특히, 광고주의 의도를 가장 잘 이해하고 있는 것이 실무AE들이기 때문에 보다 효과적인 회의진행이 그런 예시나 아이디어 팁이 적잖은 영향을 미칠 수 있습니다.

보통 광고 시안이나 TV콘티등 광고와 직접적인 제작물 등은 광고주와 일정 시간을 협의하여 스케줄에 맞게 제시하는 것이 일반적입니다. 그러나, 외적인 업무를 진행하게 될 경우 업무 시간을 단축하고 효과적인 결과물을 뽑아내기 위해 중간 협의를 반드시 할 필요가 있는 경우가 있습니다.

예를 들어 어떤 검토 요청을 받을 상황에서 내부 스텝까지 협의하여 이러한 목차와 결과물을 뽑아내면 되는 것인지에 대해 광고주와 중간 미팅이나 자료 공유를 통해 오차를 최소화하여 기획과 스텝들이 함께 고생한 결과물이 헛되이지 않도록 하는데 그 의미가 있다고 할 수 있습니다.

이런 중간 협의는 단지 이런 광고 외적인 업무를 다루는데 그치지 않고 워크샵이나 과제가 모호하거나 프로젝트가 매우 큰 경우 등 다양한 상황에서 중간 미팅은 진행하게 됩니다. 어찌 되었건 외적인 업무를 진행함에 있어 최종 결과물을 광고주에게 제시하기 전에는 큰 도움이 되는 것 같습니다.

외적인 업무 진행에 있어 결과물을 최종 제시시 단순한 검토 의견을 전달하는 경우도 있지만, 크게 문제가 되지 않는다면, 광고회사만의 독특하고 재미있는 아이디어 적인 결론이 나오는 것도 도움이 되는 것 같습니다. 예를 들어 사전에 개발된 어떤 제품 디자인이나 좀더 광고적으로 연관성이 높은 업무의 경우는 내부의 제작팀 등 관련 스텝들이 이런 식의 디자인은 어떨지 해서 발전된 아이디어를 내놓을 경우도 있습니다. 단순하게 완성된 제작물에 대한 평가를 모와 제시할 수도 있겠지만, 좀더 나아간다면 보다 비즈니스 관계로서 좋은 인상을 심어 줄 수도 있고, 혹 추후 좋은 하나의 '프로젝트'로 발전할 수 있는 상황까지도 연결될 수 있기 때문입니다.

보고 준비의 달인이 되어야 합니다.

실무AE들은 광고주와의 업무를 진행함에 있어 여러 가지 형태의 보고를 하게 됩니다. 실무자 들과의 테이블 미팅부터 경영진에게 올라갔을 때의 최종 프레젠테이션까지 보고 형태와 상황에 맞추어 보고를 위한 준비는 실무자들이 해야 할 중요한 업무 중에 하나입니다. 사실 어떤 상황에서 든 광고주 보고가 잘 준비되어 끝났다고 하더라도 직접적으로 혜택이 주어지는 것은 아닙니다. 그러나, 보고 준비가 미흡하여 보고 진행이 매끄럽지 않거나 할 경우는 광고주에게 보고와는 상관없이 좋지 않은 인상을 끼치거나, 매우 중요한 경영진 보고 시에는 아무리 보고 내용이 좋은 것을 준비했다 하더라도 문제가 심각해지는 상황을 겪게 되곤 합니다. 따라서, 실무자들은 어떠한 보고 상황에서 든 보고가 문제없이 끝날 수 있도록 보고의 시작부터 마무리까지 한치의 오차가 없도록 꼼꼼하게 챙겨야 합니다.

첫째, 광고주 실무자들과 보고내용에 대하여 1차적으로 합의되면 이후 보고하려는 대상 자, 인원, 일정을 확인하는 것입니다. XX건에 대해 언제까지 보고하기로 하였다면, 실무AE는 보고 받게 되는 대상자가 광고 실무자인지 중간 임원인지, 누구까지 참석하는지를 확인해야 합니다. 우선 보고 대상자가 누구냐에 따라 프레젠테이션 형식을 요구하는 경우도 있고, 테이블에서 미팅을 간단하게 진행하는 경우도 있기 때문입니다. 그리고 참여자를 확인하는 것은 보고물을 출력량과 칼라 프린트 여부, 제작물의 출력상태까지 결정하게 되므로 대상자와 인원을 파악하는 것이 우선입니다. 그리고, 보고 받는 대상자가 결정이 되면, 광고회사에서 참여하는 참석자의 인원구성 또한 구성할 수 있게 됩니다. 이렇게 보고 일정, 보고 대상자가 정해지면 실무AE는 보고 직전까지도 참여 스텝과 보고 규모에 따른 장비까지도 챙겨야 합니다. 물론 이동 관련 차량 또한 확인하여 준비하는 것도 실무AE들의 몫입니다.

둘째, 보고 대상 자가 정해지면 보고 전까지 해당 결과물에 대해 광고주 쪽 실무자들과 이상이 없는지를 확인하는 절차가 필요할 수도 있습니다. 모든 결과물을 광고주에게 확인하는 것은 아니지만, 실무적으로 합의된 사항에서 약간이 보완사항 요청이 있거나, 내부 진행 시 변경된 사항이 있다면, 분명 보고전에 광고주 실무자측 에게 변동사항이나 발전사항이 있다면 제작물이던 기획서이던 확인을 시켜주는 것이 현장에서 당혹스럽게 되지 않습니다. 만약 광고주 실무자들이 모르는 내용이 수정되어 보고되었을 경우는 매우 당혹스러운 상황이 연출되어 보고 분위기를 망칠 수도 있기 때문입니다.

따라서, 경쟁PT와 같이 광고주가 PT당일까지 몰라도 되는 형태의 보고는 상관없지만, 진행하는 광고주의 경우 보고를 원활하게 하기 위해서는 반드시 사전에 보고 내용에 대한 이견이 없는지를 확인하는 절차를 거쳐야 합니다. 또한, 광고회사 내부에서도 보고 자료를 당연히 보고를 해야 할 것입니다.

세번째로 보고 내용에 대한 이상이 없다면, 보고할 자료들은 만드는 것입니다. 몇 부를 만드는지, 칼라는 몇 부가 필요한지, 제작물을 보드화 해야 할 경우 보드를 몇 개를 만들지 실무AE들이확인하여 스텝별로 준비해야 할 것을 준비해야 합니다. 간단한 제본일 경우 내부에서 해결할 것인지도 판단해야 하며, 외부로 나갈 경우는 보고 일정과 차이가 없는지, 시간은 맞출 수 있는지도 사전에 고려해야 합니다. 실무AE들이가장 많이 실수하는 것 중에 하나는 칼라출력시 인쇄 부수가 많은데 사전에 프린터를 확인하지 않아 여분의 잉크를 확보하지 못해 외부로 보내 비용을 많이 발생시키 경우가 있다는 것입니다. 관련 스텝이 퇴근하기 전에 사전에 여분을 준비하는 센스도 실무AE들에게는 필요합니다.

네번째로, 보고 전에 가급적 현장에서 확인해 보는 것입니다. 광고주에게 자주 가서 보고를 하는 장소이더라도 장비가 말썽을 일으키는 경우가 종종 있기 때문에 실무AE들은 보고자료를 가지고 혹시 모르는 상황에 대비하여 현장에 가서 테스트 해보는 것이 필요합니다. 설치된 노트북으로 데이터를 전송할 경우 서체가 깨지거나, 링크된 데이터의 연결이 깨지게 되어 동영상이 실행되지 않는 경우도 있기 때문에 가급적 현장에서 실제 구동하며 시스템 구동에 이상이 없는지를 확인해 보아야 합니다. 보고장비가 이미 준비되어 있다 하더라도 만약의 사태에 대비하기 위해서는 가급적 모든 장비를 함께 가지고 가는 것이 겪어본 사람들에게는 이해가 되는 부분일 것입니다. 또한, 보고 직전에 준비된 자료들은 실무AE 회의실에서도 테스트를 반드시 하는 것이 필요합니다. 장비를 설치하였다 다시 챙기는 것도 쉬운 일은 아니지만, 완벽하게 보고 상황처럼 설치하여 내부에서 테스트를 다 해보는 것이 만약에 발생한 사고를 미연에 방지하는 것 중 하나입니다. 빔 포인터에 배터리는 제대로 되어 있는지, 빔프로젝트의 렌즈 칼라는 구현이 잘 되는지 노트북과의 호환성은 문제가 없는지 등 완벽하게 실행을 해보지 않고 그 동안 잘 되었지 하는 맘으로 보고를 하다 사고가 나면 매우 후회스럽고 당혹스럽게 되기 때문입니다.

다섯 번째로, 보고 당일 전 혹시 모르는 상황에 대비하여 Check List를 만들어 준비한 장비 및 보고자료가 빠짐이 없는지를 확인하는 것입니다. 보고용 자료부터, 각종 장비, 인원현황부터 외부에서 늦게 오는 데이터나 테이프, 보고용 보드 등 하나부터 열까지 빠짐이 없이 리스트 화하여 확인해 가야 합니다. Check List화 하여 하나하나 수량 확인만 했다고 해서 끝난 것은 아닙니다. 단순한 수량이 아니라, 내용물도 반드시 확인이 필요합니다. 예를 들어 통상 영상 광고물의 시사는 파일을 노트북에 담아 TV로 연결하여 시사를 하는 것이 보통인데, 파일이 시사 순서가 제대로 되어 있는지 파일 용량이 화질이 이상없이 담겨 있는지, 오디오는 제대로 나오는지, CM시작전 구분한 TAB사인은 제대로 표기되어 있는지를 틀어보면서 확인해야 합니다. 편집실 등에서 파일 전환시 확인을 하기는 하지만, 실무AE도 반드시 크로스로 확인하여 시사테이프가 이상 없도록 확인하고 또 확인해야 합니다.

마지막으로, 보고 시간을 맞추기 위해 출발직전 스텝 확인을 해야 합니다. 함께 갈 수 있는 스텝, 따로 오는 스텝 등 인원확인을 신속하게 하여 광고주 도착에 착오가 없도록 챙겨야 합니다. 아무리 보고 준비를 잘 해도 보고 시간에 맞추지 못하여 보고가 늦게 진행된다면 아무리 잘 한 보고도 의미 없이 수포로 돌아갈 수 있기 때문입니다.

사실 이렇게 보고 준비를 꼼꼼하게 하더라도 간혹 예상치 못한 상황으로 어려움을 겪을 수도 있고, 실제 보고상에 돌발 문제로 인해 보고가 매끄럽게 진행되지 못하는 경우도 있습니다. 그럴 경우 침착하고 신속하게 대응하는 것이 제일인 것 같습니다. 그만큼 보고는 광고회사 입장에서 매우 중요한 단계이며, 문제가 생기지 않도록 하는 것이 실무AE 입장에서 반드시 필요한 숙제입니다. 소 잃고 외양간 고치면 아무 소용없듯이 보고는 우리가 자칫 신경 쓰지 않거나 소홀하게 대했을 경우 치명상을 입히는 업무일 수 있으므로 보고가 작건 크건 항상 긴장하고 꼼꼼하게 챙기는 습관을 가져야 합니다.

기획 회의는 하면 할수록 실력이 향상됩니다.

광고회사에서 기획회의나 전략회의는 제품이나 브랜드의 커뮤니케이션에 방향성을 결정하는 매우 중요한 회의이며, 실무AE라면 자신의 아이디어로 좋은 캠페인 방향성이 나오길 기대하게 됩니다. 그러나, 기획회의나 전략회의는 기획팀 뿐 아니라, AP, 마케팅, 제작, 디지털팀 등 매우 다양한 스텝들이 모여 회의하거나, 다른 아이디에이션에 비하여 매우 논리성을 요하는 회의 분위기가 있기 때문에 쉽지 않은 것이 사실입니다.

그렇다고, AE의 경험과 연차에서 나오는 문제라고 만 보기에는 어려우며, 끊임없는 노력을 통해 전략적이고 기획마인드 강한 AE로서 회의에서 주도권을 가지려고 해야 한다고 생각합니다.

우선 문제를 바라보는 시각과 기획이나 전략의 아이디어를 내는 방법부터 달라야 한다고 생각합니다. 쉽게 실수하는 것이 문제를 인식하는 방법입니다. 예를 들면 인지도가 떨어지고 있다, M/S가 줄어들고 있다를 문제로 생각하는 것과 현상으로 받아들이는 것과는 큰 차이가 있습니다. 현상은 겉으로 드러난 것으로 누구나 알고 있는 것을 의미하며 그것을 해결한다는 것은 너무나 당연한 이야기가 될 것입니다.

따라서, 현상자체를 문제로 인식한다면 표면적인 해결과제만을 내놓게 될 것입니다. 어려운 것일 수도 있으나, 겉으로 드러난 현상에 목매는 것보다는 그 현상을 만들어낸 실질적인 문제가 있다는 것을 최대한 찾아내려고 하는 분석력을 가지는 것이 필요합니다.

이와 동시에 AE들은 광고회사에서 AP나 마케팅팀과 함께 가장 논리적이고 전략적으로 생각하려는 습관을 가지고 있습니다. 쉽게 말하면 어떠한 문제를 해결하기 위해 전략적인 아이디어를 내놓는 과정상에 서론 본론 결론 또는 문제 인식, 해결과제, 전략, 실행 아이디어식으로 풀어서 내 놓는 방식을 많이 택하곤 합니다. 물론 정답이라고 말하기는 어렵지만, 광고주에게도 이슈에 대한 공감을 유도하고, 전략을 뽑아내어 설득시키는 과정이라면 가장 보편적이면서도 타당한 접근방법이라고 할 수 있으며, 이런 방식으로 기획서나 전략서를 효과적으로 정리하는 방법까지 한꺼번에 해결할 수 있는 장점을 가지고 있으므로, 기획이나 전략회의시 아이디어를 낼 때 활용하려고 노력하는 것이 도움이 될 수 있습니다.

그리고, 실제 협의하는 자리에서 한번에 방향이 정리될 수도 있고, 몇 번의 회의를 거쳐 정리가 안되는 경우도 있습니다. 그런데, 각 방향들을 보면서 단순히 이건 아니다, 저건 아니다 식으로만 이야기하는 것은 올바른 방식은 아니라고 생각됩니다. 해당 아이디어들은 분명 이런 근거에 의하여 해당 문제를 해결하기 위한 해법으로 내 놓았을 것이지만, 그런 아이디어들에 대해 막무가내로 아니다 라고 하는 것은 공감을 얻기 힘들고 회의 분위기 또한 망가뜨릴 수 있는 것이기 때문입니다.

전략 방향 등에 대한 아이디어를 부정할 경우에는 다수가 공감할 만한 전략적 근거나 이유를 분명히 제시하면서 설득적인 이야기로 끌고 가야 할 것입니다. 또한, 아니다 라고 하는 설득적인 이유를 제시하더라도 가급적 대안을 함께 제시하는 것도 필요합니다. 아닌 것에 대한 설득만 하는 것 보다는 대안까지 함께 제시할 때 회의에 대한 분위기를 고려한다고 생각하게 되고 회의의 효율성 또한 높아진다고 생각하게 되기 때문입니다.

AE들에게 있어 이런 회의시 가져야 할 태도 중 하나는 핵심을 이야기하는 것입니다. 중언부언하지 않고 핵심적인 이야기로 요약하여 전달하는 것이 좋습니다. 실제 광고도 핵심적인 이야기를 크리에이티브하고 심플하게 전달하는 것이 중요하다고 보고 있는데, 중언부언 이야기 하면서 핵심을 흐리게 한다면 원하는 아이디어가 매우 취약하고 모호해질 수 있기 때문입니다.

때론 아이디어를 이야기할 때 먼저 이런 전략 대안이나 방향이 적합할 것 같다고 이야기하고, 그것과 관련된 근거를 몇 가지 첨언하여 회의의 효율성을 높이기도 합니다. 이는 광고업무 전반에 관련되어 필요한 태도일 것이라고 생각됩니다. 가급적 필요하고 핵심적인 이야기를 효과적으로 전달하려는 것 매우 중요한 태도가 아닐 수 없을 것입니다. 물론 당연한 이야기이지만, 능수능란하게 하기 위해서는 어느 정도의 시간과 노력이 매우 필요합니다.

일반 회의부터 경쟁PT를 위한 전략 회의까지 정말 다양한 회의를 AE들은 하게 됩니다. 그런데, 전략적인 고민이 필요한 회의에서는 구두로 회의할 수도 있겠지만, 광고주에게서 받은 자료나 정리된 팩트 북을 보면서 고민한 후에 회의를 하게 될 때에는 나름 AE로서 간단히 기획서 형태로 만들어 협의하는 것이 회의의 속도나 보다 다양한 아이디어를 만드는데 도움이 되는 것 같습니다. 사실 실무 하는 AE입장에서는 하나의 훈련일 수도 있고, 늘 협의나 회의를 할 때 이러한 노력은 필요한 것 같습니다.

하지만, 매번 기획 회의를 할 때마다 페이퍼로 정리하는 것도 실무들에게는 적잖은 스트레스입니다. 분명 회의하고 나서 다시 정리하고 회의하고 반복되는 훈련이 도움은 되지만, 현업시에는 보이지 않는 스트레스 일 수 있습니다. 개인적으로는 이럴 때 선배들이나 팀장님의 코칭이 중요할 것 같습니다.

왜 우리가 이 기획 회의를 하고 어느 부분이 문제이고 개선해야 할 점인지 등을 구체적으로 이야기해주고 동기부여를 해준다면 반복되는 기획 회의에 대한 불만이나 스트레스는 줄어들 수 있다고 생각합니다.

기획회의는 아무 의미 없이 모여 이런저런 아이데이이션 하는 것이 아니라, 뭔가 기획팀의 AE들이 서로의 아이디어를 모아 협의를 하여 가급적 다수가 동의하는 결과물을 만들어야 합니다.

이런 기획회의 습관은 저 연차 시절부터 하면 자신도 모르는 사이에 기획 회의에서의 실력이 향상되어 있을 것입니다.

기획서는 광고주와 AE사이의 세일즈 북입니다.

대부분의 AE들에게 물어보면 아직도 어렵고 갈 길이 먼 것이 기획서 작성이라고 이야기합니다. 여전히 어렵고 힘든 것이 기획서이고, 사람마다 생각이 다른 탓에 모두가 맘에 들어 하는 기획서를 만들기란 매우 어려운 것이 사실입니다.

반면에 AE가 그럴 듯 해 보일 때가 기획서를 광고주 앞에서 브리핑할 때입니다. 이런 기획서에 대해 완벽한 답은 없지만, 기획서는 실패를 두려워하지 말고 끊임없이 쓰고 또 써 보야 한다고 이야기해주고자 합니다.

AE입장에서 기획서란 하나의 세일즈 북이라고 생각합니다. 자동차 영업소에 가면 자동차 브로셔나 팜플렛이 있듯이 소비자 우리에게는 광고주에게 우리의 상품(커뮤니케이션 전략)을 팔기 위한 브로셔라고 할 수 있겠습니다. 브로셔를 가만히 보면 몇 가지 특징이 있는데, 우선, 제품에 대해 대단히 매력적인 사진과 카피들이 심플하게 정리되어 있고, 결국 사야만 하는 이유를 기술해 놓여 있습니다.

물론 처음부터 다 보여주는 것이 아니라, 인트로부터 끝맺음 까지 기승전결에 맞추어 정리하여 놓았다는 측면에서 비슷한 면이 분명하게 있습니다.

개인적으로도 여전히 어렵지만 훌륭한 기획서를 위해서는 우선 과제를 명확하게 인식한다는 것입니다. 과제를 인식하는 것은 첫 단추를 끼우는 만큼 과제에 대한 인식을 명확히 해야 합니다. 과연 왜 이 숙제를 주었는가? 단순 그 페이퍼에 의존하여 판단하지 말고, 전체적으로 돌아가는 시장과 소비자의 패턴 등 다양한 것을 머리 속에 넣어 돌아가는 상황을 정확하게 보려고 애를 써야야 합니다. 과연 광고주의 숙제 속에 숨어있는 뜻은 무엇인지 그것을 찾아내기 위해 시작에서는 골몰해야 합니다.

그리고 자료의 수집입니다. 광고회사에서 일하다 보면 다양한 자료를 만나게 되고, 모으게 됩니다. 우선적으로 각 회사에서 사용하는 데이터베이스나 네트워크를 활용하여 기본 자료를 찾아 서칭합니다. 물론 인터넷의 자료나 자료실에 있는 자료를 서칭합니다.

광고물/광고비 데이터, 논문자료, 기타 관련 소비자 조사자료, 기사 자료 등 그런데 무조건 찾는 것이 아니라, 과제에 대한 관련성이 높은 자료를 찾아내는 것이 중요합니다. 예를 들어 이동통신자료만 하더라도 얼마만큼 많은가? 아마 기사 검색하면 아마 밤을 새워야 할 것입니다.

따라서, 과제를 명확히 보고, 그에 맞는 관련성이 높은 키워드 기반으로 자료를 찾아내는 것이 중요합니다. 그리고, 이런 제품은 트랜드가 매우 빨라, 경쟁사의 대응논리나 소비자의 최신 트랜드를 중심으로 찾는 것이 맞을 수도 있습니다. 반면, 처음 PT하는 광고주나 제품이라면 기본 자료를 넘어 영업현장에 가보거나 소비자들의 이야기를 들어 보기도 합니다. 필요하면 고객/점주 인터뷰나 FGI조사를 진행하는 것까지 할 수도 있습니다.

자료의 수집과 팩트 북에 대한 연구가 끝나면 숨은 문제를 파악하여 아이디어의 숙성과정을 거치게 됩니다. 기획서를 쓰는 요령은 사람마다 접근 방법이나 구성방법이 다릅니다. 기획서든 제작물이든 준비된 자료를 머리에 일단 다 넣고, 숙성하는 과정을 진행합니다. 이때는 밥을 먹거나, 버스를 타거나 화장실에서도 생각하고 생각합니다.

정리된 자료와, 광고주의 과제, 광고주가 무엇을 생각할까 등 다양한 것들을 머리 속에 넣고, 고민합니다. 그 이후에 진정 과제에 깊은 곳에 숨어있는 문제가 무엇일까 쉽게 말하면 현상과 문제를 구분하는 것부터 시작됩니다. 현상은 광고주가 제시한 인지도 문제등일 뿐 어디서 왜 일어나는 지를 파악하여, 무엇이 해결할 칼인지를 찾아내는 것이 중요합니다. 어려운 이야기 일 수도 있지만, 지속적인 훈련을 통해 문제의 본질에 접근해야 합니다.

이렇게 고민된 생각은 이제 정리하는 것이 중요합니다. 이를 위해 저 같은 경우는 3단계로 정리합니다. 쉽게 말하면 서론, 본론, 결론, 이렇게 하거나 문제점, 전략과제, 솔루션 이런 식으로 한장에 정리하여 고민합니다. 이를 여러가지 버전으로 만들면 전략 대안 여러 개여 정리할 수 있습니다. 기획 회의때도 매우 편리하게 사용되는 것 같습니다. 어떤 경우는 초안 기획서식으로 쓰는 경우가 있거나, 콘셉트만 적어오는 경우가 있는데, 개인적인 취향에 따라 정리하는 것이 필요합니다.

실제 기획서 작성시에는 3단 논법으로 정리된 내용은 앞뒤에 살을 붙여 드라마타이징을 합니다. 즉, 문제를 이야기하는 것과 콘셉트에 도달할 때까지 조금씩 이야기를 하면서 궁금증을 유발시키는 것 이것이 기획서의 본 작업이라고 생각합니다. 시작에서 관심을 유도하고 공감을 일으키며 반전과 이해를 시키는 것 그래서 문제의 본질을 공감하고 해결 방안을 제시했을 때 고개를 끄덕이게 하는 것. 그것이 기획서를 잘 쓰는 것이라 생각합니다.

기획서를 쓸 때 가장 중요한 기술법이 심플함과 임팩트인 것 같습니다. 무조건 주저리 정리할 것이 아니라, 매 페이지 마다 정말 필요한 말인지, 다음 말과 연결되는 말인지를 고민해 보는 것입니다. 그런 후에 페이지에 위치를 선정하고 페이지에서 하려는 가장 중요한 말인지를 판단하여 가장 크게 기술합니다. 물론 그에 관련된 데이터나 주석에 대해서는 별도 표기하여 이해를 도울 수 있도록 기술합니다.

기획서는 전략이 수반된 콘셉트를 파는 세일즈 북이라고 했습니다. 이러한 세일즈 북이 1차 완성되면, 전체적인 흐름이나 임팩트가 적절하게 정리되었는가를 리뷰하게 되는데, 이때에는 회의실 한쪽 벽에 테이프로 붙여 놓고 가만히 들여다보면서 리뷰를 하는 것이 가장 효과적입니다. 이때, 중요한 기획서이거나, PT 기획서 라면 팀원들과 함께 보면서 리뷰를 하는 것이 좋습니다.

왜냐하면, 기획서는 광고주에게 있어 처음 보는 내용이기 때문에 한번에 봐도 무슨 내용인지를 알아보아야 하므로, 팀원들이 처음 리뷰 하면서 한번에 그리고, 전달하려는 메시지가 정확하고 임팩트 있고, 전략적인지를 보기 하기 위해서입니다. 그러면서, 펜과 테이프를 두고 위치를 바꾸거나, 추가할 사항이 있다면, 펜과 테이프로 추가하거나 필요 없는 논리는 빼면서 보다 기획서를 고급화시키는 것입니다. 이러한 리뷰 과정을 거쳐 기획서를 완성하면 보다 다른 사람이 모르는 사람이 보아도 설득력 있고, 쉬운 기획서가 되지 않을까 생각합니다.

마지막으로 기획서도 하나의 메시지라고 생각합니다. 제작물처럼 하나의 메시지를 그런 측면에서의 기획서 디자인이 필요한 것 같습니다. 기획서내에서 담고 있는 콘셉트이기 분명 있으며 그것이 의미하는 바가 있고, 기획서는 그것이 잘 느껴지고 보여 지도록 관련성 높은 테마를 가지고 디자인한다면 보다 효과적인 기획서를 제시할 수 있을 것입니다.

폰트 하나를 사용하는 것, 그림 이미지를 넣는 것 등 기획서에는 몇 자 적는 것은 아니지만, 그 한자를 적기 위해 많은 고민을 해야 하며, 기획서의 마지막 페이지까지 효과적인 커뮤니케이션을 위해 끊임없이 고민하고 수정하면서 향상시켜야 합니다.

브리프가 잘 되어야 결과물이 좋아집니다.

브리프는 광고주로부터 시작된 광고관련 업무를 내부 기획팀 회의를 거쳐 결과물로 구현하기 위한 첫 단추를 끼우는 것이고, 결과물의 전체적인 방향성과 퀄리티를 결정하는 매우 중요한 업무입니다. 브리프는 제작물 관련 브리프만 있는 것이 아니라, 미디어, 조사, 프로모션, 디지털 등 다양한 분야의 업무를 진행시키는 업무 의뢰서로서 광범위하게 사용됩니다.

Creative Brief

[TV, 인쇄는 광고 제작물 제작을 위한 브리프]

Media Brief

[미디어 기획 및 구매 등과 관련된 브리프]

Research Brief

[광고 조사 및 소비자 조사 관련 브리프]

기타 PR, IMC, 프로모션, 디지털 관련 브리프

실무AE들이광고 관련 업무로서 가장 많이 쓰는 브리프는 Creative Brief이며, 미디어 구매 및 플래닝 의뢰를 위해 미디어 브리프를 쓰고 광고 효과 조사나, 소비자 조사를 위해 Research Brief를 쓰고, PR, IMC, 프로모션 등 광고주의 광고 제작은 아니지만, 커뮤니케이션 업무에 다른 스텝의 지원이 필요할 경우 작성하는 기타 브리프등이 있다고 할 수 있습니다.

Creative Brief는 광고회사마다 다양한 형태와 양식이 있는데, 가장 우선 나오는 기본적인 항목은 Product description이라는 제품이나 브랜드에 대한 상황을 기술합니다. 광고주에게 OT받은 제품 및 브랜드 경쟁의 상황을 가장 심플하고 알기 쉽게 정리하는 것이라고 할 수 있습니다. 이때 무조건적으로 상황이나 현상을 길게 나열하는 것이 아니라, 해당 내용을 한번에 알 수 있도록 심플하면서 명확하게 기술하는 것이 중요합니다.

다음으로 광고의 목적과 콘셉트입니다. 광고의 목적이 단순히 인지도 제고라고 기술하는 너무나도 무책임한 것이라고 할 수 있습니다. 왜냐하면 모든 광고는 노출이 일어나면 인지도를 형성하는 것이 기본인 것이기 때문입니다. 따라서, 목적이라고 한 것도 전술적인 차원에서의 세부적인 얻고자 하는 목적을 기술하는 것이 중요합니다. 오히려, 이번 광고를 통해 얻고자 하는 인식이 무엇인지를 기술하는 것이 더 정확하다고 할 수 있습니다. 어떤 Creative Brief에서 보면, Desired Image라는 식의 표현을 쓰기도 합니다.

이렇게 세부적으로 기술된 목적 이후 타깃 즉 제품이나 브랜드가 어떠한 타깃을 대상으로 하는지를 기술하게 됩니다. 타깃 기술시에도 일반적 인구통계학적인 내용뿐 아니라, 그 타깃이 현재 가진 스타일이나 패턴을 기술하며, 이번 광고에서 필요한 인사이트와 같은 것을 함께 기술해주면 좋습니다. 오히려 제작의 입장에서는 이런 부분을 주목해서 보게 됩니다.

광고의 목적과 타깃이 정리되면 제품이나 브랜드가 기회요인으로 생각하고 인식을 형성할 수 있을 만한 콘셉트를 정리하게 됩니다. 통상 콘셉트이란 브랜드나 제품이 소비자들에게 전달하려는 핵심적인 키워드라고 규정을 합니다. 그런데, 실무AE들은 무조건적으로 한 두개의 단어로 정리하려는 것에 강박관념을 가지고 있습니다. 그런데, 콘셉트라는 것은 앞서 말했듯이 단 몇 개의 단어로 규정이 되지 않는다면, 그것을 스테이트먼트식으로 정리하여 의미만을 정확히 전달하는 것도 방법입니다.

그리고, 콘셉트는 전략적 방향에 대한 가장 기초이지만, 제작 스텝들에게는 무한한 상상력과 크리에이티브를 발산할 수 있는 출발점이 되는 이야기로 되어야 합니다. 쉽게 말하면 상상이 가능해야 합니다.

예를 들어 실크소재로 만들어 피부를 섬세하게 커버한다고 해서 기획이 '섬세한 언더웨어'라고 정해서 갈다고 하자 과연 제작들이 이를 표현할 수 있을까? 물론 특장점을 반영한다고 하지만, 표현할 수 있는 기본 내용이 존재하지 않는 아주 어려운 기획방향일 수 있습니다. 이러한 내용보다 오히려 콘셉트를 아주 구체화하여 '애인의 손길처럼 착 붙는 언더웨어'라는 개념으로 주든지 구체적으로 형상화될 수 있어야 한다는 것입니다.

아마 콘셉트를 규정하는 것은 지속적인 훈련과 광고를 많이 보면서 터득하는 과정이 필요할 것입니다. Creative Brief상에서 콘셉트 정리 이후에 크리에이티브의 가이드나 톤, 꼭 잊지 말아야 할 사항을 넣게 됩니다. 가이드나 톤을 적을 때도 즐겁게 라는 것보다는 'OO떤 즐거움' 같은 가급적 구체적인 표현을 기술해 줄수록 보다 Edge있는 표현이 나올 수 있습니다.

이와 함께 제작물에 꼭 들어가야 하는 사항에 대해서 기술하는 Mandatory Inclusion이라는 항목이 있습니다. 제작물에 꼭 반영되어야 하는 사항으로 그것은 사전에 광고주와 협의되거나 기존의 캠페인에서 유지되었던 부분들까지 세심하게 고려되어야 합니다. 또한, 실제 제작물을 광고주에게 제시하기 전이나 썸네일 리뷰 상황에서 확인해야 하는 Check List 역할도 하게 되므로 되도록 자세하게 정리하는 것이 필요합니다.

마지막으로 Creative Brief상에서 일정은 다른 사항 못지않게 중요합니다. 제작일정을 사전에 광고주와 협의하는 경우도 있고 어쩔 수 없이 급하게 진행되어야 하는 상황도 있지만, 가급적 제작과 1차적으로 합의된 일정을 광고주와 합의하여 적어 놓았을 경우 무리가 없으므로 무조건 맞추어야 한다는 것보다는 최대한 조절하여 합의된 내용을 넣는 것이 좋습니다.

Creative Brief라 하더라도 상기와 같이 모든 항목에 맞추어 정리되는 브리프가 보통이기는 하지만, 때에 따라서는 변칙적으로 활용됩니다. 즉 제작물의 목적이나 업무량에 따라 상황이나 타깃보다는 제작물 가이드를 집중적으로 적는다든지, 크리에이티브의 접근을 다양하게 한다든지 등 다르게 적용될 수 있습니다.

예를 들어 옥외 SP물을 제작할 경우 오히려 가독성, 유동인구, 칼라 등 현장상황에 맞는 이야기들이 더 많이 들어갈 수도 있을 것입니다. 이처럼 Creative Brief는 정해진 것 보다는 최고의 제작물을 효과적으로 뽑아낼 수 있도록 기술적인 면을 고려하는 것도 매우 필요합니다.

이외에 미디어 브리프나, 조사 브리프는 Creative Brief와는 다르게 양식화되어 있어 상대적으로 기술하기는 용이하지만, 얻고자 하는 목표나 추후 결과물에 대한 구체적인 방법까지 세심하게 기술되는 부분을 고려해야 합니다.

IMC와 같은 전사적인 스텝이 움직이는 프로젝트의 경우는 한 두 장의 브리프 보다는 기획서 형식으로 정리하는 경우가 많습니다. 하나의 빅 아이디어를 기반으로 미디어별이나 스텝별로 나타나야 하는 메시지나 실행안이 달라질 수 있으므로 채널 별, 스텝 별 적용되는 이야기를 별도로 정리하여 기술하는 것이 필요합니다.

브리프는 앞서 언급하였지만, 광고주에게서 받은 오리엔테이션을 기초로 하여 최적의 결과물을 뽑아내는 첫 단추입니다. 커뮤니케이션 툴이나 스텝 별로 받아들이는 것이 차이가 있을 수 있으므로 성격을 이해하고 적용하는 것을 끊임없는 훈련을 통해서 발전시켜야 할 것입니다.

견적합의를 전략적으로 해야 합니다.

광고회사의 수익구조는 크게 미디어비와 제작비로 나눌 수 있습니다. 미디어비는 그 달에 집행한 광고의 TV, CATV, 신문, 디지털 등 집행 미디어에 해당하는 비용을 청구하여 수익을 발생하고, 제작비는 앞서 언급한 미디어들에 들어간 제작물을 제작하는데 들어간 비용을 청구하여 수익을 만듭니다.

미디어비는 기본적으로 단가 체계가 명확하게 정해져 있어 청구시점에서 청구서들을 모와 청구를 하면 되지만, 제작비의 경우는 정해진 단가가 있지만, 광고주 상황이나 제작물의 규모 등 변수가 매우 많아 광고주와 사전 합의하거나, 제작 후 견적서를 만들어 광고주와 해당 견적을 함께 협의하여 합의 후 청구하게 됩니다.

이때 AE들이 하게 되는 업무가 바로 견적합의이나 견적합의는 신입AE나 주니어AE가 처음부터 잘 하기에는 어렵습니다. 견적합의의 기본적인 프로세스 및 견적서에 들어가는 용어 등을 전부 이해하고 광고주가 견적 합의하는 스타일까지 모두 파악하고 있어야 하기 때문입니다.

더구나 견적합의 시 무조건 단가만 넣어 견적서를 가지고 합의하는 것이 아니라, AE가 실제 합당한 견적인지 등을 파악하여 전략적인 마인드를 가지고 해야 하기 때문에 시간과 노력이 필요합니다. 통상적인 실무AE차원에 견적합의 전반적인 프로세스를 보면

(1)광고주 오리엔테이션 후 관련 제작 프로젝트의 전산 등록

(2)제작물 제작완료 후 제작관리 담당자에게 견적서 요청

(3)견적서 확인

(4)견적서 최종 작성 및 견적 합의

(5)견적 최종 확정 및 세금계산서 발행

통상 4~5단계에 걸친 프로세스를 거쳐 미디어비용과 함께 청구하게 되는 프로세스입니다. 이런 프로세스 상에서 견적합의가 잘 이루어져야 최종적인 청구까지 마무리되므로 AE입장에서는 원활한 견적합의를 이루어 내는 것이 필요

합니다.

견적합의를 전략적으로 잘 수행하기 위해서는 제작에 들어가기 전에 예상되는 비용에 대해 광고주와 사전협의를 하는 것이 좋습니다. 그렇지 않고 진행될 경우 추후 제작비가 많이 나와 합의가 잘 이루어지지 않을 수 있기 때문입니다. 특히, TV광고의 경우는 워낙 제작비가 크기 때문에 사전에 합의를 하는 것이 좋습니다.

특히, 광고 경험이 없는 광고주의 경우는 더욱더 견적을 사전에 합의하여야 합니다. 그렇지 않으면 예상치 못한 제작비로 광고주나 광고회사 모두 감당할 수 없는 문제를 떠 안을 수 있기 때문입니다.

그리고, AE는 견적합의에 있어 발생할 수 있는 모든 상황을 고려하면서 비용을 확인해야 합니다. 예를 들어 CF 촬영시의 견적합의시 금액이 워낙 크다 보니 종종 인쇄 광고 및 비즈링등 소소하게 들어가는 비용들을 빼먹는 경우가 생깁니다. 그러한 견적도 나중에 들어가면 오버하게 되니 사전에 함께 생각해 두는 것이 좋습니다.

더구나, 인쇄는 해외촬영인 경우 포토의 숙식까지 고려해야 한다는 것 전체에서 빼먹으면 안됩니다. 결국 작은 금액들이 모여 부담되는 견적이 될 수 있으므로 꼼꼼하게 챙기는 습관을 가져야 합니다 이렇게 꼼꼼하게 만들어진 견적은 합의 전후, 진행 중에도 제작관리를 하는 담당자나 관련 제작스텝과의 긴밀한 커뮤니케이션이 필요합니다.

모델계약기간, 배경음악의 금액 및 사용기간 등 관련 기간을 사전에 확인하여 견적금액자체에 무리가 없도록 수시로 커뮤니케이션하여야 합니다. 견적자체는 제작관리에서 만들지만, 전체 제작의 흐름이나 제작물의 범위는 AE가 주도적으로 제작과 관련 스텝에게 전달하여 최종적으로 만들어 지기 때문에 AE가 일방적으로 처리할 경우는 나중에 비용 지급 시 무리가 발생할 수 있기 때문입니다.

견적합의는 완성된 제작물만을 합의한다고 생각하면 안됩니다. 진행되다가 중단된 것 또한 견적합의 대상이라고 생각해야 합니다. 예를 들어 TV나 인쇄 시안 등 수많은 시안이 들어가다 광고주의 내부 사정 등에 의하여 변동되거나 프로젝트 자체가 중단되는 경우가 있습니다. 어떤 경우는 건 자체가 사라지기도 하고 다른 건 진행 시 비용협의가 되기도 하지만, 콘티 발주가 들어가거나, 시안이 들어갔다면 외주처의 비용이 발생되는 것이 많기 때문에 외주 비용에 대한 정산이 필요한 상황이 올 수도 있습니다.

그럴 경우는 많은 비용일 수도 있겠으나, 일정 시안 들어간 노력비용에 대해서는 AE가 제작 및 제작관리와 협의하여 광고주에게 비용 정리에 대한 것을 협의할 수 있어야 합니다. 그렇지 않고 매번 건을 누락되거나 다른 건에 올려 진행하게 될 경우 외주나 제작관리, 제작팀에게 신뢰를 잃을 수도 있고, 그만큼 추후 제작물의 퀄리티에도 반영될 수 있는 것입니다.

견적합의에서 가장 중요한 것은 이러한 모든 프로세스를 다 알고, 챙기고 나서 견적합의를 할 때 빈틈이 없이 철저하게 준비를 하는 것입니다. 다양한 광고주를 경험하다 보면 견적합의도 다양한 형태의 광고주를 만나게 됩니다. 사전에 합의된 견적만으로 합의를 한다든지, 개별 건을 세심하게 보면서 합의를 하는 꼼꼼한 광고주 등 다양한 형태의 견적합의를 하게 됩니다. 이때, 어떠한 광고주이든 간에 AE는 기존에 들어간 견적, 수정된 버전의 제작물, 계산기 등 합의 상황에서 발생할 수 있는 광고주의 질문에 대응하고 합리적인 견적을 받기 위해 준비하여야 합니다.

합의 상황에서 해당 항목에 대해 정확하게 대응하지 못하거나 모호하게 대답하거나 한다면 광고주에게 신뢰를 순간 잃게 되고 정당한 금액을 합의하기가 어려운 상황에 처하게 됩니다. AE들도 통상 촬영현장에 가게 됩니다. 가는 이유 중에 하나도 투입된 장비 및 촬영 시간, 인력을 눈으로 실제 확인하기 위한 부분도 있습니다. 견적합의시에도 촬영 현장을 명확하게 기억하여 하나의 빠짐이 없이 합의할 수 있어야 합니다.

견적합의는 광고회사의 수익을 만들어 내는 중요한 업무 중에 하나입니다. 좋은 크리에이티브로 좋은 평가를 받는 것도 중요하지만, 광고주로부터 합당한 대가를 지불 받는 것 또한 중요한 것입니다.

특히, 정당한 대가를 지불 받지 못할 경우 내부의 제작뿐만 아니라, 외부의 프러덕션 등 외부 스텝들까지 신뢰를 잃고 향후 업무에 지장을 초래할 수도 있습니다. 따라서, AE는 이런 중요성을 기본적으로 인지하고 있어야 하며, 제작물에 전과정에 참여하고 기억하여 견적합의 업무를 보다 전략적으로 수행하는데 노력해야 할 것입니다.

청구 프로세스를 익히고 시점을 놓치지 마세요.

청구업무는 AE가 월별 하는 업무 중에 정기적인 업무이며, 실질적인 광고회사의 수익을 만들어 내는 업무입니다. 다른 업무들로 인해 매우 바쁜 상황이지만, 청구 업무는 그런 바쁜 와중에서도 반드시 처리해야 하는 업무이다 보니 실무 AE들에게 현업과 청구업무가 동시에 걸리는 시기에는 매우 스트레스를 많이 받는 것 같습니다.

청구업무는 크게 집행된 미디어 관련 비용을 청구하는 미디어비 청구와 제작 견적합의 이후 청구하는 제작비 청구업무로 나뉘어 집니다. 단순한 세금계산서만을 발생하는 것이 중요한 것이 아니라, 광고주 담당자가 관련 서류를 받아 재경팀에 청구업무를 원활하게 할 수 있도록 관련 증빙서류를 챙기는 것도 포함되어 있습니다. 청구업무에 있어 가장 중요한 것은 프로세스를 완벽히 익히고 해당 시점을 놓치지 않고 청구하는 것입니다.

우선 청구업무에 있어서의 일반적인 프로세스는 통상 아래의 프로세스이나 회사마다 조금씩 다를 수는 있습니다.

1) 청구내역리스트 작업

청구의 가장 기본은 월별 정리입니다. 미디어비와 제작비를 분류하여 청구할 종합리스트를 만드는 것입니다. 이는 나중에 증빙을 위한 자료이기도 하고, 청구 시에 집행여부의 확인과 실적관리를 위해서도 매우 중요하므로 청구시점에만 만드는 것이 아니라, 평소에 업데이트를 꾸준히 해주는 것이 좋습니다.

2)청구내역 광고주 확인

월별 정리된 청구내역은 광고주별/브랜드별/미디어별/제작별등로 분류하여 구분을 합니다. 이때 다른 금액들은 광고주 확인 시 이미 확정된 금액이므로 문제가 없으나, 제작비 같은 경우에는 광고주와 견적합의 후에 금액을 삽입해야 합니다. 또한, 각 스텝 별 금액이 상이하지 않는지 사전에 청구내역을 확인해야 합니다.

3)마감

광고주 확인이 끝난 후에는 발행을 위해서 마감처리를 합니다. 마감은 보통 미디어와 제작부분을 나누어서 하게 됩니다. 미디어비는 미디어팀에 그 달에 전산에 등록된 미디어 집행 내역을 최종으로 확정해 달라고 하고, 제작비는 제작 관리팀에서 올린 제작 견적을 광고주와 합의된 후에 전산에 입력 계산서 발행일을 입력하고 제작 관리팀에 의뢰하면 제작비 마감이 완료됩니다.

4)세금계산서 발행

마감된 자료는 재무팀으로 최종 이관되어, 세금계산서 발행을 하게 됩니다. 재무 팀 출납 담당에게 미디어비는 의뢰내역을 제작비는 거래명세표 확정내역을 보내주면 계산서를 해당항목별로 발행을 하게 됩니다.

5)증빙자료 준비 및 광고주 청구

발행된 세금계산서는 제반 서류와 함께 광고주에게 전달해주면 됩니다. 구비서류는 월별 집행내역과 미디어는 한국방송광고공사 거래명세표, 세금계산서를 첨부하면 되고, 제작비는 거래명세표와 세금계산서를 첨부하면 됩니다. 신문이나, 잡지는 게재지를 광고주가 원하는 부수를 챙겨서 보냅니다. 사실 광고주에 따라서 청구서를 받는 방법이나 청구할 때 첨부하는 자료들이 다릅니다.

예를 들면 게재지가 필요 없다고 하는 광고주도 있는 반면에 어떤 광고주는 게재면에 세금계산서를 붙여서 청구해 달라는 경우도 있습니다. 그리고, 세금계산서 양이 많은 규모가 큰 광고주들은 자사의 청구 양식본에 계산서를 붙여서 청구해 달라는 광고주도 있으니 광고주의 청구 요청방식을 사전에 확인하는 것이 좋습니다.

광고주 청구업무상에서 전파 미디어비는 가장 세심하게 보아야 할 부분입니다. 청구부분에서 가장 크게 차지하는 부분이며, 실수가 있을 경우 다른 미디어에 비하여 번복하기가 매우 힘들기 때문입니다. 간혹 담당 광고주가 방송광고를 하고 있을 때 마감을 빨리 요청하는 경우가 있습니다. 혹시 무리하게 가집계된 마감 데이터를 기반으로 마감을 할 경우 자칫 확정금액과 차이가 있을 수 있어 광고주에게도 사전에 랩 사나 미디어 측의 마감일정을 대략적으로 알려주어 가급적 마감 일정과 맞출 수 있도록 해야 합니다. 통상 공중파 경우는 가마감과 확정마감이 있는데, 가마감은 말일 경 그리고 확정마감은 익월 초에 이루어 집니다.

결국 말일까지 집행된 데이터를 바로 다음날 전산을 통해 확인하게 되므로, 말일 경 계산서를 다 달라고 하는 것은 오차가 발생할 소지가 있습니다. 이와는 다르게 케이블, IPTV, 방송 협찬, 위성DMB등도 사실상 같은 동일하다고 보시면 됩니다. 혹 미디어별 신탁이월 및 청구지 등의 변경은 가마감전에 미디어팀에 분명히 알려주어야 합니다.

청구업무상에서의 프로세스는 AE입장에서 해보지 않으면 정확히 이해하기가 어려운 업무입니다.

또한, 프로세스를 잘 안다고 하여 자세하게 챙기지 않을 경우 문제가 매우 큰 것이 청구 업무입니다. 앞서 언급한 프로세스 등을 익힌다 하더라도 청구업무에서 가장 문제가 크게 발생하는 경우는 청구 시점을 놓치는 경우입니다. 광고주의 청구 시점을 사전에 알지 못할 경우 증빙이 부족하거나 급하게 청구될 경우 광고주 청구와 광고회사에서 청구하는 리스트가 다르게 될 경우가 있습니다.

이럴 때는 이후에 별도 청구도 사실상 힘든 부분이기 때문에 청구직전 이상이 없는지를 상호 크로스확인을 꼭 해야 합니다. 더 큰 문제가 발생하는 경우는 AE가 광고주에게 청구업무를 진행하더라도 광고주가 자칫 세금계산서를 누락시키는 경우입니다. 광고주가 간혹 세금계산서를 빼먹거나 책상 속에 넣어두었다가 매 분기별 하는 부가세 신고기간을 넘기는 경우가 생겨 난감하게 되는 경우가 있는데, 이때 전산상에서 이미 마감된 자료를 다시 뜯는 것은 광고회사나 광고주 재경팀에서는 불가능한 일입니다. 부가세 신고라는 것은 광고주에서는 광고회사의 세금계산서를 매입으로 잡고, 광고회사에서는 매출로 잡는 것인데 분기마다 시행되며 국세청에 이를 신고하여 매입과 매출이 일치해야 하는 것이 중요합니다. 그러나, 세금계산서를 누락할 경우 매입과 매출이 달라 광고주가 수정신고를 하게 되거나, 추후 과징금까지 과징 당하는 상황까지 발생할 수 있어 AE는 광고주가 청구를 다 받더라도 완벽하게 청구 마감을 다 되었는지 확인할 필요가 있습니다. 세금계산서 처리의 시점을 놓쳐 신고기간을 놓치게 될 경우 100% AE 잘못이 아니더라도 분명 처리가 완벽하게 된 것을 확인하지 않은 AE의 잘못이 없다고 말하기는 어렵습니다.

한 달간 광고회사의 모든 스텝이 고생하여 만든 광고물과 캠페인 집행의 결과를 보상받는 청구업무는 사실 업무가 잘 처리되었다 하더라도 잘 했다는 평가를 받기는 어려운 업무입니다. 당연히 내부에서는 잘 처리되어야 하고 아무 문제가 없어야 한다고 생각하기 때문입니다. AE입장에서는 이런 당연한 업무일지라도 사명감을 가지고 완벽하게 처리하도록 꼼꼼하게 처리하는 습관과 태도를 가져야 할 것입니다.

광고심의가 완료될 때까지 긴장감을 늦추지 말아야 합니다.

광고는 기획단계부터 집행될 때까지 해당 광고물을 보는 타깃을 고려하여 진행됩니다. 따라서, 대부분의 제작물은 미디어에 따라 다르긴 하지만, 통상 광고심의라는 과정을 거쳐 소비자들에게 노출되었을 때 그 제작물이 잘 못된 표현이나 메시지로 문제를 일으키지 않는지를 판단하는 심의라는 과정을 거쳐 소비자들에게 노출되게 됩니다. 특히, 공중파나 전파 관련된 제작물들은 자율심의기구를 통해 사전심의를 거치게 되며, 인쇄 등 기타 제작물은 특정 제품 카테고리의 협회의 사전 심의나, 집행 뒤 모니터하는 사후 심의라는 것을 거치게 됩니다.

AE는 사전 심의 든 사후 심의 든 간에 실제 제작상에서 발생할 수 있는 심의관련 업무를 익혀야 하며, 제작물이 광고주와 협의되는 과정에서도 발생할 수 있는 소지를 사전에 이야기하고 문제가 발생하지 않도록 조정하는 역할을 해야 합니다. 특히, TV 제작물의 경우는 심의과정에 대한 일정을 사전에 넣어 온에어 일정까지 고려해야 합니다.

우선적으로 AE는 자신이 담당하고 있는 브랜드 및 제품의 심의관련 규정을 알고 있어야 합니다. 예를 들어 주류 광고는 도수에 따라 방송 시간 제약이 있다는 것, 어린이들이 제품명을 이야기하거나 들고 있을 수 없다는 것 등 기본적으로 표현상에서 문제가 될 수 있는 심의규정을 알고 제작에 참여해야 하며, 심의자체도 해당 제품별로 거쳐야 하는 심의 기관까지도 알고 있어야 합니다.

심의 법규 및 일반적인 규정은 검색하여 다운받아 볼 수 있으며, 여기에는 심의 규정 및 심의 사례, 심의 접수를 위해 증빙해야 하는 서류 등이 자세하게 명기되어 있어 AE는 한번쯤 읽고 자신이 해당하는 브랜드나 제품에 대해서는 숙지하고 있어야 합니다. 또한, 방송사 심의와는 상관없지만, 각 브랜드나 제품에 해당되는 심의 기관 및 심의 규정 또한 참조하고 있어야 합니다. 방송심의가 나기전에 사전 접수를 통해 심의를 받게 되므로, 이 또한 신경 써야 합니다. 다음 몇 가지 품목이나 방송 소재 별 고려해야 할 심의입니다.

[제약심의]

제약은 기본적으로 심의 규제가 대단히 심한 품목중의 하나입니다. 제약협회에서는 모든 제약사들의 광고물들을 사전 심의 받아 컨펌한 후에 넘기도록 규정되어 있습니다. 인쇄의 제약협의 심의필을 받아야 하는 것이고, 일반 심의를 넘기기 전에 제약협회의 심의 신청 후 결과를 보고 나서 진행해야 합니다.

[건강식품심의]

건강식품 또한 식품의 범주인데 효능효과를 잘 못 표기하는 경우나 오인지할 수 있는 경우가 있어 건강식품 협회에의 사전 심의가 있어야 가능한 카테고리입니다. 이 또한 업무도 AE가 진행해야 하는 부분입니다. 인쇄 같은 경우도 심의가 있습니다.

[증권업 협회/보험협회]

금융 쪽에서도 금융상품의 잘못으로 소비자 문제가 발생할 수 있어 심의기구를 두고 심의를 해주고 있습니다. 최근 보험관련 상품에 대한 심의 규정이 강화되고 있어 주목해서 보아야 합니다.

[월드 와이드 제품 본사 심의]

월드 와이드 브랜드나 제품의 경우는 본사의 규정대로 크리에이티브가 진행되었는지, 본사에서 확인 차 본사로 자료를 보내 컨펌을 받는 경우가 있습니다. 로고가 잘 되었는지, 칼라 배색은 맞는지 등, 굵지 글로벌 브랜드의 경우는 매뉴얼이 잘 되어있어 국내에서 매뉴얼대로 컨펌하는 경우도 있고, 인텔과 같은 경우는 국내 컴퓨터, 노트북 제품이 인텔이 들어가는데, 이러한 제품의 경우는 인텔의 매뉴얼 북을 기반으로 만들고 난 후에 컨펌하는 부서로 자료를 보내 컨펌을 받고 진행하고, 집행된 광고물을 첨부하여 추후에 규정을 지켜 집행되었다는 결과보고를 해야 합니다.

[국내 그룹사 심사]

그룹 로고나 새로운 캐치프레이즈를 계열사에서 사용하거나 할 경우에는 그룹사 홍보실 등에 보내 컨펌을 받는 경우도 있습니다.

[공공 캠페인 심사]

공중파 방송을 보다 보면 '이 캠페인은 OOO과 함께 합니다'라는 공익성 광고가 나옵니다. 이 또한 방송국에서 자체 제작할 때도 있고, 광고주 요청에 따라 방송국과 계약하여 진행하는 경우가 있습니다. 소위 방송사 공익 캠페인이라고 하는데, 이러한 캠페인은 방송사 자체 심의를 기존 소재 넣듯이 받는 것이 아니라 얼마만큼 공익적 내용이 있는지 방송국에서 심사를 하게 됩니다.

기획단계와 제작물 단계까지 방송사와의 협의가 중요한 만큼 지나치게 상업적인 메시지가 들어가지 않도록 신경 쓰는 것이 필요합니다. 그리고, 동일 소재를 방송국과 공유하기는 어렵습니다. 따라서, 3사가 나갈 경우는 별도로 제작하여 방송국별로 주어야 하는 것이 보통입니다.

다음으로 심의 규정을 숙지한 후에는 심의일정에 대한 고려입니다. 일반적인 심의의 프로세스는 광고심의접수-심의실 심의-심의결과 발표-심의 필증 수령의 간단한 프로세스이며 대략 수일 정도 소요됩니다. 최근 방송국에서 자체 심의를 진행하는 상황이 되다 보니 좀더 빠르게 심의가 진행되지만, 통상 수일 정도의 심의 상황을 고려해야 합니다. 왜냐하면 심의를 넣은 후 만약 심의상에서 예상치 못한 불가 판정이나 입증하라는 내용의 심의결과가 나올 수 있기 때문입니다. 따라서, 심의 접수를 하더라도 문제될 수 있는 상황까지 고려하여 수정심의 접수일정까지 고려하고 온에어 일정을 넣는 것이 필요합니다.

심의를 접수할 때 예상되는 심의문제를 사전에 해결하기 위해 관련 자료를 접수하는 것도 잊어서는 안됩니다. 예를 들면 식품 같은 경우 식품제조와 관련된 허가서류를 접수하거나, 제품의 성능이나 우위점을 표현하는 구체적인 내용이 명기될 경우 카탈로그, 광고주 내부 연구자료 등 다양한 자료를 함께 접수하고, 새로운 CI나 BI를 사용할 경우 관련 브로셔나 활용한다는 내용의 내부 품의서등을 접수하게 됩니다.

심의 문제로 인하여 실제 제작물상에서 표현을 변경하거나 카피를 바꾸거나 하는 상황도 발생하며 심지어는 재촬영까지 가는 상황도 발생할 수 있습니다.

광고회사 입장에서는 비용 및 일정 측면에서도 손해를 크게 볼 수 있는 상황이 되므로 관련 상황이 발생할 경우는 신속하게 광고주와 협의하여 관련 대응을 하는 것이 필요하며, 관련 문제를 해결하기 위한 자료를 구체적으로 만들어 푸는 것이 필요합니다.

심의업무는 실제 많은 경험과 노하우가 필요로 하는 업무이므로 저 연차나 신입이 해결하기에는 쉽지 않는 업무임에는 틀림이 없습니다. 심의업무를 잘 수행하기 위해 평소에 다양한 자료와 사례를 보아 실제 업무시 착오가 없도록 미리 준비하고 온에어가 될 때까지 긴장감을 늦추지 말고 챙겨야 함을 잊지 말아야 합니다.

광고주에게 새로운 제안을 통해 비즈니스를 창출해야 합니다.

광고주 내부의 광고관련 부서는 광고 관련업무로 퍼포먼스를 내는 것이 중요하며, 광고회사도 내부의 퍼포먼스뿐 아니라, 광고주와 함께 비즈니스를 통해 소비자들에게서 긍정적인 퍼포먼스를 내는 것이 필요하다고 늘 생각하고 고민하고 있습니다. 따라서, 광고주로부터 받는 광고 관련업무를 잘 수행하여 퍼포먼스를 내는 것도 중요하지만, 광고회사의 AE라면 광고주와 자기 발전, 그리고 회사의 부가적인 이익을 가져다 주기 위한 제안은 여러 가지 측면에서 해야 할 AE업무 중에 하나일 것입니다.

더구나 이러한 제안업무는 광고주에게 있어서 광고주가 생각하지 못하는 것까지 세심하게 신경 쓰고 있다는 관심의 표명이며, 현재 하고 있는 캠페인에 시너지를 낼 수 있는 좋은 기회도 합니다. 특히, 광고의 규모가 작은 광고주 일수록 미디어 광고에 투입되는 비용이 적기 때문에 광고주에게 제안을 자주 하는 것은 매우 중요하다고 할 수 있습니다.

광고 회사 입장에서 보면, 새로운 비즈니스 기회를 창출하는 좋은 아이디어로 활용될 수도 있고, 개인적으로는 적극적인 성향을 가진 AE로 포지셔닝 하는 기회 라고도 할 수 있습니다. 하지만, 기본 업무와 함께 진행되면서 함께 각종 제안을 한다는 것은 대단히 어렵고 고생스러운 일일 수도 있는 것이 사실입니다. 그러나, 광고회사로 들어오는 관련 제안이나, 내부 업무 시 만나게 되는 독특한 제안이나 상황 등을 주목하다 보면 자신이 담당하는 브랜드나 제품의 퍼포먼스를 낼 수 있는 방안들이 있으므로 나름 주목하여 볼 필요가 있습니다.

제안의 과정이나 형태는 여러 가지가 있을 수 있습니다. 그런 과정에서 중요한 것은 광고 상황을 파악하여 현실적인 측면으로서 수행가능한지 여부에 대한 검토입니다.

광고주와의 업무를 진행하다 보면 제품이나 시장, 그리고 소비자 관련하여 AE들도 여러 가지 아이디어를 생각하게 됩니다. 그러면, 광고주에게 광고주

요청과는 상관없이 이런 저런 제품에 대한 아이디어나 프로모션 아이디어를 페이퍼로 정리하여 제안서 형태로 주거나 스크립 형태로 정리하여 제시하는 경우도 있습니다.

물론 현재의 광고 캠페인이나 전략상에서 실무자와 자유롭게 협의할 사항이 있으면 제안하는 것도 방법일 수 있다 그러나, 광고주의 내부 사항이나 현재 업무의 진행사항을 정확하게 간파하지 못한 상황에서 제안하거나 이야기한다면, 그야말로 현 광고주를 이해 못하는 AE로 인식될 수 있으니 사전에 준비와 보고는 어느 정도 해야 합니다. 물론 기획팀 내부에서 다양한 아이디어를 정리하여 팀내 공유와 보고 후 정밀하게 다듬어 제안에 무리가 없도록 정리하는 것이 필요한 절차임을 잊지 말아야 합니다.

[내부 연계 제안]

내부 연계 제안은 크게 내부의 다른 광고주와의 코마케팅(Co-Marketing)형태의 제안이라고 할 수 있습니다. 광고회사의 조직이 크고 작고에 따라 차이는 있겠지만, 내부에 다른 광고주 돌아가는 상황이나 인트라넷, 내부 지인을 통해 타 광고주의 니즈와 담당 광고주의 니즈가 맞아 떨어진다면 보다 가깝게 비즈니스를 창출할 수 있어 더없이 효과적일 수 있을 것입니다.

계열사가 많은 그룹사에 속해 있다면, 그룹사 내부와의 연계 마케팅도 수시로 확인하여 광고주와의 비즈니스 기회를 창출하는 것이 도움이 될 것입니다. 그러나, 자칫 문제가 생길 경우 내부의 광고주와의 문제로 번지면 오히려 해가 될 수 있으므로, 철저한 사전준비와 사후 관리를 해야 합니다.

[외부 연계 제안]

외부와의 연계 제안은 더욱 다양한 퍼포먼스를 낼 수 있습니다. 특히, 광고량이 많지 않은 광고주의 경우는 대단히 적극적으로 검토하며, 도움을 줄 수 있는 제안입니다. 예를 들어 프랜차이즈 광고주의 경우 한정된 예산으로 공중파 광고를 하고 나면 Call에 대한 관심이 높아지게 되고 특히, 지점의 반응을 많이 살피게 됩니다. 이때, 지역의 프랜차이즈 지원을 위한 LSM(Local Store Marketing)과 같은 제안은 효과적인 제안이 될 수 있습니다. 또한, 크고 작고를 떠나 미디어와의 연계 및 코마케팅은 언제나 매력적입니다.

공중파와의 연계는 사실상 많은 비용이 들어가지만, 단편적인 예를 들어 케이블 회사나 콘텐스사와의 연계 마케팅 제안은 비용을 효율적으로 운영하며 효과를 낼 수 있습니다. 케이블 등 미디어사의 경우 BM(Brand Manager)과 같은 채널 담당과 진행할 경우 보다 실질적인 효과를 많이 얻어 낼 수 있다. 그런데, 이런 외부 연계 제안 시 가장 주의해야 할 점은 사전에 확인해야 할 것들이 구체적이고 명확히 해야 한다는 것입니다.

특히, 외부와의 연계이기 때문에 말하기 어렵거나 부담스러운 것이라고 이야기하지 않거나 사전에 명확히 해 두지 않으면 추후 신뢰를 잃는 엄청난 사태를 발생할 수 있기 때문에 분명하게 일에 대한 범위를 정해두고 하나하나 구체화시켜 추후 다른 상황이 벌어지지 않도록 유의해야 합니다.

통상 광고기획서 중심으로 작성하던 사람에게는 이러한 제안서 작성이 어려울 수 있습니다. 하지만, '기획'이라는 명칭에서 보듯이 창조할 수 있는 것이라면 문제를 파악하여 논리를 세우고 감동할 수 있는 콘셉트를 잡아 세부 실행을 짜는 것도 또 다른 매력적인 작업이고 과정입니다. 그렇게 하기위해서는 몇가지 고려해 할 것들이 있습니다.

첫째, 무엇보다 광고주 의도를 잘 파악해야 한다. 선 제안의 경우 예상되는 광고주 반응이나 문제점을 가능하면 사전 확인하여 제안 시 신선감이나 적합성이 떨어지지 않도록 해야 합니다. 물론 제안 자체에서 의미를 둘 수도 있지만 가급적 이러한 사항을 사전에 파악하는 것이 좋습니다.

둘째, 양이 많기보다는 콤팩트 하게 정리하는 것이 필요합니다. 보통 줄이는 작업에 능숙한 것이 광고인이지만, 처음 받는 제안이다 보면 주저리 주저리 말이 많아 지기 마련인데 가급적 제안은 배경과 목적, 기본 방향, 아이디어에 맞추어 제안서를 작성해야 합니다.

마지막으로 이런 제안서상에서 광고주가 받는 혜택과 주어야 할 혜택을 명확히 구체적으로 정리해 두어야 한다는 것입니다. 또한, 광고주 입장에서 혜택이 매우 매력적이고 현실적으로 보여야 한다는 것입니다.

광고주에게 새로운 제안을 한다는 것은 매우 어렵고 부담스러운 일입니다. 제안을 한다고 하여 된다는 보장은 없지만, 그 만큼 자신이 담당하는 브랜드나 제품에 대한 애정의 깊이라고 기본적으로 생각하고 수시로 전략적으로 생각하여 제안업무에 임해야 할 것입니다.

광고주와의 관계는 진심이라는 키워드가 필요합니다.

대한민국에서 AE 생활을 하다 보면 광고주를 '주님'이라는 말로 표현하며, 광고주를 '갑', 광고회사를 '을'로 여기게 됩니다. 실제 AE들이 계약서를 작성하다 보면 그런 갑과 을의 관계를 더 체감하게 됩니다. AE입장에서는이런 관계성 때문에 광고주에 대하여 매우 신경을 쓰게 되고, 비즈니스 내외적으로 좋은 관계를 가지려고 노력하게 됩니다.

사실 광고주와 광고회사 간의 좋은 관계를 유지한다는 것은 아직까지도 정답이 없고 대단히 어려운 것이 현실입니다. 그렇다고, 광고주 관리업무라는 별도의 업무 지침 등이 있는 것도 아닙니다. 하지만, AE로 지내면서 실무AE들에게 분명 광고주와의 'Good Will'을 형성하는 기본적인 방법은 몇 가지 있는 것 같습니다.

첫째, AE들이 광고주로부터 통상적으로 행하는 업무들에 대하여 소중하게 생각하고 완벽하게 처리하려는 자세를 통해 신뢰를 얻는 것입니다. 우리는 반복적으로 광고주 요청에 따라 기획, 제작, 미디어, 소재 출고, 리포트 등 단순한 업무에 지루해하거나, 보다 더 큰 업무에 대한 욕심을 가지게 됩니다. 때론 작다고 생각하는 업무의 반복으로 인하여 AE라는 업에 실증을 내기도 합니다. 그러나, 분명 누군가는 해야 할 업무이며, 담당하고 있는 업무가 계속되는 것은 아닙니다. 더욱이 작은 업무에 경험이 탄탄하지 않고 금방 지루해지는 마음을 갖는 다는 것은 그만큼 큰 업무를 맡겨도 결국 나중에는 그 큰 업무도 작게 느껴지게 될 것이라고 생각합니다.

세상 모든 일이 작은 일부터 진행되듯 작지만 그것을 완벽하고 자신의 것으로 처리하는 능력을 몸에 익히고 차근히 배워 나가는 것 그것 또한 AE로서 가져야 할 자세라고 생각합니다. 더 나아가서 말하면 작은 일에 대해서도 소중하고 겸손한 자세가 필요한 것 같습니다. 광고회사에서 일하는 사람들의 능력은 대단한 것 같습니다. 그런 대단한 사람들이 모여 광고주를 설득하고 비즈니스를 해 나가고 있습니다. 그러나, 일하다 보면 자신감이 자만감으로 발전하는 사람보다 진실하고 신념 있게 일하는 사람들이 보다 AE를 신뢰하고 믿고 맡기게 되는 것 같습니다. 광고주와 정해진 업무 리스트 상에서 정규적인 업무를 아무 문제없이 완벽하게 처리하는 것 그것이야 말로 광고주에게 1차적인 신뢰를 얻고 추후 어떤 큰 업무 든 믿고 맡길 수 있는 근간이 되는 중요한 부분입니다. 따라서, 광고주와의 이런 업무의 완벽성을 기반으로 신뢰를 얻는 것이 광고주 관리의 기본이라고 생각됩니다.

두번째로, 진정성, 진심이 필요하다는 것입니다. 광고주와 진심 어린 관계를 갖는 다는 것 정말 어려운 일이지만, 광고주와의 좋은 관계를 위해 꼭 필요한 마인드 인 것 같습니다.

AE들은 업무를 하다 보면 광고주가 요청한다고 무조건 스텝들에게 가서 해내야 한다고 이야기하는 AE가 있는가 하면, '무조건 광고주에게 시간을 더 주십시오'라고 불가능하다는 식으로 이야기하는 AE도 있습니다. 전후 상황이야 있겠지만, 중요한 것은 실제 입장을 바꾸어 광고주의 상황이 정말 어려운 것인지, 아니면 약간의 가능성이 있는지를 파악하여, AE 판단으로 '정말 어렵겠구나, 아님 해야 하는 구나'라는 판단을 하여, 정말 불가능한 상황이라면 최대한 알아볼 수 있는 상황까지 파악해 광고주에게 진행이 어렵다고 이야기해야 한다는 것입니다. 반대로 광고주 상황이 워낙 급박하고 어려운 상황이라면, 내부사항을 파악해 보고 불가능한 것을 해 주는 상황도 때론 극복해 주어야 할 때도가 있습니다.

AE를 정의하는 내용 중 이런 말이 있었습니다. 'AE들의 생존방식: 낮에는 전자파에 무방비로 노출되어 전화통화에 시달리나, 가끔씩 광고주의 스피릿으로 빙의 되어 제작 종족에게 불가능한 요구를 함으로 그 스트레스를 푼다.' 라고 있는 내용에 보듯이 AE들은 불가능한 요구를 제작이나 스텝에게 요청하는 경우가 있습니다. 오늘 회의 내일 시안 제시 등 생각만해도 아찔한 상황의 요구가 발생합니다. 이런 상황이 발생하면 AE들은 제작들에게 거의 부탁하는 상황이 되고, 제작들은 대단히 부담스러워하는 것이 당연하게 됩니다.

광고주의 급한 상황이라는 것이 명확히 확인 된 것이라면 당연히 진행되어야 할 것이지만, 혹시 제시일정을 조정 가능한 것인지는 사전에 협의하여 가능하다면 일정을 더 얻어내어 보다 퀄리티 있는 제작물을 광고주에게 제시하는 것이 맞을 것입니다. 그러나, 정말 안 되는 상황에서 하겠다고 하고 진행이 안 된다면 그것만큼 문제가 큰 것도 없습니다. 만약 진행자체가 어려운 상황이면 일단 협의는 하되 안 되는 것은 최선의 노력을 하였으나 안 된다고 분명히 이야기를 하고 양해를 구해야 할 것입니다.

오히려 억지로 진행하다 보면 스텝들 과의 문제까지 커지고 추후의 업무진행에까지 문제가 발생하기 때문에 충분히 고민은 하지만, 불가능하다면 불가능하다고 이야기하는 대변자 역할을 해야 하는 것도 AE입니다. 그만큼 광고주에게 최선을 다하는 노력과 모습을 통해 '진심'의 자세로 광고주 업무에 대하는 것이 매우 중요하다는 것을 말하고 싶습니다.

담당하던 광고주가 바뀌거나 대행이 다른 광고회사로 넘어가 기존 광고주와의 인연이 끝나는 경우가 있습니다. AE입장에서는 대단히 안타까운 상황일 수도 있고, 대단히 어렵게 함께 해온 광고주이다 보니 솔직히 시원한 부분도 있을 수 있습니다. 그러나, 광고주와의 인연이 끝난다고 하여 영원히 끝이 난다는 생각을 가져서는 안됩니다.

만약 좋은 관계를 유지하다 어쩔 수 없이 헤어지게 된다면 더욱 그렇습니다. AE의 업무 중 하나는 광고주 개발과 관련된 것이 매우 중요한 것이므로 기존 광고주와의 인연이 끝이 난다고 하여 완전히 이별하는 것이 아니라, 담당이 바뀌더라도 지속적으로 관계를 유지하겠다는 마인드를 가지는 것이 필요합니다. 방법적으로는 광고주에게 안부를 전하는 연락을 한다 거나 광고회사에서 자체 발간하는 공유자료를 보내어 업무에 크고 작게 도움을 주는 태도가 매우 필요합니다. 추후 다시 PT에 참여하는 기회가 다시 찾아올 수도 있고 다른 좋은 자리에서 만날 수도 있기 때문에 이런 마인드는 광고주가 떠나더라도 가지고 있어야 하는 태도입니다.

마지막으로 실무 AE입장에서는 광고주와의 좋은 관계를 위해 작은 부분에서 챙겨주는 것이 필요합니다. 광고주 실무자가 잘 챙기지 못한 부분이 있다면 담당 AE가 사전에 살짝 알려주어 광고주의 미진한 부분을 보완해 준다면 대단히 고마워할 수 있기 때문입니다.

내 임무만 하면 되지 라고 생각할 수 있지만, 작은 것에서부터 챙겨준다면 관계의 깊이는 더욱 좋아질 것입니다.

단순하게 술 한잔 하며 좋은 관계를 유지한다는 마음가짐은 사실 지금에 환경에서는 예전의 이야기가 아닌가 싶고 태도도 바뀌어야 한다고 생각합니다.

문제나 이슈 발생시는 쌓아 두지 말고 빠르게 처리하세요

실무AE들이 광고회사에서 가장 많이 그리고 가장 크게 실수하는 경우는 광고주 관련 업무상에서 발생한 문제를 쥐고 있다가 갑자기 터뜨리는 것입니다. 정말 폭탄같이 무서운 일이 아닐 수 없습니다. 이는 광고회사 내부뿐만 아니라, 광고주까지도 엄청난 문제를 만들 수 있기 때문에 업무를 쥐고 있다가 못내 이야기하는 것은 절대 금물입니다. 개인적으로 겪었던 실무AE이 만든 폭탄 같은 몇 가지 상황을 보면...

[미디어/청구 사고]

-방송사에 잘 못된 소재가 나갔는데, 광고주는 모르고 있겠지 하고 자신만 알고 있다 이야기하지 않은 경우

-집행금액을 꾸준하게 모니터하지 않다가 금액이 오버되어 광고주에게 월 청구금액 이상을 청구해야 하는 경우

-결정된 시안을 여러 벌 넣었다가 심의번호를 잘 못 확인해 잘 못된 소재가 온에어 되었을 경우

-신문 출고 시 오자/칼라를 잘 보지 못해 잘 못된 원고가 출고되었을 경우

[커뮤니케이션 사고]

-광고주에게 전달받은 사항을 제대로 제작들에게 전달하지 않아 정확한 내용이 들어 가지 않고 제작물이 나왔을 경우

-광고주와의 일정약속을 혼자만 알고 잊어버리고 있다가 갑자기 생각나 뒤 늦게 이야기하는 경우

문제 자체는 이외에도 여러 가지가 실무AE가 진행하는 상황에서 발생할 수 있습니다. 그런데 더 큰 문제는 앞서 언급했듯이 발생한 문제에 대해서 관련 사항을 이야기하지 않고 혼자만 알고 있는데 있습니다. 통상 실무AE들이 수행할 수 있는 업무들에 대해서는 실무에게 책임을 믿고 맡기게 되므로 광고주나 기획팀 내부에서는 아무런 문제가 없거니 하고 생각하게 됩니다. 그러나, 이런 문제를 실무AE에서 알게 되었을 경우 발생 상황에 대해 이야기하지 않고 그

냥 넘어가려고 하다 가는 추후 광고주나 광고회사 모두에게 큰 문제가 돌아갈 수 있음을 잊어서는 안됩니다.

실무AE에게 있어서는 상기와 같은 상황이 발생하지 않도록 우선적으로 사전에 꼭 잊어버리지 않도록 메모를 해두는 것이 중요합니다. 앞서 다양한 업무상에서도 메모라는 것이 매우 중요하다는 것은 자주 언급했습니다. 그러나, 발생할 수 있는 문제를 미연에 방지하는 차원에서 다시 한번 메모하는 습관은 사태를 미연에 방지할 수 있는 중요한 습관임을 이야기하고 싶습니다.

다음으로 자신이 맡은 광고주관련 업무가 종료되었는지를 꼭 확인하는 것입니다. 실무AE를 통상 여러 명이 하지 않기 때문에 맡게 된 광고주 실무에 대해서는 처리여부를 반드시 확인해야 합니다. 예를 들어 인쇄미디어 소재 출고만해도 미디어사나 제작사에 데이터나 필름이 출고될 때 필요하면, 교정지만을 확인하는 것이 아니라, 필름자체를 확인하거나, 데이터로 전달되었을 경우 보낸 데이터와 맞는지를 미디어사와 확인해야 합니다. 더구나 공고나 글씨가 많을 경우는 하나하나 오자가 없는지를 카피라이터 등과도 한번 더 확인할 필요가 있습니다.

미디어를 실제 운영함에 있어서도 금액이 오버가 되지 않는지 완료 전 1~2주전에는 집행금액을 모니터 해야 합니다. 아무리 AE가 확인한다 하더라도 미디어 바잉 관련 담당자나 랩 사, 미디어사에서 미디어 운영을 자칫 놓일 수도 있기 때문에 종료가 되었는지 등을 AE가 추가적으로 확인할 필요가 있습니다. 또한, 커뮤니케이션 사고를 미연에 방지하기 위해서라도 관련 스텝들이 자료를 제대로 받았는지를 확인해야 합니다. 디자이너의 경우는 MAC을 주로 사용하기 때문에 AE들이 메일로 보내는 사항에 대해서는 잘 보지 않을 경우가 종종 있습니다. 따라서, 제대로 확보가 되었고, 데이터 자체가 이상이 없는지를 확인하여 문제가 있을 경우 광고주에게 다시 받아 제작팀에게 넘겨야 합니다.

이러한 확인과 메모의 과정을 지속적으로 거치더라도 문제가 발생할 수 있습니다. 혹 문제가 발생하였을 경우는 빠르게 내부 보고를 하기 전 어떠한 과정에 의해서 어떤 문제가 발생하였는지를 정확히 파악하는 것입니다. 어떤 단계에서 문제가 발생하였는지를 알아야 내부에 보고하여 해결할 것인지, 아니며 스스로 해결할 수 있는지를 파악할 수 있기 때문입니다.

만약 실무AE 스스로 해결할 수 없는 지경에 이르렀다면, 실무AE는 내부에 발생한 문제에 대한 사항을 이야기하는데 한치에 망설임도 없어야 합니다. 상황이 어찌되었건 AE는 광고주 관련에 발생한 업무에 누가 잘 못 했다는 이야기를 할 것이 아니라 무한책임을 진다는 자세로 두려움 없이 관련 사항을 이야기해야 합니다.

어떤 실무AE는 이야기했을 시에 따라올 질책이 두려워 이야기를 하지 않고 쥐고 혼자만 스트레스를 받는 경우가 있는데 이럴 경우는 이제 개인의 실수를 넘어 팀 전체 나아가 광고주까지 문제가 되는 경우로 순식간에 확산되게 됩니다. 만약 앞서 이야기한 메모부터 꼼꼼히 챙기는 것까지 AE임무를 다한 상황에서도 이런 문제가 발생하였다면 아마 그리 크게 질타하거나 문제시 삼지는 않을 것입니다.

물론 한치의 망설임 없이 이야기한다고 해서 잘했다고 이야기하는 사람은 없을 것입니다. 다만, 문제시되었던 상황을 빠르게 파악하고 실질적으로 어디서 문제가 있었는지 잘 못한 부분은 분명히 시인하고 상황에 대해 명확하고 구체적으로 이야기하는 것이 필요합니다.

AE들은 하루에도 수많은 광고주 요청과 업무를 하게 됩니다. 그리고 실무입장에서 많은 것들을 챙기고 순간순간 의사결정을 해야 합니다. 그런 과정 속에서 원하던 원치 않든 간에 해결이 불가능한 문제가 발생하는 경우는 종종 있습니다.

실무AE상에서 문제가 발생하지 않도록 꼼꼼하게 챙기는 것도 중요하지만, 모든 업무상에서 발생하는 문제를 개인 혼자서 가지고 있지 않고 빠르게 공유하여 신속하게 처리하고자 하는 능력 AE 저 연차 때 반드시 가지고 있어야 할 광고주 업무상의 문제 대응 능력입니다. 또한, 발생한 문제가 다시는 재발하지 않도록 AE 개개인이 잊지 말고 유사업무에 활용하는 철저한 대응자세로 여기는 것 또한 필요합니다.

Follower ship보다는 Owner ship이 필요합니다.

Post Buy
Monthly Report
Annual PT
Work Shop
Weekly Status Report
Invoice
Monitoring
Contact Report
Creative Brief……………………

몇 가지 안 되는 정기업무이지만, 상기 업무뿐 아니라, 다양한 업무들이 광고주의 규모와 상관없이 거의 동일하게 진행됩니다. 아마 프로세스까지도 비슷하다고 보면 될 것입니다. 실무AE들에게 있어 상기 해당하는 업무를 수행함에 있어 어떤 AE는 똑같은 업무인데 광고주 빌링 규모에 따라 자신이 담당하는 브랜드나 제품에 빌링이 많을 때는 당연한 업무라고 느끼는 반면 어떤 AE는 같은 업무라 할지라도 빌링이 상대적으로 작아 효율성이 떨어진다고 생각하는 AE도 있을 것입니다.

물론 광고회사 입장에서는 빌링이 큰 광고주가 회사의 이익과 명예를 높이는 역할을 할 수 있습니다. 또한, 규모가 큰 광고주를 담당하고 있다는 것 자체도 AE입장에서는 매우 큰 자부심을 느낄 수도 있을 것입니다. 그러나, 그것은 매우 잘 못된 태도이자 생각이라고 말씀드리고 싶습니다.

첫째, 기본적으로 광고주와의 약속을 저버리는 것입니다. 경쟁PT나 다양한 과정을 거쳐 영입된 광고주가 내부 사정에 의해 광고비 집행이 줄 수도 있고 예상했던 것에 비하여 퍼포먼스가 나지 않을 수도 있습니다. 그러나, 그렇다고 광고주의 담당업무에 대해 비효율적이라고 느껴 소홀하게 여기거나 실제 부족하게 한다면, 그것은 더 큰 광고주를 만나 추후 상황이 안 좋게 되었을 때도 똑같이 여기게 되는 본질적인 문제에 봉착하게 되기 때문입니다. 따라서, 일단 광고주를 담당하게 될 경우는 그것 자체가 최대한 실무AE로서 최선의 노력을 다하겠다는 약속으로 생각하고 최선을 다하는 자세를 기본적으로 가져야 합니다.

두번째로, 광고주의 규모가 작을수록 오히려 더 큰 역할이 필요하다는 생각을 가져야 합니다. 저의 경험 중 경쟁PT를 3차까지하여 담당을 한 후에 처음에는 적은 규모로 시작하였지만, 서서히 매출과 시장에서의 반응이 커가는 것을 보면서 해당 광고주는 모두가 광고가 해결한 것은 아니지만, 마케팅 인력과 자원이 부족한 상황에서 실무AE 및 광고회사가 자신의 역할을 충실히 해주어 얻었다는 인상을 받았을 때는 그것에 대해 매우 고맙게 생각하고, 실제 담당하는 AE입장에서도 일하는 만족감을 더 크게 얻었던 적도 있었습니다.

브랜드나 제품은 하나의 생명체 같기도 합니다. 그러다 보니 커뮤니케이션 한다는 것은 생명을 불어넣는 과정이기도 합니다. 그러다 보니 자연스럽게 브랜드나 제품이 성장해 나가는 동반자적인 인식을 하게 됩니다.

규모가 작았던 프랜차이즈 광고주는 실제 마케팅 인력이나 자원이 부족하여 대신 명함을 파주면서 다른 광고주와의 코마케팅을 지원할 때 담당 광고주의 마케팅 담당으로 소개시켜주면서 대신한 적도 있었는데, 광고주와의 신뢰나 믿음을 받는 다는 측면에서 동반자 이상의 마음을 만들어 내기도 했습니다.

세번째로, 작은 광고주에 대한 완벽한 Account가 되지 않을 때는 큰 규모의 광고주를 담당하게 되었을 경우라도 똑 같은 Account상에서 문제가 발생할 수 있을 것입니다. AE도 사람인지라 마케팅 적인 자원이나 지식이 부족한 광고주라고 하여 광고주 대응에 소홀하고 정해진 업무에 대한 Quality를 제대로 구현하지 못한다면 그것은 습관이 되어 마케팅 역량이 우수하고 오랜 경험이 있는 광고주에게는 오히려 부족한 AE로 보이거나 실력이 떨어지는 AE로 비춰질 수 있기 때문입니다.

따라서, 똑같은 업무라 할지라도 큰 규모의 광고주와 동일하게 더 고민하고 더 매력적인 아이디어로 퍼포먼스를 낼 수 있도록 노력해야 할 것입니다. 오히려 그러한 노력이 퍼포먼스로 나타나 시장에서 실제 놀라운 이슈를 만들었을 경우는 큰 광고주의 물량공세로 만들어낸 퍼포먼스에 비하여 더욱 훌륭한 실무AE로 보여 질 수 있기 때문입니다.

전체적으로 광고주의 규모와 상관없이 같은 마음으로 대하라 라고 하였지만, 그것에 맨 밑바닥에는 실무AE 스스로가 담당 제품이나 브랜드에 대해 주인의식을 가지고 일해야 한다는 것입니다. 실제로 AE들은 광고주에게 가서 광고회사를 대변하고 광고회사로 돌아왔을 경우 그 AE는 광고주를 대표하여 스텝들과 업무를 진행하게 됩니다. Agency라는 말이 그러듯이 누군가를 대리한다는 뜻에 서도 본다면 규모에 상관없이 분명 주인의식을 가지고 규모에 상관없이 업무를 해야 하는 것이 당연히 중요한 것이며 그런 인식을 가지고 일해야 하는 것은 자명한 것입니다.

광고주 업무를 수행하다 보면 '이 정도면 되겠지'라고 스스로와 스텝들과 타협하는 경우가 종종 있습니다. 그러나, 그런 마음이 곧바로 제작물이나 광고주에게 제안하는 각종 제안에 드러나게 되고 광고주는 그것을 보는 입장에서 부족한 부분을 바로 느끼게 됩니다.

그 사이 광고주와 신뢰를 잃고 향후 업무에 있어 진행의 어려움을 겪는 것을 종종 보게 됩니다. 그럴 때 바로 이 주인의식이라는 것이 떨어질 때입니다. 오히려 주인의식이 지나치게 될 경우 광고주가 생각하는 것 이상 더 고려하여 문제가 되기도 하지만, 그 만큼 광고주 이상을 생각하는 마음은 전달될 것입니다. 앞으로 언급하게 될 다양한 스텝과 분야별 업무상에서도 분명 이 주인의식은 광고주 규모와 상관없이 적용될 것이며, 모든 실무AE들은 이런 마음을 기본적으로 가지고 업무에 임해야 할 것입니다.

클레임에 두려워 말고 긍정적인 마인드를 가지고 하세요.

광고주와 업무를 하면서 AE들끼리 소위 맷집이라고 하는 것이 필요하다고 이야기하곤 합니다. 쉽게 말하면, 광고 업무를 하다 질책을 받았을 때 이를 잘 극복하고 다시 업무에 임할 수 있는 힘이 있어야 한다는 라고 이야기할 수 있습니다.

AE들은 사실 광고주뿐만 아니라 광고회사 내부에서도 많은 스텝들과 만나고 일을 하는 AE의 위치적인 특성 때문에 문제가 발생하면 문제에 대해 전체적인 책임을 지기 때문에 본의 아니게 문제가 발생하여 질책을 받는 경우가 많을 수밖에 없습니다.

그러다 보니 실무AE 입장에서는 엄청난 스트레스를 받게 되고 광고주 업무에 대한 의욕도 떨어질 경우가 발생하게 됩니다. 더구나 잘 하려고 하는 상황에서 발생한 문제로 인하여 질책을 받게 되었을 경우나 예상치 못한 상황으로 인해 대신 질책을 받는 상황을 겪게 된다면 실무AE 입장에서는 억울한 느낌까지 들 것입니다.

그렇다고 그런 질책에 대한 스트레스로 인해 문제를 해결하지 않고 그 자체에 머물러 있다면 많은 업무들을 수행해야 하는 입장에서 다른 업무에까지 지장을 미치고 결국 악순환이 연속되는 지경에까지 이르게 됩니다.

그래서, AE들에게는 어떤 상황에 서든지 긍정적인 사고와 태도를 잊지 않으려고 해야 합니다. 앞서 이야기한 것과 비슷한 이야기가 될 수도 있겠지만, 질책을 두려워하지 않는 긍정적인 사고를 하기 위해서는 AE로서 광고주 업무를 대하는 마인드 자체부터 달라야 합니다.

첫째, 기본적으로 광고주로부터 발생한 모든 업무는 AE를 통해서 광고주에게 전달되기 때문에 끝까지 책임진다는 무한책임의 마인드를 가지고 있어야 합니다. 뒤에 이야기할 제작부분에서도 언급하겠지만, 광고주가 제공한 OT 방향과 전혀 다른 방향으로 결과물을 광고주에게 제시하여 기획팀뿐만 아니라 제작팀까지 질책을 함께 받는 상황이 되었을 경우 물론 기획의 의도를 제대로 이해하지 못한 제작에게도 책임이 있겠지만, 당초 OT자체에 결함이 없었는지, 아니면 중간 중간 AE가 진행사항을 확인했는지 실제 썸네일이나 시안 리뷰를 하면서 OT자료를 충실하게 반영하거나 그 이상의 것을 고려했는지를 보면 결국 광고주에게 제작물을 제시하는 과정에서 분명한 AE의 오류가 나올 수 있기 때문입니다.

이런 제작 전과정에 참여하여 AE의 위치로 보았을 때 무한책임을 진다는 자세를 가진다면 광고주의 질책자체를 부담스러워 하는 것보다는 향후 개선해야 할 점으로 받아들이는 긍정적인 자세가 생길 수 있습니다.

두번째로, 광고주의 질책을 받는 상황에 대한 것입니다. 무조건적으로 광고회사의 잘못이라고 이야기하고 모든 책임을 떠 넘겨서는 안되겠지만, 우선적으로 실무AE입장에서는 냉정을 잊어버리지 않는 것입니다. 저의 경험 중 광고주 내부적으로 품의가 완료되어 진행되기로 하여, 진행까지 완료된 건이 광고주 내부 사정으로 인해 비용이 삭감되어 광고비 지급이 연기되고 심하게 줄어든 적이 있었습니다.

밀고 당기는 협의를 하였지만, 결국 광고주가 광고회사에 모든 책임을 만들어 전가시키는 상황이 되었는데, 광고회사 입장에서는 당혹스러운 상황이 아닐 수 없었습니다. 그런 상황에서 만약 광고회사 실무자가 무리하게 책임을 따지며, 협의의 여지조차 없는 감정싸움으로 이어지게 만든다면 비즈니스 자체가 매우 어려워지는 상황이 되었을 것입니다. 냉정을 잊어버리고 감정 싸움으로 번지는 경우는 더욱 상황을 어렵게 만드는 것입니다. 모든 상황이 그렇지 않겠지만, 가급적 어려운 상황이 오더라도 감정적인 싸움은 자제하고 업무적으로 냉정하게 문제를 바라보고 해결하려는 자세가 질책을 받는 상황에서는 절대적으로 필요한 것입니다.

세번째로, 광고주로부터 받은 클레임이나 질책에 대해 빠르게 잊어버리는 것입니다. 특히, 신입이나 저 연차의 경우는 전화나 일정관리 등 비중이 큰 업무에 비하여 단순 업무임에도 실수로 인하여 질책을 받는 경우가 많이 있습니다. 직장생활을 오래하지 않은 상황에서 이런 경우를 당하게 되면 매우 당황스럽고 업무에 대해 적극적인 태도로 임하기에 두려운 것이 사실입니다. 그렇다고 계속 그런 질책에 대한 두려움을 떨치지 못하고 있다 보면 다음에 챙겨야 할 것 수행해야 할 업무를 잊고 더 큰 문제를 만들어 내는 악순환을 일으키게 됩니다. 따라서, 가급적 그런 상황을 빨리 잊으려고 하는 긍정적인 태도와 생각이 더욱 필요해지게 됩니다. 쉽게 말하면 누구나 실수할 수 있다는 생각-그렇다고 맨날 실수만 하라는 것은 아닙니다-그리고 실수에 대해서는 명백하게 잘못을 인정할 줄 아는 태도 이후에 빨리 잊고 다음 업무를 차질없이 해야지 하는 긍정적인 태도가 필요합니다.

마지막으로는 그런 질책을 받게 된 과정을 다시 한번 생각해 보고 다시는 그런 것을 만들지 말아야 한다는 하나의 케이스로 받아들이는 긍정적인 사고가 필요합니다. 어떤 부분에서 잘 못된 것인지, 누구의 실수와 어떻게 확인하지 못했는지를 가만히 보면 AE가 그 잘 못된 부분에서 어떤 역할을 해야 할 지가 새롭게 생각될 수 있습니다. 바쁜 업무 이후 그런 질책이 나온 과정을 생각하면서 하나의 교훈으로 생각하고 개선해야 할 하나의 케이스로 받아들이고자 한다면 질책에 대해 두려움 보다는 '큰 것을 하나 배웠구나' 하고 생각하게 될 것입니다.

AE는 광고회사의 중심이자, 광고주와의 커뮤니케이션 채널입니다. 따라서 AE위치라는 것이 질책을 받는 것은 당연한 것이며 그런 결과를 통해 보다 좋은 결과물을 얻어 내게 됩니다. 비가 내린 뒤 땅이 단단해지듯이 실무AE들은 질책을 두려워할 것도 아니며 질책을 피하기 위해 일하는 것은 더욱 아닌 것 같습니다. 긍정적인 사고와 태도만 있다면 질책은 실무AE들을 키워가는 오히려 원동력이자 경험치가 될 것 같습니다

일정관리의 남다른 노하우도 필요합니다.

AE는 전체 스텝을 총괄하며 결과물을 만들어내는 중심에 있다고 계속 이야기 해왔습니다. 그러다 보니 자연스럽게 결과물의 시작부터 끝까지 진행해 나가는 전 과정에 대한 스케줄 관리 업무도 자연스럽게 AE가 해야 하는 중요한 업무 중에 하나입니다. 광고주가 요청한데로 일정을 하나하나 관리해 나가면 되는 것 아니겠느냐고 쉽게 생각할 수 있지만, 일정 관리의 잘 못으로 인해 광고회사에 내부는 물론 광고주 일정에도 영향을 끼치는 큰 문제를 야기시킬 수 있습니다.

광고회사에서 제작된 제작물은 광고회사의 이름을 걸고 만들어진 결과물입니다. 그런데, 내부 보고 일정을 제대로 조정하지 못해 내부 보고를 제대로 하지 못하고 광고주에게 바로 제시하여 문제가 생겼을 경우는 광고회사 내부적으로도 보고 체계를 무시하고 최종 의견이 아닌 상태의 제작물을 제시한 것이나 마찬 가지이므로 해당 기획팀이 곤란한 상황에 빠질 수도 있습니다. 이런 예가 굳이 아니더라도 일정관리를 제대로 하지 못한 것으로 인하여 큰 문제를 발생하는 경우가 종종 있으므로 실무AE들은 일정관리라는 것 자체를 작은 업무로 소홀하게 다루어서는 안됩니다.

일정관리에서 가장 주의해야 할 것은 광고주와 일정을 함부로 확정하지 않는 것입니다. 반드시 내부 스텝의 일정과 보고 관련 일정을 반드시 확인한 후에 정해야 합니다. 또한 기획팀 내부에서도 일정이 있을 수 있으므로 실무AE가 쉽게 일정을 광고주와 확정 짓는 것은 진행자체에 어려움을 겪을 수도 있습니다. 쉽게 말하면 광고주가 'XX건 제작물 언제까지 주실 수 있나요' 라고 이야기한다고 해서 언제까지 드리겠다고 약속을 바로 하는 것이 아니라, 제작팀의 업무 스케줄과 내부 스케줄을 확인하여 가능한 일정을 가지고 광고주와 협의를 해야 합니다. 분명 제작이든 다른 스텝도 자기 팀만의 일정이 있고 업무가 있기 때문에 그것을 고려하지 않는 것은 해당 팀들의 일정을 무시하고 진행하는 것입니다.

그리고, 가급적 내부 보고에 관한 일정을 반드시 확인하고 끊임없이 스텝들과 일정 관련한 커뮤니케이션을 해야 합니다. 광고회사도 하나의 조직이며, 광고주와의 끊임없는 비즈니스가 일어나는 곳입니다. 따라서, 내부 보고 일정과 보고 준비를 하는 것은 AE의 기본 일중의 하나입니다. 물론 외부 광고주와의 보고일정 관리는 매우 중요합니다. 만약 내부 임원들의 스케줄이 발생한다면, 분명 광고주의 스케줄에 가급적 맞추어야 하겠지요. 하지만, 꼭 불가피한 상황이 아니라면, 내부 임원 및 본부장님들께 각종 시안이나, 보고 내용을 미리 보고 드리는 것은 광고주 보고 또한 중요합니다 시사 같은 경우 광고주 임원진 시사 일정을 미리 확인하여 수시로 변동사항이 있는지를 보고 내부 임원분들의 스케줄을 끊임없이 확인하여 차질이 없도록 해야 합니다. 또한 해당 건 보고 시 반드시 제작 스텝도 가급적 함께 참여해야 하므로 관련 스텝들의 일정도 수시로 확인하여 내부보고를 진행하여야 합니다.

실무AE들에게 일정관리가 좀 익숙해지면 주어진 업무에 대하여 향후 발생할 일정에 대해 후반 일정까지 예측하려고 노력해야 합니다. 실제 각종 기획업무, 제작, 미디어, 조사 등의 업무를 1turn, 2turn을 돌다 보면 프로세스 자체가 익숙해지게 되는데, 예를 들어 광고주가 'OO광고 준비해 주세요' 라고 요청이 왔을 때 OT관련 필요사항을 협의하고 난 후에 일정을 최종적으로 협의할 때는 AE입장에서 내부의 돌아가는 일과 해당 제작팀 현재 걸려있는 업무 등을 시뮬레이션을 해보아야 합니다. 그러면서 대략 제작회의는 언제쯤, 시안 제시는 언제쯤 등을 예측할 수 있어야 합니다.

만약 책임질 수 있는 일정이 대략적으로 그려진다면 광고주에게 관련 일정을 대략적으로 협의하는 것도 방법입니다. 그런데, 혹 애매하거나 확인할 것이 있다면 앞서 언급한데로 내부 진행사항을 확인한 후에 일정을 다시 한번 협의해야 할 것입니다. 또한, AE는 단순한 제작일정뿐 아니라, 미디어집행, 혹 모델이 있다면 확인해야 할 모델 일정까지도 함께 입체적으로 시뮬레이션을 해야 합니다.

이런 일정관리는 처음에는 대단히 혼란스럽고 실수를 하기가 쉽습니다. 따라서 AE나름대로 일정관리에 대한 노하우를 가질 필요가 있습니다. 개인적인 경험에 볼 때 크게 두 가지 측면에서 일정관리를 하면 효과적인 것 같습니다.

첫째, 일정을 통합하여 관리하는 것입니다. AE들은 하나의 건이 걸리더라도 여러 스텝과 업무를 한꺼번에 관리를 해야 하므로 통합적인 별도의 문건을 만들어 관리하는 것이 효과적입니다. 더구나 모델계약기간, 방송광고 대행계약기간 등 기간이 긴 것부터 시안 제시 등 가까운 일정까지 한번에 볼 수 있는 나만의 일정 관리표를 만들어 관리하면 매우 효과적입니다. 모델 계약기간을 잊고 있다 광고주에게 알려주지 못하고 곤란한 경우가 있는 것처럼 멀리 있는 일정도 한번에 알 수 있도록 만드는 것이 필요합니다.

둘째, 일정을 받았을 때, 변경이 있을 때, 향후 예측되는 일정이 있을 때 바로 바로 업데이트를 해야 합니다. 일정관리만 잘 만들어 놓았다고 전부가 아닙니다. 실제 스텝이 움직이고 있는지, 광고주에게 제시는 되었는지 해당 사항을 확인하면서 실시간으로 변화하는 일정을 확인하고 표시해 두어야 합니다. 또한, 완료된 일정 다음에 발생하는 일정을 자연스럽게 표기해 두어야 합니다.

다양한 오피스 프로그램이나 일정관리 플랫폼 등을 사용하겠지만, 얼마만큼 통합화하고 업데이트를 실시간으로 잘하느냐가 관건일 것입니다. 자신만의 통합된 시트를 기반으로 전체적으로 보면서도 세부 프로젝트별 일정을 바로 업데이트 할 수 있다면, 불필요한 것들 것 줄어줄 수 있습니다. 좀더 확장된다면, 스텝과 변경된 일정이 자연스럽게 공유되고 연락이 된다면 더 효율적일 것입니다.

일정관리는 AE로서 있다면, 아침부터 저녁까지 계속되는 업무일 것입니다 실무 초반에 어려운 일정관리 업무를 자신만의 노하우를 바탕으로 해결한다면 업무에 쫓겨 다니는 AE가 아닌 업무를 리드하는 AE가 될 것이라 생각합니다.

제2장 제작 업무 수첩

광고회사 AE로 일하다 보면 가장 많이 만나야 하는 스텝이 제작 스텝일 것입니다. 혹자는 '가족보다도 더 자주 보는 사람이 제작팀일 것이다'라고 이야기할 정도로 AE와 제작 스텝 사이에는 많은 업무를 진행하게 됩니다. 그만큼 광고주의 요청사항 중 제작관련 업무량이 가장 많고, 업무 강도도 매우 높기 때문입니다. 그러다 보니 제작 스텝과 업무를 진행하면서 AE로서 해야 할 일들은 자연스럽게 늘어나게 되고 지켜야 할 것들도 많아지는 것이 제작 업무라고 할 수 있습니다.

본 장에서는 제작 업무에 대한 나열들 보다는 저의 개인적인 경험에 비추어 볼 때 꼭 알아 두면 도움이 되는 제작 관련 업무 팁들을 전달해 드리고자 합니다.

제작 오리엔테이션 전 사전준비를 충실하게 해야 합니다.

제작 스텝과 광고물 제작 관련하여 맨 처음 하게 되는 업무가 제작 오리엔테이션입니다. 제작물의 전체적인 방향을 합의하고 추후 결과물에 영향을 미치게 되기 때문에 매우 중요한 업무라고 할 수 있습니다. 제작 오리엔테이션을 하는 것 자체도 물론 중요하지만, 회의 자체가 잘 진행되기 위해 AE 실무자들이 사전 준비를 충실하게 하는 것이 오히려 더 중요하다고 생각합니다.

통상 우리가 많이 보아왔던 제작 업무 프로세스 기준으로만 본다면 제작팀을 위해 방향을 잘 정리한 광고 전략 기획서를 전달한다든가 Creative Brief를 잘 작성하여 회의하면 AE로서 역할을 다한 것이라고 생각 할 수도 있습니다. 그러나, 실제 업무상에서는 기획서나 브리프는 당연히 잘 작성되어야 하는 것이며, 그것과 더불어 더 많은 것들을 제작물에 완성도와 제작 스텝의 아이데이션의 효과를 높이기 위해 AE가 해야 할 것이 많은 것 같습니다.

우선적으로는 오리엔테이션 하려는 광고 품목에 대한 상품이나 브랜드에 대한 구체적인 자료를 복잡하지 않게 이해가 잘 되도록 정리해서 준비해야 합니다. 광고주가 제공한 상품이나 브랜드 자료가 혹 제작스텝이 보기에 복잡하거나 이해가 잘 안된다면 AE가 이것을 쉽고 명료하게 정리하여 전달할 필요가 있습니다. 상품의 신문광고 같은 경우는 상품의 장단점을 구체적으로 설명해야 하는 부분으로 들어갈 수도 있고, 제작 스텝이 아이데이션에 모티브로도 활용할 수 있기 때문입니다.

때론 광고주가 제공한 자료를 그대로 제작 스텝에 넘기는 경우도 있는데, 정리가 잘 되어 있다면 상관없지만, 대부분의 경우 기획팀에서는 알아볼 수 있으나, 제작 스텝으로 넘어갈 경우 내용이 어렵고 복잡할 수 있어 결국 제작 스텝이 관련 건으로 별도의 요청을 하게 될 수 있습니다. 이럴 때는 불필요한 시간 노력을 낭비할 수 있으니 사
전에 AE가 확인하여 제작 스텝이 충분히 이해할 수 있는 내용인지를 파악하여 정리 여부를 결정해야 할 것입니다. 그리고 필요에 따라서는 관련 내용이

보안상 내부 관리를 잘 해야 하는 건이라면 사전에 틀림없이 보안 서약서나, 관련 내용을 가급적 프린트 물로 제한하여 배포하는 것도 고려할 필요가 있습니다.

광고주의 상품 및 브랜드 관련 자료를 제공할 때 작업이 가능한 데이터를 사전에 전달해야 합니다. 회의가 끝난 후 관련 스텝에게 데이터를 전달하기도 하지만, AE가 사전에 필요한 데이터 상태와 테이터 종류를 제작 스텝의 아트나, PD등과 공유해야 할 필요가 있습니다. 혹 문제가 생긴 데이터의 경우는 광고주에게 바로 교체 요청을 해야 할 필요가 있기 때문입니다. 제작물을 제시해야 하는 시점에 임박해서 문제된 데이터를 다시 요청하거나 할 경우는 작업 시간 자체가 추가적으로 소요되어 제시 일정에 차질을 불러 일으킬 수 있기 때문입니다.

이와 더불어 가장 기초적으로 해당 광고물과 경쟁 광고물을 모두 찾아 제작 스텝이 볼 수 있거나 들을 수 있게 전달해 주어야 합니다. 광고물을 제공하는 것은 유사 표현에 대한 주의 측면도 있고, 자사의 광고주에 경우는 해당 광고물을 시계열별로 본다면 광고주의 광고물에 대한 성향을 간접적으로 알 수 있는 것이기 때문이기도 합니다. 때론 귀찮은 일일 수도 있으나, 실무AE는 제작 오리엔테이션 전에 광고물 검색을 필수로 하여 제작 스텝과 공유하고 혹 추후 제작물에 대한 리뷰 시 유사 표현의 문제가 없는지를 사전에 확인해야 합니다. 그렇다고, 광고물을 무작정 모두 검색하여 한꺼번에 넘기는 것도 한번쯤 생각해 보아야 합니다. 꼭 필요한 광고물인지 혹 불필요 하거나 중복된 것은 아닌지, 시계열별로 정리여부가 필요한 것은 아닌지를 판단하여 제작 스텝에게 전달해야 합니다. 이러한 광고주의 상품이나 브랜드 관련 자료, 광고 기획서, Creative Brief, 광고물 등이 오히려 당연히 챙겨야 할 것이라면, 제작 오리엔테이션 전에 제작 스텝과제품이나 현장을 가보는 것도 AE가 사전에 준비해야 할 것이라고 할 수 있습니다.

광고주의 신제품이나 브랜드 등을 론칭 하거나 리뉴얼 하는 등의 상황에서는 제품을 알아야 하기 때문에 현장에 나가거나 제품을 가져와 경험하는 경우가 종종 있습니다. 그런데 이 모든 광고주의 제품 관련 사항을 스텝과 공유하기 위해서는 AE가 주도적으로 챙기는 것이 통상적입니다.

관련해서 구체적으로 이야기하자면 스텝들과 사전 공장이나 연구소를 방문이 결정되면 스텝들의 이동 방법을 공유, 스케줄 조정, 보안이 철저한 곳은 사전 리스트 작성, 스텝 리스트를 광고주에게 신분증과 함께 제시, 카메라 등 장비를 가져가야 하는지 시간상 스틸 팀이나 3D팀을 대동해야 하는지 등 제작팀 오티전 많은 사전 업무를 해야할 수도 있습니다.

광고주의 신제품이나 공장 등 현장을 방문해야 하는 상황이 생긴다면, 이렇게 AE들이 스텝 등과 장비등을 사전 확인해야 합니다. 현장에 가보는 것이지만, 이 모든 것들을 AE가 제작 스텝에게 제품이나 광고주 경험하게 하는 것은 앞서 상품 자료 등이 아이데이션에 도움을 주듯 매우 큰 도움이 될 수 있기 때문입니다. 또한, 제작 오리엔테이션 해야 할 제작 오리엔테이션 현장에 가져올 수 있는 것이라면 제품을 회의실에 가져와 함께 보고 경험하게 해주는 것도 필수입니다.

광고할 제품이 음료나 먹거리 제품이라면 단순히 자사의 제품만 가져오는 것이 아니라 경쟁사의 제품도 준비하여 함께 회의에서 비교할 수 있도록 준비해야 합니다. '먹어봐야 맛을 안다'는 말이 있듯이 제작 스텝에게 관련 제품을 경험하고 느끼게 준비해 주는 것은 AE가 제작 오리엔테이션에서 빠지지 않고 챙겨야 할 부분입니다.

필요에 따라서는 마케팅 조사 자료 등을 제작팀과 공유할 필요도 있습니다. 많은 분량은 아니지만, 소비자들이 제품이나 브랜드에 대해서 생각하는 관점을 조사 보고서에서는 볼 수 있으므로, 뭔가 인사이트를 찾거나 보다 소비자 지향적인 광고물을 뽑아내기 위해 조사 보고서를 공유하기도 합니다.

제작 오리엔테이션에서 이러한 사전 준비를 철저히 하게 된다면, 추후 발생할 여러 가지 불필요한 문제를 최소화시킬 수 있으며, AE와 제작 스텝 간에 신뢰감이 보다 두터워질 수 있습니다. 그냥 브리프나 기획서만 전달하고 제작 스텝이 알아서 하라고 나 두게 된다면, 물론 제작 스텝이 관련 자료를 찾을 수도 있겠지만, 제작 스텝이 아이데이션 할 수 있는 효과적인 시간을 뺏을 수도 있는 것이고, 기본적으로 제작과 기획 스텝 간의 좋지 않은 감정의 골이 생길 수도 있습니다.

자칫 가만히 보면 AE는 일정 부분 제작 스텝이 제시한 방향에 대하 최고의 아이디어를 뽑아 낼 수 있도록 수시로 신경 써주고 챙겨주는 보조자 역할 일 수도 있겠지만, 실제 이러한 업무 지원은 제작물의 완성도 등에서나 디테일에서 차이가 현격하게 나타날 수 있습니다. 따라서, 단순 지원업무 라고 생각하기 보기보다는 제작 오리엔테이션의 효과를 극대화하기 위한 개념의 업무라고 생각해야 합니다.

제작팀과는 연애하듯 밀당 기술이 필요합니다.

광고회사 AE와 제작 스텝과의 사이를 한마디로 표현하라고 하면 '애인' 사이 같다고 말하고 싶습니다. 이런 사이로 이야기할 수 있는 것은 업무상의 특성 때문에 나타나는 것 같습니다. AE는 광고주뿐만 아니라 많은 스텝들을 만나야 하다 보니 성격이 외향적이고 남의 의견을 잘 듣고 열린 생각을 가지려고 합니다. 그러나 제작은 이와는 다르게 크리에이터 특성상 자신의 아이디어에 대한 신념이 높고, 관철시키려는 노력을 많이 하기 때문에 서로 간에 이해관계가 부딪치게 될 수 있습니다.

예를 들어 AE는 광고주가 원하는 제작물에서 좀더 직접적고 강한 메시지를 넣고 싶지만, 제작에 입장에서는 보다 소비자 지향적으로 독특하게 하고 싶은 마음이 큰 차이가 있습니다. 이는 카피뿐만 아니라 아트나 다른 제작 스텝들도 각 분야에 맞추어 나름의 영역에 대한 지키고 싶은 것들이 있기 때문에 AE와 많은 의견 다툼이 생길 수밖에 없습니다. 그렇기 때문에 애인 사이처럼 때론 서로가 심하게 다투기도 하고 서로에게 감동을 주기도 하게 됩니다. AE는 제작과 가장 많은 시간을 보내며 많은 회의를 하기 때문에 AE에게 있어 제작팀을 대하는 태도를 잘 가지고 있다는 것은 제작물의 퀄리티 와도 직결된 일이므로 나름의 노하우를 가지고 대해야 할 것입니다.

제작팀과는 우선적으로 친해지려는 노력을 해야 합니다. 좋아하는 남자나 여자친구가 있으면 잘 보이려고 하듯 제작팀과 좋은 관계를 유지한다는 것은 보다 이해도가 높은 관계로 일할 수 있는 분위기로 갈수 있습니다. 이런 친해지려는 노력에서 가장 쉬운 것이 인사하는 것입니다. AE는 직무 특성상 많은 사람들을 만나고 협의해야 하는 것이 있어 인사하는 상황이 많습니다. 그러나, 가만히 보면 광고회사 내에서 서로 간에 인사하거나, 특히 제작 스텝의 경우는 잘 모르고 지나치는 경우도 많이 있습니다. 물론 회사 규모에 따라 다를 순 있겠지만, 해당 제작 스텝과 함께 일을 하지 않는다고 하여 모른 척하고 지내는 것보다는 간단한 목례라도 하고 지낸다면 나중에 함께 일하게 되었을 경우라도 낯선 느낌은 덜 할 수 있습니다.

그리고, 프로젝트 경중에 따라 차이는 있겠지만, 수시로 제작팀의 진행사항을 확인하고 챙겨주는 것이 필요합니다. 제작 스텝의 최근 돌아가는 업무 근황을 확인한다 든지 광고주 분위기를 이야기 해춘하든지 혹은 앞으로 있을 일에 대해 사전에 간단하게 차 한잔 마시면서 이런저런 이야기한다 던지 별것 아니지만, 제작 스텝 입장에서는 AE의 의견을 들으면서 사전에 그런 일이 발생할 수 있구나 하고 예측을 하여 심적으로 업무를 조정할 수도 있기 때문입니다.

그럼 추후에 업무 진행 시 스케줄 조정 등이 훨씬 더 용이해질 수 있습니다. 또한, 프로젝트를 진행하고 있다면, 진행상에 문제는 없는지 뭔가 더 필요한 것은 없는지를 수시로 확인하여 지원해줄 필요가 있는지 보는 것도 좋습니다. 그것이 작게는 밤샘 작업하는 제작 스텝을 위해 간식을 사다주는 작은 일까지도 해당된다고 할 수 있습니다. 이러한 작은 일에서 제작 스텝과의 신뢰감이 커지고 과중한 업무에서도 서로가 더 의지할 큰 힘이 생길 수 있기 때문입니다.

제작 스텝과 일을 하다 보면 제작물로 인해서 일정으로 인해서 여러 가지 이유로 충돌이 생기는 경우가 종종 있습니다. 물론 AE가 잘 못했을 수도 있고, 제작이 잘 못했을 수도 있습니다. 그런데, 다툼이 나게 되었다고 해서 무조건 잘잘 못을 따지기 보다는 오히려 AE가 주도적으로 풀어야 한다고 생각합니다. 분명 그렇게 싸우더라도 풀지 않으면, 결과물에 대한 문제점이 반드시 나오기 마련입니다. 따라서, 싸우더라도 푸는 것은 AE가 풀어야 합니다. 분명 그들과 함께 일하고 결과물을 가져가야 하니까요. 좋은 예시 일지는 모르겠지만, 집에 계신 어머니도 아버지와 싸우면 음식이 갑자기 짜지는 경우가 있습니다. 입에 감각이 둔 해져서 짠맛을 잘 못 느끼기 때문에 그런다는 이야기가 있는데, 그만큼 피해는 광고주와 AE가 입게 되니까요. 제작 스텝과 다투었다고 해서 그것을 감정적인 부분까지 몰고 가는 것은 절대로 안 된다고 생각합니다. 오히려 그것이 더 해가 될 때가 많기 때문입니다.

좋은 크리에이티브를 위해 서로 간의 입장에 차이가 커서 크게 싸울 수도 있겠지만, 어디까지나 업무상의 선을 넘지 않는 정도 까지만 허용이 될 뿐 그 이상의 감정싸움이 된다면 더 이상 업무 진행은 되지 않을 것입니다. 앞서 언급한 대로 제작물에 대한 퀄리티 문제에 직결되고 결과적으로는 그것이 광고주에게까지 영향을 미치게 된다는 것을 AE는 절대 잊어버려서는 안 됩니다.

제작 스텝과 따로 업무 한다고 생각하는 것보다 함께 고생한다는 마음으로 일을 해야 합니다. 금요일이 광고주 시사하고 월요일에 수정한 것을 보여주어야 하는 상황에서 수정이 큰 경우는 대부분 주말에 나와 기획과 제작들이 함께 보는 것이 통상입니다. 근데, 혹자는 별 것 아닌 수정인데, 웹으로 보자고 하는 경우도 있습니다. 정말 작은 것이라면 그냥 월요일에도 볼 수 있으나, 혹자는 웹으로 보고 유선으로 계속 회의하는 형태로 진을 빼는 경우가 있습니다.

제작은 나와서 편집실에서 날밤 새고...이는 제작입장에서는 기운 빠지는 일일 수 있습니다. 혹 의사결정이 약간이라도 필요하거나, 문제의 소지가 있을 경우, 월요일 아침 일찍 수정한 시간도 없이 진행되어야 할 상황이라면, 기획도 주말에 가급적 나가서 확인하는 태도를 가지는 것이 필요할 것 같습니다. 나갔다 가도 별거 없이 허무하게 끝날 수도 있을 것 같지만, 제작입장에서는 남모르게 고생한다는 고마움을 공유하게 되고 더 신경 써서 해줄 수 있는 상황이 될 수 있습니다. 함께 고생한다는 맘은 버리지 말아야 할 태도인 것 같습니다.

제작 스텝과 업무를 진행하면서 프로젝트에 대한 고생과 행복을 함께 나누는 것도 꼭 필요합니다. 우여곡절 끝이 난 프로젝트의 성공여부를 떠나서 제작 스텝들에게 수고하고 '고맙다'라는 메시지 하나쯤 보내는 것은 정말 좋은 것 같습니다. 아무것도 아니지만, 추후 다시 일을 하게 되더라도 감사하고 고마운 마음을 미리 표시한다면 더 기운 내어 함께 할 수 있을 테니까요. 지금이라도 프로젝트가 하나 끝났다면 문자라도 하나 보내 보세요. 아마 많은 도움이 될 것입니다.

또한 수상과 같은 행복이 있을 때도 마찬가지입니다. 보통 시상에 광고회사 AE나 광고주가 참석하는 경우가 많은데, 바쁜 제작 스텝이 일일이 참여하기가 힘든 경우도 많이 있습니다. 이런 수상의 기쁨을 함께 가서 누려도 좋겠지만, 그렇지 못한 경우가 많기 때문에 가급적 이런 수상을 하게 되면, 수상에 대해 관련 스텝들과 공유하여 기쁨을 함께 할 수 있도록 AE가 챙겨주는 것이 필요합니다. 별것 아닌 것 같지만, 고생 끝에 느껴지는 기쁨이므로 사전에 확인하여 수상의 기쁨을 공유하면 남모르는 보람과 행복을 느낄 수 있을 것입니다.

제작 회의시 카피 말고 콘셉트를 이야기하세요.

실무AE가 브리프를 작성하여 제작회의시 가장 실수하고 어려워하는 것이 기획방향을 이야기하는 것이 아니라, 제작입장에서 카피를 이야기하는 것입니다. 이럴 경우는 브리프 상에 콘셉트와 카피 등의 개념이 명확하게 세워지 있지 않거나, 경험이 부족해서 그럴 수 있습니다.

사실 제작 회의시 콘셉트가 어렵더라도 회의가 잘되거나 제작팀이 브리프를 이해하는 경우는 제품이나 브랜드의 팩트가 명확할 때입니다. '세계 최초, 국내 최다, 만족도 1위'등 팩트가 명확하면 브리프상에 콘셉트가 좀 이상해도 회의하는 데는 크게 문제가 없을 순 있습니다. 그러나, 팩트가 명확할 때도 있지만, 그렇지 않을 경우도 있기 때문에 이러한 상황에서의 브리프 작성과 회의 진행은 잘 고민해서 해야 합니다.

브리프상에 제품, 시장, 배경 등은 어느 정도 정리하여 전달된다고는 하지만, 브랜드나 제품 간에 극명한 차별점이 많이 있는 것도 아니고, 혹자는 여러 가지 장점을 모두 나열하고 싶은 마음도 있기 때문에 날카롭고 임팩트 있는 광고를 만들기 위한 회의를 한다는 것은 쉽지 않을 경우가 있습니다. 그러다 보면 자연스럽게 AE입장에서는 광고의 목표나 목적을 기술하고 가장 중요한 콘셉트 부분을 이야기할 때 자칫 이런 헤드라인, 저런 헤드라인 등의 카피를 이야기하는 경우가 많이 있습니다.

콘셉트 부분에 콘셉트인지 카피인지 모호한 개념이나 방향이 들어가 있으면 이해도 안되고 소득 없이 답답하게 진행되고 브리프를 100% 제작이 합의하지 않거나 다시 회의를 해야 할 수도 있습니다. 심히면 기획이 기획답지 못한 회의를 한다고 서운한 소리를 들을 수도 있습니다.

통상 브렌드나 제품의 변별력이 크게 없는 상황에서 이미지 차별화를 위한 광고를 만들 때 이런 상황이 많이 일어나는 것 같습니다.

이럴 경우는 콘셉트 자체도 중요하지만, 브리프상에 타겟에 대한 정보나 인사이트를 제작들에게 잘 전달해 줄 때 해결되는 것 같습니다. 쉽게 말하면 우리 제품이나 브랜드를 쓰는 사람은 이런 사람이고 이런 이미지라고 규정해 주는 것이 중요한 것 같습니다.

단순한 인구통계학적인 프로파일을 이야기하는 것이 아니라, 타깃 들이 생각하는 제품이나 브랜드에 대한 인식, 트랜드, 코드 등 타깃과 관련된 다양한 이야기들이 보다 더 의미 있는 것으로 회의시에 아이디에이션에 도움이 되는 것 같기 때문입니다.

실무 시 자주 예를 드는 사례인데 모 광고회사에서 언더웨어 회의를 하는데 콘셉트란에 '섬세한 언더웨어'라고 적어 놓고 회의를 한 적이 있다고 합니다. 제작 스텝들은 이러한 콘셉트를 듣고는 너무 추상적이고 제작이 생각할 때는 섬세하다는 표현을 도대체 어떻게 해야 하는지 방향을 알 수가 없어 대단히 어려워했다고 합니다. 실제 이러한 콘셉트를 받아 든 어떠한 제작도 쉽게 어떤 이미지를 연상하거나 카피를 떠오르기가 쉽지 않을 것 같습니다. 몇 번의 회의를 거쳐 정리된 것은 콘셉트에 대한 구체적인 설명을 달아 이해를 높였다고 합니다. '마치 부드럽고 따뜻한 사랑이 느껴지는 애인의 손길과 같은 섬세함' 뭐 더 구체적으로 기억나지는 않지만, 제작물은 여성의 실루엣에 남성의 손으로 가려진 모습을 비주얼로 하여 사랑이 느껴지게 만들었다고 합니다.

정답은 아니겠지만, 경험상으로 보았을 때 모든 사람이 이해하고 명확한 콘셉트로 회의한다는 것은 개인이 학습한 지식이나 배경들을 볼 때 차이가 날 수 있다는 것은 분명한 것 같습니다. 따라서, 제작회의시 콘셉트를 기술하더라도 그것의 이해도와 형상화가 될 수 있는 콘셉트를 설명하는 설명문구나, 그것이 전달될 타깃의 인사이트와 같은 것들이 보다 더 제작들에게는 매력적으로 포장하는데 도움이 되는 것 같습니다.

그런데, 인사이트와 같은 것은 사실 매우 찾기가 쉽지 않은 것 같습니다. 그렇다고, 사람들이 생각하는 것이 무조건 인사이트라고 하기는 어려운 것 같습니다. 큰 빙산에서 수면위로는 보이지 않지만, 파도가 치거나 할 때 보이는 빙산의 아래부분들처럼 명확히는 드러나지 않는 보일 듯 말 듯한 소비자들의 인식하지 못하는 습관과도 같은 것 같습니다. 아니면 너무나 당연해서 잊고 있는 것일 수도 있을 것 같습니다.

예를 몇 가지 들어보면, 과거 먼지를 일으키며 달리는 힘 좋은 쿠페 자동차 광고에서 이런 카피가 있었던 것 같습니다. 'XX다 당신은 아직 어리거나~, 고성능의 제품을 아주 감성적으로 풀었던 것 같습니다. 과연 제작회의시 기획은 제작스텝에게 뭐라고 해주며 주었을까요? 콘셉트 워드를 떠나서 이 차를 살만한 젊은 타깃들에게 젊어서 '한번쯤은 꼭 누려야할 차', '인생은 짧다'라는 식으로 인생에 대한 이야기를 함께 했을 것 같습니다. 많은 사람들이 이야기하는 대표적인 인사이트 광고라고 하는 사례 중에도 '바나나는 원래 하얗다'라는 고정관념을 깬 것이 제작물에서 매우 크게 작용하지 않았을까 합니다. 만약 기획에서 그냥 '하얀색 바나나 맛으로 더 맛있다'. 만 이야기하였을 경우는 그런 인사이트 있는 광고가 나오기는 힘들었을 것 같습니다.

몇 가지 예를 들지는 않았지만, 이처럼 콘셉트 워드 또한 제작회의시 많은 다툼과 고통의 과정을 겪는 것은 사실이지만, 아주 보편적이고 평범한 워드의 콘셉트이더라도 그것을 해석하는 소비자의 인사이트나, 타겟에 대한 이야기는 그 평범함을 다양하고 차별적인 아이디어를 만드는 원천이 되는 것 같습니다.

아무리 완벽한 기획이라고 제작회의시에 단순하게 콘셉트 워드만 놓고 모든 것을 제작에게 맡긴 다는 것은 무책임한 일입니다. 좋은 아이디어와 임팩트 있는 아이디어를 포기한다는 마음도 듭니다. 물론 어떤 경우는 직접적인 메시지를 만들기 위해 타깃이나 인사이트를 제작 스텝과 공유하지 않는 때도 있지만, 보다 소비자의 마음에 큰 잔상과 공감을 유도하기 위해서는 이런 노력이 필요합니다.

짧은 공부나 단기간의 경험으로 쉽게 만들어 지지는 않는 것 같습니다. 아무리 브리프를 잘 쓰더라도 제작과의 많은 회의를 통해서 향상된다고 생각합니다. 내용이 많은 것 보다는 핵심을 이야기하되 기획 관점에서 제작이 충분히 아이디어를 펼칠 수 있도록 하는 것 쉽지는 않지만, 해야할 부분입니다.

기획 스스로도 생각하는 크리에이티브는 가지고 있어야 합니다.

제작회의가 시작되면 AE는 브리프를 놓고 광고배경/브랜드나 상품 소개/광고 목표/타깃/콘셉트/크리에이티브 가이드/일정 등을 이야기합니다. 전반적인 내용에 대해 전달이 끝나면 제작 스텝과 공유를 하고 방향에 대한 전체적인 합의를 하게 됩니다. 사실 별 다른 사항이 없다면 그대로 제작회의는 끝이 납니다. 그런데, 실무AE들이 이런 제작회의에서 크리에이터들이 참조할 만한 아이디어를 이야기하는 경우가 종종 있습니다. 물론 제작 스텝 모두가 AE가 이야기한 아이디어를 그대로 받아들이는 경우는 많지 않습니다. 그렇지만, 제작 스텝에게 이런 크리에이티브의 아이디어를 제시하는 것이 나름 의미가 있는 것이라고 생각합니다.

첫째는 하나의 기준점이라고 여길 수 있다는 것입니다. 크리에이티브 가이드나 꼭 고려해야 할 사항을 제작 회의에 브리프상에서 전달하기는 하지만, 실질적인 아이디어를 전달한 다는 것은 꼭 그러한 아이디어를 만들어 보라고 하는 것이 아니라, 아무래도 광고주에 대한 이해나 고려를 가장 많이 하고 있는 것이 광고회사 내에서 실무AE들이다 보니 제작 스텝이 꼭 똑같이는 만들지 않더라도 고려는 한다는 것입니다. 오히려 어떤 가이드보다도 제작 스텝에게는 더 쉽게 다가오는 가이드일 수 있기 때문입니다.

둘째로 그 이상의 크리에이티브를 요구하는 AE의 바램 일 수도 있습니다. 물론 크리에이터들은 아이디어를 만들어야 하는 과제가 있다 보니 항상 더 좋은 아이디어 효율적인 아이디어를 고민하게 됩니다. 더구나 AE가 이야기한 아이디어를 그대로 만든다는 것 자체도 크리에이터들에게는 자존심을 상하게 하는 일 일수도 있습니다. 그렇다고 이런 심리를 악용하거나 하면 절대 안될 것 같습니다. 서로가 믿고 의지하는 차원에서 좋은 아이디어를 내기 위해 해야 지 조금이라도 오해를 만들려는 차원에서 하면 안됩니다.

위의 두 가지 이유 외에 사실 가장 본질적인 것은 AE가 브리프를 만들면서 나름의 구체화된 메시지나 그림의 방향이 있어야 한다는 것입니다. 왜냐하면 브리프를 쓴다는 것은 목표를 수행하기 위한 크리에이티브 물을 만드는 것이기 때문에 단순하게 콘셉트만 마치 목표를 수행할 수 있다는 착각에 빠져 그림이나 메시지를 고려하지 않고 콘셉트 란에 어떤 문구를 적을까 고민하는 것은 브리프를 위한 브리프에 그치기 때문입니다.

물론 AE가 브리프를 잘 정리하여 제작스텝이 잘 이해하고 합의하게 만드는 것도 중요하지만 그것 자체도 제작 스텝이 어떠한 그림이나 메시지를 연상하게 만드는 것이므로 AE도 브리프를 쓰면서 메시지나 그림을 연상해야 한다는 것입니다. 그럼 자연스럽게 크리에이티브에 대한 아이디어도 AE가 이야기하게 된다는 것입니다.

과거 모 가전사의 제작물을 만들 때 이런 이야기를 한 적이 있습니다. 명확하게 비주얼 화 시켜서 말하지 않았지만, 제작 스텝이 이런 요청을 했습니다. '혹시 생각하는 그림이나 가이드가 있습니까 '라고 했을 때'명확한 그림이 떠오르지는 않지만, 전체적으로 안을 볼 때 하나의 기준은 있을 것 같습니다. X경쟁사가 어떠한 이야기를 하든(당시 그들은 매우 스타일리쉬하거나 독특하고 감각적인 메시지를 전달하고 있었음)이번에 만드는 광고 캠페인을 통해 그들의 이야기가 매우 작아 보이고 매니아 적으로 느껴졌으면 합니다. 그리고, 우리의 이야기를 통해 사람들이 카테고리 리더인 우리를 아주 큰 그릇을 가진 브랜드 느꼈으면 합니다'여전히 약간은 모호한 표현일 수 있으나, 콘셉트를 설명하고 나서 이번 캠페인에서 해야할 이야기의 그릇을 제작 스텝이 조금은 더 이해한 것 같았습니다.

어떤 신문광고 제작 회의에서는 '개인적으로는 휴가철이니까 뭔가 시원한 그늘이나 야자수같은 느낌으로 계절성을 확 살리는 것은 어떨까요? 보면 막 떠나고 싶게 만들거나'마치 가이드일 수 있으나, 제작 스텝들에게는 '계절성, 시즌'을 고려하면 의미 있는 것으로 생각했던 것 같습니다.

하지만, 이런 아이디어를 이야기할 때 주의해야 할 것은 자신이 좋아한다 거나 개인적인생각에 집중된 의견을 이야기하면 안된다는 것입니다. 철저하게 자신이 제작 스텝에 입장에서 이 브리프를 받아 보았을 때 한번쯤 생각할 수 있는 아이디어의 범위를 생각하고 이야기해야 한다는 것입니다. 아이디어 범위라는 것은 제작 스텝이 콘셉트를 받아 들었을 때 풀어 볼려고 하는 크리에이티브의 범위라고 이야기해야 할 것 같습니다. 그런 범위 안에서 고려할 때 고려될 수 있는 아이디어를 이야기해야 업무적으로 도움이 되는 것이지 개인적으로 선호하는 이야기를 하는 것은 오히려 금기시해야 할 것입니다.

그런데, 이런 크리에이티브의 아이디어가 크게 도움이 되는 때가 있습니다. 광고주와 TV콘티나, 인쇄, 라디오, 디지털 영상 시안들이 들어갈 때 잘 안 풀리는 경우가 있습니다. 이런 경우 광고주로부터 수정사항 등을 듣고 오게 됩니다. 한 번에 정리되면 좋지만 그렇지 않게 될 경우는 제작 스텝들도 풀기가 어려워지고 범위가 더 좁아지게 되는 것이 사실입니다. 그럴 때는 제작스텝에게 수정방향과 광고주를 고려하여 제작 스텝에게 적극적으로 아이디어를 제공하는 것은 큰 도움이 됩니다. 매번 그런 것은 아니지만, 매우 어려운 숙제나 시안 컨펌이 잘 나지 않고 진행이 될 경우는 실무AE가 도움을 충분하게 제공할 수 있어야 합니다.

제작스텝에게 크리에이티브의 아이디어를 이야기하는 것을 월권이나 금기시하는 것으로 생각하는 것은 개인적으로 좋은 크리에이티브, 전략에 맞는 크리에이티브를 뽑아내는 노력에 소극적이라고 할 수도 있습니다. AE들도 처음부터 이런 아이디어를 역으로 제공할 수 있는 노력들을 통해 좋은 광고물을 만들 수 있도록 고민했으면 합니다.

기획은 제작이 아닙니다. 하지만, 제작 입장에서 생각해 보아야 할 때가 있습니다. 특히, 안이 잘 안 풀 릴때는 기획의 기질이 필요합니다 평소에 많은 광고물들을 보면서 저 광고는 어떻게 브리프를 했을까 생각해보고 기회가 된다면 제작회의시 활용하면 좋을 것 같습니다.

제작물, 크리에이티브 리뷰에도 노하우가 필요합니다.

제작스텝들과 제작물, 아이디어, 크리에이티브를 놓고 AE들과 리뷰하는 자리는 즐겁기도 하고 때론 험악한 분위기가 되기도 합니다. 애써 만들어 놓은 제작물이 모두가 만족스러울 경우야 문제가 없겠지만, 뭔가 문제가 있거나 부족할 경우에는 별로 좋지 않은 분위기기 될 수도 있기 때문입니다. 그럴 때 결과물을 보면서 단순히 이건 아니다, 저건 아니다 식으로만 이야기하는 것은 힘들게 만들어낸 제작이나 스텝부서의 입장에서는 매우 서운한 일이 아닐 수 없습니다. 왜냐하면 기획의 입장에서 기본적인 가이드를 제공하고 나름의 기대하는 광고물이 있다면 그것에 대한 명확한 기준을 이야기 하면서 설득적이고 공감될 수 있도록 이야기할 수 있는 근거가 있는데 무조건적으로 아니라고 이야기하는 것은 올바른 기획들의 자세는 아닐 수 있습니다.

제작물, 크리에이티브에 대한 좋은 점, 잘 못된 부분은 사전에 협의된 전략적 기준 및 브리프에 의거하여 이야기해주는 것이 항시 필요하며, 나아가 기획의 입장에서 제작들이나 스텝부서가 참조할 만한 대안에 대해서까지 항시 이야기해주는 것이 맞는 것 같습니다. 팔짱 딱 끼고 단순하게 아니다, 아닌 것 같다라고만 이야기는 할 때 제작이나 스텝들의 표정을 한번쯤 본다면 어떤 의미인지를 알게 될 것 같습니다. 이런 측면에서 실무AE들도 안을 보는 시작과 판단의 기준을 가지는 것은 매우 중요합니다.

[브리프는 제작물을 보는 척도입니다]

실무AE들은 제작물을 리뷰할 때 반드시 브리프를 가지고 가야하는 것을 습관처럼 해야 합니다. 제작물은 예술이 아닌 브랜드와 제품에 대한 인식을 만들거나 바꾸어 가기 위한 전략적 예술품이기 때문에 브리프는 가장 기본적인 기준이 됩니다. 따라서, 제작물을 볼 때 브리프에서 의도하는 마케팅 목표, 광고 목표, 타깃, 콘셉트에 따른 메시지와 비주얼이 적절한지 꼭 활용해야 할 이야기들이 들어가 있는지를 보아야 합니다. 마케팅 목표는 광고 목표를 설정하는 기준이 되고 광고의 목표는 크리에이티브 물이 달성하고자 하는 목표를 잘 수행하는지를 보는 기준이 됩니다. 만약 무조건 맘에 안 든다고 이야기하는 것은 무책임한 것이며, 브리프의 내용을 생각하면서 근거 있는 이야기로 제작물의 잘 된 점과 잘 못된 점을 협의해 나가야 합니다.

[소비자의 시각에서 제작물을 보는 것도 중요합니다]

제작물은 결국 소비자들이 보는 결과물입니다. 따라서, AE들도 제작물을 브리프의 기준에서 조금 벗어나 소비자의 눈으로 보는 것이 필요합니다. 가장 우선적으로 임팩트입니다. 처음 제작물을 보았을 때 눈을 끄는 것이 있습니다. 많은 광고물들 사이에서 경쟁을 하는 것이 당연한 것이라 순식간에 눈을 끌 수 있다면 일단 소비자의 시선을 잡는 데는 성공적이라 할 수 있을 것 같습니다. 그 다음으로는 '다르다'라는 이야기를 만들어 내는 것입니다. 이것은 다른 브랜드나 제품에 대비 차별화된 것으로 받아들이고 관심을 가지고 카피나 비주얼에 붙잡아 두는 역할을 하게 됩니다. 마지막으로는 공감입니다. 아무리 임팩트가 있고 차별화된 이야기라 할지라도 제품이나 브랜드 그리고 나와의 관계가 무관한 것이라면 소비자의 마음속에 자리잡는 공감의 역할을 하기에는 부족할 수 있기 때문입니다.

사실 처음부터 위와 같은 시각과 관점을 가지는 것은 쉽지 않은 것 같습니다. 많은 경험과 업무를 하면서 좋은 광고물들을 많이 보는 것이 가장 큰 힘이 되는 것 같습니다. 왜 좋은 지, 왜 좋은 평가를 받는지를 이런 과정을 통해서 알게 될 때 상기의 방법들과 융합되면 좋은 리뷰를 기본적으로는 할 수 있을 것 같습니다. 또한, 리뷰를 할 때 이야기하는 것도 나름의 룰이 있는 것 같습니다.

[좋은 점부터 이야기하면 분위기가 좋은 것 같습니다.]

모든 안이 문제가 있다는 것은 브리프나 기획서가 잘 못되었을 수도 있고 분명 AE가 제대로 된 방향성을 지속적으로 확인하지 못했을 수도 있습니다. 물론 제작 스텝에서 어려워해서 풀기가 어려울 수도 있을 것입니다. 그렇다고 무조건 문제만 제기하는 것은 제작회의 분위기만 해칠 수가 있어 회의가 제대로 진행이 안 될 수도 있기 때문입니다.

[대안을 같이 이야기하는 것도 좋습니다.]

AE들도 크리에이티브의 아이디어를 이야기한다고 했습니다. 이런 리뷰 과정에서도 마찬가지입니다. 만약 의도한 전략에 부합하지 않는 제작물이라고 판단이 되더라도 자신이 의도한 아이디어의 Tip은 이런 것이었다고 대안을 이야기하는 것이 더 제작 스텝에게는 도움이 됩니다. 앞서 이야기한 상황과 비슷하게 무조건 대안 없이 안에 대한 부정적 의견을 이야기하는 것은 무책임하게 느껴질 수 있습니다.

[솔직하고 때론 강하게 이야기하는 것도 필요합니다]

문제가 분명히 있다면 솔직하게 이야기해야 합니다. 제작 스텝이 고생한 제작물에 대해 미안한 마음에 제대로 이야기하지 못하고 있다가 그대로 진행되어 더 문제가 된다면 시간까지 낭비되고 광고주에게 제시되는 상황에서도 문제가 될 수 있습니다. 따라서, 필요에 따라서는 분명하게 자신의 의견을 전달하여 꼭 수정해야 하거나 추가해야 하는 것이 있다면 이유를 분명히 이야기하고 제작물에 반영할 수 있도록 해야 합니다.

제작 스텝과 제작물 리뷰는 이처럼 단순한 협의가 아니라 좋은 제작물을 이끌어 내기 위한 즐겁기도 하고 고통스러운 자리입니다. 이런 자리에서 아무런 생각 없이 이야기하거나 맘대로 이야기하는 것은 AE로서 피해야할 것이며, 그렇다고 방관하거나 리뷰를 받는다고 생각하고 팔짱만 끼고 있는 것은 더 잘못된 자세라고 생각합니다. 나름의 노하우와 근거를 가지고 적극적으로 제작 스텝과 리뷰를 진행하는 모습이 필요하다는 것을 잊지 말았으면 합니다.

촬영 장비에 대한 기본 지식을 가지고 있어야 합니다.

광고회사에 AE로 일하다 보면 정말 알아야 할 것이 많은 것 같습니다. 주니어 시절에는 주어진 업무 중심으로 하다 이후 일반 기획업무, 광고주와의 원활한 커뮤니케이션만 하면 될 것 같지만, 부가적으로 해야할 것들이 계속 발생하게 됩니다. 그 중 하나가 촬영 장비에 대한 이해와 지식을 가지는 것입니다. 제작 업무라고 생각할 수 있겠지만, 광고주 및 제작과의 커뮤니케이션상에서 필요할 때가 생각보다 빈번하게 발생합니다.

촬영 장비의 명칭이나 기본 지식을 알아야 하는 디테일한 면까지 갖추고 있어야 한다는데, 다시금 AE는 업무 프로세스 전반에 걸쳐 있구나 라는 것을 느끼게 됩니다.

AE가 촬영 장비에 기본 지식을 가져야 하는 가장 큰 이유는 광고주와의 견적합의와 관련된 것이기 때문입니다. 특히, TV/디지털 영상 광고와 관련된 프로젝트를 할 경우 더 필요합니다. 통상 이런 제작물들은 광고주 경영진 보고 이후 PPM(Pre Production Meeting)시점을 전후하여 AE가 견적합의를 하는데, 견적서 양식 안에는 다양한 촬영 장비, 기자재에 대한 항목들이 있습니다. 이 부분은 광고주도 자세하게 보게 되는 부분입니다. 조명 기자재 부분만 보더라도 텅스텐 라이트니 키노플로우니 하는 어렵고 생소한 장비들의 명칭 나옵니다. 이외도 특수 기자재, 녹음부분, 현상부분 등 후반작업까지 계속해서 전문적이고 촬영, 용어가 나옵니다. 더구나 해외 촬영까지 있을 경우 그 폭은 더 넓어집니다.

각 견적 항목마다는 이런 전문 용어와 함께 사용 일수 투입되는 인원 등이 포함되어 있습니다. 이러한 전문적인 항목들이 모여 견적을 형성하게 되고, 광고주는 견적의 많고 적음을 떠나 견적에 들어가 있는 항목에 대해 문의를 하게 되는 경우도 있습니다.

TV광고나 디지털 영상의 경우 많은 장비와 수십명의 인원, 적게는 수천, 많게는 수 억원의 제작비가 들어가는 상황에서 장비가 무엇이고 어떤 인원이 투입되는 지에 대해 궁금해하는 것은 당연한 것 일수 있습니다. 그렇다 보니 AE는 촬영 장비의 명칭이나 쓰임새에 대해 기본적으로 알고 있어야 합니다. 본인도 아직까지 모든 촬영장비에 대한 쓰임새를 다 알고 있는 것은 아닙니다. 그렇다고 누군가가 하나하나 교육해 주는 것도 아닌 것이 현실입니다. 그러나, 분명 업무와 직결되어 있다 보니 어떠한 사전에 알고 있다면 업무에 큰 도움이 됩니다.

또 다른 이유 중 하나는 현장에서 촬영 등 진행 시 광고주와의 커뮤니케이션 때문입니다. 촬영현장에 가면 광고주와 커뮤니케이션을 대부분 하는 것은 AE이기 때문에 촬영 장비를 1차적으로 물어볼 사람이 AE일 것입니다. 그랬을 경우 매번 그것을 관련 스텝들이 한 참 진행하고 있는데 일일이 문의할 수도 없는 것이라 그런 부분을 없애기 위해서라도 알고 있어야 합니다.

아주 작게는 프러덕션, 편집실 등 실 제작 진행상에서 이해도를 높이는 차원에서도 필요할 수 있습니다. AE도 편집실이나 프러덕션, 녹음실, 그리고 회사 내에서 감독 등 다양한 스텝들 과의 미팅을 하게 됩니다. 특히, PPM상에서는 이런 저런 촬영 관련 구체적인 이야기를 하면서 촬영 컷이나 앵글에 대한 이야기가 자연스럽게 나오게 되므로 장비에 대한 언급이 나올 수도 있습니다. 이런 상황에서도 어떤 장비로 어떻게 해 보겠다는 이야기를 이해하게 된다면 훨씬 더 촬영 전문 스텝들 과의 미팅도 더 의미 있고, 구체적으로 알게 될 것입니다.

더구나 장비의 이슈로 제작스텝이나 다른 스텝들과 문제가 발생할 수도 있습니다. 워낙 제작 비용 자체가 크고, 또 간혹 고가의 장비를 꼭 활용해야 하는 상황이 발생하기도 하기 때문에 어떤 때는 장비 사용과 관련하여 해외에서 들여와 제작 전반 일정까지 영향을 끼치기도 하기 때문입니다. 그런 상황에서라면 AE가 콘티를 이해하고 장비에 대한 내용도 숙지하여 제작 스텝과 중재자로서 협의를 해야 하기 때문에 문제를 최소화하는 역할 차원에서 라도 꼭 숙지하는 것이 도움이 됩니다.

AE로서 촬영장비와 쓰임새는 이렇듯 견적업무 외에도 여러 크고 작은 이유로 알고 있어야 하나 앞서 말한 것처럼 누군가가 별도로 교육하거나 하는 것은 아니므로 나름의 노하우로 빠른 시간 내에 파악해야 합니다.

우선적으로 각종 견적의 전문적인 항목을 인터넷이나 촬영관련 서적을 참조하면서 명칭이나 간략한 쓰임새, 모양새 등을 눈에 익히는 것이 필요합니다. 그렇게 한 후에 추후 촬영장에서 실제 어떻게 사용되고 어떠한 효과가 있는지를 알게 되면 더 이해가 쉽고 명확하게 됩니다. 분명 개인적인 노력이 필요한 부분이라고 생각됩니다.

제작 스텝에게도 수시로 물어볼 필요가 있습니다. 역할로 보면 TV나 디지털 영상 촬영시에는 PD에게 물어보는 것이 큰 도움이 됩니다. 현장에서 촬영을 진행하다 잠시 시간이 되면 저 조명은 어떤 역할을 하는지, 카메라 렌즈는 왜 바꾸는지, 바퀴가 달린 카메라 장비는 무엇인지를 물어보면서 추가적으로 장비에 대한 이해를 도울 수 있습니다. 왜냐하면 실제 이론적으로 찾아보고 알게 된 장비라 하더라도 장비의 개발이 계속적으로 이루어지고 있어 현장에서 본 것과의 차이가 클 수 있기 때문입니다. 예를 들어 기계식이던 장비로 알고 있던 것이 전자식으로 바뀐다면 모양과 크기가 매우 달라질 수 있기 때문입니다.

본 주제에서는 사실 촬영장비에 대해 하나하나 명칭을 설명하지는 않았습니다. 왜냐하면 분명 인터넷이나 관련 서적들 그리고 필요하다면 자신의 스텝에게 구체적으로 물어보면 금방 확인할 수 있는 것이기 때문입니다. 다만 그것을 깊게 공부하고 메커니즘을 이해하라는 것이 아니라, 그만큼 AE 업무상 광고주와도 직결되어 있는 중요성에 대해 이해하는 것에 더 큰 의미가 있는 것 같습니다.

촬영장에서는 보이지 않는 룰이 있습니다.

AE로서 난생처음 촬영장에 가던 기억이 생생합니다. 지금 생각하니 약간 추운 날씨였고 모 보험 TV광고를 촬영하는 것이었는데, 버스에서 두 연기자가 대화를 하며 자사 보험의 장점을 알리는 약간은 유머러스 한 광고였던 것 같습니다. 연애인을 본다고 나름 두근거리는 맘을 가졌던 그때를 생각하면 쑥스러운 마음도 듭니다.

그런데, 좀 되기는 했지만, 이제는 촬영장에 가는 마음은 좀 달라졌습니다. 오히려 더 힘들고 많이 지치기도 하고 보이지 않게 챙겨야 할 것들이 있기 때문에 어떤 부분에서는 긴장도 되고 실제 그렇게 좋아하던 모델을 보더라도 좋은 것도 잠시 정말 촬영에서 좋은 연기를 보여주도록 보다 업무적으로 바라보는 시각이 더 생겼다고 말하고 싶습니다.

AE가 촬영장에 도착하기 직전에 촬영 관련 PPM 노트와 제품관련 사항이 있다면 관련 자료를 준비해 가야 합니다. 물론 현장에 콘티 등을 볼 수 있지만, 그것은 어디까지나 촬영 스텝이 보기위한 콘티이므로 촬영 관련 PPM 노트는 절대 잊지 말고 가져가야 합니다. 그것을 보면서 현장에서 또한 해야할 것들이 있기 때문입니다.

일단 촬영장에 도착하면 스텝들과 인사를 하고 준비된 촬영 컨디션을 확인하는 것이 필요합니다. 쉽게 촬영을 위한 기본 세팅이 완료되었는지를 확인하는 것입니다. 장비가 이상 없이 일일이 확인하기는 쉽지 않지만, 담당PD와 협의를 하면서 혹 문제가 없는지를 확인해야 합니다. 그리고 준비된 제품의 상태를 확인해야 합니다, 예를 들어 촬영하는 제품은 시제품인데 포장지를 광고주가 보내왔지만 실제 촬영상에서 부족하지는 않는지 퀄리티에 문제가 있는지는 현장에서 다시 한번 확인해야 합니다. 혹 부족하거나 없을 경우는 바로 AE가 중간에서 추가 요청이나 수정요청을 바로 해야 할 필요가 있기 때문입니다. 또한, 모델을 촬영해야 할 경우 모델의 의상이나 메이크업 상태 등 PPM시 협의하였던 것과 실제 준비된 상태가 차이가 없는지를 확인해야합니다.

촬영에 실제 들어가면 AE는 광고주와 별도의 모니터 룸이나 부스에서 모니터를 보며 제작 스텝들과 촬영을 지켜보게 됩니다. 이때 촬영 컷 진행이나 실제의 느낌을 보게 됩니다. 촬영 진행상에서 가장 많이 AE가 협의되는 부분은 혹 광고주와 촬영부분에 대한 컷이 혹 부족한 것인지 다른 느낌이 필요하지 않은지를 수시로 이야기하면서 필요에 따라서는 전달하여 촬영하게 됩니다. 이때 촬영장에서 보이지 않는 룰이라는 것이 있습니다. 광고주와 AE가 이야기된 사항은 제작 CD나 PD에게 전달이 되고 PD는 감독과 다른 스텝들과 이야기하게 됩니다. 직접적으로 전달하게 될 경우 서로 간에 이해하는 용어나 방법들이 차이가 있을 수 있어 가급적 이러한 프로세스를 거쳐 전달하게 됩니다.

AE들은 촬영 중간 중간 필요에 따라 PPM노트에 진행사항을 메모하거나 촬영장의 현장 스케치를 스마트폰 카메라 등으로 담을 수도 있습니다. 왜냐하면 촬영장 스케치의 경우 기사자료로 배포용 사진으로 사용되기도 하거나 증빙자료로 활용될 수도 있기 때문입니다.

사실 촬영장에서는 촬영자체의 시간도 시간이지만 많은 시간을 조명이나 앵글을 바꾸어 진행하다 보니 기다리는 시간이 걸리게 됩니다. 그러나, 전체적인 진행 상황에서 AE 역할이 가장 중요한 것은 예상하지 못했던 문제가 발생했을 때입니다. 아무리 PPM을 철저히 하고 하더라도 촬영장에서는 다양한 변수들이 늘 암초처럼 존재하고 있기 때문입니다. 예를 들어 시간이 지연되어 모델 스케줄에 부담이 되어 진행이 문제가 생기는 경우, 장비 문제로 촬영에 애를 먹는 경우, 제품 사용을 너무 많이 해서 추가적으로 준비해야 하는 등 생각지도 못한 다양한 일이 벌어지는 것이 촬영장입니다. 이럴 때 중요한 것은 AE는 감정적으로 대하지 말고 상황을 명확히 이해하고 상호간에 합의해 나갈 수 있는 중재역할을 해야 합니다.

실제 모델 문제가 발생했다면 광고주와 모델 에이전시 간의 중간에 중재역할을 해야 하고, 광고주와 촬영 스텝과의 문제로 중간에서 해결해야 합니다. 그러다 보니 더욱 이성적이고 냉철하게 판단하여 부드럽게 문제를 해결하기 위해 노력해야 합니다. 사실 이렇게 이야기는 하지만 갑작스러운 상황에 사전에 그런 마음을 갖는 다는 것은 쉬운 일이 아닙니다.

많은 촬영 경험과 노하우가 있을 때 가능하겠지만, 촬영장에서도 긴 촬영 시간동안 어떠한 일이 벌어질지 모른 다는 것이기 때문에 AE가 제작 스텝이 주로 진행하는 촬영 업무일지라도 현장에서 진행사항을 하나하나 확인해야 한다는 중요성을 인지하고 있어야 한다는 데서 그 의미를 두고자 합니다.

촬영 중간에 인터뷰를 하는 경우도 있습니다. 방송사에서 오는 경우도 있고, 인쇄 촬영이 별도로 진행되는 경우도 있습니다. AE는 촬영 전에 해당 사항을 관련 스텝들 및 필요에 따라 모델이 관련되어 있다면 모델 에이전시에까지 모두 알려 갑작스러운 상황으로 만들면 안됩니다. 현장에서 작은 부담감들이 누적될 경우 촬영 진행자체의 어려움으로 확대될 수 있기 때문입니다.

CF 촬영이라는 것이 주간에만 정확히 끝나면 좋겠지만, 경험상 보면 새벽이나 밤샘촬영도 매우 많은 것 같습니다. 현장에서 AE로서 해야 할 것이 제작 스텝보다는 업무량이 적지만, 현장에서도 촬영의 원활한 진행과 광고주와의 커뮤니케이션이 현장에서도 있으므로 역할이 필요할 경우는 언제든 발휘해야 할 것입니다.

광고물의 법적인 문제등에 걸리지 않도록 주의해야 합니다.

광고물이 법적인 문제나 이와 비슷한 외부적인 갈등을 겪는 경우는 그리 많지는 않지만, 오랜 시간을 들여 만든 광고물이 예상치 못한 법적인 문제등에 휩싸이게 될 경우는 내부적인 문제뿐 아니라, 광고주와의 신뢰와 관련된 문제로까지 확대될 수 있기 때문에 AE 입장에서 제작물이 집행된 이후까지 전체 프로세스상에서 확인하고 해결해야 합니다.

심의와 관련된 사항을 제외하고서 라도 광고물 관련 발생할 수 있는 문제는 예상하기도 힘들고, 정말 의외의 곳에서 발생하게 되는 것 같습니다. 과거 경험상으로 보면 타사 제품이 사용되었으나 부정적인 스토리상에서의 소재로 활용되어, 온에어 이후에 문제가 되거나, 동일 카테고리는 아니지만, 다른 카테고리에서 활용된 표현기법이 유사하여 문제시되는 등 아무리 통제를 하려고 해도 문제는 발생할 수 있습니다. 하지만, 이러한 문제도 제작물 개발 단계에서 AE가 꼼꼼하게 확인한다면 적어도 최소화할 수 있습니다.

우선 크리에이티브에 제약을 줄 수도 있으나, 사전 오리엔테이션 단계에서 제작 스텝과 관련 문제를 일으키지 않도록 공유하는 것도 1차적으로 줄일 수 있는 하나의 방법입니다. 제작물이 없는 오리엔테이션 단계라서 주의해야 한다는 메시지의 공유정도만 있겠지만, 시작부터 그러한 문제를 공유하고 시작하는 것과 시작하지 않는 것과는 제작 스텝이 아이데이션상에서 고민하는 정도가 분명 다를 수 있습니다. 따라서, 필요에 따라서는 관련 사항에 대하여 제작 스텝과 관련 문제를 사전에 시작부터 공유할 필요가 있습니다.

다음으로는 실제 제작물을 리뷰하는 단계에서 문제시될 만한 것들에 대해 협의하는 것입니다. 필요에 따라서는 제작 스텝이 이해를 돕기 위한 레퍼런스나 이미지를 활용하여 함께 리뷰를 하는 경우가 있습니다.

사실 세상에 절대적으로 완벽하게 창의적인 것은 존재하지 않는다고 생각합니다. 광고의 아이디어 자체가 이미 소비자들과의 공감을 필요로 하고 공감을 기반으로 독창적인 것을 만들어 내기 때문에 기본적으로 소비자가 이해할 수 있는 요소들이 활용되는 것은 가능한 이야기입니다. 다만, 레퍼런스나 표현의 수위가 혹 지나치게 비슷하다 거나 모티브정도가 아닌 스토리 전개자체도 지나치게 비슷할 경우는 이와 관련하여 제작 리뷰 단계에서 제작 스텝과 추후 문제가 발생의 소지가 있는 것은 아닌지 한번쯤 점검해 볼 필요가 있을 것입니다.

더구나 레퍼런스에 활용에 있어서는 추후 광고주에게도 이해도를 돕기 위해 제시될 수 있기 때문에 비슷한 질문을 받을 수도 있어 다시한번 확인해볼 필요가 있습니다. AE들은 이과정이 굳이 아니더라도 평상시에 많은 국내외 광고물들을 볼 필요가 있습니다. 광고주 요청에 따라 국내외 광고물을 정기적으로 정리하여 리뷰하는 경우도 있는데, 이때가 아니더라도 AE 스스로 학습한다는 차원에서 광고 관련 사이트나, DB에서 틈 나는 데로 광고물을 볼 필요가 있습니다. 꼭 CF가 아니더라도 인쇄와 관련해서도 잡지나 관련 사이트를 통해 표현의 트랜드나 최근 이슈가 되고 있는 제작물들을 사전에 스터디를 해 놓는다면, 제작물 리뷰 당시에 사전에 추가적으로 스크리닝 할 수 있는 눈을 가질 수 있을 것 같습니다.

중요한 것은 제작물 리뷰 자체가 이런 스크린을 하는 자리로 전락해서는 안 된다는 것을 반드시 인지하고 있어야 합니다. 좋은 아이디어를 위해 서로가 협의해야 하는 것이지 이런 것만 찾아내는 자리가 된다면 그것은 제작물 리뷰 자리로서 의미가 없이 서로 간에 상처만 남을 수 있기 때문입니다. 앞서 언급했지만, 실제 표현 방법이나 스토리를 놓고 보았을 때 비슷한 기법이나 표현이 사용되지 않은 곳이 거의 없을 정도로 비슷비슷한 수준에 올라와 있고 소비자 공감 차원에서 정말 낯선 것만이 답은 아니기 때문입니다.

혹 실제 제작 과정에서 관련 레퍼런스를 활용해야 할 경우, 심지어 거의 비슷한 수준까지 활용될 경우는 아예 관련 부분을 슬라이드나 관련 유료 동영상을 구매해서 활용하듯이 활용하는 방법도 고려해야 할 필요가 있습니다.

또한, PPM 단계에서 초상권이나 기타 소품들이 화면에 걸리는 지를 사전에 확인할 필요가 있습니다. 각 스토리 보드를 설명하고 소품이나 모델들에 대한 설명을 듣게 되는데, 이때 관련 스토리 상에 노출되는지 아닌지를 1차적으로 확인하여 추후 촬영이나 후반작업에서 문제시될 수 있는 부분을 확인할 수도 있습니다.

어떤 경우는 PPM시에 갑자기 정해지는 경우도 있습니다. 스토리 상에서 광고주 협의시 사용하기로 한 타사의 브랜드나 제품이 갑자기 변경되어 불가피하게 조정하게 되었을 경우는 사전에 여러 가지 검토를 해 놓으면 좋지만, 그렇지 못하고 진행하게 되었을 경우는 가능한 한 빠른 시간 내에 상호 협의하여 진행에 문제가 없이 컨펌을 받는 것이 필요합니다.

광고 아이디어에서 어떠한 장점을 부각시키거나 이미지를 가져 오기 위해 다른 이미지나 브랜드를 차용하는 경우도 종종 있습니다. 이럴 경우는 해당 광고주에 브랜드 노출이나 활용에 대해 사전에 협의하여 이야기를 하게 되는데 제작이 진행되면서 변경될 수 있는 부분이라도 공유하여 실제 제작이 완료되어 집행되었을 때 문제가 없도록 수시로 커뮤니케이션해야 할 필요가 있습니다.

특히, 경품 행사 시 공동 마케팅을 많이 하게 되는데 이때는 아예 시작부터 관련 규정을 정하여 서로 간에 진행에 문제가 없도록 협의해야 합니다. 글로벌 브랜드의 경우는 특히 이런 로고 노출과 비중에 대한 부분에 매우 민감할 수 있기 때문입니다.

제작물의 제작과정에서 아주 짧은 순간이라도 문제가 생길 수 있으므로 AE는 제작스텝과 함께 혹 문제가 되지 않는지 자세하게 볼 필요가 있습니다. CF난 동영상의 경우 컴퓨터 그래픽 작업등이 외부에서 대부분 작업이 되기 때문에 실제 작업이 완료된 상황에서 너무 순식간에 지나가는 부분을 확인하기라는 것은 쉬운 것이 아닙니다. 필요에 따라서는 해당 부분은 정지나 느린 화면으로 확인하여 로고 노출이 되는 것은 아닌지, 왜곡되어 노출되는 것은 아닌지를 확인하여 당초 작업의도 데로 되었는지를 확인할 필요가 있습니다.

제작물을 진행하면서 여러 가지 발생할 수 있는 돌발적인 상황은 매우 많이 있습니다. 그러나 이러한 법적이나 외부 타 광고주와 결부된 제작물의 문제는 얼마만큼 사전에 그리고 중간 중간 각 단계별 빠른 대응과 커뮤니케이션을 하느냐가 관건일 수 있습니다. 따라서, AE들은 관련 문제에 휘말리지 않도록 매사에 신경 쓰는 자세가 필요할 것입니다.

제작물을 볼 때는 제작 단계별 상황을 고려해야 합니다.

CF, 디지털 동영상, 인쇄 등 진행 중인 제작물을 내부적으로 볼 때 실무AE들이 가장 많이 실수하는 것들 중에 하나는 '저거 이것이 안 들어 갔는데요?'라고 수시로 수정사항을 제작 스텝에게 요청하는 경우가 있습니다.

제작 스텝에서는 사실 이러한 요청들 때문에 제작물을 거의 완성하고 난 후에 AE나 광고주들에게 보여주려고 합니다. 진행 중에 있는 제작물은 각 단계별로 진척사항이라는 것이 있습니다. 이런 상황들 때문에 제작 스텝에서는 오늘 보는 것은 X% 된 것임을 감안해 달라고 할 정도니까요. 따라서, 항시 AE들도 제작물을 볼 때 완성본이 아닌 상황에서 급하게 진행사항을 확인할 경우에는 어느 단계에 있는지를 분명히 알고 보아야 할 것입니다. 그리고, 그 단계에 맞는 의견을 제작 스텝과 협의하는 것이 어찌 보면 예의이고 도움이 되는 것입니다.

이와는 반대로, 완성된 제작물을 가지고 완전 처음 단계의 이야기를 하는 것도 적절한 것도 아닙니다. 그것은 완전 제작물을 처음부터 다시 만들어야 하는 상황일 수도 있으니, 그만큼 각 단계별에서 보게 될 때 주의해서 의견을 전달해야 합니다.

예를 들어 CF나 디지털 동영상의 경우 일반적인 제작 프로세스는 알고 있지만, NTC(Nega Tele Cine)라는 단계에서 볼 경우가 있습니다. 물론 흔치는 않지만, 해외 촬영을 했거나, 광고물의 칼라 톤이 매우 중요하다고 생각되는 경우에는 제작 스텝과 AE가 함께 보는 경우가 있습니다. 현상을 한 후에 진행되는 작업으로서 편집 작업 직전에 이루어지는 것인데, 이때는 전체 CF 칼라 톤과 같은 것을 볼 수 있는 것이라고 할 수 있습니다. CG도 되어 있지 않고, 편집자체도 되어 있는 않다는 것을 감안했을 경우 이때는 우리가 PPM시 의도한 Chick한 톤이 나올지, 아니면 부드러운 톤이 나올지를 보는 것을 고려하여 보아야 합니다. NTC본이 문제 있을 경우는 아무리 편집을 잘하고 해도 원하는 톤이 나오지 않아 분위기 자체가 살지 않기 때문에 관련 부분에 대한 협의에 중점을 두어야 합니다.

편집실에서 시사를 진행할 경우가 많이 있습니다. 광고주와 볼 경우도 있고, 실무AE들과 제작 스텝이 편집실에 가서 볼 경우가 있습니다. 녹음이 1차 되어 있을 수도 있고 아닌 경우도 있습니다. 가편집 상태이므로 이때에는 CG작업이 완료되지 않았고, 녹음도 완벽하지 않을 수 있습니다. 그런 것을 감안한다면 전체 CF의 스토리를 중심으로 스토리 전개에 이상은 없는지 핵심 포인트에서 모델의 표정이나 제품의 노출 장면이 적절한 컷이 활용이 되었는지를 보아야 합니다. 혹시 필요하다면 이와 관련하여 추가적인 편집본이 필요할 경우는 협의에 따라 가능할 수도 있습니다.

이때 AE는 나름대로 전체 CF 편집 본이 초수 등을 고려하였을 때 생각보다 로고 노출이나 자막 노출에 부담이 없는지를 사전에 메모해둘 필요도 있습니다. 오히려 AE에게 있어서는 사전에 예측했던 자막 노출이나 로고 노출과 관련하여 도움을 줄 만한 것을 미리 확인해 놓는 것이라고 할 수 있습니다.

이후에는 녹음실에서 본녹음을 진행하면서 볼 수 있는 경우가 있습니다. 이때는 어느 정도의 CG와 편집까지 완료된 상태이고 자막도 일부 올라가 있는 상태가 됩니다. AE는 이때 편집실에서 사전에 모니터한 상황을 고려하여 자막의 위치나 제품관련한 사항 등을 사전에 확인하여 녹음실에 넘어오기 전에 1차적으로 PD에게 내용을 전달해 주면 2~3번 작업하는 분량을 줄일 수 있습니다.

녹음실에서 보게 되는 제작물의 경우는 전체 톤이나 편집감 등을 꼼꼼하게 살펴보면 치명적인 문제가 있는지 없는지를 함께 고민해 보는 것이 필요합니다. 만약 아무리 보아도 문제가 있을 것 같은 것이라면 현장에서 자세하게 협의하여 수정이 필요할 경우 수정요청을 해야 합니다. 그러나 수정 요청을 고려할 경우 시사 및 전체 각 작업 관련한 분량을 고려해야 합니다. 무리하게 NTC까지 다시 해야 하거나 전체 분량의 편집과정을 다시 거쳐야 하는 상황이라면 이미 녹음실에서는 그 선을 넘은 것이므로, 완전 다른 회의가 될 수밖에 없기 때문입니다.

녹음실에서 전체적인 편집이나 CG에 대한 부분이 크게 문제가 없다면 녹음하는 목소리나 BGM에 대한 선정에 신경을 써야 합니다. 이때, AE는 조심스럽게 BGM에 대한 비용부분을 확인할 필요가 있습니다. 무리하게 비용이 비싼 BGM을 사용하는 것은 아닌지, 성우 멘트의 남녀를 바꿔볼 필요가 있는 것은 아닌지도 확인할 필요가 있습니다. 혹은 추가적으로 심의에 문제되거나 사전 컨펌된 카피에 광고주의 추가 요청사항이 있다면 반영하여 녹음을 진행할 수도 있습니다.

CF 뿐만 아니라 인쇄 등과 같은 경우도 비슷하다고 할 수 있습니다. 크게는 썸네일에 대한 부분을 볼 경우와 시안 상태로 볼 경우가 있습니다. 썸네일에서는 철저하게 아이디어의 Tip을 볼 수밖에 없습니다. 다만, 카피에 대한 것은 이미지보다 구체적으로 나와 있으므로 비주얼 아이디어에 큰 문제가 없다면 카피 부분에 대한 부분을 보다 집중적으로 협의할 필요가 있습니다.

시안 상태에서 보게 된다면, 비주얼의 구체적인 부분까지 볼 필요가 있습니다. 혹 실제 원고 작업을 진행할 경우 시간적인 소요가 많이 걸리는 것은 아닌지, 과도한 비용이 투입되어야 하는 것이 아닌지를 미리 확인할 필요가 있습니다. 왜냐하면 사안에 따라 다르지만, 시간을 다투는 상황에서 작업시간이 많이 소요되는 안들만 있다면 실제 집행일정에 문제가 생길 수도 있어 시안을 보게 될 경우 그런 부분 때문에 광고주와의 협의시에도 안이 아무리 좋아도 실현 가능성 때문에 실제 내부 보고하거나 집행할 안이 별로 없어 질 수 있기 때문입니다. 만약, 그런 부분이 예상되는 안이라면 시간적인 누수가 발생하지 않도록 사전에 협의하는 것도 시안을 보는 단계에서 필요하다고 할 수 있습니다.

CF나 인쇄가 아니더라도 라디오, 온라인 등 다양한 미디어의 제작물을 보게 될 경우 각 단계별로 완성도가 분명히 차이가 있을 수 있습니다. 따라서, AE는 각 단계별로 보게 되는 제작물을 감안하여 보고 제작 스텝과 협의할 수 있어야 하며, 오히려 향후 진행되는 사항을 고려하여 미리 준비할 수 있는 사항을 준비하는 센스를 갖는 것이 필요하다고 할 수 있겠습니다.

하지만, 제작물이 분명한 문제가 있고 광고주와의 협의시 어려움을 겪을 수 있을 것 같다면 AE와 제작 스텝이 다시 공유하여 일정에 크게 문제가 없다면 조정하는 것도 필요할 수 있습니다. 제작 단계별로 제작물을 보는 것은 사실 경험상에 많은 노하우가 있어야 할 것 같습니다. 이는 후반작업이 아니어도 전 과정에서 아이디어를 바라보는 시각까지 고려한다면 더 큰 의미의 과제가 아닌가 합니다. 다만, 진행되는 제작물에서 AE가 각 단계를 알고 단계에 맞는 협의와 업무를 진행한다면 실제 제작 진행이 윤활유가 뿌려진 것처럼 부드럽게 된다는 것은 분명한 것 같습니다.

국내 촬영과 해외 촬영은 분명한 차이가 있습니다.

AE들에게 있어 해외 촬영은 반드시 경험을 해보라고 권하고 싶은 업무 중에 하나라고 하고 싶습니다. 촬영하여 진행하는 대부분의 프로세스는 비슷하지만, 업무의 양이나 질적인 면에서 AE가 해야 할 일이 상대적으로 많은 것이 사실이기 때문입니다. 가장 큰 차이점은 제작 비용에서 차이가 나는 것 같습니다.

국내 촬영과는 달리 해외로 나간다는 것만 보더라도 로케이션이 달라진다는 것은 국내에 모든 스텝과 장비를 가져갈 수 없는 것이 현실이므로 해외의 장비와 스텝을 써야 한다는 것에서 비용적인 차이가 있을 수 있습니다. 더구나 국가별로 원화에 대한 가치가 달라 그 비용 또한 매우 다를 수 있다는 것입니다. 또한, 해외 스텝과 업무를 진행해야 하므로 현지 스텝들의 문화적인 특성까지도 업무 프로세스 상에서 고려해야 하는 차이가 있을 수 있습니다. 이런 차이점을 고려했을 때 AE가 해외 촬영 업무 관련해서 해야 할 것이 크게는 국내와 해외 현지에서 업무로 나눌 수 있는 것 같습니다.

우선 국내에서의 경우는 해외 촬영이 결정 났을 때 해외 촬영 장소가 우선적으로 고려됩니다. 해외 촬영은 장소의 결정에 따라 해외 현지에서 국내 스텝과 해외 스텝에 커뮤니케이션을 담당하는 프러덕션이 달라 질 수 있고, 그에 따라 투입되는 비용이 차이가 날 수 있습니다. 물론 현지 촬영 기상 조건은 비용과도 직결되는 문제이고 국내와는 다르게 하루 차이에 따라 많은 비용이 차이가 나게 되므로 장소에 대한 결정이 AE가 제작 스텝과 함께 긴밀하게 협의해야 하는 부분이 있습니다.

최적의 장소에서 최소의 비용으로 단시일 내에 촬영할 수 일정을 산출해 낸다는 것은 많은 변수들을 동시에 시뮬레이션 해야 하는 어려움이 있습니다. 동시에 장소와 해외 프러덕션을 검토 하면서 견적을 함께 보게 되기 때문에 복잡한 변수들을 잘 파악해야 합니다. 아무리 장소가 좋아도 비용 자체가 터무니없이 높게 나온다면 그것은 가지 않느니만 못할 수 있기 때문입니다. 앞서 잠깐 언급하였지만, 장소가 결정된 후에는 촬영 기간이 매우 중요해집니다.

해외 스텝의 경우 야간 촬영시 해당 비용이 1.5~2.0배 이상 추가 지불해야 하는 현지 상황 때문에 하루를 늘릴 것인지 아님 야간 촬영 비용을 지불하면서 밤샘 촬영을 해야 할 지를 결정해야 합니다. 물론 후반작업을 진행해야 하는 일정까지도 이때는 고려하여 시뮬레이션 하게 됩니다.

국내에서 해외 프러덕션 선정과 견적 작업이 마무리되면 국내에서는 보통 촬영이후 비용을 지불하게 되는데, 해외 스텝의 경우는 일부 금액을 사전에 지불하고 촬영 종료시점에 나머지 금액을 지불하는 프로세스의 차이가 있습니다. 이때 AE는 전체 견적에 대해 광고주와 가장 빠른 시간 내에 합의를 하여 지급 문제로 인하여 현지진행에 차질이 없도록 지원해 주어야 합니다. 또한, 국내에서 해외 TV 촬영시 인쇄촬영이 별도로 필요한지, 메이킹 영상이 필요한지, 배경 음악 및 모델 사용의 기간까지 등 부가적으로 필요한 사항에 대하여 광고주와 사전에 협의 후 필요에 따라 CM 견적에 포함하여 제시하는 것도 잊어서는 안 됩니다.

일단 국내 업무가 1차적으로 마무리되어 출국을 하게 되면, AE는 자신이 현지에서 해야할 일들이 발생하게 되므로, 출장 전 필요한 것들을 챙길 필요가 있습니다. 국내에서 PPM하였던 노트는 기본이고, 현지에서 사용할 노트북, 스마트폰의 자동 로밍, 온라인 접속 선, 혹 전압이 다를 경우는 현지 전압을 활용할 수 있는 연결 어댑터 등까지도 챙겨야 합니다. 해외 출장의 기쁨을 누리는 것도 누리는 것이지만, 현지에서 만약의 사태에 대비하기 위한 만만의 준비를 우선적으로 고려하는 것이 더 우선일 것입니다.

해외 현지에 나갈 경우는 현지 프러덕션이 전체적인 제작 및 제작 관련된 스텝의 지원을 도맡게 됩니다. 이때 국내 현지에서 진행되고 합의된 사항대로 진행이 되고 있는지 광고주와 하나하나 준비사항을 확인해야 합니다. 현지 촬영 기상 조건, 장소의 적합성, 모델 실제 확인, 일정상의 문제점등을 촬영 전 진행하는 현지 PPM에서 뿐만 아니라 실제 둘러보는 과정에서도 문제가 없는지를 꼼꼼하게 확인해야 합니다.

또한, 현지에서 제품 관련된 것을 촬영할 경우 제품에 문제가 있지는 않는지 수량은 부족하지 않는지를 확인해야 합니다. 현지에서 제품에 문제가 발생할 경우에는 대안이 없는 경우가 많아 매우 난감한 상황이 발생하므로 이에 대한 대처는 그 어느 것 보다도 빠르게 이루어져야 합니다.

만약 국내에서 확인한 사항과 차이점이 발생할 경우 국내와의 커뮤니케이션을 빨리 진행하여 의사결정을 받아 현지에서 협의하여 진행하여야 합니다. 해외의 경우 국내와는 다르게 빠른 대응이 쉽지 않은 것이 현실이라 가능한 부분에 대한 오히려 국내보다 더 세심하게 확인해야 할 필요가 있습니다. 그리고, 현지 상황을 디지털 카메라 등에 담아 국내와의 시차를 고려하여 일일 리포트를 국내에 보낼 필요도 있습니다.

국내에서는 전체적인 PPM을 진행하기 때문에 현지에서 나누어 주는 타임테이블이 국내 PPM상의 스토리를 소화할 수 있는지를 확인할 필요가 있기 때문입니다. 필요에 따라 작성하는 일일 리포트에는 현지 일시와 시간 및 당일 진행사항과 협의 사항, 발생한 문제점과 해결 내용 등을 간략히 메모하여 국내로 보내게 되는데, 국내와 시간차가 별로 나지 않는다면, 유선 커뮤니케이션을 통해 보다 자세하게 설명해줄 필요가 있습니다. 그리고, AE들은 현지 스텝의 일정 관리에 대해 철저하게 지킬 필요가 있습니다. 사전에 나누어 준 일정에 무리가 없다고 판단되면 회의시간이나 이동 시간을 맞추어 촬영 시간에 누수가 발생하지 않도록 협조해야 합니다. 촬영이 진행되면서 문제가 있거나 부족한 부분은 현지 제작 스텝과 협의하며 진행하면 되지만, 촬영과 직접적으로 관련성은 없지만, 촬영 진행상에 문제가 발생할 경우는 메모해 두었다가 아침 미팅이나 제작 스텝과의 별도 협의시에 의견을 나누어 진행에 차질이 없도록 하는 것도 필요합니다.

촬영 종료 시점에는 현지에서 갑작스럽게 NTC를 진행하는 경우도 있습니다. 많은 경우는 국내에서 합의하여 진행하게 되지만, 현지에서 갑작스럽게 진행하게 될 경우는 국내와의 커뮤니케이션은 필수입니다.

AE로서 해외 촬영 차 출장을 간다는 것은 매우 좋은 경험일 것입니다. 그러나, 많은 비용이 투입되어 장기간 때론 단기간 진행되는 해외촬영은 하루하루가 여러 변수와의 싸움일 수밖에 없습니다. 이는 아무리 많은 이야기를 해주어도 실제 경험하지 못하면 얻을 수 없는 것일 것입니다. 다만, 이처럼 국내 촬영에 비하여 차이가 있는 해외 촬영의 어려움을 사전에 알고 좀더 긴장한다면 우려했던 실수를 최소화하지 않을까 합니다.

광고 시사는 하나의 패션쇼 이벤트 같기도 합니다.

TV에서 패션쇼를 보면 멋지게 차려 입은 모델들이 나름의 자태를 뽐내며 향후 패션 트랜드를 이끌어갈 옷들을 선보이게 됩니다. 마치 멋있고 세련되어 보일지 모르지만, 그 무대 뒤에서 이뤄지는 것들을 보면 많은 스텝들이 정신없이 초를 다투어 준비를 하는 것을 보게 됩니다. 하지만, 사람들은 그 무대 뒤에 있는 것들을 신경 쓰지는 않습니다. 광고제작물의 시사도 마찬가지인 것 같습니다.

다른 광고물도 중요하지만, TV광고나 동영상 시사의 경우는 시사는 하나의 이벤트입니다. 한편 제작에 많은 비용을 투입하게 되고 제작비보다 더 많은 비용의 미디어 비용이 투입되어 소비자들과 만나게 되는 것이라, 광고주 입장에서는 매우 중요한 이슈가 아닐 수 없습니다. 그렇다 보니 오랜 기간 동안 힘들게 만들어진 TV광고물의 시사는 최종적으로 온에어 하기 전에 방점을 찍는 매우 중요한 이벤트라고 할 수 있습니다.

힘든 콘티 제시 과정과 촬영, 그리고 이후의 편집, 녹음, 2D, 3D등 다양한 후반작업을 거치게 된 후에 광고주 실무진 시사와 1차 심의 접수 등을 거친 후 최종 온에어 전에 광고주와 협의된 일정에 따라 임원시사가 잡히면 그때부터는 실무AE들과 제작스텝들은 완벽한 시사를 위하여 보이지 않는 많은 노력을 하게 됩니다. 어떤 경우에는 광고주의 임원 출근 시간에 맞춰 준비하느라, 그 전날 저녁부터 바쁘게 움직이기도 합니다.

보통 시사와 관련해서는 실무AE들에게 있어 시사전과 시사 진행에 관련되어 하게 되는 업무가 있습니다. 우선 시사전에는 시사를 위한 장비를 확인하고 챙기는 것이 가장 중요한 업무입니다. 시사전에는 통상 아래와 같은 장비와 내용을 준비하게 됩니다.

-차량(평소 때와는 다르게 큰 차를 배차하는 것이 좋습니다)
-TV(연결 잭, 화질, 청결상태 등), 노트북, 시사 파일
-Projector Screen/Speaker(필요에 따라 챙깁니다)

-Multi Tab(현장에 있더라도 추가로 준비하는 것이 좋습니다)
-시사표
(시사 내용이 담긴 내용을 문서, 1~2장 정도로 요약.)

무엇보다도 시사전 가장 잘 확인해야 하는 것은 장비와 시사 파일입니다. 보통 동영상 파일을 TV에 연결하여 시사를 하게 되는데, 시사버전이 여러 가지가 아닐 경우에는 상관없지만, 시사순서가 복잡하거나 경영진 시사시 뭔가 의견조율이 필요한 경우에는 시사 파일의 순서도 신경 써야 합니다. 예를 들어 추가버전이 있을 경우나 긴급으로 시사직전 변동이 있을 것 같을 경우 추가안의 파일을 추가적으로 만들어야 할지의 여부를 사전에 확인하여 파일을 준비하여야 합니다. 그리고, 몇 번을 반복할 것인가도 사전에 확인하여 반복 순서도 제작 스텝인 PD에게 알려주는 것도 때에 따라서 필요합니다.

파일은 가급적 직접 받아 확인을 하면 가장 좋지만, 혹 시사시간에 쫓겨 어렵다면은 현장에 직접 가서 확인을 해야 합니다. 간혹 시사표를 그대로 PD에게 전달하여 파일을 뜨는 경우가 있는데, 이것보다는 별도로 메모하여 PD가 보다 쉽게 알아듣기 쉽도록 하는 것이 더 좋은 것 같습니다.

그리고, 시사 전에는 반드시 시간이 있다면 꼭 확인을 하는 것입니다. 모든 상황을 실제 상황이라고 고려하여 현장과 똑같이 설치하여 테스트를 반드시 해야 합니다. 시사 전에 시사 버전이 이상 없이 준비되었다면 광고주와 협의하여 시사회장에서 사전에 테스트를 할 수도 있습니다.

그러나, 시사 버전 자체도 거의 당일 늦게까지 작업하는 경우가 많아 순조롭게 되지 않을 수도 있습니다. 따라서, 당혹스러운 상황을 최소화하기 위해서라도 사전 테스트는 꼭 필요하다고 할 수 있습니다. 물론 시사 현장의 상황을 사전에 확인하는 것도 가능하다면 사전에 할 필요가 있습니다. 현장에서 시사 장소가 변경되는 경우도 간혹 있지만, 어떠한 상황이 오더라도 시사를 원활하게 진행할 수 있도록 준비를 해야 합니다.

시사 진행이 잘되더라도 수정이 되는 경우가 종종 있습니다. 온에어의 시간이 여유가 있다면 수정하여 진행하면 상관없지만, 혹 온에어를 사전에 준비시켜 놓고 진행하게 될 경우 반드시 수정해서 집행해야 하는 상황이 온다면, 실무AE들은 더 바쁘게 움직여야 합니다. 이러한 난감한 상황이 생긴다면, 이미 편집되어 나간 것은 어쩔 수 없지만, 편집일정에 간발에 차로 조정이 가능한 것은 불방 처리를 해야 하고, 케이블 같은 경우 일단 미디어사별로 연락하여 Off-air 신청을 해야 합니다. 다만, 예산에 있어 며칠 연기된 부분에 대하여 아예 예산을 없앨 것인지, 아님, Off-air 된 만큼 온에어 되는 시점에 회수를 넣어 금액을 조절하든지 하는 판단은 AE쪽에서 광고주와 협의하여 진행해야 할 것입니다. 그럼 따라서 큐시트도 조정될 것이고 조정된 큐시트를 광고주에게 다시 전달해야 하는 일을 하게 됩니다.

이럴 때 또 주의해야 할 것이 소재 사고입니다. 혹 수정되지 않은 소재가 나가 큰 문제가 발생할 수 있으므로, 이때 소재확인 꼼꼼하게 해야 할 것입니다. 시사시에는 다양한 의견들이 광고주 최고 경영진에서 나올 수 있습니다.

여유가 분명이 있다면 문제가 없지만, 수정과 관련된 이슈가 발생하였을 경우는 제작과 미디어 업무가 동시에 돌아간다는 것을 절대 잊어서는 안 됩니다. 제작 스텝의 수정만 고려하고 있다가 이후 미디어 업무에 반영할 경우는 물리적으로 반영할 수 있는 시간적 여유가 없다는 것입니다. 따라서, 만약 시사시 문제로 인해 긴박하게 상황이 돌아가게 된다면, 침착하게 확인하여 처리해 나가야 합니다.

그리고, 시사 중에는 실무AE가 광고주 측에서 나오는 의견들을 꼼꼼하게 정리해야 할 필요가 있습니다. 제작에 반영해야 할 사항, 미디어와 공유해야 할 상황 등 동시 다발적으로 일어날 수 있는 내용을 자세하게 기술하여 문서화하여 전달해야 합니다. 패션쇼의 대미를 장식하는 것처럼 시사가 잘 끝났을 때 뭔가 기분도 좋기는 하지만, 허탈한 마음과 피로가 몰려오는 것도 사실입니다. 그렇다고 업무가 끝이 난 것은 아닙니다. 오히려 이제 온에어를 위한 준비가 끝난 것일 뿐이니까요.

때론 제작물을 기획이 설명할 수도 있습니다.

광고회사에서 광고주에게 시안이나 콘티를 제시할 때는 일반적으로 제작 스텝 중 CD(Creative Director)가 설명을 하게 됩니다. 그런데, 업무를 하다 보면 모든 제작물을 매번 제작 스텝에서 설명하는 것은 아닙니다. 제작 스텝이 참여하기 어려운 상황이 되거나, 물론 반드시 참여해야 하는 중요한 자리에는 참석하겠지만 필요에 따라서는 AE들이 안을 설명하는 경우도 있습니다. 간단한 제작물의 경우에는 AE가 설명하는 경우가 더 많은 것 같습니다. 또한, 실무AE들도 광고주와 업무를 진행하다 보면 해당 자리에서 자연스럽게 안을 설명해야 할 경우가 종종 찾아오곤 합니다. 아무래도 전략을 설명하는 자리라면 차라리 좋겠지만 인쇄제작물 하나를 설명하더라도 AE에게는 쉽지 않는 것일 수 있습니다.

지금도 기억하지만, 제작 스텝이 없어 처음 제작물을 설명을 할 때 전략적인 부분은 둘째로 하더라도 제작 스텝이 힘들게 만들어 놓은 자식 같은 제작물을 혹여 잘 못 전달되어 '광고주가 컨펌하지 않으면 어쩌지'하고 불안해서 진땀을 뺐던 기억이 생생합니다. 특히 개인적으로 TV보다도 힘든 것이 드라마나 위트가 있는 라디오 광고이었던 것 같습니다. 인쇄나 TV와 같이 보조하는 그림이 있는 것도 아니고, 카피만 있어 안의 느낌을 잘 살리려면 마치 라디오에서 나오는 듯이 잘 읽어야 하기 때문입니다.

이런 제작 스텝이 설명해야 할 제작물에 대한 것도 AE는 필요에 따라서는 설명해야 하는데 처음부터 물론 잘하기는 힘듭니다. 지금도 어떤 경우는 제작 스텝이 의도한 것에 비하여 설명을 제대로 하지 못해 광고주 컨펌을 못 받는 경우도 있습니다. 이럴 때에는 제작스텝에게 매우 미안해지는 것 같습니다. 다만, 실무AE에게 어차피 다가올 일이라면 나름대로 노하우를 알고 준비를 한다면 도움이 될 것 같습니다.

우선 평소에 제작 스텝과 함께 광고주에게 안을 설명할 때 제작이 설명하는 것을 주의 깊게 보는 것이 도움이 되는 것 같습니다. 제작 스텝별로 설명하는 방식이나 스타일의 차이가 있는데 몇 번 광고주와 협의하다 보면 알 수 있습니다. 이런 설명을 할 때 잘 보면 어떠한 순서로 설명을 하는지 어떻게 하면 보다 이해가 쉽고 재미있게 하는지를 벤치마킹하면 조금씩 설명을 어떻게 해야 하는지에 대한 기본적인 감이 오는 것 같습니다. 본인이 생각할 때 제작 스텝이 설명하는 패턴을 일반화하면, 우선 전체적으로 기획에서 제시했던 방향에 대하여 어떻게 크리에이티브 측면에서 해석을 했는지 간략히 이야기하는 것 같습니다. 그런 후에 접근 방법에 대해서 몇 가지로 풀어서 이야기합니다. 이후 안을 설명하기 시작합니다.

TV광고나 디지털 영상의 경우는 첫 컷의 설명이 매우 중요한 것 같습니다. 첫 컷이 잘 풀려야 나머지 컷을 설명하는데도 어려움이 없기 때문이지요, 우선 이미지를 중심으로 그림에 임팩트 있는 부분을 설명하고, 메시지를 설명하고, 어떤 경우는 비주얼을 모두 설명하고 난 후에 카피나 메시지를 설명하기도 합니다.

인쇄는 아이디어의 출발을 설명하고 전체적인 비주얼의 설명 그리고, 카피를 차분하게 읽어주는 순이라 크게 어렵진 않은 것 같습니다. 요약하면 전체적인 이야기 그 다음에는 제작에서 해석한 방법을 설명하고 하나하나 안을 구체적으로 들어가는 방식을 취하는 것 같습니다.

이런 대략적인 프로세스를 알고 나면 연습을 해야 하는데 제일 좋은 것은 제작물을 제작 스텝과 리뷰하고 나서 내부에 보고할 기회가 있을 때 직접 해보는 것입니다. 자세하게 설명할 필요 없이 핵심적인 포인트만 설명하면 대부분 이해하기 때문에 부담감은 상대적으로 줄어들 수 있습니다. 이렇게 제작 스텝과 똑같이 하기는 어렵더라도 이런 의도에서 이런 라인으로 라고 간략하게 설명하기 시작한다면 광고주에게도 어차피 비슷한 구조로 설명하게 되므로 여러 번 하다 보면 어떠한 방식으로 설명해야 할지 감이 서서히 오는 것 같습니다.

문제는 이런 방식을 익히는 데는 시간이 오래 걸리지는 않지만, 제작 스텝처럼 '맛깔'나게 한다는 것은 정말 많은 경험과 노력이 필요한 것 같습니다. 개인적으로는 이런 경험과 노력이 가장 많이 투입되는 것이 라디오 광고인 것 같습니다. 라디오 광고의 설명은 제작 스텝이 하는 '맛'을 살리는 훈련의 소재로서 매우 좋은 것 같지만 오디오로만 들어야 하기 때문에 보조적인 것 없이 목소리의 연기력으로만 해야 하기 때문에 매우 어려운 것이 아닐까 생각이 듭니다. 예전에 모 개그맨을 모델로 하여 라디오 카피를 제작 스텝에서 쓴 것이 있었습니다. 제작 스텝이 참여하지 못한 상황에서 AE가 광고주에게 설명을 해야 하는 상황이었는데, 개그맨이라는 모델을 사용하기 때문에 그 맛을 살린다는 것은 정말 어려운 것 같았습니다. 하여간 당시에는 그 개그맨이 어떤 캐릭터인지를 동영상을 확인하면서 연습을 하였고, 결국 잘 보고되어 실제 제작에 들어갔던 기억이 납니다. 만약 TV나 인쇄 광고물이었다면 그림과 같은 보조재가 있었기 때문에 좀 더 쉬웠을 것 같다는 생각도 듭니다. 실제 라디오 광고에 대한 설명을 하다 보면 오히려 TV나 인쇄 광고를 설명하는 것이 보다 쉬워지는 것 같기도 합니다.

평소에 AE는 전략적이고 이성적으로 이야기할 것 같지만, 실제는 이렇게 소프트한 제작물에 대해서도 설명을 해야 하는 경우가 있습니다. 처음에는 매우 당혹스러운 것 같지만, 실제 하다 보면서 느낀 것은 '엔터테이너'의 기질을 배워가는 것 같고, 오히려 이런 기질이 딱딱하고 어려운 전략부분을 광고주에게 설득시키기가 더 도움이 되는 것 같습니다. 혹자도 이런 비슷한 이야기를 한 것 같습니다.

기획은 더 크리에이티브 하게 제작은 더 전략적으로 서로의 롤을 바꾸어 생각하는 훈련을 많이 해보라는 것. 롤을 바꾼 것은 아니지만, AE입장에서 이런 제작물을 설명할 기회를 갖는 다른 것은 광고주 설득의 도움뿐만 아니라, 제작 스텝의 입장을 바꾸어 상호간의 어려움을 공유하는 좋은 기회가 아닐까 생각이 듭니다.

AE라면 처음부터 제작물을 설명하는 기회가 자주 찾아오지는 않지만, 이런 기회가 생겼을 경우에는 평소에 나름의 노하우를 축적하여 자신만의 '엔터테이너'의 기질을 발휘하여 광고주에게 설명하는 것도 필요한 것 같습니다. 그러나 또 하나 분명한 것은 제작 스텝의 업무 영역 중에 하나라는 것과 설명 전 제작 스텝과 충분한 의견을 나누어 광고주 설명시 잘 못 설명되지 않도록 주의해야 할 것입니다.

제작 스텝과 업무 진행 시 가급적 구두로 전달하지 마세요.

제작 스텝과 광고물 업무와 관련하여 많은 이야기들이 오가게 됩니다. 광고주로부터 제작물에 대한 수정사항을 받거나 추가사항이 있거나, 기획의 입장에서 뭔가 보완해야 할 부분, 또는 제작 프로세스별 확인하고 챙겨야 할 것들 등 다양한 이슈로 제작과 커뮤니케이션을 하게 됩니다. 이때 간단한 것은 구두로 할 수 있다고 하지만, 오히려 개인적으로는 작은 것 하나도 가급적 문서, 문자, 메일등 기록을 남길 수 있는 것을 통한 커뮤니케이션이 더 필요하다고 생각합니다.

우선 구두로 전달했을 경우 작은 것이라도 의도하거나 요청한 것과 다르게 나타날 수 있기 때문입니다. 예를 들어 작은 인쇄광고 수정을 유선으로 '약간만 키워주세요'라고 했을 경우 제작 스텝의 아트가 생각하는 '약간'의 개념과 AE가 의도한 '약간'의 개념은 차이가 있을 수 있습니다. 그러나 보면 결과물을 보았을 때 AE가 광고주로부터 의도한 약간의 사이즈가 제대로 반영이 안 되어 광고주에게 제시해야 할 시간을 놓치게 되어 보고를 제시간에 못하는 경우가 발생하게 됩니다. 정말 별것 아닌 것 같지만, 구두로 전달했을 경우에 작은 문제가 광고주와의 업무 진행에 차질을 빚는 상황까지도 갈 수 있게 됩니다.

또한, 이런 문제로 인하여 제작 스텝과 불필요한 언쟁이 일어나 향후 업무에 차질을 빚을 수 있습니다. 애매한 전달로 인해 AE는 제작 스텝에게 불만을 이야기할 수 있고 어찌 보면 AE가 정확히 전달하지 않음으로 인해 발생한 문제인데 제작 스텝은 이와 관련해서 AE가 잘 못이 아니냐 고 잘잘 못을 따지게 되어 상호간에 업무의 신뢰를 잃어버리는 상황까지 가게 될 수 있습니다. 이렇게 되면 향후 업무 진행에 있어서도 문제되었던 것이 계속 유지되어 진행에 차질을 빚게 되는 됩니다.

이처럼 아주 작은 커뮤니케이션의 실수라도 광고회사 내부 및 외부적으로 큰 문제로 발전할 수 있으므로 실무AE는 작은 것이라도 제작 스텝과 커뮤니케이션 할 때는 가급적 기록을 남겨서 오해나 Gap이 발생하지 않도록 유의해야 합니다.

이런 문제가 발생하지 않기 위해서 몇 가기 방법이 있을 수 있습니다. 가장 먼저 광고주 업무에서도 이야기한 Contact Report를 잘 활용하는 것입니다. 특히, 광고주와 제작물 관련 협의를 할 때 메모를 잘 해 두었다가 리포트로 옮겨서 메일이나 회의를 통해 전달을 하는 것입니다. 이것도 제작 스텝에 입장에서 작업 진행이 수월하도록 가급적 구체적으로 기술해야 하며 명료하게 정리해야 합니다. 아무리 문서화하여 전달한다고 해도 문서 내용 자체가 모호할 경우는 구두로 전달하는 것과 다른 것이 없기 때문입니다.

긴급한 사항으로 전달할 경우는 구두로 전달을 하더라도 반드시 메일이나 리포트를 사후에 꼭 공유하도록 해야 합니다. 즉 제작 스텝에게 '일단 구두로 전달하구요 자세한 내용은 메일로 드리겠습니다'라고 명확하게 전달 한 후에 진행을 해야 합니다. 그리고, 제작 스텝에게 메일이나 문서로 남겼을 경우 전달하였다는 연락도 함께 하는 것도 부가적으로 할 필요가 있습니다. 제작 스텝이 사용하는 컴퓨터가 카피라이터는 크게 문제가 없지만, 아트의 경우 일반 컴퓨터를 사용하지 않는 경우가 많기 때문에 메일이나 메신저가 잘 전달이 안 될 수 있기 때문입니다. 더구나 제작 스텝들은 다른 업무와 겹치거나 한 업무에 집중할 경우 생각을 미처 하지 못하는 때가 자주 발생하므로 중간 중간 관련 사항을 전달받았는지에 대해 확인해야 합니다.

필요에 따라서는 구체적인 그림을 활용하는 것도 방법입니다. 수정 사항에 대한 전달이 가장 많은 것 중 하나인데, 예를 들어 광고주 측에서 '해당 사이즈보다 좀 더 크게'라는 요청사항이 있다면 그대로 전달하는 것에 비하여 해당 이미지 등에, 실제 표기하고 어느 정도 확대되는지를 쉽게 볼 수 있도록 한다면, 2~3번 수정하지 않고 진행될 수도 있을 것입니다. 정확하게 15%정도라고 이야기하면 알아들을 수도 있겠지만, 모든 것을 그렇게 표현할 수 없다 보니 실제 이미지에다 표기하는 것도 방법입니다. 그렇다고 제작 스텝이 만든 보드에 마구 매직이나 볼펜으로 표기하여 전달하기 보다는 가급적 JPEG라는 이미지 데이터를 출력하여 거기에 사이즈는 얼마만큼 카피는 어떻게 이런 이미지는 이런 이미지로 교체라고 구체적으로 명기하여 주는 것이 좋은 것 같습니다.

인쇄뿐만 아니라 TV 디지털 영상 광고물도 마찬가지라고 할 수 있습니다. 특히, 영상에 들어가는 자막이나, 영상 자막 광고 경우도 사이즈 변경 등에 수정사항이 있을 때도 캡처 프로그램 등을 활용하여 해당 컷을 캡처하여 수정사항을 구체적으로 표기하여 제작 스텝에게 전달하는 것이 수정의 오차를 줄이는 방법입니다. 이런 수정 사항이나 이슈가 전달된 내용은 추후 제작 스텝에서 이상없이 진행하였는지에 대한 체크 리스트에 역할을 하게 됩니다. 따라서, 제작 스텝이 제작물에 관련 사항 반영이 완료되었다고 하면 관련 문건을 가지고 완료된 업무에 대해 확인하는 용도로 사용해야 합니다.

그리고, 한 건에 대하여 반복적인 수정이 발생할 때가 있습니다. 이럴 경우 제작 스텝과 같은 자리에서 진행하면서 바로 피드백을 하기도 하는데, 문서화하여 전달할 경우 자칫 앞서 전달한 내용에 대한 수정이 미 반영될 수 있으므로 기존 수정에 대한 사항이나 이슈를 AE가 꼼꼼하게 알고 있어야 합니다.

사실 AE입장에서는 이런 자세한 부분까지 수정사항을 하나하나 정리하여 매번 전달한다는 것은 쉽지 않습니다. 하지만, 분명 하지 않았을 때와 했을 때의 차이점은 경험한 AE라면 가지고 있을 것입니다. 결국 AE 스스로가 이런 과정에 대해서 여러 번 반복하면서 몸에 빠르게 익히는 방법밖에는 아직 없었던 것 같습니다. 처음에는 매우 귀찮은 일일 수도 있으나, 했을 경우에 얻는 장점을 자연스럽게 느끼게 된다면 나중에는 하지 않으면 뭔가 불안해지는 마음까지 생길 정도로 습관이 되는 것 같습니다.

비단 이러한 방법의 커뮤니케이션은 제작 스텝만에 이야기는 아닙니다. 업무를 하다 보면 거의 전스텝과 이러한 커뮤니케이션을 해야 한다고 생각하는 AE들도 있을 것입니다. AE 업무 특성상 모든 업무의 진행사항을 천재가 아닌 이상 기억하기는 쉽지 않을 것입니다. 그러다 보니 다른 스텝과의 업무 진행시에도 자연스럽게 이런 스타일의 커뮤니케이션 방법을 많이 적용하고 있다고 생각합니다. 실무AE에 있어서 매우 작은 스킬이지만, 분명 업무를 하다 보면 중요하고 작은 차이가 큰 결과를 만든 다는 것을 알게 될 것입니다.

영상광고 제작 자체의 업무만큼 관련된 내용도 매우 많습니다.

광고 제작 업무에서 가장 강도가 강하고 많은 노력이 들어가는 제작 업무가 TV나 디지털영상 광고 제작입니다. 프로세스 전체를 따지면, 인쇄나, 라디오 등 다른 업무에 비하여 프로세스도 길고 각 프로세스별 확인해야 할 것도 매우 많습니다. 그렇다고, 모든 것을 총 망라하기란 어려운 것 같습니다. 그런데, 영상 광고 제작을 진행하는 과정에서 AE가 자칫 놓치기 쉽거나 고려해야 할 것들은 경험상으로 놓고 보면 중복되는 몇 가지로 이야기할 수 있을 것 같습니다.

사전에 감독이 선정되어 진행하는 경우도 있지만, 통상 콘티가 결정되고 나면 콘티에 맞는 감독을 선정하는 업무에 들어갑니다. 제작 스텝이 주도로 선정을 하게 되는데, 촬영한 경험이나 기존의 커리어 등을 검토하게 됩니다. 특히, 특정 카테고리에 대한 촬영 경험이 매우 중요할 경우는 선정의 폭이 매우 좁은 것은 사실입니다. 그리고, 감독 선정에 있어 그러한 경험은 매우 중요하게 작용하므로 필요에 따라서는 사전에 감독들의 크리덴셜을 광고주와 제작스텝 그리고 AE가 협의하여 결정을 하게 됩니다. 이때 사전에 확인하여 최적의 궁합을 맞출 수 있도록 AE가 함께 협의를 해야 합니다.

영상광고 PPM 전 결정된 콘티 트리트먼트라는 것이 있습니다. 콘티가 결정되고 이를 촬영할 감독이 아이디어를 넣어 발전시키는 것이라고 할 수 있는데, 결정된 콘티에 대해 트리트먼트가 잘 될 수 있는 것이 있고 안 될 수 있는 것이 있는 것 같습니다. 즉 콘티 자체를 그대로 믿는 것이 아니라, 트리트먼트까지도 어느 정도는 AE도 고려할 필요가 있다는 것입니다. 우리가 실제로 보는 CM중 모델의 표정 하나가 재미있고 콘티에는 없는 미묘한 요소로 재미가 더해질 수 있기 때문에 콘티 자체가 재미없다고 치부하는 것보다는 좀 더 발전될 가능성 까지를 고려하여 콘티를 바라보는 시각도 필요합니다.

제작하는 형태가 애니메이션이나 3D, 해외 촬영 등이 있는지도 고려해야 합니다. 금액은 물론이고 소요 시간이 많이 걸릴 경우는 불가피하게 조정이 필요하기 때문입니다.

촬영 초수에 대한 부분도 중요 고려 대상입니다. TV광고는 보통 30, 20, 15초로 CM을 제작하는데 미디어 상황이나 필요에 따라서는 20초와 15초만 만드는 경우도 있으므로 혹 사전에 이러한 부분의 조율이 필요한지도 확인할 필요가 있습니다. 더구나 초수의 변동은 편집비용, 녹음 비용 등 많은 비용과 결부되어있어 매우 중요한 의사 결정이 될 때가 있습니다.

앞서 잠깐 언급했지만, PPM과 촬영 사전 준비 단계에서는 AE가 제품관련 사항, 배경음악, 모델 사용 기간, 인쇄 동시 촬영여부, 메이킹 필름 필요 여부등을 꼼꼼하게 광고주와 협의하여 제작 스텝에게 전달하는 것은 물론 촬영의 진행관련 타임테이블을 잊지 말고 확인해야 합니다. 광고주가 촬영 현장에 오는 시간이나 진행 사항을 확인할 수 있는 것이므로, PPM 종료 후에는 바로 확인하여 이상이 없는지를 확인해야 합니다.

촬영 종료 후 후반 작업시에 배경음악도 매우 중요한 변수로 간혹 작용합니다. 사전에 예상 비용을 광고주와 합의하여 배경 음악을 선정하지만, 실제 녹음시에 오디오 PD가 추천하는 음악이 훨씬 더 좋은데 가격문제로 아쉽게 진행하지 못하는 상황이 벌어지기도 합니다. 이럴 경우는 비슷한 곡으로 제작하여 가격을 조정하는 센스도 AE가 제작 스텝과 협의하여 조절할 필요도 있습니다.

성우에 대한 선정 부분도 필요에 따라서는 사전에 제작 스텝과 광고주와 합의할 필요가 있습니다. 특별한 경우를 제외하고는 사전에 성우를 결정하진 않지만, 본 녹음 상황에서 성우에 대한 문제로 인해 변경될 수도 있고 시사 상황에서 변동될 수 있으므로 사전에 몇몇 성우에 대한 검토를 한 후에 진행하는 것도 시행 착오를 줄 일 수 있는 방법 중 하나입니다.

본 편집이나 본 녹음 단계에서는 필수적으로 들어가는 자막이나 사이즈가 이상이 없는지를 보아야 합니다. 어떤 카테고리에 경우는 꼭 들어가야 하는 자막이 있는 일정 수준이 노출이 되지 않으면 다시 자막 작업을 해야 하므로 심의상에서 문제를 일으켜 온에어에 지장을 줄 수 있기 때문입니다.

방송이 되고 난 후에 TV의 신이나 컷 중 주요 컷을 해상도 높은 것으로 미리 받아 둘 필요가 있습니다. 이는 PR기사의 자료로 활용되기도 하고 신문광고, 디지털에서 다양한 용도로 활용되기도 하기 때문입니다. 그런데 문제는 아무리 높은 데이터로 받더라도 해상도의 한계가 분명이 있으므로 관련 데이터를 용도를 사전에 확인하는 것은 필수입니다. 그리고, 편집이나, 녹음시에 광고물을 제작하다 보면 대안을 만드는 것은 자주 발생하게 되는 것이 사실입니다. 그러나, 대안을 만드는 것이 목적이 되어서는 안되며, 그것이 분명 필요한 것인지를 판단하여 만들어야 합니다.

통상적으로 보면 기획과 제작이 협의하여 판단이 잘 안 서거나 완벽하게 다른 내용이 합쳐지지 않거나 할 때 대안을 만드는 경우도 있고, 가장 흔하게는 광고주의 요청에 의해 Alt를 만들게 됩니다. 다만, 대안을 만들더라도 안을 들여다보면서 정말 의미가 있는지를 판단하고 혹 AE나 제작에 입장에서 불필요하거나 소비자 입장에서도 큰 의미가 없을 경우에는 과감하게 줄여서 제시하는 것이 필요합니다. 작은 것까지 광고주의 판단에 맡기거나 협의하려고 하면 대안의 양만 늘어나게 되고 의사결정에 불필요한 것까지 판단해야 하는 상황이 되므로 가급적 만드는 것은 필요에 따라 명확한 판단이 필요합니다. 더구나, TV광고의 경우 30,20,15초가 있는데 ABCD등 대안이 늘어날 경우 그 양만 어마어마하게 되므로 오히려 해 깔리게 되는 경우가 될 수 있습니다.

사전에 라디오 광고가 계획이 없었지만, 이를 활용하여 20초 라디오 광고로 변형하는 하는 경우가 있습니다. 이를 미디어 이전이라고 하는데, 이때는 사전에 라디오 광고를 활용한다는 계약이 되어있다는 전제 조건이 있으며, 20초 광고가 반드시 작업이 되어 있어야 합니다. 그렇지 않으면 별도의 비용과 시간이 걸리게 되므로 사전에 미리 필요여부를 확인하는 경우도 있습니다. 이뿐만 아니라 TV광고의 활용폭은 매우 커서 디지털 HD급으로 전용으로만 활용되는 경우도 있고, 극장 광고용으로 사운드를 별도로 디자인해서 소재를 보내는 경우도 있습니다. 경험적으로 알 수 있을 수 있겠지만, 사전에 소재 활용에 대한 폭을 고려하고 있다면 비용적인 부분까지 고려하여 추후 발생시 부담이 없도록 판단하는 것도 필요합니다.

광고주의 특성에 따라 다르지만, 영업점이 많을 경우 많은 CF 소재를 별도 홍보킷이나 타이틀로 제작하여 배포하기도 하고 사내 방송용으로 활용하기도 합니다. 이때 반복되는 CF의 경우 초수를 나타내는 탭사인이라는 것을 삭제해야 하는지, CF의 순서는 어떻게 구성을 해야 하는지, 몇 벌을 만들어야 하는지 어디로 보내야 하고 누구에게 언제까지 배송이 되어야 하는지 등을 확인하여 외주 업체에서 제작되는 시간까지 고려해서 업무 진행을 해야 합니다. 또한, 배송량 자체가 많아지거나 할 경우는 배송시간 자체도 길어지므로 이에 유의해야 합니다.

TV광고를 제작하면서 시작부터 온에어 이후까지 간략하게 발생하는 주요 업무를 간략하게 요약해 보았지만, 실제 이보다 더 많은 일들이 발생하는 것이 TV광고 제작입니다. 다만, 실무AE들이 각 TV광고 제작 프로세스별로 부수적으로 발생하는 업무를 모두다 사전에 예측하기는 어렵지만, 최대한 예측 가능한 업무에 대해 고려하고 대응한다면 보다 변수에 대해 당황하는 것은 줄어들 것이라고 생각됩니다.

라디오 광고 제작 건도 간단하다고 생각하면 안 됩니다.

광고회사에서 제작하는 다양한 광고물들은 제작규모나 일정에 따라 다양합니다 영상광고는 통상 금액이나 일정이 어느 정도 필요한 난위도 있는 프로젝트라고 하면, 라디오 광고 제작 건 같은 경우는 프로세스 자체는 광고주 오리엔테이션, 제작회의, 카피제시, 카피확정, 녹음, 시사, 소재전달, 온에어 정도로 인쇄광고의 프로세스와 비슷한 순서 정도이나, 각 업무 프로세스별 강도는 강하지 않은 것이 사실입니다. 그도 그럴 것이 광고 시안이라는 것에서 보면 영상광고나 인쇄광고처럼 비주얼 화 되는 것이 없다 보니 제작의 각 스텝이 많이 관여해야 할 부분이 없을 수도 있을 것 이기 때문입니다. 그러나, 분명 라디오 광고도 하나의 광고로서의 역할을 하는 중요한 미디어로서 업무 진행 시 단순하다고만 생각할 것은 아닙니다. 라디오 광고도 제작 프로세스별 실무AE가알아두고 확인하고 챙겨야 할 업무들이 분명 있습니다.

오리엔테이션 이후 라디오 카피를 광고주에게 제시할 때 제작을 데려가는 경우도 있지만, 아시다시피 AE가 카피를 설명하는 경우가 많이 있습니다. 따라서, 어떤 경우 자신이 없다면, 가녹음을 해가는 경우도 있지만, 설명하게 되면 실제 녹음수준은 아니지만, 어떤 느낌이겠구나 하는 것을 알려주기 위해 표현을 잘해야 하는 것이라. 다른 TV콘티나, 인쇄물 설명보다 어려울 수 있습니다. 그리고, 라디오 카피확인시 실무AE가 자칫 잊고 있는 부분일 수 있는데, 라디오 녹음하기전 카피를 광고주에게 제시할 때 유심히 보아야 할 부분이 음성광고 특성상, 광고주나 브랜드 노출이 너무 적을 경우는 불가피하게 들어갈 수도 있습니다. 왜냐하면, TV광고에서는 그림 상에 제품이 노출되기 때문에 그러한 부담은 덜하지만, 라디오카피를 리뷰하는 과정에서는 혹 메시지가 흘러버려 제품명이나 브랜드명이 기억되는 것이 약하지 않을지를 사전에 확인해 볼 필요는 있습니다.

어떤 라디오는 무식하게 제품이나 브랜드명만 계속 외쳐 대는데 이정도 까지는 아니더라도 라디오광고의 특성을 너무 무시하고 브랜드나 제품 콜을 하지 않으면 효과가 없으니 카피 사전 광고주 제시 전에 함 이런 부분을 점검할 필요는 있는 것 같습니다.

이때 가녹음을 해가는 경우에는 심의를 사전에 접수하여 심의결과도 동시에 모니터하고 견적에 포함하되 사전에 광고주에게 가 녹음 및 견적에 포함한다는 것을 알려주어야 하는 것도 방법입니다. 어떤 경우는 광고주가 사전견적을 요청하는 경우도 있으므로, 성우로 등은 우선적으로 확인해 놓는 것이 좋습니다.

이후 확정된 안을 기반으로 녹음일정이 확정되면, 광고주가 함께 가는 경우도 있는데, 현장에서 카피를 가지고가 모니터 하면서, 현장에서 정해지 카피에 비하여 다양한 대안을 녹음할 수 있도록 유도하는 스킬도 필요합니다. 이때는 스튜디오에서 프로듀싱 하는 실장에게 직접 말하기 보다는 카피라이터나 PD와 협의하는 것이 좋습니다. 아무래도 영상 광고 촬영장에서 감독에게 직접 말하지 않는 룰과 동일하다고 할 수 있습니다.

한번 녹음하고 나면 두 번 세번 성우를 부를 수 없기 때문에 한번 녹음할 때 추가 버전을 고려해서 녹음해 두는 것도 좋습니다. 또한 배경음악 금액도 천차만별이라 배경음악을 확인하면서, 금액도 함께 확인하는 것이 좋습니다. 배경음악이 유명 곡일 경우 계약기간을 워크시트에 명시하여 추후 계약기간 이후에 사용되는 것을 미리 확인하여 나중에 저작권 사용료 문제가 발생하지 않도록 하는 것이 중요합니다. 마지막으로 시사시에는 파일로 보내거나 컴퓨터에 담아서 가는 경우가 있는데, 카피를 함께 가지고가서 카피를 우선적으로 놓고 합니다. 이때 추가 버전을 잘 기억하고 있거나, 출력물에 대안들이 있다면, 광고주가 대안 요청 시, 추가 협의하거나 불필요한 재녹음을 하지 않아도 됩니다.

라디오 광고는 제작비용도 저렴하고 해서 쉽게 생각할 수 있으나, 나름대로 오랜 노출을 통해 효과를 보는 것이 일반적이라 한번 제작할 때 기억에 꾸준히 남을 수 있도록 신경 써서 해야 합니다. 이외에 기타로 TV에서도 잠깐 언급하였지만, 라디오에서 미디어이전업무는 간혹 있을 수 있는 업무입니다. TV 광고에 나가는 것을 라디오로 전환하는 것을 말하는데, 이때는 일반적으로 20

초짜리만 사용하는 것이 통상적입니다. 만약 15초나 30초를 할 경우 광고주 명기나 심의 상에 문제가 없는지 배경음악이나 성우료의 추가지급 문제는 없는 지 확인해야 합니다. 대부분은 TV광고 제작후에 라디오 녹음을 함께 하는데 갑자기 걸린 경우에는 이를 확인하여 청구에 반영하여야 합니다. 그리고, 무조건 미디어이전을 하는 것이 아니라, 성격과 라디오에서의 임팩트가 확실한지를 확인하는 것도 중요합니다.

실제 녹음이 종료된 상황이에서 녹음실의 메인 스피커가 아닌 일반 스피커로 확인해 볼 필요도 있습니다. 녹음실에서 녹음할 때는 사실 엄청 잘 들립니다. 시스템 자체가 잘 되어 있기 때문에 그렇기도 한데, 이때는 녹음된 것들을 PD나 카피라이터에게 온에어 스피커로 확인할 필요도 있습니다. 그래야, 자동차나 일반 가정에서의 사운드로 확인했을 때도 괜찮을지 알 수 있습니다.

어떤 경우는 전체 녹음이 아닌 수정이나 일부 녹음이고, 다른 일들이 걸려 실무자 즉 기획팀 실무와 제작팀 실무만 나오게 되어 녹음을 진행하게 되는 경우가 간혹 있습니다. 이럴 땐 사전에 카피에 대한 명확한 확인을 하고, 혹 제작CD나 광고주의 추가적인 의견이 있는지를 사전에 확인하여 추가를 준비하던가 현장 녹음시 고려하기 위해 메모를 해두는 것이 좋은 것 같습니다. 그리고, 현장에서 정해진 카피라도 일단 원안은 녹음 해 놓고, 녹음시에 이상한 부분 등은 카피나 PD 실무와 협의하여 프러덕션도 함께 의견을 모아 정리해야 합니다. 혹 중간 진행상에 의사 결정이 필요한 부분은 반드시 확인을 받고 가는 것이 추후 재녹음을 피하는 방법일 수도 있습니다. 실무AE나 제작실무에서는 실제 녹음시의 톤의 느낌은 어떤 지, 멘트는 바르게 읽는지, 혹 카피에 대한 추가버전이 필요한지를 녹음시마다 확인하여 필요에 따라 탄력적으로 움직여야 합니다. 무조건 애매하다고 해서 추가버전을 만들면 너무 많은 대안때문에 결정에 어려움이 있을 수 있으니 대안을 만들 시에는 그만한 명확한 명분이 있어야 합니다. 그리고, 다녀온 후에는 정리된 카피를 제작팀과 필요에 따라 광고주까지 공유하여 믹싱이 완료된 데이터를 들을 때 갑자기 카피가 많은 달라진 것 같은 오해를 일으키지 말아야 할 것입니다.

이외에도 배경음악이 현장에서 들었을 때 뭔가 어색하다 던지 의견을 구해야 한다면 즉시 기획팀장, CD, 광고주와 커뮤니케이션하여 조정해야 합니다. 또 카피가 수정되어 양이 좀 많아졌다면 읽는 속도 등도 감안하고 전체가 맞지 않는 부분이 있는지 필요하면 확인하여 정리해야 합니다. 혹 남녀 성우를 바꿔 녹음하는 것이 나은지 슬로건은 여자 성우가 읽는 것이 나은지 등 디테일 한 것까지 AE가 중간에서 꼼꼼히 제작실무와 협의하여 정리해 나가야 합니다.

작은 제작물들은 과정보다는 변수에 대응을 잘 해야 합니다.

신문, 잡지, 디지털 배너광고, 인쇄 등 스틸 형태의 관련된 제작 업무 프로세스는 사실 심플합니다. 오리엔테이션을 거쳐 썸네일을 개발하고 이후 시안제시, 원고작업, 출고, 게재 등으로 상대적으로는 간단할 수 있습니다. 물론 간단한 제작물이지만, 광고주에게 관련된 시안을 제시할 경우 이미지와 간단한 카피로 승부를 해야 하는 것이라 튀는 아이디어를 매력적인 비주얼 화 시킨다는 측면에서는 어떤 경우는 더 어려운 부분이 있다고도 할 수 있습니다. 그것에 더해 어려운 부분은 과정에 발생하는 많은 변수와의 싸움이라고 이야기할 수 있습니다.

우선 오리엔테이션이후 내부 썸네일 단계부터 입니다. 광고주와 함께 썸네일을 보는 경우도 있으나, 이때 중요한 것은 안의 완성도가 아니라, 완성되었을 때의 느낌을 연상하며 아이디어를 고민하는 것입니다. 무조건 썸네일이 좋다고 시안 상태가 좋다고 보장하기는 힘듭니다. 따라서, 아이디어를 보는 단계에서 내부 정리가 필요하다면 제작 스텝과 긴밀하게 협의하여 제작 스텝이 설명하는 시안으로 완성되었을 때의 느낌을 어느 정도 감안하여 안을 정리하는 스킬이 필요합니다. 또한, 광고주와의 미팅 시 썸네일로 제시될 경우는 이해도를 높이기 위해 레퍼런스를 함께 첨부하는 것도 방법입니다. 그러나, 잘 못 첨부할 경우 시안 작업 시 상대적으로 완성도가 떨어진 않을 제시할 수 있다는 측면은 충분히 고려해야 할 것입니다.

광고상에 자막형태로 스펙이 들어가는 경우가 있습니다. 특히 인쇄광고에는 사업 영역, 소개 등 각종 요소가 많이 들어갈 경우가 있는데, 무작정 자료만 제작 스텝이나 카피라이터에게 전달하는 것은 무책임한 AE가 될 수 있습니다. 기본적인 자료를 받고 중요한 스펙은 광고주와 사전에 협의하여 정리한후 1차적으로 광고주에게 컨펌을 받고, 정리하여 제작에게 워싱해 달라고 하는 것이 좋습니다. 예를 하나 들면 공고는 같은 기업에서 주주나, 대중에게 사실을 알리는 광고입니다. 광고라기 보다는 공고라고 하는 것도 통상적으로 말하는 광고기능은 없기 때문입니다. 그러나, 공고는 가장 명확해야 하고, 실수 등이 용납되지 않습니다.

공고에 데이터 같은 것이 들어갈 경우 데이터를 제작이 쓰는 컴퓨터로 옮겨 디자이너가 수치를 일일이 입력해야 하기 때문에 실수의 확률이 매우 높을 수 있습니다. 따라서, 끝까지 AE가 몇 번이고 제작과 함께 확인해야 하고, 광고주에게 이상 없는지를 계속 확인해야 합니다. 또, 공고는 정해진 시점에 맞추어 나가야 하는 것이라, 신문사 들에서도 단가자체를 일반 광고와는 다르게 책정되어 있습니다. 따라서, 광고주가 공고 신문단가를 달라고 할 때는 미디어팀과 협의하여 수정된 공고 단가를 광고주에게 제시해 주어야 합니다. 그나마 일반 공고는 시간이라도 있지만, 사과문 등 이슈성 공고는 시간을 다투는 일이라, 문구 확인도 빠르게 진행되어야 합니다.

신문이나 잡지를 출고하다가 광고주가 와이드 칼라로 바리에이션 하자고 이야기하는 경우가 있습니다. 그럴 경우에 무조건 '네'가 아니라, 관련 제작 특히 아트에게 이미지 사이즈를 사용할 수 있느냐고 확인해야 합니다. 작은 이미지로 작업을 애초부터 진행한 것인데 무리하게 뻥튀기 할 경우는 망점이 깨져서 나중에 이미지가 이상하게 보일 수 있기 때문에 기본적으로는 사용할 수가 없는 데이터입니다. 따라서, 실제 사이즈가 얼마인지 확대가 가능한지와 비용발생여부 일정 등을 사전에 확인하여 광고주에게 알려주어야 합니다.

와이드 칼라로 작업시에는 별도의 CG가 필요하게 되고 외주처에서는 보통 이미지를 확대하여 CG를 하기 때문에 기본적으로 추가작업은 불가피합니다. 이는 신문을 잡지로 전환할 때도 마찬가지입니다. 기본적으로 망점이 다르기 때문에 전환시에는 확인이 필요합니다. 잡지는 망점이 더 세밀하여 칼라구현이 잘되나 이를 그대로 신문으로 쓸 경우 너무 떡 지게 나올 수도 있어 사전에 신문이나 잡지로 가는 것을 반드시 AE가 확인해 주어야 합니다. 인쇄광고를 전 신문이나, 다른 인쇄 미디어 등에 집행할 경우가 있습니다.

광고주와 확인된 교정지를 바탕으로 필름이나 데이터를 전달하고 집행이 되는데, 이때 신문미디어사의 칼라를 고려할 필요가 있습니다. 인쇄 용지에 컬러가 들어간 미디어 등에 집행시에는 카피나 비주얼 상에 관련 비슷한 칼라가 들어가 있는지를 확인해 보아야 할 수도 있습니다. 이러한 문제는 자주 발생하는 것은 아니지만, 당초 인쇄 광고를 개발시에는 대부분의 신문사나 잡지사에서 사용하는 회색 빛의 갱지나, 화이트칼라를 기준으로 개발을 하기 때문에 혹 다른 칼라의 미디어사를 배제하다 집행이 되게 되면 반드시 해당 미디어를 고려한 카피의 칼라나 비주얼 칼라를 수정해야 합니다. 그렇지 않으면 배경색에 묻혀 전달하려는 메시지가 제대로 보이지 않거나, 비주얼의 임팩트가 상대적으로 떨어질 수도 있기 때문입니다. 작은 제작물이라도 발생하는 변수에 어떻게 빠르고 기민하게 대응하느냐에 따라 결과가 다르게 나올 수 있습니다.

소재 출고되어 게재되는 순간까지 긴장을 놓지 마세요.

제작이 완료되어 집행을 앞두게 되었을 때 방송소재나 인쇄 원고 출고는 AE와 미디어만 연관된 업무만이 아니라, 제작스텝과 끝까지 긴장해야 하는 업무 중 하나입니다. 앞서도 소재 관련된 업무의 중요성은 누차 강조했지만 아무리 강조해도 지나치지 않은 것 같습니다. 한번 사고가 발생하면 돌이킬 수 없기 때문입니다. 각 업무별로 조금씩 다루기는 했지만, 방송 소재나 인쇄 원고 등 소재 출고 시 주의 사항을 종합적으로 다시 한번 숙지하고 긴장을 늦추지 말아야 할 것 같습니다.

[TV등 영상 소재]

우선 TV광고 소재는 버전을 잘 기억하고 있어야 합니다. 광고주가 최종 확정해준 소재인지 아닌지를 확인하여 제작 스텝에서 어느 버전인지를 명확하게 이야기해주어야 합니다. 가장 정확한 것은 광고주에게 확인용 데이터를 보내주고 광고회사 내부에서 실무AE가 데이터 파일을 확인해야 합니다. 이때 자막의 위치나 오디오 레벨을 확인해야 합니다. 물론 녹음실에서 최대로 높여 보내오지만 만에 하나 작게 되면 실제 온에어 되었을 때 멘트나 음악이 들리지 않게 됩니다. 따라서 최대 레벨인지를 PD를 통해 확인해야 합니다.

옥외 LED나 KTX등에 틀어주는 음성이 안 나오는 자막이 들어간 영상광고가 있습니다. 이럴 경우 큰 자막을 하단에 넣게 되는데 바탕을 약간 넣기도 합니다. 너무 어두우면 그림이 안보이게 되므로 제작 스텝에게 주의를 주어야 합니다. 그리고 글씨의 서체가 얇거나 하지 않도록 사전에 주의를 주어야 합니다. 야구장과 같은 곳이나 16:9의 와이드 한 비율로 트는 곳에서는 영상소재가 맞지 않을 때가 있습니다. 제작 스텝에게 요청을 하더라도 이미 4:3비율로 촬영된 소재는 전환이 불가능하게 됩니다. 억지로 조정할 경우는 화면이 왜곡되므로 제작 스텝과 사전협의를 하거나 제작 초기부터 고려하여 제작을 진행해야 합니다.

[라디오 소재]

과거에는 릴형태의 테이프로 소재를 발송하였는데 지금은 WMV라는 파일형태로 보내게 되어 있습니다. 오디오레벨이 최대인지를 확인하는 것이 우선이고, 혹시 끝나는 부분이 짤리는 지도 확인해야 합니다. 이것 또한 광고주에게 버전 등을 최종 확인하여 내보내야 합니다. 라디오는 과거와는 달리 데이터 전송상에 크게 문제가 없어 다른 소재에 비하여 제작 스텝과 커뮤니케이션할 사항은 별도로 많지 않습니다.

[인쇄관련 소재]

인쇄관련 부분은 제작스텝도 제작 스텝이지만 AE가 어떤 경우는 어려운 소재 업무 중에 하나입니다. 가장 기본적으로는 오탈자와 칼라에 대한 부분을 확인하는 것이 기본입니다. 원고가 마무리되면 교정을 보게 되는데, 칼라는 교정지로, 흑백은 인화지로 보게 됩니다. 인화지는 오탈자를 보게 되는데 공고나 부고 등 문서화된 내용이 많으므로 원본과 비교하여 오탈자가 없는지 확인하는 게 매우 중요합니다. 아무리 광고주가 확인하더라도 수정이 있는지 없는지를 꼼꼼하게 보는 게 매우 중요합니다. 칼라교정의 경우는 색감이 당초 의도한 데로 나왔는지가 중요합니다. 아무리 컴퓨터에서 보정을 하여도 출력하는 곳에서 약하게 나올 수도 있고 신문사 등에서도 약하게 나올 수 있습니다. 때론 너무 강하게 나오는 경우도 있습니다. 시간이 많이 없을 경우는 제작 스텝과 함께 교정을 출력소에서 보거나 신문 인쇄소에서 인쇄를 1차 돌렸을 때 칼라를 확인하게 됩니다. 아무래도 제작스텝이 인쇄소에 함께 가면 어떤 색을 조정해야 겠다는 이야기가 정확하게 나올 수 있습니다. 잡지광고의 경우는 로고의 위치를 다시한번 접히는 곳에 있는지 카피나 그림들이 밀리지 않는지를 사전에 확인하여 제작 스텝에게 전달하는 것이 필요합니다. 나중에 게재가 되고 난 후에는 아무런 의미가 없고 교정을 내었을 때 제작 스텝과 잡지에 들어가는 면을 대략 확인하여 물리는 정도를 함께 보아야 합니다. 많이 물릴 경우는 제작스텝이 관련 원고를 조정하여 다시 보내 출고를 마무리하게 됩니다. 보통 제작에서 칼라출력을 하거나 교정지를 가져오는 경우가 있고, 이를 광고주에게 보내는 경우가 있습니다. 이럴 때 제단을 제작이 해주는 경우도 있지만, 시간이 없을 경우 AE가 하기도 하는데, 이때 주의할 점이 제단선을 정할 때 양끝에 보면 모서라 쪽에 선이 그어져 있습니다. 자를 때 안쪽 끝점에 자를 대고 잘라야 깔끔하게 잘라집니다. 안 그러면 선이 튀어나와 보기가 흉해집니다. 또, 모두 싹 잘라버리는 것이 아니라, 안쪽 끝점에서 반대편 안쪽 끝점 까지만 잘라 나중에 박스형으로 톡 떨어지게 해야 합니다. 특히, 자를 때 철재자를 사용하는 경우가 많은데 손 다치는데 주의해야 합니다.

광고주가 신문 인쇄 소재를 일찍 컨펌내주면 아무런 문제가 없을 것입니다. 하지만, 어떤 광고주는 원고 JPEG보고 교정보고 그리고 출고하는 광고주도 있습니다. 보는 입장에서는 촌각을 다투는 상황이 되지만, 그렇다고 급하게 광고주와 이야기하다 보면 문제가 분명하게 발생합니다. 예를 들어 OO일보가 내일자인데, 광고주가 JPEG로 보겠다고 계속 수정을 시킵니다. 개인적으로 해보면서 하나는 광고주가 해달라는 데로 하지만, 하나는 광고주의 의도를 좀 해석해서 대안을 주는 것도 빨리 가는 방법입니다.

마감시간이 임박하게 되면 미디어사와 제판집에 확인을 하여 최대한 시간을 벌어주고 계속 커뮤니케이션을 합니다. 그래야 만일에 발생할 수 있는 상황에 대비하게 됩니다. 혹 데이터로 출고를 하게 되면 JPEG를 반드시 함께 확인시켜주고 데이터가 깨지지 않았는지 미디어사에서도 확인 요청을 해야 합니다. 스펙 부분은 카피가 읽기도 하지만 AE도 분명하게 확인해야 합니다. 그리고, 출고가 되면 출고되었다 연락을 확인하고, 해야 합니다. 귀찮은 일이지만, 챙기지 않으면 사고 나는 것이 출고입니다. 급하더라도 꼼꼼히 확인해주어야 합니다

[옥외 관련 소재]

옥외도 디지털로 하는 경우는 영상 소재와 크게 차이가 없고, 다만 사이즈와 사운드가 안 나오는 특성을 잘 반영해야 합니다. 다만, 출력형태로 나가는 경우 필름이나 특수 필름을 활용하여 만들게 되고 통상 사이즈가 매우 큽니다. 교통광고도 마찬가지로 사이즈가 매우 큽니다. 그러다 보니 교정을 볼 때 샘플 사이즈로 작게 뽑아서 제작 스텝과 보게 됩니다. 옥외의 경우는 재질에 따라

많은 차이가 있기 때문에 사전에 경험이 많다면 문제없지만, 샘플출력을 필수적으로 하여 광고주와 제작 스텝이 함께 보아야 합니다.

일단 출고와 관련되어 일정이 여유가 있다면 아무 문제가 없지만, 일정이 없고 바쁘게 돌아간다고 하여 급하게 처리하다 가는 큰 문제가 발생하기 일 수 입니다. 따라서, 제작스텝, 미디어스텝과 함께 출고의 마무리까지 꼼꼼하게 확인하고 진행시키는 노력이 반드시 필요합니다. 미디어나 광고주업무에서도 이 부분을 다루지만, 아무리 강조해도 지나치지 않는 것이 이 업무인 것 같습니다.

제작물 관련 계약사항을 리스트 화하여 종합적으로 관리하세요.

광고 제작물에서 모델 관련 사항을 제외하고 라도 많은 계약관계가 존재합니다. 제작 진행 상황에서 대부분의 계약 관련 사항은 AE들이 직간접적으로 관여가 되어 있습니다. 기본적인 제작물 관련 계약사항이나 주의해야 할 것들을 알고 있어야 업무상에서 이런 문제로 고생하지 않습니다. 저작권만 보더라도 예를 들면 저작사용권/저작 인접권 등 법적인 어려운 용어들도 있습니다. 이러한 계약 구조에 대한 용어도 이해하고 있어야 합니다. 일반 광고나 모델 계약을 제외하고 제작 업무상에서 계약 관련 관리해야 할 것들에 대해 보면 아래와 같습니다.

[TV 및 영상광고 관련 계약 사항]

TV 및 영상 관련한 제작물 관련 계약 사항에서 가장 많이 고려해야 할 것이 배경음악(BGM)입니다. 보통 사전에 BGM 금액을 PD 통해서 확인하여 진행하는 것이 통상이지만, 급한 경우 일단 광고주에게 제시하고 저작권 가능여부를 파악하게 됩니다.

원작자와 그것을 판매하는 권리를 가진 저작권을 가진 회사의 권리를 푸는 것이 보통인데 뭐 저작 인접권 등의 용어가 있지만, 통상 저작권을 AE가 제작 스텝, PD를 통해 확인하게 됩니다. 하지만, 급하게 되는 경우 우선 진행하는데, 어떨 때는 온에어를 앞두고 저작권 불가가 나는 경우가 있습니다. 송의 경우는 치명적인 문제이지만 BGM의 경우는 너무나 유명한 곡이 아니면 편곡을 해서 그냥 제작 곡으로 진행되는 경우도 있습니다. 가급적 가능여부를 최대한 빨리 파악하여 문제가 없는 것으로 해야 합니다.

다음은 이미지에 대한 사용 부분입니다. TV, 영상광고에서 별도의 이미지를 사용하게 될 경우는 해당 비용을 지불하고 사용해야 하는 부분이 있습니다. 이러한 부분도 콘티가 완성되는 단계에서 사전에 확인하는 것이 매우 중요합니다. 시간에 다투어 확인하다 가는 배경음악처럼 활용이 어려워지는 상황이 종종 발생하기 때문입니다.

[인쇄, 스틸 관련 계약 사항]

갑자기 제작관리팀에서 연락이 긴급하게 왔습니다. '뭐 OO회사에서 자사의 스톡이 OO잡지에 추가 사용되어 비용이 청구되어 왔습니다' 대게는 슬라이드를 한번 사용하면 계속해서 사용하되 될 것 같지만, 특별한 슬라이드 이미지의 경우나 사람이 나오는 경우는 장기간 사용시 사전에 스톡회사와 관련비용을 지불해서 진행을 시켜야 합니다. 광고주가 집적 출고하지 않은 것이라도 미디어사에서 보너스로 게재를 단독으로 진행할 수도 있고, 광고팀 부서가 아닌 곳에서 예산을 별도로 편성하여 집행하게 될 수도 있어 어디서 어떻게 집행이 될지는 모르는 상황이 벌어질 수도 있습니다.

슬라이드 회사에서는 광고회사로 해당 슬라이드의 사용 내용을 캡쳐를 받아 청구 인보이스를 보내옵니다. 정기 또는 비정기적으로 슬라이드에 대한 모니터를 하기 때문에 슬라이드에 대한 사전 사용 기간을 확인해 두는 것이 필요하며, 광고주에게도 일정기간 이후 사용이 어려운 슬라이드에 대해서는 사용기간을 사전에 알려주면 타 부서에서나 미디어사에서 사용시 관련 내용을 알려주게 되어 이처럼 추가 청구가 오는 경우가 없게 됩니다. 당초에 잡혀 있지 않는 예산이기 때문에 갑작스러운 집행은 추가 예산을 받아야 하는 상황이 되므로 명분 만들기가 쉽지 않기 때문에 이런 것을 예방하기 위해서라도 알고 있는 것이 필요합니다.

제작물 관련 계약사항을 효과적으로 관리하기 위해서는 광고주 업무상에서 이야기한 계약관련 사항과 비슷한 형태로 관리할 필요가 있습니다.

[통합관리]

모든 계약사항에 대하여 통합시트를 만들어 광고주명/브랜드/광고명/해당 이미지나 배경음악/시점/계약만료 시한 등을 명기하여 관리하는 것입니다. 그리고, 계약 만료 전 시점을 노트나 워크시트에 명기하여 절대 잊어버리지 않도록 관리하는 것입니다.

[광고주 사전 연락]

계약사항은 광고주와 사전에 커뮤니케이션 되어야 한다는 것입니다. 만약 AE

혼자만 알고 있다 계약이 만료되어 급급하게 광고주에게 커뮤니케이션 할 경우는 비용문제와 직결되어 추가예산 집행을 받아야 하고, 이로 인해 관계가 악화될 수도 있으니 사전에 이런 부분을 고지하여 문제가 없도록 하여야 합니다.

제작물 관련 계약사항은 사전에 확인하여 진행하게 되지만, 모호한 처리로 인하여 문제시되는 경우가 종종 있으므로 기본적인 제작 관련 계약사항을 이해하고 이에 대응하는 방법을 익혀 문제를 최소화해야 할 것입니다.

제작물에 출현하는 모델 업무는 AE의 몫입니다.

제작물에 관련한 모델 업무는 제작물이 잘 진행될 수 있도록 실무AE가 챙겨야 하는 주요 제작 관련 업무 중에 하나입니다. 마치 제작 스텝에서 모든 것을 해야 할 것으로 생각할 수도 있지만, AE는 모델 관련 업무를 필수적으로 해야 하면 문제가 발생했을 시에 해결하는 능력까지 보여야 합니다.

제 경험상으로는 크게 3가지 정도인 것 같습니다. 계약/지급, 제작 연락 조율, 이슈관련 업무 등 이외에도 다양한 모델 관련 업무가 있을 수 있습니다.

[계약/지급 관련 업무]

광고주 업무에서도 다루기는 했지만, 콘티상에서 모델 이슈가 발생하거나 처음부터 모델안이 검토될 경우 AE는 모델 검토를 제작 스텝과 함께 진행을 하게 됩니다. 일반적인 모델의 경우는 제작 스텝이 거의 주도하여 하게 되지만, 이 또한 광고주와의 협의가 필요하며, 유명 모델의 경우는 모델 에이전시와 제작스텝이 공동으로 움직이며 컨펌을 받게 됩니다. 검토 단계에서 현재 하고 있는 모델 활동, 계약기간, 모델 금액을 확인하여 광고주와 협의하게 되며, 실제 확정이 되었을 경우는 계약에 들어가게 됩니다. 이때 편수나 계약범위, 출연회수 등 자세한 내용을 모델 과 협의하게 됩니다. 유명 모델의 경우는 모델 금액 및 촬영회수, 촬영일정을 잡는 것이 관건이며 이를 모델 에이전시와 수시로 협의하여 최적의 결과를 뽑아 내어야 합니다. 또한, 제작 이후 온에어 되었을 경우 계약 만료 시점을 광고주와 수시로 공유하여 계약 만료 기간 이후에 사용되는 일이 없도록 유의하는데 실무AE가 챙겨야 합니다. 유명 모델이 아니어도 주의해야 할 경우는 많습니다. 예를 들어 외국인 모델을 사용할 때 주의할 점이 있습니다. 바로 비자 문제입니다. 특히, 아이모델일 경우에는 전문 모델로 활동하는 모델이 거의 없기 때문에 집행 전 광고주와 협의할 때 충분한 기간을 두고 협의를 해야 합니다. 보통 비자신청 후 7일~10일이 소요되므로, 미디어집행일정이 너무 빠르면 나중에 불법으로 걸려 큰 문제가 야기될 수 있습니다. 따라서, 사전에 집행일정을 고려하여 외국인 아이 모델의 경우에는 선정기간 자체를 일주일 이상두고 사전 협의하여 비자 발급에 문제가 없도록 해야 합니다. 관련서류 및 계약서까지 필요한 상황이라 사전에 서류준비가 안되었을 경우 미리미리 일정 관리를 하는 것이 중요합니다.

지급 문제도 고려해야 합니다. 모델료의 지급은 AE의 주도로 모델 에이전시를 통해 모델 계약서가 작성되고 모델이 속한 기획사나 매니지먼트사, 또는 개인에게 지급하는 것이 보통입니다. 모델료를 개인에게 지급할 때는 원천징수라는 것을 하게 됩니다. 3.3%의 세금을 제외하고 현금으로 지급하게 됩니다. 매니지먼트사로 지급을 하게 될 경우에는 세금계산서를 발행하여 지급하게 됩니다. 일반모델의 경우는 비용이 높지 않기 때문에 전체 광고 제작비 내에서 광고회사가 지급하게 되고, 추후 광고주에게 관련 견적을 넣어 청구하게 됩니다.

[제작 연락, 조율 업무]

실제 촬영이 잡히면 모델이 촬영장에 잘 도착하고 있는지, 모델 관련 헤어나 메이크업, 코디 등에 문제가 없는지 등 관련 사항을 제작 스텝과 확인하여야 합니다. 특히 유명 모델의 경우는 상기 사항이 매우 민감한 문제로 대두될 수 있으므로 치밀하게 챙기는 것이 필요합니다. 어떤 모델의 경우는 AE가 직접 연락하는 경우도 있습니다. 모델 에이전시나 매니지먼트사와 계약이 되어 있지 않아 혼자서 움직이는 경우에는 필요에 따라 AE가 직접 하는 경우도 있습니다. 현장에서의 확인도 중요합니다. 모델의 촬영 시점에서 컨디션 등이 문제가 되지 않는지 등도 확인하는 것이 필요합니다. 예를 들어 오전에 무리하게 촬영할 경우 모델이 얼굴 상태나 몸 상태가 좋지 않을 때가 있는데, 촬영이후 결과물에서 문제가 발생할 수 있으므로 주의해야 합니다.

[이슈관련 업무]

주로 유명 모델에 관련된 문제가 대부분입니다. 물론 모델뿐 아니라 광고회사나 광고주도 유의해야 할 부분이라고 생각됩니다.

예를 들면 계약기간 연장 관련, 다른 미디어에서의 불법 사용, 모델의 개인 신상, 촬영장에서의 진행상에 문제등 여러 가지가 있습니다.

주로 경험하거나 주의에서 많이 들었던 문제들이 상기 문제들인데 공통적인 것은 가급적 법적인 문제로 비화되지 않도록 최선을 다해 협의하여 해결해야 한다는 것입니다. 만약 어찌되었건 법적인 문제로 비화될 경우는 모델뿐만 아니라, 광고회사, 광고주 모두에게 피해가 갈 수 있는 상황이라는 것입니다. 따라서, 문제가 발생하기전 해결하거나 AE를 중심으로 하여 해결책을 중간에서 만들어 적극적으로 풀어가는 모습이 필요합니다.

AE는 이렇듯 모델 관련 업무에 A~Z까지 직간접적으로 신경을 써야 하는 상황에 늘 놓여 있습니다. 따라서, 모델 업무 또한 제작 스텝의 업무가 아닌 본인과 광고주와 연결되어 있는 업무라고 생각하고 적극적으로 대응하는 것이 필요합니다.

PPM단계에서 AE도 많은 고민이 필요합니다.

PPM(Pre Production Meeting)은 영상 광고를 제작하는데 있어 많은 제작 과정 중에 개인적으로 가장 중요한 프로세스라고 생각합니다. 광고주에게 최종 TV, 디지털 영상 광고를 보고하고 결정된 콘티를 가장 적합하게 만들 감독을 선정하고 촬영을 준비하면서 촬영직전 광고주와 광고회사, 감독이 만나는 가장 큰 자리이고 중요한 의사결정을 하는 자리이므로 실무AE들도 PPM준비를 제작 스텝만 하는 것이 아니라, 함께 준비한다고 생각하고 많은 고민을 함께 해야 한다고 생각합니다.

[스텝구성]

PPM 노트를 보면 다양한 스텝들이 정리되어 있습니다. 광고주와 광고회사가 명기되어 있고, 촬영감독, 조명, 아트, 2D, 3D, 녹음실, NTC등 하나의 CM을 만들기 위한 다양한 스텝들이 나와 있습니다. 물론 제작 스텝에서 최고의 스텝들로 구성을 하기위해 노력하지만,

실무AE들도 스텝구성에 이상이 없는지 한번쯤 들여다볼 필요는 있습니다. 왜냐하면 감독들도 잘 구현하는 콘티가 있듯 스텝들도 결정된 콘티와 같은 스타일을 많이 경험한 스텝인지 아닌지 경험을 통해 어느 정도는 알 수도 있고 혹은 광고주 요청에 따라 문의가 있을 수 있기 때문입니다. 예를 들어 애니메이션 CG에 강한 스텝인지, 인물 조명에 강 한지 등 물론 경험을 많이 한 스텝들이라 실제 진행에 무리가 없지만, 사람마다 좋아하거나 강점이 있는 것이 다르듯 차이가 있을 수 있기 때문입니다.

[촬영 콘티]

PPM 노트안에 가장 많은 이야기가 오가는 부분이 아마 촬영 콘티 부분일 것입니다. 실무AE들도 사전에 관련 건으로 트리트먼트를 광고주와 별도 미팅을 하기도 하지만, 그렇지 않는 경우도 있기 때문에 촬영 콘티를 볼 때는 원안의 메시지를 전달하는데 효과적인지, 카피 량이 많지는 않은 지, 초수별로 보았을 때 스토리 전개에 무리가 없는지 등 다양하게 점검할 필요가 있습니다.

그리고, 실제 PPM시에 콘티상에서 나오는 모든 의견들은 잘 메모하였다가 실제 촬영시 반영이 잘 될 수 있도록 해야 합니다.

촬영 콘티에는 모든 카메라 워킹이나 필요한 예상 조명, 의상, 모델 등 모든 것들이 숨어 고려되어 있으므로 추후 견적을 산출할 때 자세하게 보아야 할 부분이라 최대한 꼼꼼하게 들여다볼 필요가 있습니다. 콘티에 따라 장비나 미술, 후반작업까지 영향을 미치게 되므로 컷 하나하나가 엄청난 고민과 비용이 들어 있다고 보면 됩니다. 그러다 보니 컷트가 혹 의미가 없는 것 아닌지, 아니며 부족한 면이 있는지 아닌지를 검토해야 합니다. 촬영 콘티를 설명하면서 레퍼런스라는 참고 동영상이나 사운드, 사진 등을 보게 됩니다. 중요한 것은 레퍼런스는 보조자료이지 그것을 똑같이 구현된다고 믿는 다는 것은 무리가 있습니다. 따라서, 레퍼런스를 보게 될 때에는 실제 그것이 어느 정도 구현될 것인지를 사전에 확인할 필요도 있고, 문제가 있는 부분이 어느 부분인지를 알아두어야 합니다. 그렇지 않고 똑같이 구현된다고 믿고 있다가 시사시에 예상보다 떨어질 경우는 매우 곤경에 처해질 수 있습니다. 따라서, 레퍼런스를 PPM시 광고주와 공유시에는 어느 부분에서 참고해야 할 지와 혹 동일한 레퍼런스의 구현이 필요할 경우는 어느 수준인지를 미리 공유할 필요가 있습니다.

[의상/모델/장소/소품/미술/BGM등]

콘티에 대한 의견들이 조율되면 이후 콘티에 들어있는 의상, 모델, 장소, 소품, BGM등을 보게 됩니다. 해당 부분들 하나하나가 모여 만들어 내는 것이므로 전체 콘셉트에 부합하는지, 과도한 비용은 아닌지, 충분히 새로운지 등 이 부분들 또한 콘티와 함께 확인할 필요가 있습니다. 더구나 해당 부분은 실제 촬영장에서 PPM시 보았던 사항에 비하여 기대수준이 어떤 지를 비교할 필요가 있습니다. 예를 들어 모델이 사진이나, 동영상을 통해 보았지만 현장에서 기대했던 것과 다른 경우도 있고, 의상도 실제 모델과 어울리지 않아 현장에서 교체하는 경우도 있습니다. 다시 말해 PPM시 확인하여도 최대한 현장에서 문제가 없도록 세심하게 확인할 필요가 있다는 것입니다. 로케이션에 대한 부분도 매우 중요합니다. 장소가 매우 중요한 경우에는 PPM전에도 확인하기도 하며, 관련 로케이션을 찾는데 매우 오랜 시간이 소요되는 경우도 있습니다.

[장소/일정 등]

콘티나, 콘티 관련된 다양한 것들이 협의가 끝나면 촬영 장소나 일정에 대해 협의를 하게 됩니다. 장소는 보통 촬영 장소의 위치나 후반 작업하는 곳의 장소가 명기되어 있습니다. 약도가 제대로 나와있는지 전화번호 등이 명기되어 있는지 확인하고 제대로 없을 때는 추가적으로 받아 광고주 방문에 지장이 없도록 챙겨야 합니다. 그리고, 일정은 가급적 사전에 광고주와 온에어 일정을 합의하여 조절하는 것도 방법입니다. PPM당시에 일정의 문제로 시간을 낭비할 경우 진행 시 불편한 마음을 가지고 해야 함은 물론 전체 물리적인 제작일정에 큰 문제가 발생하기도 해서 자칫 광고의 완성도를 떨어뜨리는 것이 될 수도 있습니다.

PPM시 나온 의견을 반드시 PPM북이나 체크 리스트 화하여 촬영시 반영될 수 있도록 해야 하며, 합의된 사항이 잘 지켜질 수 있도록 신경 써야 합니다. PPM 당시 많은 스텝이 한번에 모이는 자리이므로 반드시 공유해야 할 사항에 주저함 없이 공유하고 최대한 전체 촬영이 매끄럽게 될 수 있도록 중간에서 많은 고민과 노력을 반드시 제작 스텝과 함께 해야 합니다.

PPM은 전체 촬영을 지배하는 하나의 기준입니다. 많은 경험도 중요하지만, 세심하게 신경 쓰는 디테일이 가장 필요한 업무이기도 합니다.

외부 제작 스텝과 파트너쉽으로 일했으면 합니다.

제작 업무를 진행하다 보면 회사내 제작 스텝뿐만 아니라 외부 스텝과 일하는 경우도 발생합니다. 여러 가지 이슈로 인하여 관련 업무를 하게 되는데, 이때 기본적으로 필요한 것은 외주처와 일하는 마인드입니다. 외부 스텝이라고 해서 갑과 을의 관계가 아니며, 항시 파트너쉽을 가지고 함께 한다는 자세로 협업하였으면 합니다. 관련해서 발생할 수 있는 있는 상황이나 업무들에 대해 몇 가지 예를 들어 보겠습니다.

[TV등 영상관련 업무]

영상 관련해서는 광고를 편집하는 편집실이나 오디오를 담당하는 녹음실, 3D나 2D를 담당하는 곳과 직접 커뮤니케이션을 해야할 경우가 있습니다. 공중파나 케이블 소재 출고를 위해 편집실이나 프러덕션에 급하게 필요할 때, 공중파 소재의 일부 컷을 별도로 고화질로 잘라서 데이터가 필요할 때, TV 소재 음향 레벨을 확인하거나, 성우 이름 등을 긴급으로 확인하기 위해 녹음실에 확인할 때, 견적 비용을 일부 확인하기 위해 프러덕션에 연락해야 할 때, 광고주 제품이나 브랜드 관련하여 프러덕션과 확인 차 연락하는 경우 등이 있습니다. 내부 제작 스텝을 통하여 할 수도 있지만, 직접 소통해서 처리하는 것이 효율적이고 빠르게 처리할 수 있어 직접 연락하여 진행하기도 합니다.

[신문 등 영상관련 업무]

신문, 인쇄광고를 제작할 경우는 인쇄 광고를 전문으로 하는 제작사나 CG를 전문으로 하는 회사, 또는 필름 출고를 하는 제판제작회사와 종종 아래와 같은 이슈로 커뮤니케이션을 하는 경우가 있습니다. 확정된 원고 수정 요청, 광고주 제품이나 브랜드 관련 소스 전달, 데이터 변형 등 이 또한 내부 제작스텝을 통하여 업무 협의를 할 수 있지만, 직접 연락하여 처리하면 보다 빠르게 처리할 수도 있습니다.

[모델 관련 업무]

모델 관련 업무로는 1차적으로 프러덕션이나 PD가 커뮤니케이션을 하지만,

사전 단계에서 검토를 해야 하거나 유명모델과 같은 경우 실제 계약이 진행될 때는 실무AE들이 보다 적극적으로 나서서 외주사나 광고주 와도 커뮤니케이션을 해야 하는 경우가 있습니다. 모델 검토 자료를 받아 정리하여 보고서를 만들거나, 모델 계약조건에 대한 검토 및 협의, 모델 스케줄 관련 협의 등도 어떤 경우는 AE실무가 직접 연락하여 진행하기도 합니다.

요약하면 크게 3가지 정도로 볼 수 있습니다 우선 빠르게 처리해야 하거나, 아니면 아주 간단 하다 거나 반면에 아주 민감한 사안일 경우 등입니다.

아주 간단한 업무를 일일이 내부 제작 스텝과 협의하여 진행하다 보면 빠르게 처리되고 진행되어야 할 업무들은 한 단계를 더 거치게 되므로 불필요한 시간 낭비가 있을 수 있기 때문입니다. 또한, 그런 단계를 거치면서 전달받은 사항이 자칫 잘 못 전달되어 제작물에 반영에 미흡할 수 있기 때문입니다. 제작 스텝들도 이러한 불편함이나 불필요함을 알 고 있기 때문에 상황에 따라 실무AE들은 내부 제작 스텝이 아닌 외부 제작 스텝에게 직접 연락하고 업무 진행하는 것에 대해 크게 문제 삼진 않고 양해를 해주기도 합니다. 어떤 경우는 더 고마워할 수도 있는 부분이 있고, 실제 그렇게 하면 실무AE들에게도 더 빠르고 편리하게 업무를 처리할 수 있는 장점이 있는 것 같습니다. 그러나, 이런 커뮤니케이션시 몇 가지 실무AE들이잊지 말아야 할 것이 있는 것 같습니다.

첫째, 사전에 관련 건으로 제작 스텝에게 반드시 알려주어야 한다는 것입니다. 아무리 무조건 바쁘게 진행된다고 해서 제작 스텝에게 알려주지 않고 실무AE가 임의로 외부 제작 스텝과 커뮤니케이션 할 경우 일부 내부 제작 스텝이 챙기고 있는 상황이라면 일단 중복이 발생하므로 진행 시 외부 제작 스텝이 어느 스텝과 커뮤니케이션을 해야 할지 오히려 혼란만 가중시킬 수 있기 때문입니다. 따라서, 가급적 외부 제작 스텝과 커뮤니케이션을 진행할 때는 그러한 중복의 미스커뮤니케이션이 발생하지 않도록 확인을 해야 할 것입니다.

두 번째, 중간 중간의 변동사항이나 진행사항을 내부 제작 스텝과 외주 스텝이 함께 공유할 수 있는 것이 필요합니다. 예를 들어 소재를 편집실에 직접 연락하여 AE가 받아 온에어 진행을 한 후에 자막작업이나 소재 일부 수정이 PD없이 진행되었을 경우 반드시 해당사항을 알려 주어야 합니다. 작업은 완료된 상태에서 소재를 다시 요청하게 될 때 상황을 담당PD가 중간사항을 모르고 있다면 혼란이 있게 되어 다른 소재가 배송되는 문제가 발생할 수도 있습니다.

마지막으로, 가장 중요한 것입니다. 앞서도 이야기했지만, 외부 스텝과 커뮤니케이션을 하거나 업무진행을 할 때 파트너쉽을 가지고 최대한 상호간의 상황을 존중하여 진행해야 합니다. 외부 스텝들도 촬영장이나 각 업무 영역에서 매우 고생을 하며 촌각을 다투는 업무를 하고 있는 것이 보통입니다. 그런 상황도 제대로 파악하지 못하여 무조건 작업을 요청하거나 강압적으로 말하는 것은 절대로 해서는 안 될 것이라 생각합니다. 분명 업무 일정에 무리가 있는 것이라면 대안을 찾거나 협의해서 해결책을 찾아 야지 무조건 하라고 하는 식의 업무진행은 나중에 다른 문제를 야기시킬 수도 있고 결국 시간이 없는 상황에서 진행된 업무 결과물은 다시 해야 하는 상황이 될 수 있으므로 무리한 요청을 하는 것은 잘 못된 방법이라고 생각합니다. 내부 제작 스텝과 업무 진행에서도 동일하듯 실무AE가 최선을 다한 만큼 나온다고 생각합니다. 업무의 어려움을 상호 공유하고 최대한 이해시키고 가능한 방법이 있는지 대안이 있는지 등 최대한 협의를 하여 좋은 결과를 만들어 내는 지혜를 외주 스텝과 진행 시 가졌으면 합니다.

제3장 미디어 업무 수첩

미디어 업무는 광고 제작물을 소비자들과 만날 수 있도록 미디어를 기획하고 구매 및 관리하는 업무를 의미합니다. 통상적인 미디어의 효과나 플래닝 등에 대한 일반적인 것들은 다른 이론서, 실무서적에서 많이들 다루었던 것 같습니다. 본 장에서는 그러한 것보다는 보다는 실무AE들이 미디어 스텝과 업무를 진행하면서 실제로 겪는 플래닝을 위한 브리프부터 청약을 위해 해야 할 업무들, 진행과정에서 발생하는 미디어 이슈나 사고에 대한 대응과 이에 관한 관리 등을 중심으로 이야기하고자 합니다.

미디어 브리프는 가급적 구체적으로 기술하는 것이 좋습니다.

광고회사에 제작된 제작물은 TV, 라디오, 신문, 잡지, 옥외, 인터넷 등 다양한 미디어를 통해 소비자들에게 전달이 됩니다. 이때 광고물을 타깃에게 효과적으로 전달하기 위해 선택하고, 집행될 물량을 결정하기 위해 플래닝팀과 협의를 하게 됩니다. 이때 실무AE가 작성하는 업무가 미디어 브리프 작성이며, 이를 기반으로 플래닝팀과 회의를 진행하게 됩니다

[기본 배경]

미디어 브리프에 해당 광고주와 브랜드나 상품에 대한 개요를 기본적으로 설명하게 됩니다. 특히, 처음 진행하게 되는 광고주에 대해서는 기존 집행 패턴에 대한 이야기를 해주는 것도 플래닝 팀에는 큰 도움이 됩니다.

[마케팅 및 광고 목표, 과제]

미디어 브리프에도 광고기획서 같다고 보시면 됩니다. 특히, 플래닝에 있어서도 광고주의 마케팅 목표와 광고 목표가 매우 중요한 의미를 가지게 됩니다. 예를 들어 광고주의 마케팅 목표가 기존 보다 훨씬 더 많은 공격적인 커뮤니케이션을 해야 한다면 이에 맞추어 플래닝도 공격적인 결과를 도출해 낼 수 있도록 플래닝해야 하는 기본 가이드를 주게 됩니다. 그런데, 플래닝에서 광고 목표는 좀 다르게 작성되어야 도움이 되는 것 같습니다. 일반적인 광고 전략서나 브리프상에는 어떠한 인식을 가지게 하려는 문장형식으로 작성을 하는 경우가 많습니다. 그런데, 미디어 브리프상에서 목표는 계량화 된 것이 훨씬 더 도움이 되는 것 같습니다. 예를 들어 보조인지 XX% 상승 등의 계량화 된 수치가 들어가면 미디어 볼륨 선정이나 비히클, 채널 선정에 도움이 됩니다. 더구나, 광고 효과 조사에 대하여 꾸준한 트래킹을 한 광고주의 경우 이런 누적 데이터를 활용하여 광고량에 대한 산정을 보다 전략적으로 하게 되는 것 같습니다.

[미디어 가이드]

통상 미디어 가이드는 광고주가 미디어 운영을 위해 내부적으로 잡고 있는 방향성에 대한 것을 AE와 공유하면서 참고했으면 하는 의견을 전달해 주게 됩니다. 그러한 내용들과 믹스하여 정리하게 되는데 미디어 브리프에서 가이드에는 플래너들이 반드시 알아야 하는 내용을 전달하게 됩니다.

-예산

예산을 미디어 플랜을 통해 산출할 수도 있지만, 광고주와 협의를 통해 기본 가이드를 얻지 않고 예산을 책정하게 될 경우 나중에 상호간에 예산의 격차가 너무 커져 광고주에서 감당하기에는 너무 큰 예산이 될 수 있습니다. 따라서, 예산에 대한 기본 가이드는 광고주와 사전 협의하여 미디어 브리프에 기재하는 것이 예산을 선정하는데 도움이 됩니다.

-집행 채널

집행할 비히클, 채널에 대해서도 가이드를 제공하는 것이 필요합니다. 공중파등은 기본적으로 비용 자체가 많이 들기 때문에 전체 예산을 구성할 때 기본적으로 어떠한 미디어를 할 것인지에 대한 사전 가이드를 주는 것이 필요합니다.

-집행 기간

집행기간도 반드시 미디어 브리프상에 기재되어야 합니다. 물론 미디어 플래닝측면에서 고려하기는 하지만, 특히 광고주의 마케팅 활동과 가장 직결되어 있기 때문입니다. 예를 들어 신제품의 론칭 시점이 정해져 있다든가, 영업 활동 기간이 정해져 있다든가 그것에 맞추어 플래닝을 해야 하기 때문에 미디어 브리프상에서는 중요한 내용입니다.

-미디어 타겟

미디어 타깃은 미디어 브리프상의 목표나, 예산, 집행 기간등과 함께 매우 중요한 요소입니다. 타깃에 따라 비히클, 채널을 선정하는 것이나, 선정된 미디어 군에서도 어떠한 것을 세분화하여 정할 것인지까지 좌우하는 중요한 기준이 됩니다. 더구나 전파 미디어의 경우는 적정 예산을 산정하는 것이나, 프로그램을 선정할 때까지 분석자체에 전체를 지배하는 매우 중요한 팩트입니다.

남녀전체를 주는 것과 나이대를 넓거나 좁게 잡는 것에 따라서도 차이가 나게 되므로 타깃 선정시 신중하게 정하여 필요에 따라서는 광고주와 협의해야 합니다.

-기타 참고사항

미디어 플래닝을 위한 기본 자료가 공유되면 광고주의 성향에 따라 어떠한 방식으로 플래닝 자료를 구성할지 사전에 이야기하는 것도 필요합니다. 전문용어에 대한 이해가 떨어질 경우는 보다 더 쉽게 만들어야 합니다. 또한, 광고주가 자료를 협의할 때 필요한 사항이 있는지를 사전에 확인하여 보고서나 제안서 양식에 필요한 내용을 넣어야 합니다.

-일정

미디어 플래닝 자료는 분석 프로그램이 많을 경우 물리적으로 프로그램을 돌리는 시간들이 많이 필요하게 되므로 긴급하게 요청할 경우 필요한 내용에 대해 충분하게 자료를 받지 못할 수 있습니다. 따라서, 분석 시간 등을 고려하여 광고주와 협의 후 스케줄을 조정해야 합니다.

실무AE들이 작성하는 여러 브리프 중 미디어 브리프는 명확한 것도 좋지만, 구체적인 정보를 많이 줄수록 좋은 결과물을 만드는 것 같습니다. 광고주의 상황, 타깃에 대한 프로파일 등 최대한 세심하고 구체적으로 기술하고 전달하였으면 합니다

미디어의 다양한 개념들의 이해가 필요합니다.

과거대비 지금의 광고 환경은 많이 달라졌습니다. 특히, 디지털 미디어 환경이 빠르게 성장하면서 AE들이 미디어에 대한 이해가 더 중요한 상황이 되었습니다. 미디어는 해당 스텝의 일이 아니라 이미 아주 긴밀하게 연결되어 있어 실무를 담당하게 된다면 미디어 관련 개념이나 용어는 스스로 공부하고 학습해 두어야 합니다.

광고 실무에서도 가장 어려운 용어들이 많이 나오는 분야도 미디어인 듯합니다. 더구나 디지털 미디어 상품은 빠르게 변화하고 수시로 나오는 상황이 되어 기본 개념 및 변화하는 내용을 바로 이해하지 않으면 조금씩 뒤처지는 듯한 느낌을 받게 됩니다.

전파 미디어만 보더라도 GRP, Reach, Frequency, 디지털 미디어의 IMP, CPM, CPC등 이런 기본적인 전문용어들을 사전에 이해하지 못한다면 플래너들이 고생해서 만들어 놓은 플래닝 자료를 이해하기는 매우 어려울 것입니다. 더구나 이러한 자료들을 미디어 이해도가 높은 광고주와 협의할 때는 숙지가 안되어 있거나 제대로 학습이 안되어 있으면 회의진행에도 어려움을 겪게 될 수 있습니다.

기본 개념을 이해한다고 해서 끝이 아니라, 이후 각 개념들이 실제 어떠한 관계가 있고 역할을 하는지를 이해하는 것이 더 중요합니다.

예를 들어 전체 광고 예산을 설정할 경우 전파 미디어와 디지털 미디어를 믹스하여 설계할 때가 있습니다 이럴 경우 기본적으로 이해하고 있어야 하는 것이 TV, CATV등의 시청율의 총합인 GRPs의 곡선은 상기와 같이 한계 체감한다는 것입니다. 이때 적정 예산을 산출하는 포인트를 잡게 되는데, 어느 시점이 한계 체감하는 시점 인지를 보게 되고 그때에 맞추어 적정 미디어 예산을 최적화하여 정하게 됩니다. 그러나, 그렇다고 한계 체감하는 곡선의 포인트에서만 예산을 선정하는 것이 아니라, 경쟁이 매우 치열할 경우 경쟁사 대비 목소리가 떨어지게 되면 예산을 잡는 기준이 경쟁적 관점으로 바뀌게 되므로 그런 상황에서는 기준을 변경하여 광고주에게 제안을 해야 합니다. 무조건 계량적으로 효과가 있는 개념만 아니라 이런 경쟁적 관점까지도 시각을 열어 플래닝을 생각해야 할 것입니다.

또한, 예산 집행에서 있어 어떤 시점에서 집행해야 하는 것도 플래닝에서 개념을 이해하는데 매우 중요합니다. 연중으로 집행해야 하는 것인지, 아니면 어느 시점에서만 집중적으로 집행해야 하는지를 플래너와 협의를 해야 합니다. 광고주의 마케팅 상황에 대해서는 실무AE가 가장 잘 알고 있기 때문에 고려시 플래너가 계량적으로 시뮬레이션한 자료를 기반으로 보았을 때어 어떤 집행 패턴이 더 적절한지를 보아야 할 필요가 있습니다.

플래너들이 제품이나 경쟁, 브랜드의 시장 상황을 고려하여 전략적으로 어떤 플랜이 가장 적합한지를 보여주게 됩니다. 모든 광고주나 제품이 맞는 것은 아니지만, 과연 플래너들이 제안하는 플랜이 목표나 브랜드 상황과 적합한지를 판단하고 더구나 예산 부분이 턱없이 부족하거나 상기 상황과는 다른 점을 고려해야 하는지 생각해 보아야 할 것입니다.

세부적인 예산 스케줄이나 프로그램을 만들게 될 경우는 미디어의 구매 상황도 결부되어 진행이 되나, 실제 목표를 설계하고 난 뒤에는 미디어별 예산 배분을 하게 되는 플래닝에 들어갑니다. 그러나, 여기서도 앞서 제기한 전체 전략을 빈도수로 갈 것인지, 도달범위로 갈 것인지에 따라 타깃 별 미디어를 선정하는데도 차이가 있을 수 있습니다. 상기에 미디어별 타깃의 도달율을 고려하여 무조건 비중만을 보고 예산을 배분한다는 것도 모호하며 빈도수만 고려할 경우도 모호하게 될 것입니다. 더구나 미디어별 크리에이티브의 특성이 있고, 그 미디어가 독특한 크리에이티브로 PR효과까지 갈 경우 AE는 단순하게 미디어별 계량적 효과만 보기에도 모호할 것입니다.

플래닝 과정에서 나오는 개념적인 부분과 전략적인 복잡한 부분도 언급을 했지만, 이처럼 실무AE들이 미디어 부분에 대한 기본 개념과 어떠한 관계성이 있는지 알지 못한다면, 내부 스텝과 회의이던 광고주와의 협의 등 어려움이 생긴다는 아주 작은 부분에서 예를 들어 설명을 드렸습니다.

더구나 디지털 미디어 부분은 더 복잡하고 알아야 할 것이 많은 것 같습니다. 한번에 모든 것을 다 숙지 할 수는 없지만, 궁금한 것을 바로 이해하려고 하고 필요하다면 미디어 담당자와 많은 이야기를 통해 공부해 나간다면 생각보다 빠르게 적응할 수 있지 않을까 합니다.

구매, 바잉, 청약에 있어서는 타이밍이라는 것이 있습니다.

미디어 실무에서 용어에 대한 이해도 필요하지만, 플래닝 이후 광고주와 협의하고 미디어를 구매하는 단계에서 문제가 생기지 않도록 구매, 바잉, 청약 시점을 사전에 알고 있어야 합니다. 용어적으로는 구매나 바잉, 청약 등은 다 비슷한 의미라고 보시면 됩니다.

플래닝 이후에 바잉에 들어가는 시점이 맞지 않아 제대로 플래닝의 의견이 바잉에 반영되지 않는 것입니다. 또한, 월 정기적으로 바잉 프로세스가 있는 상황에서 제대로 숙지하지 있지 못하다가 광고주와 협의시 잘 못 의사 전달되어 실제 예산 집행에 문제가 생기는 경우도 종종 있는 것 같습니다. 따라서, 바잉의 경우는 개념뿐만 아니라 타이밍에 대한 이해가 더 중요합니다. 전파 미디어부터 디지털 미디어까지 알아야 할 사항은 많지만, 주요 몇 가지에 관해 예를 들어 이야기해 보겠습니다.

[TV, RD등 ATL미디어]

전파광고의 청약은 민영 미디어 랩 사나 코바코(한국방송광고공사)에 의뢰하여 청약 후 청약결과를 가지고 집행하는 프로세스를 거치고 있습니다. 프로그램 판매 방식자체는 매우 다양한데 세부적인 내용은 미디어 플래닝의 전문용어처럼 개인이 디지털팀이나 미디어팀을 통하여 알아야 할 것입니다. 랩 사나 코바코에서는 통상 청약일정이 명확하게 나와 있으므로 그 시점에 맞추어 광고주는 물론 플래너, 바이어들과의 업무를 조율합니다. 예를 들어 11월 집행이라면 10월 초순에 집행 물량을 확정하여 광고주와 협의 완료 후 바이어 및 플래너들과 최종 확인후 2주차까지는 청약에 들어갈 수 있도록 업무진행을 해야 합니다. 그리고, 말주차에 청약결과과 나오므로 문제가 없는지를 광고주와 확인하여 최종 집행에 무리가 없도록 확인해야 합니다. 다양한 판매 프로그램 제도가 있으므로 이러한 내용 자체를 미디어팀에서 받아 광고주에게 사전에 제시하는 것이 매우 중요합니다.

[디지털 미디어]

디지털 미디어의 경우 전파 미디어에 비하여 상대적으로 제약이 많지는 않습니다. 하지만, 워낙 상품이 다양하고 빠르게 바뀌기 때문에 실시간으로 잘 확인해야 하고, 특히 특정 상품의 경우는 해당 일정까지 청약을 하지 않거나 집행에 문제가 생기면 패널티를 지불해야 하는 경우도 있습니다.

광고주와 미디어 업무 협의시 플래닝 결과에 맞춘 바잉 결과물을 제시하게 됩니다. 중요한 것으로 사전에 각 개별 미디어 상품들의 바잉 시점을 고려하고 또한 이러한 시점에 대해 광고주가 이해도가 낮다면 반드시 사전에 알려주어야 한다는 것입니다. 이해도가 높은 광고주의 경우는 당연히 문제가 안되겠지만, 그렇지 못할 경우는 사전 알려주지 않았다는 이유로 추후 문제가 발생할 수 있습니다. 미디어 관련 업무를 하다 보면 느끼는 것이지만, 제반 알아야 할 상황이나 조건이 매우 많습니다. 따라서, 하나를 바잉하고 결정하더라도 단순하게 효과뿐만 아니라 시점등에 맞추어 물량확보가 가능한지도 중요한 의사결정 요소가 됩니다.

미디어AE들이 있어 관련 업무가 세분화되었지만, 좀더 관심있게 챙기고 싶다면, 통합 스케줄표는 만들어 수시로 업데이트하는 것도 방법입니다. 미디어별로 청약, 마감시점을 전부는 아니지만, 주요 일정을 표기해두면 플래닝이 들어가는 시점이나, 언제까지 확정 물량을 확인해야 하는지 예측이 되기 때문입니다. 물론 광고주와 관련된 미디어 일정이라면 유관 스텝과 공유하여 놓치지 않도록 챙기는 것도 좋은 것 같습니다.

자신만의 미디어 팩트 북을 만들어 보세요.

경쟁PT할때만 팩트 북을 만든다고 생각하는데, 실무AE들에게 있어서 미디어 팩트 북은 요긴하게 사용되는 자료입니다. 기본적으로 미디어에 관한 질문들을 수시로 하고 관련 자료를 많이 요청하기 때문입니다. 미디어만을 전문으로 광고주와 커뮤니케이션하는 미디어 AE가 별도의 역할을 하기는 하지만, 그래도 많은 광고주들이 여전히 실무AE에게 관련 질문을 많이 하는 측면이 있습니다. 미디어 팩트 북은 각 미디어별 자료 종합하여 통합 파일 형태로 관리하면 편리한 것 같고 좀더 빠르게 업무 대응을 할 수 있는 것 같습니다.

[공중파/케이블 부문]

공중파나 케이블을 집행하는 광고주들은 가장 많이 요청하는 부분이기도 합니다. 관련해서는 각 미디어사에 나오는 소개서가 있습니다. 각종 방송 프로그램 단가 관련 자료부분만 통합 파일등에 첨부하여 놓으면, 최근 판매 프로그램 현황이나, 단가 현황을 한눈에 볼 수 있습니다. 그리고, 최근 시청률 자료를 함께 정리하여 놓으면 프로그램 동향과 시청률 자료에 대한 문의에 대해 수시로 확인할 수 있습니다. 광고주의 문의보다도 미디어팀에서 갑자기 프로그램이 취소되어 다른 광고주로 프로그램을 일부 판매해야 하는 상황에서 매우 우수한 프로그램 시청율을 가진 프로그램이 나왔을 경우 광고주에게 해당 프로그램의 금액과 시청율을 빠르게 전달할 수 있어 우수한 프로그램을 빠르게 대응할 수 있는 장점도 있습니다. 이는 라디오도 마찬가지라고 할 수 있습니다. 함께 동일한 방식으로 정리를 해 놓는다면 공중파와 유사한 상황에서 빠르게 대응할 수 있는 장점이 있습니다.

[디지털 미디어 부문]

디지털 미디어도 각 미디어사나 랩 사에 소개하는 상품 소개서가 있습니다. 이를 기반으로 한번만 기본 통합 파일화 해 놓고 변경되는 사항을 업데이트하여 관리하면 됩니다. 워낙 상품이 세분화되어 있고 다양해서 주요 상품만 하는 것이 효과적일 수 있습니다.

[신문, 잡지 등 인쇄 미디어 부문]

신문이나 잡지 등 인쇄 미디어에 관련한 미디어 팩트 북은 미디어명과 면, 칼라/흑백여부, 단가, 사이즈를 함께 기재하면 편리하게 업무에 활용할 수 있습니다. 신문의 경우는 규정단가는 있으나 광고주에 따라 일부 단가가 다르게 적용되고 있어 담당 광고주의 신문단가를 확인하여 기재하되, 최근 집행 단가를 함께 기재하는 것도 필요합니다. 또한, 신규로 발생하는 신문 미디어의 경우 미디어 정보나 단가를 수시로 업데이트하여 광고주가 수시로 문의하는 미디어 문의에 대응할 수 있습니다. 신규미디어에 관해서는 공식적으로 발간한 미디어정보가 미디어팀에서 올라오기 때문에 일단 미디어 소개자료를 미디어팀으로부터 받아 관련 자료를 1차적으로 보관하고 있어야 합니다. 신문에 관련된 열독율 자료는 정기적으로 업데이트 하는 것이 필요합니다. TV와는 다르게 큰 변화는 없는 것이 신문 미디어 열독율의 특징이기는 하지만, 정기적인 변화를 알고 있고, 특히 타깃 별 열독율까지 세분화되어 관리하는 것도 필요합니다. 공중파의 경우 시청률 변화가 심하고 타깃까지 구분하여 관리하기에는 그 양도 매우 방대하기 때문에 필요에 따라 확인하고 전체적인 시청율로 관리하는 것이 효과적일 수 있습니다. 잡지의 경우는 신문과 비슷합니다. 다만, 신문 미디어와는 다르게 신규 미디어가 자주 생기고, 없어지는 경우도 많아 주기적으로 이런 변화를 확인할 필요가 있습니다. 또한, 면 별 단가 차이가 많아 신문미디어에 비하여 면 별 단가를 세분화하여 할 필요가 있습니다. 미디어 활용폭도 넓어 프로모션형이나 독특한 형태로 집행하게 될 경우 단가개념으로 접근하기에는 어려운 부분이 있어 이러할 경우는 별도의 확인이 필요합니다.

[옥외등 BTL 미디어 부문]

옥외미디어는 사실 관리자체가 쉽지 않은 것이 사실입니다. 형태 및 지역에 따라도 매우 달라 종합적으로 관리하기는 그 양이 너무나 많기 때문입니다. 다만, 광고주들과 주로 협의하는 미디어들은 있습니다. 예를 들어 옥외 미디어 중에서도 주요 지역의 LED등 전광판 광고나, 빌보드, 교통광고의 대표적인 형태인 버스광고나 지하철 광고등의 단가 체계는 변동폭이 많지 않아 별도로 정리하여 가지고 있는 것이 도움이 됩니다. 다만, 관리시에 계약기간에 따른 게첨 비용 즉 계약기간이 짧을 경우 게첨 제작비를 별도로 청구 받기 때문에 이에 대한 것이 필요한지에 대한 여부는 비고란에 별도로 정리하면 도움이 됩니다. 무조건 계약기간과 단가만 확인하여 광고주와 커뮤니케이션할 경우 제작비를 사전에 확인하지 못해 비용이 예상보다 많이 발생하여 진행에 어려움을 겪을 수도 있기 때문입니다. 또한, 게첨 기간이라는 것이 있습니다. 이는 수량에 따라 변화가 있을 수 있으므로 이에 대한 조정을 여유를 두고 진행할 필요가 있습니다. 온라인 등의 미디어는 온라인팀에서 전문적으로 관리하고 있으나, 대형 포털사이트나 전문사이트의 미디어 단가나 광고운영 조건에 대해서는 별도로 관리하는 것도 도움이 됩니다.

미디어 팩트 북을 한 번에 모두 정리하는 것은 쉽지 않는 일입니다. 우선 분량자체가 매우 방대하기 때문입니다. 따라서, 미디어 정보가 올라오거나 한번 집행된 미디어에 대해 자료가 왔을 때 별도의 파일 시트에 미디어별로 구분하여 수시로 정리하는 것이 필요합니다. 또한, 시청률 자료 등은 매번 자료를 위해서 별도로 뽑는 것은 어렵기 때문에 미디어 플래닝 업무나 미디어팀의 업무시간이나 업무량을 확인하여 한번에 요청하여 자료를 받아 업데이트하는 것이 필요합니다.

해당 자료가 1차적으로 완성이 되면 필요에 따라 광고주용으로 별도로 정리하여 광고주나 스텝부서와 공유할 필요도 있습니다. 신문이나 잡지의 경우 제작 스텝과 공유하는 것도 인쇄광고의 변형이나 신규 미디어에 나가는 것을 이런 자료를 통해 쉽게 확인할 수 있기 때문입니다. 물론 실무AE가 별도의 확인이 추가적으로 확인해 줄 필요는 있으나, 매번 나가는 수정 변형 광고에 대해 불편함을 덜어줄 수 있기 때문에 진행 시 큰 도움이 됩니다. 실무AE가 이런 자료의 정리를 통해 광고주의 미디어 운영의 효율성을 높이고 스텝부서와 번거로움을 줄이는 미디어 팩트 북은 처음에 정리하는 것은 어렵지만, 진행하면서 분명 업무 효율성을 높이 좋은 자료가 될 것이라고 생각합니다.

집행 상황에 대한 현황판을 만들어 두면 편리합니다.

일반적으로 미디어 집행에 대해서는 미디어팀에서 집행 현황을 잘 만들어 관리하고 있긴 하지만, AE가 담당하는 광고주의 미디어 집행 내역을 별도로 리스트화 된 환황판을 만들어 관리하면 여러모로 도움이 됩니다. 특히. 집행 물량이 많고, 한 광고주에 브랜드가 다양하며, 세분화된 미디어에 집행할 경우는 꼭 필요한 팁이 아닐까 합니다.

[운영 비용에 대한 관리 모니터링]

우선 미디어 운영 비용 변화에 대한 전체적인 상황을 볼 수 있기 때문입니다. 예를 들어 공중파 운영 시 특집 프로그램으로 사전에 청약 된 프로그램이 추가되거나 기존 프로그램과 대체되는 경우 프로그램별 단가가 달라 TV부분의 집행 예산이 변동될 수 있고, 이에 따라 전체예산이 변동될 수 있습니다. 그렇게 되면 전체 예산의 변동으로 월 가용예산을 넘을 경우도 있고, 예산이 줄어들어 추가적인 구매가 필요한 상황이 될 수 있습니다. 전체 예산 운영 시 이런 변동 사항에 대한 것을 한눈에 볼 수 있다면, 광고주와 이런 문제를 사전에 협의하여 예산 운영을 문제없이 할 수 있는 모니터링용으로 매우 편리하게 활용할 수 있게 됩니다.

[청구 자료로의 호환성]

광고주에게 월말이 되면 청구업무를 진행하게 됩니다. 청구자료는 광고주 업무 수첩에서도 언급했지만, 세금계산서나 거래 명세표 등 다양한 자료를 증빙으로 첨부하게 됩니다. 특히, 집행 미디어가 많거나 브랜드가 많을 경우 종합리스트 형식으로 광고주에게 제시하게 되는데 청구 자료의 맨 처음에 위치하게 제시되게 됩니다. 그런데, 실무AE가 매번 매월 청구 마감이 이런 자료를 별도로 만들게 되면 집행된 미디어를 일일이 다 확인해야 하는 어려움이 있습니다. 이를 효과적으로 하기 위해 수시로 미디어 집행 현황을 모니터링하게 되면 최종 마감 금액만 확인하여 자료를 만들게 되므로, 별도의 청구 종합 시트를 만들지 않아도 됩니다. 결국, 미디어 집행 운행 자료가 청구자료로 활용되는 호환성으로 업무의 편리를 돕게 됩니다.

[미디어 사고의 예방]

미디어 운영의 가장 중요한 이슈 중에 하나는 미디어 사고입니다. 이는 원고 출고나 소재 출고와 마찬가지로 몇 번을 강조해도 지나치지 않는 중요한 업무입니다. 미디어 집행 현황 시트상에서 비고란에 운행 계약기간을 별도로 명기하여 관리하게 된다면, 소재의 사고를 미연에 방지하는 1차적인 방어벽이 됩니다. 만기 시점이 도래할 경우 이를 확인하지 못하고 두게 되면 지속적으로 온에어 되거나 추가적인 요청을 했는데도 만기일을 광고주와 공유하지 못해 집행이 안되는 상황이 벌어질 수 있기 때문입니다. 따라서, 집행 현황에 계약 기간 등을 함께 병기하여 종합적으로 관리하면 이런 큰 사고를 미연에 방지할 수 있는 장점이 있습니다. 브랜드가 여러 가지일 경우는 더욱더 필요한 자료가 될 것입니다. 브랜드별로 미디어가 이동하는 경우도 있고 그에 따라 계약기간이 변동될 수도 있기 때문입니다. 작성시에는 청구작업의 호환성을 위해서라도 엑셀시트로 작성하는 것이 도움이 됩니다.

채널 별 현황을 정리할 경우는 미디어별 채널 별 종합 금액을 한 장으로 정리하는 것이 필요합니다. 비고란에는 필요한 중요미디어의 계약기간 등을 함께 명기하는 것이 필요합니다. 이때 시트의 금액 변화와 종합 금액이 계산 수식이 틀리지 않도록 주의해야 합니다. 이는 미디어 추가나 금액 변화 시 한번 더 종합 금액과 각 금액을 합했을 때에 정확하게 수식이 걸려있는지를 점검해볼 필요가 있습니다.

세부 미디어별 시트는 종합적인 미디어 운영 현황을 알 수 있는 표라고 할 수 있습니다. 그러나, 종합 시트 옆으로 각 미디어별 보다 구체적인 운행현황을 나타내는 별도의 시트를 만드는 것이 필요합니다. 공중파의 경우는 방송사별, 채널 별, 프로그램 등 세부내역이 나오고 운행관련 계약기간이 가급적 명기되어야 할 것입니다. 지속적으로 가는 프로그램인지, 한시적으로 집행된 프로그램인지를 구분하여 구체적으로 관리하는 것이 필요합니다. 인쇄 등 특히 신문의 경우는 집행날짜와 면, 미디어명이 구체적으로 명기되어야 합니다. 브랜드가 많을 경우는 브랜드나 소재별로 구분하는 것도 필요합니다.

미디어 운영 현황을 정리하는 것이 귀찮은 부분일 수도 있으나, 청구시점에 급하게 정리하다 보면 오히려 문제가 발생할 수도 있습니다. 평소에 종합적으로 관리한다면 여러 가지 업무 활용에 큰 도움을 줄 것이기 때문에 조금이라도 여유 있는 상황에 별도의 시간을 내어 정리를 하는 것이 좋은 것 같습니다.

필요에 따라 바잉 가이드나 위시리스트를 활용합니다.

미디어 청약과 관련되어 비용측면에서 가장 비중을 크게 차지하는 공중파/전파 청약입니다. 청약은 집행 전 플래너들과 함께 적정예산 및 노출 량을 협의하여 광고주와 1차적으로 어떻게 집행하는지에 대해 결정을 하게 됩니다. 그런 이후 합의된 물량을 집행월전 미디어 랩 사와 청약협의를 하게 되는데, 이때, 청약협의 전 광고주와 바잉 가이드라는 것을 협의하게 됩니다. 미디어 바잉 가이드는 필수 업무라기 보다는 물량이 많거나 브랜드가 많을 경우 플래닝 협의 이후 간략하게 해당 목표를 달성하기 위한 미디어 구매 대한 실행 가이드 개념이라고 보시면 됩니다.

기본적으로 미디어 청약 가이드의 전체적인 청약방향을 제시하는 기준입니다. 이때 전월에 집행된 패턴과 최근 시청율을 감안하여 익월에 청약할 프로그램에 대한 기본 방향을 제시하게 됩니다. 또한, 미디어에서 전월의 효과분석을 하는 포스트바이나 먼쓸리 리포트, 전월 바잉 가이드, 익월 바잉 가이드를 만들고 구성하는데 중요한 백업 자료 역할을 하기도 합니다.

실무AE 입장에서는 전월에 집행된 다양한 집행 자료를 보면서 문제점이 되는 부분과 보완해야 할 부분을 미디어팀과 함께 공유하여 어떤 방향으로 가야 하겠구나 라는 기준을 가지고 있는 것이 광고주나 미디어팀 협의시 필요합니다. 광고 브리프로 말하면 콘셉트와 같은 개념이라고 보면 됩니다. 전체적으로 어떤 성격의 프로그램을 구매할 것인지, 어떤 채널에 더욱 집중할 것인지를 결정하는 가장 중요한 내용이 됩니다. 이 부분은 이하에 세부적인 방송사별 채널 배분 및 예산 배분에 중요한 역할을 하게 됩니다. 또한, 다양한 판매제도 중 플래닝의 효과를 얻기 위해 어떤 제도를 활용하겠다는 이야기도 들어갈 수 있습니다. 집행하는 브랜드가 많을 경우는 전체 물량의 집행 콘셉트에 대한 이야기 들어가고 이후에 브랜드별로 어떻게 할 것인지에 대한 이야기가 들어갈 수도 있습니다. 전체적인 내용은 광고 기획서를 쓰는 것과 크게 다르지는 않습니다.

전체적인 방향을 제시하고 어떤 콘셉트로 접근하며 세부적인 전술로는 어떻게 하는지에 대해서는 광고 기획사 등과도 비슷합니다. 이런 내용들이 1차적으로 구성이 되면 구체적인 프로그램에 대한 언급이 있어야 합니다. 물론 앞서 언급한 기준에 맞춘 프로그램들일 것입니다. 이것을 위시 리스트라고 합니다. 즉 바잉 가이드에 의해서 구성된 기준을 바탕으로 구매를 희망하는 프로그램들을 실무AE와 미디어팀과 협의하는 내용입니다.

위시 리스트상에서 1순위로 정리되는 경우가 있지만, 청약 경쟁이 치열한 경우는 여러 경우로 나누어 광고주나 미디어 랩 사와 협의를 하게 됩니다. 광고주에 따라 다르지만 미디어 효과를 높이기 위해 효과적인 프로그램을 구매하는 것은 매우 중요한 것입니다. 그러나, 앞서 언급하였듯이 원하는 프로그램을 모두 구매한다는 것은 치열한 프로그램 경쟁으로 인해 매우 어려운 일입니다.

따라서, 프로그램을 사전에 합의하여 구매하겠다고 하는 것은 결과를 예측하기 어려운 상황에서 무리한 것이며, 최적의 효과를 위해 노력은 하지만, 광고주에게 확정적으로 전달하는 것은 신뢰를 저버리는 상황이 될 수도 있습니다. TV뿐만 아니라, 라디오나 다른 미디어도 마찬가지이며 청약 당시에 상황과 결과가 나올 때의 상황은 분명히 다를 수 있다는 것을 고려하여 청약업무에 임해야 합니다

매거진 등도 집행 시 신경 쓸 것이 많습니다.

광고주의 마케팅 활동에 따라 미디어의 활용도 매우 다양합니다. TV를 중심으로 종합적으로 활용하는 광고주가 있는가 하면 디지털 중심 또는 필요에 따라서는 전략적으로 매거진과 같은 미디어를 특화시켜 활용하는 광고주도 있습니다. 패션이나 뷰티 등 여성 등을 대상으로 하는 광고주는 아마 필수로 활용하지 않을까 합니다.

매거진과 같은 미디어 활용에 있어서는 실무AE는 관련 기본지식을 이해하고 활용하는 방법과 진행하는 노하우를 익히는 것이 별도로 필요하다고 생각합니다. 더구나, 매거진 미디어사들 단순한 미디어 기능을 넘어 콘텐츠 제작 및 디지털 미디어도 함께 하고 있어 잘 활용한다면 효과적인 미디어로 제안 활용할 수 있다고 생각합니다. 기본적인 프로세스나 활용법 등에 대해 몇 가지 예로 살펴보겠습니다.

[기본 바잉 프로세스]

매거진 중 특히 월간지는 미디어 집행 1~2개월 전부터 준비된다고 보아야 합니다. 그래야 인쇄 출고 마감에 무리가 없습니다. 예를 들어 12월호에 집행한다고 했을 경우 11월2~3주차에는 원고가 나가야 하는 상황이라고 보았을 때 제작이나 미디어 프로세스는 아래와 같습니다. 좀 더 자세히 보자면 12월호에 집행을 위해서는 광고주 오리엔테이션은 10월말부터 이루어져야 합니다. 이때 광고주로부터 기본 제작 가이드와 예산 가이드를 받아야 하며 오리엔테이션을 받은 이후 시안제시와 미디어 제안 작업이 동시에 이루어 져야 합니다. 이때 주의해야 할 사항은 광고주 오리엔테이션 당시부터 매거진 미디어에 대한 전략적이고 크리에이티브 한 활용이 필요한지 여부를 확인해야 합니다. 단순히 한 면만 활용하여 미디어를 집행할 것인지 아니면 특수한 형태로 진행해도 되는지를 확인해야합니다. 왜냐하면 특수한 활용의 경우 제작 시안의 형태가 달라지면 미디어 운영 단가자체도 달라지기 때문입니다. 일반적인 다른 인쇄나 옥외의 경우는 제한이 많아 사전부터 확인이 가능하지만, 매거진의 경우 활용할 수 있는 폭이 매우 넓기 때문에 이에 대한 사전확인이 반드시 필요합니다. 이런 확인 후에 시안제시와 미디어안 제시는 거의 동시에 이루어지게 됩니다.

[미디어 제시 참고 사항]

모두가 동일한 것은 아니지만, 시안제시와 미디어안 제시시 광고주에게 최근 열독율 자료 12월 기사 편집방향, 혜택을 확인하여 집행 미디어를 확인하게 됩니다. 이러한 것이 중요한 이유는 기본적으로 매거진의 돌출도를 높이고 타깃에게 자사 광고주의 보다 다양한 내용을 전달하기 위한 것입니다. 실제 집행시에는 자사의 기사나 특집이 나간 후 기사 대면으로 나가는 것을 필요로 합니다.

어떤 경우는 편집방향을 사전에 확인하게 됩니다. 이런 확인을 하는 이유는 보통 관련 기사가 나가고, 이후 바로 붙어서 광고가 나가게 되면 제품이나 브랜드 노출면이 많아져 돌출도 자체가 좋아지기 때문입니다. 그리고, 미디어사에 따라 혹 별도의 제품이나 브랜드 소식란에 추가적으로 박스기사를 실어주는 경우도 있습니다. 돌출도를 높이는 차원에서 코팅, 샘플 삽입, 태그 삽입(잡지 옆에 보면 돌출되어 있는 형태의 태그)등 미디어 돌출도를 높이는 제작물을 활용할 경우 기존 미디어 비용에 1.5~2배이상의 비용이 듭니다.

미디어사별로 네고의 폭이 천차만별이라 정해진 크리에이티브를 놓고 미디어사와 일일이 금액 협의를 하는 경우도 있습니다. 매거진은 이외에도 많은 다양한 활용을 할 수 있는 방법들이 있습니다. 대신 잡지는 지속적이고 꾸준한 집행이 있을 경우 가능하기도 합니다, 장기적인 운영이 미디어와 광고주가 상호간에 윈윈하는 방법이라고 생각하기 때문일 것입니다.

매거진 운영에 있어서는 미디어팀과 제작팀 간에 긴밀한 업무 협조가 될 수 있도록 중간에서 AE가 지속적인 관심과 확인이 반드시 필요합니다. 그렇지 않으면 다양한 형태의 크리에이티브 한 미디어 운영은 사실상 힘들며, 소재 운영에 있어 문제가 발생하기도 한다는 것입니다. 더구나, 특수한 활용의 경우 제작비용이 천차만별로 발생할 수 있어 광고주와의 사전 협의와 확정은 매우 중요한 업무 확인 사항입니다.

매거진에 집행되는 광고나 면에 대한 기본적인 부분만 살펴보기는 하였지만, 이외에도 매거진사가 가진 콘텐츠 제작 기능이나 연계된 디지털 미디어까지 포함된 프로젝트일 경우는 단일 프로젝트로 확대되기도 합니다. 이럴 경우는 AE실무가 매거진 자체의 이해를 넘어 가지고 있는 제작 기능과 미디어를 넓게 이해하고 어떻게 활용할지 고민을 기획단에서 깊이 있게 고민해야 합니다.

플래너, 바이어들과 이슈를 미리 공유하면 도움이 됩니다.

미디어 업무가 아니더라도 진행되는 사항에 대해 수시로 공유하는 것은 대부분의 업무에서 기본적으로 필요합니다. 다만, 미디어 업무상에서는 AE가 광고주와 협의하고 진행하는 것에 내부 스텝은 물론 외부 미디어서 등 함께 협의하고 확인하는 경우가 많아 과정상 시간이 상대적으로 많이 걸리는 경우가 있습니다. 따라서, 실제 대응해야 하는 시점에는 늦는 경우 사전에 가능성을 공유하면서 해당사항을 광고주가 인식하게끔 만들어 미디어팀의 대응에 시간적인 여유를 벌어줄 필요도 있습니다. 자칫 무리하게 진행하다 보면 어떤 경우는 미디어 사고로 이어질 수도 있기 때문입니다.

[광고주 업무 관련 공유]

광고주와 업무 협의 중 향후에 집행될 업무진행에 관하여 이슈를 공유하거나 예산 증액관련 협의를 하는 경우가 있습니다. 만약 이러한 일이 실제 진행으로 이루어질 경우 바로 예산을 확인하여 광고주에게 제시하여 컨펌을 받아야 하는 때가 있습니다. 만약 실행시점에 여유가 있다하더라도 실행을 기다리고 있다가 미디어팀에서 대응해야 하는 시점이 온다면 스텝 입장에서도 플래너나 바이어가 확인하고 자료를 준비하는 데는 물리적인 시간이 소요되기 때문에 현실적으로 광고주가 내부 결재를 받는 시간 까지를 고려한다면 매우 오랜 시간을 실무에서 머무를 수 있고 실제 대응이 늦어져 마케팅 이슈에 대한 타이밍을 놓일 수도 있습니다.

좀더 구체적인 예로 들면 신제품 출시가 언제쯤 될 것 같다고 광고주와 관련 협의가 되면 이와 관련하여 담당 제작팀에 업무가 언제 발생할 것과 같다는 지에 대한 이야기를 하듯이 미디어팀에도 이런 이슈에 대해 이야기를 사전에 해 놓은 것은 업무가 갑자기 걸리더라도 어떻게 대응할지에 대한 이야기를 보다 빠르게 협의할 수 있기 있습니다. 더구나, 이런 이슈 등에 대해 미디어팀에 업무 관련하여 사전에 가볍게 협의할 경우 어떠한 검토와 광고주가 알고 있어야 할 내용에 대해 실무AE들에게 이야기해줄 수도 있고, 실제 업무가 발생하였을 경우 광고주가 미디어팀 상황에 대해 고려해야 할 일정 등에 대한 것을 인지하여 업무 조정을 할 수 있게 되는 장점이 있습니다.

[미디어팀 업무 스케줄 조정]

미디어팀은 해당 광고회사의 전 광고주를 책임지고 있는 부서로서 전담으로 광고주를 담당하는 경우도 있지만, 여러 광고주의 업무를 동시에 진행하는 경우가 있습니다. 따라서, 사전에 광고주 관련 다양한 업무 이슈를 공유할 경우 내부 업무 스케줄을 사전에 조절할 수 있는 장점이 있으므로 사전에 이야기하는 것이 매우 중요할 수도 있습니다. 시간이 없이 갑자기 전달하는 경우도 무리이지만, 이슈에 대한 AE 내부적인 공유가 있는 상황에서 실행이 걸린 이후에 미디어팀에게 업무협조를 구하는 것은 더 조정하기 힘든 상황이 될 수도 있습니다. 따라서, 어떠한 이슈가 생길 경우 사전에 필요 사항을 공유하는 것이 큰 도움이 됩니다.

[미디어팀 정보에 대한 사전 공유 요청]

이와 다르게 미디어팀에서 발생하는 정기적인 미디어 이슈에 대한 공유를 AE가 요청하여 정보를 공유할 필요도 있습니다. 예를 들어 미디어 랩 사에서는 방송국의 개편이나 내부 정책에 의해 판매 방식이나 단가가 변동되기도 합니다. 일부 광고주에 대해서는 초청 설명회나 방문하여 설명회를 하는 경우가 있는데, 이에 관한 내용이 있을 경우는 직접 참석하지는 못하더라도 판매 변화 상황을 AE가 알고 있는 것이 바잉 가이드나 연간 판매물의 미디어와 함께 협의할 때 도움이 됩니다. 이외에도 다양한 자료를 실무AE가 요청을 통해 자료를 확보할 필요가 있습니다.

전부는 아니더라도 방송사별 판매 프로그램과 단가 자료, 프로그램 소개서, 개편에 따른 판매 설명회 자료, CATV 판매 설명회 자료

미디어 분석회사의 신규 분석 방법 자료, 각종 신규 미디어 설명회 자료, 디지털 미디어 랩 사들에서 만드는 미디어 소개 자료 등 여러가지가 있습니다. 판매 개편이나 신규 미디어 설명회시에는 기존 방식과는 다른 내용들이 등장할

수 있으므로 실무AE 입장에서 관심을 가지면 도움이 됩니다. 예를 들어 미디어별로 다르겠지만, 기존 초수 운행과는 다르게 없었던 초수가 생기거나 시간대가 조정될 수 있으므로, 소재 운영상에 문제를 위해서라도 기본적인 변경내용에 대해서는 공유하고 있어야 합니다. 이런 자료 및 정보에 대한 공유는 여러모로 실무AE를 진행하는데 있어서 장점을 가지게 됩니다. 앞서 언급한 미디어 팩트 북, 자신만의 미디어 데이터 베이스를 구축하는데 효과적이 됩니다. 매번 필요에 따라 요청하는 것보다 이런 이슈가 있을 때 모와 두면 업무 협조 자체가 원활 할 수 있기 때문입니다. 그리고, 미디어팀과의 이러한 업무 커뮤니케이션은 부가적인 효과까지 얻을 수 있습니다. 기본 자료나 정보를 공유하는 것 이외에도 다양한 신규 미디어 현황에 대한 정보를 추가적으로 얻을 수도 있고 최근 미디어 업계의 동향도 알 수 있게 됩니다.

업무적인 것이 아니더라도 이런 과정을 통해 자연스럽게 미디어팀과 친분도 얻을 수 있어 문제가 생겼을 때 처리에 대한 요청과 피드백도 보다 원활하고 적극적으로 서로 대응할 수 있는 팁이라고 생각합니다.

미디어별 소재 출고의 방법과 프로세스가 다릅니다.

AE실무라면 많이 하는 업무 중 하나가 소재 출고일 것입니다. 어려운 업무라기보다는 꼼꼼하게 프로세스와 조건에 맞추어 일정을 늦지 않게 미디어사에 전달하는 업무인데, 미디어팀과 함께 하지만, 결국, AE가 잘 전달되었는지 끝까지 챙겨야 하는 업무입니다. 미디어별 소재 출고에 대해서는 제작 업무에서도 일부 겹치는 내용이지만, 이번에는 보다 미디어 관점에서 관련 내용으로 언급해 보고자 합니다

통상적인 광고 소재의 미디어 출고의 프로세스는 유사하다고 볼 수 있습니다 컨펌난 광고 동영상이나 인쇄, 옥외, 디지털 형태의 안을 기반으로 심의가 필요하면 심의를 완료하여 업무 연락과 함께 미디어팀에서 파일형태로 전달하고 전달 완료 후 집행 모니터링을 하는 프로세스라고 보시면 됩니다.

[TV 및 전파관련 소재 출고]

TV, 케이블, 라디오 등 전파 소재의 출고는 심의 번호와 함께 파일형태로 미디어팀에 업무연락과 함께 전달합니다. 디지털 파일 형태이므로 해당 소재가 심의 번호와 동일한 소재인지, 파일의 화질 상태가 적절한지, 용량은 충분한지, 파일 형태나 확장자, 사운드 레벨 등을 소재를 전달하기전에 기본적으로 확인하고 전달합니다.

[신문 광고 출고]

신문광고의 경우는 실무AE는 기본적으로 미디어 사이즈와 출고일정에 대해 기본지식을 가지고 있어야 합니다. 중앙 일간지와 같은 경우도 일반 신문과는 약간 다른 판형이 있으며, 경제지의 경우는 출고 시간이 다른 신문에 비하여 빠르다는 등의 기본내용을 알고 있어야 합니다. 원고가 확정되었더라도 미디어 일정이 변경된 판형의 미디어가 먼저 잡혀 있다면 변형작업을 진행하여 출고에 진행이 없도록 해야 합니다. 그리고, 신문사들의 마감시한을 알고 있어야 합니다. 예를 들면 중앙일간지의 경우 하루 전 오후까지는 원고 마감이 되어야

하며, 경제지는 점심때까지는 출고가 완료되어야 합니다. 그러나, 특집이나 지방지, 대학 지, 별 색 인쇄 등이 들어가는 신문의 경우는 2~3일 전에는 원고가 전달이 되어야 합니다. 필름이 아닌 데이터로 전달할 경우 시간을 약간 더 벌 수는 있지만, 소재 사고에 대한 문제가 발생할 수 있으므로 주의해야 합니다.

[매거진/잡지 광고 출고]

잡지 광고의 경우도 신문과 비슷합니다. 우선 미디어 집행이 확정되면 출고 일정과 판형에 대한 기본 지식을 알고 있어야 합니다. 판형에 관한 것은 예산 확인 시 확인이 되지만 추가적으로 판형 확인이 필요하며, 우수인지 좌수인지를 확인해야 합니다.

종합일간지/패션지15일,영패션지/13일,여성종합지/20~22일, 전문지/23~25일, 취미 레저지/13, 23일, 일반교양지/15~18일 시사주간지/발행2~3일 금요일등 대략적인 조금은 다른 일정으로 마감이 이루어지기 때문에 마감일정을 사전에 확인하여 미디어 청약 및 원고 출고를 고려해야 합니다. 디지털 데이터 원고와 확인용 파일을 보내긴 하지만, 색감이 중요한 광고주의 경우는 여전히 필름형태의 원고를 출고하기도 합니다. 필름 출고시에는 필름이 4장을 한 벌을 이루므로 교정지뿐만 아니라 필름도 확인해야 합니다. 필름과 교정을 출고할 때는 봉투에 넣어 미디어와 사이즈 광고주, 담당자를 명기하여 착오가 없도록 해야 합니다. 혹 명기 시 날카로운 볼펜 등으로 필름을 담은 채 출고할 경우 필름에 스크래치가 갈 수 있으므로 주의해야 합니다.

[BTL 및 디지털 미디어 광고 출고]

BTL 미디어는 워낙 다양하고 세분화되어 있습니다. 디지털화로 기존 대비 효율화 되었지만, 각 미디어 특성을 고려하여 조금씩 차이가 있는 것을 알고 있어야 합니다. 극장광고의 경우는 디지털 파일로 출고하지만, 극장광고 심의 과정이 있어 이를 일정을 사전에 고려하고 준비해야 합니다. 옥외, 교통광고 등은 미디어별 사이즈 등 여러 가지 변수에 따라 시간이 소요되므로 각 부분별 사전확인을 통해 출고 형식이나 일정을 확인해야 합니다. 예를 들어 어떠한 옥외 광고는 3개월 미만일 경우는 게첨 비용과 출력비용을 광고주가 부담해야 하는 경우가 있습니다. 실제 미디어 비용에 비하여 기간이 너무 짧아 미디어사의 부담이 크기 때문인데, 사이즈가 클 경우 출력비용이 크게 들고, 고속도로 야립이나, 빌딩 옥상의 경우는 시공시 인건비가 많이 들어가기 때문에 별도로 비용이 추가될 수 있습니다. 교통광고의 경우도 집행 기간이 너무 짧을 경우 유사한 비용이 들 수 있습니다. 버스 외부 광고의 경우도 정류소에서 기다렸다 해당 버스가 나가지 않는 시점까지 기다리는 동안에 게첨이 이루어지므로 다 게첨하지 못했을 경우는 기다렸다가 해야 하므로 인건비 자체가 추가될 수 있습니다. 지하철도 그때 그때 붙이는 것이 아니라, 입고가 된 후에 부착이 가능하므로 며칠이 걸릴 수도 있어 인건비 문제로 추가 비용이 발생할 수 있습니다. 따라서, 광고주에게 관련 비용을 제시하기 전에 미디어팀과 미디어사사간 협의하여 비용부분을 사전에 정리한 후 광고주와 협의하여야 합니다. 미디어 소재 출고는 경험을 통해 알 수도 있지만,

디지털 미디어의 경우는 소재 출고라는 개념보다는 미디어 소재 셋팅이라는 말이 더 정확한 것 같습니다. 영상, 배너, 검색광고 등 다양한 디지털 광고를 광고 계정에 미디어사가 제공한 가이드에 맞추어 제작하고 컨펌받아 세팅하는 과정입니다. 미디어사의 미디어 가이드를 확실하게 이해하는 것이 중요하며, 이를 기반으로 제작하는 스텝이 잘 알고 맞추어 제작하여 주어야 합니다 이 전과정에 AE 실무가 관여하게 됩니다. 많은 디지털 미디어 프로세스가 비슷할 수 있으나 워낙 종류와 변형이 많아 다른 미디어 대비 많은 시간과 노력이 소요됩니다 ATL AE나 디지털 AE 모두 실무 때 소재에 대한 경험을 필수적으로 하게 됩니다. 따라서, 사전에 미디어별 특성과 일정, 프로세스를 잘 알고 있다면 사고를 미연에 방지하고 원활하게 진행할 수 있을 것이라고 생각합니다.

제안시에도 전략과 나름의 기준이 있어야 합니다.

광고주 업무에서 다양한 제안에 대해 이야기한 적이 있습니다. 미디어 업무에 있어서도 이러한 제안은 광고회사나 광고주에 있어서도 신선한 도전일 수 있습니다. 더구나 디지털 미디어나 크리에이티브 미디어가 많이 등장하고 해외 광고제등에서 다양한 관련 사례를 볼 때 앞으로 이와 같은 제안은 더 많아지고 늘 필요로 하다고 생각합니다. 실무AE들 이런 트랜드 측면에서 볼 때 여러 가지 점검을 통해 적극적으로 광고주에게 제안하는 노력이 필요할 것 같습니다. 이런 노력에 관점에서 제안에 앞서 몇 가지 고려해야 할 사항이 있습니다.

[제안 미디어의 이슈화 가능성]

기사를 보다 보면 이런 내용을 간혹 보게 됩니다. '새로운 뉴미디어의 시대를 연 XX브랜드' 즉 다시 말해서 미디어를 제안하기에 앞서 충분한 이슈성을 가지고 있느냐입니다. 과거 론칭한 IPTV나 독특한 교통광고등의 기사를 볼 때 TV와 같이 엄청난 광고효과를 낸다는 측면은 아니더라도 커뮤니케이션상에서 언론이 이런 독특한 미디어 집행에 관심을 가질 만한 것이냐는 제안 전에 실무AE가 미디어팀과 함께 검토해야 할 부분입니다. 특히 이런 이슈가 있느냐 없느냐는 PR관련 업무를 진행하는 부서와 함께 고려해야 할 필요가 있습니다. 최초나 최대, 최고에 대한 이슈는 PR효과를 얻는데 좋은 이슈이기 때문에 미디어가 그런 특성을 가지고 있다면 함께 협의하는 것도 방법입니다. PR 이슈가 발생하더라도 기사화를 위한 작업은 반드시 필요합니다. 어떠한 기사를 작성하느냐에 따라 언론사에서 받아들이는 것이 다를 수 있기 때문에 확정된 이후에 PR 내용을 PR팀과 함께 협의하는 것은 반드시 필요합니다.

[실현 가능성]

모든 일이 그렇지만, 이슈화는 가능하나 턱없이 높은 비용을 투입해야 한다면 아무런 의미가 없을 것입니다. 또한, 크리에이티브의 적용 자체가 힘든 경우가 있습니다. 예를 들어 기존 캠페인이 가는 상황에서 동일한 메시지로 표현을 적용할 경우 왜곡되거나 표현 효과가 떨어질 경우는 적용에 의미가 없기 때문입니다. 이럴 경우 크리에이티브를 변경을 하더라도 비용 자체가 많이 투입될 수 있기 때문에 이때 또한 비용이 과도하게 투입되어 비용 효율성이 떨어질 수 있기 때문입니다. 현실 가능성은 새로운 미디어가 아니더라도 어떤 미디어이든 간에 비용에 대한 부분은 늘 고려되어야 할 사항입니다.

[비용 대비 효율성]

신규 미디어가 아니더라도 기존 미디어이나 특수한 상황에 의해 AE가 담당하는 브랜드에 특별 케이스로 한시적으로 적용하는 경우가 있습니다. 이럴 경우 파격적인 가격으로 제안이 들어오는 경우가 있는데, 이때에도 비용대비 효율성이 크다면 광고주에게 관련 미디어를 효율성 측면에서 제안할 수 있을 것입니다. 더구나 최초로 시도하는 미디어의 경우 광고주가 아직 영업이 완료된 상황이 아니라며 광고주 영입을 위해서라도 이런 파격적인 제안이 가능할 수 있어 효율성 있게 운영할 수 있는 기회가 될 것입니다. 그렇다고 무조건 제안을 하는 것이 아니라, 현실적으로 가능한 부분이 있는지를 미디어팀과 추가적으로 점검할 필요가 있다는 것은 잊지 말아야 합니다.

[크리에이티브 효과]

매우 독특하고 재미있는 캠페인을 하는 경우가 있습니다. 그러나, 실무AE나 제작스텝에서 이러한 미디어에 제안해 보는 것은 어떻겠느냐고 서로 간에 고민하는 경우가 있습니다. 이럴 경우는 정리된 내용을 미디어팀과 협의하여 미디어화 가능성이 있는지를 점검해볼 필요가 있습니다. 물론 캠페인 효과나 미디어 실현 가능성, 캠페인 메시지의 전달력이나 일관성 등 다양한 측면을 고려하는 것은 반드시 필요합니다. 기존에 존재하지 않는 것이므로 특히 미디어화 가능성은 해당팀에서 세심하게 확인할 필요가 있습니다.

[제안서 구성]

일반적으로 미디어팀에서 오는 제안서의 구성을 따르면 됩니다. 기본적인 미디어 제안서의 구성은 미디어명, 소개, 비용, 예상 효과, 적용물, 예시 사진/이미지, 비용, 진행 일정, 기타 주의 사항/조건 등이 들어가 제안이 옵니다. 기존이나 신규이건 상기의 순서로 대략적으로 정리하여 광고주와 협의하게 되는데 상기 자료를 정리하여 광고주 제안전에 광고주 입장에서 문의할 수 있는 내용에 대해 미디어팀이나 제작팀과 필요한 사항을 사전에 확인하는 것도 필요합니다. 광고주 입장에서도 내부에 관련 내용을 보고 할 때 분명 상기 사항을 기준으로 하여 검토될 것이 일반적이기 때문입니다. 미디어제안을 통해서도 광고주 캠페인의 효과를 극대화하고 다양한 이슈를 만들 수 있는 측면에서 분명한 기준을 실무AE가 가지고 적극적으로 제안하는 것은 미디어 업무상에서 때에 따라선 의미 있는 활동임을 늘 인지하고 있어야 할 것 같습니다.

집행 리포트에 미리미리 관심을 가져 보세요.

소재가 집행되면 미디어팀에서는 미디어, 광고주 업무 일정에 따라 다르기는 하지만, 일일 리포팅이나 월별 정기 리포팅을 하게 됩니다. 디지털 미디어의 경우는 거의 일일 실시간으로 잘 집행되고 있는 리포팅을 하는 것 같습니다. 어떤 경우는 월간으로 광고주 미팅 시 미디어 결과 리포트를 정리하여 광고주에게 보내거나 회의를 진행하게 됩니다.

사실 루틴 한 업무 일수 있지만, AE실무 입장에서는 담당하는 광고주 프로젝트가 잘 운영되고 있는지 미리미리 관심을 가실 필요가 있습니다. 솔직히 광고 반응도 좋고 미디어 집행 효과도 좋다면 크게 이슈가 안되겠지만, 혹여 그 반대 상황이라면 관련 업무 협의시 많은 스텝과 광고주와 함께 고민을 해야 하는 상황이 벌어지게 될 수도 있습니다.

특히, 월간 집행 결과 보고서는 전월에 집행한 결과를 기반으로 캠페인 집행이 남아 있다면 향후 플랜이나 바잉을 하는데 기준점이 되기 때문에 더 주의 깊게 볼 필요는 있습니다. 월간 보고는 통상 해당 프로젝트에 국한된 내용뿐만 아니라, 그 카테고리의 전체적인 미디어 집행 등의 내용까지 들어가 있어 분량이 좀 되는 있는 보고서라고 생각이 됩니다.

TV나 CATV, 디지털, 집행 시 시청율이나 점유율, 노출량 등 자료를 기초로 하여 만드는 보고 자료입니다. 전체/업종별 광고비 동향
경쟁사별 4~5대 미디어비 집행 동향, TV/CATV 운영 집행 결과
(GRPs, SOS/SOV), 방송사/시급별/초수별 운영 결과, 디지털까지 집행할 경우 관련 노출 량과 결과를 종합적으로 정리하여 리포트를 완성한다고 보시면 됩니다.

관련 보고서를 작성할 경우 미디어팀의 시각으로 시사점을 뽑아
보고서를 작성하게 되는데, 중요한 것은 프로젝트 담당 실무 입장에서 광고주의 상황을 잘 알고 있다고 본다면 관련 내용에 미디어 적인 시각 외에 조금은

남다른 시각을 가졌으면 한다는 것입니다. 리포트상에 기본 데이터를 볼 경우도 그렇습니다

예를 들면 가장 기본인 전체 업종별 광고비 동향에서도 통상 공중파, 라디오, 신문, 매거진, 디지털 등 5대미디어 광고비 집행 동향을 정리한 것입니다. 실무 AE들은 상기 자료를 업종별로 매월 업데이트하여 정리된 자료를 미디어팀으로부터 받게 되는데 상기자료는 전체적으로 업종의 광고비 집중 패턴을 볼 수 있으면, 기사자료 등과 함께 고려시 신제품 론칭이나 경쟁 상황에서 마케팅 역량 집중 등 시장의 변화나 경쟁사의 마케팅 활동의 영향을 볼 수 있는 자료가 됩니다. 이럴 경우도 프로젝트를 준비하고 기획하면서 자사나 타사의 마케팅, 커뮤니케이션 상황을 이해하고 있다면, 관련한 미디어 패턴 등에서 좀더 시사점 있는 이야기를 테이블상에 올려 놓을 수도 있습니다.

좀더 깊이 들어가면 전파 미디어 운영 집행 결과에서도 광고 집행 결과의 요약은 주로 집행량 대비 획득된 GRPs, 빈도수, Reach등으로 분류하여 정리하게 됩니다. 또한, 비용에 대한 SOS(Share of Spending)과 비용대비 얼마만큼에 목소리를 내었는지에 대한 SOV(Share of Voice)으로 정리하기도 합니다. 이런 자료는 4개의 경쟁사가 각 칼라별로 금액대비 GRPs나 효율성(CPRP)나타낸 자료입니다. 무조건 GRPs가 높다고 하기도 어려우며, 효율성이 무조건 좋다고 좋은 것도 아니라고 보아야 합니다. 각 사별 마케팅이나 미디어목표가 상이 할 수 있으며 각각의 미디어 목표에 맞게 얼마만큼 수행을 하였는지 다각도로 볼 필요가 있습니다.

또한, 각 경쟁사별 채널 별 어떤 채널에서 효과를 확보했는지도 리포트에서 보게 됩니다. 중요한 것은 이 자료를 통해 경쟁사 보다 잘했다 못했 다보다도 볼 수 있지만, 익월에 집행할 미디어 운영에 대한 기본 참고자료로 어떻게 활용하자는 이야기를 하는 것이 더 의미가 있을 수 있습니다. 실제 데이터가 나오는 시점이 미디어 청약 시점 이후이므로 최근 시청률 동향과 함께 전월에 집행된 자료를 기준으로 입체적으로 분석하여 익월에 집행할 미디어에 대해 보다 더 효과적인 운영이 될 수 있도록 자료를 보는 눈과 노력도 필요하다고

생각합니다.

실무AE들이 미디어 자료의 많은 그래프를 보면서 모든 그래프를 이해하는 것은 사실 어려운 것이지만, 필요할 경우 미리미리 미디어 분석 자료를 받아보고 나름 해석한 시사점을 광고주 회의시 의미 있는 이슈를 꺼내거나 이야기한다면 좋지 않을까 합니다.

한번 집행된 소재 다시 활용될 수 있습니다.

TV, 라디오 등 다양한 미디어의 소재를 운영하다 캠페인이 완료되면 캠페인 소재의 대부분의 집행을 중지하고 소재를 폐기하는 경우가 많이 있습니다. 그런데, 경영진의 의지나, 광고주 실무 상황, 경쟁사, 사회적 이슈 등 다양한 이유에 의해 구 소재를 다시 온에어 해야 할 때가 있습니다.

[경영진의 의지]

광고주 최고 경영층에서 기존 소재에 대한 필요성이나 외부에서 긍정적인 반응을 얻고 있다고 판단되는 경우입니다.

[광고주 실무 상황]

기존 폐기 소재에 대한 소비자 반응이 지속적으로 있을 경우, 신규 소재를 만드는 중이나 현재 경쟁사 등을 고려하여 대응을 신속하게 해야 할 경우, 대대적인 프로모션이 발생하여 자막 등을 넣어 소재를 다시 온에어 해야 하는 경우 등, 소극적으로는 단순 자막이지만 필요에 따라서는 시네마 타입으로 구성하여 자막을 더 잘 보이게 만든다든지, 아예 편집을 새롭게 하는 경우도 있습니다.

[사회적 이슈]

광고주가 온에어한 소재가 PR이나 사회적인 이슈나 반향을 일으켜 하나의 트랜드로까지 자리 잡는 경우, 이런 경우는 매우 많이 있습니다. 소위 말하는 대박 난 캠페인의 경우 그 캠페인에 별도의 예산을 책정하여 집행하는 경우도 있으며, 그 캠페인의 후속을 만들어까지 진행하는 경우도 있습니다. 이외에도 여러 가지 경우가 있을 수 있으나, 상기 사항 등에서 폐기된 소재가 다시 온에어 되는 경우를 종종 보게 됩니다. 이럴 때는 무턱대고 된다고 하면 문제가 생길 수 있습니다. 이때는 몇 가지 확인을 하고 비용이 불가피하게 발생하게 되면 분명하게 금액을 확인하여 광고주와 협의해야 합니다.

[소재에 등장하는 모델]

혹 집행 소재에 모델이 등장할 경우는 모델에 대한 비용을 별도로 지불해야 하며 광고주와 모델 계약기간의 연장 및 연장 기간을 확인하여 비용을 산출해야 합니다.

[저작권 및 기타 초상권]

소재상에 등장하는 중요한 장소나 저작권이 있는 그림, 유명한 BGM등이 나올 때는 이에 관한 각종 비용을 확인하여 금액을 산출해야 합니다. 각종 저작권 관련 사항은 계약기간 사용 중에 문제가 있게 사용되거나 무리하게 사용되어 계약된 원천자와 관계가 좋지 않을 경우는 추가 사용에 문제가 발생할 수 있어 계약당시나 계약을 유지하는 기간에도 활용에 있어 사전협의를 반드시 하고 좋은 관계를 유지해야 할 필요가 있습니다. 이는 소재에 등장하는 모델들에게 있어서도 같은 개념으로 접근해야 한다고 보면 됩니다.

[심의 관련 사항]

전파 광고의 경우 보통 심의를 받습니다. 심의가 결정이 나면 소재 심의 번호를 부여받게 됩니다. 기본적으로 소재에 대한 심의 번호는 영원한 것이 아니라, 시간이 장기간 지나면 그 효력이 없어지는 경우가 있습니다. 과거 모 광고주의 광고 소재를 6~7년 동안 변동 없이 사용하다 재 온에어 관련하여 확인하자 심의 번호를 갱신하라는 이야기가 있었습니다. 통상적으로 심의 번호를 갱신하는 경우는 그리 많지는 않습니다. 그러나, 기존 카피를 기반으로 과거 소재를 온에어 할 때는 이런 심의상의 번호를 갱신해야 할 필요가 있는지 확인해야 할 것입니다. 또한, 소재의 목소리나 음악이 지나치게 오래되어 과거 향수를 불러일으킬 전략이 아니라면 새로운 녹음이나 믹싱을 통해 신선한 소재로 변화시킬 필요도 있습니다. 물론 기존 소재를 다시 사용할 경우는 모델료, 성우료, BGM료에 대한 비용을 추가적으로 산정하여 광고주와 사전에 협의를 반드시 거치고 지불을 해야 합니다.

통상 실무AE들은 하나의 소재에 대하여 3, 6, 12개월식의 계약기간을 설정하는 것이 보통입니다. 그리고 이후에는 소재가 더 이상 사용되지 못하는 것으로 광고주에게 사전에 알려주게 됩니다. 그런데 간혹 이런 사용기간에 대한 인식을 제대로 하지 못하고 지속적으로 사용하려고 하는 경우가 있는데 앞서 언급한 법적인 문제까지 붉어질 수 있으므로 반드시 계약 부분을 다시 확인하여 집행 여부를 결정해야 합니다.

마케팅 상황이 급박하여 우선 온에어 하고 집행을 무리하게 하였을 경우는 더욱 높은 비용을 요청할 수도 있습니다. 왜냐하면 통상적인 저작권료나 모델료가 광고 단가등과 같이 정확하게 책정되어 있지 않기 때문에 문제가 되었을 시는 더 심각하게 많은 비용을 지불해야 할 상황에 처하게 됩니다. 물론 제작된 광고물이 광고주의 소유는 맞지만 어디까지나 계약기간 내에 독점적으로 사용할 수 있는 것을 의미하는 것이지 그것이 모델이나 BGM등과 상관없이 지속적으로 사용할 수 있다는 것을 의미하는 것은 아니기 때문입니다.

지난 소재라고 하여 무조건 폐기하는 경우도 많지만, 이처럼 몇 가지 이유나 이슈에 의해 다시 그 소재가 집행되는 경우가 있습니다. 인간관계도 어찌될지 모르듯 소재의 계약관계나 운영에 있어서 실무AE가나름 효과적인 관리와 운영의 묘를 살리는 것이 필요합니다.

때론 AE가 미디어 업무를 대신해야 하는 경우도 있습니다.

광고주가 어느 날 '신문광고의 효과를 측정할 수 있나요?'라는 질문을 하였습니다. 광고를 많이 하는 광고주는 아니었지만, 신문을 한 턴을 돌리면서 위의 임원진께서 신문광고가 효과가 있느냐라고 문의하셨길래 관련 자료를 요청해 온 것이었습니다. AE입장에서는 미디어 플래닝팀에게 관련내용을 전달하였고, 1차적인 자료가 왔습니다. 다만, 아무래도 광고주가 광고 업무를 잘 모르는 상황이었기 때문에 관련 내용을 A~Z까지 친절하게 정리해 주었습니다.

우선적으로 신문광고의 장단점에서 대해서 간략하게 요약을 하였고, 신문광고 다른 미디어들과의 사이에서 어떠한 역할을 가지는지 정리하였습니다. 과거 광고 미디어별 인지도, 반응, 이미지, 정보 전달력 등을 기준으로 영향력을 각 미디어별 분포와 더불어 표시한 자료가 있어 유용하게 사용하였습니다.

미디어 조사에서 진행하는 각 타깃 별 선호미디어 등에 대하여 간략히 정리하였고, 실질적으로 미디어 효과조사에 대한 방법론에 대해 정리하였습니다 두 가지 방법으로 제시를 하였는데, 방법론적으로 미디어 조사 회사에서 조사한 누적 데이터를 기반으로 조사하는 방법과 일반 소비자를 대상으로 하는 방법 두 가지를 제시하였습니다. 그러나 신문의 경우 2번째 방법은 TV와는 다르게 공격적인 물량을 지속적으로 집행하는 것이 아니라 유용성이 떨어질 것이라는 언급을 광고주에 전달하였습니다.

제안한 미디어 누적 데이터를 기반으로 신문효과에 대해 신문에 대한 접촉률과 열독율에 타겟 인구수를 계산하여 산출한 결과를 첨부해 전달하였습니다. 신문광고의 미디어 효과는 사실상 TV와 같은 기술적인 방법이나 데이터가 없다 보니 실증적인 조사를 하는 것은 불가능한 것입니다. 다만 상기와 같이 방법으로 가능할 것 같았고, 광고주에게 최종 제시하게 되었습니다.

사실 모든 미디어업무를 미디어 담당자가 해야 할 것 같지만, 개인적인 생각은 조금 다릅니다. 기본적은 미디어팀과 업무를 지속적으로 수행하면서 다양한 자료를 받고 공유하게 되면서 자연스럽게 미디어 기본지식 자체는 누적되게 되어 있습니다. 이런 상황에서 더구나 광고주를 가장 잘 알고 있고 니즈를 잘 알고 있는 실무AE 입장에서는 필요에 따라서는 아주 기술적으로 어려운 것이 아니라면, 기존의 자료와 크게 다르지 않고 미디어팀에서 일부의 자료를 받아 광고주 입장에서 정리하는 것이 AE가 빠르다면 AE도 미디어 기획서나 간단한 자료를 구성하는데 어렵지 않다는 것입니다.

물론 누군가의 업무영역을 침범하자는 것은 아닙니다. 그러나, 실제 업무를 하다 보면 모든 업무를 업무분장에 맞추어 하다 보면 업무 피드백 시간자체가 늦어지고 업무효율성이 오히려 떨어지는 경우를 종종 보게 되는 것 같습니다. 따라서, 필요에 따라서는 AE도 미디어 업무를 대신할 수 있는 나름의 능력과 노하우를 익히고 있는 것이 필요한 것 같습니다. 그러나, 관련 업무로 인한 문제가 발생할 경우 미디어팀과의 업무 커뮤니케이션을 하지 않았을 때는 더 큰 문제가 될 수 있으므로 분명 광고주에게 제시될 자료에 대하여 사전에 미디어팀과 협의하여 광고주 전달에 문제가 없는지를 점검해야 할 것입니다. 왜냐하면 광고주가 관련 자료를 보고 추가적인 요청이나 어려운 과제를 요청할 경우 결국 미디어팀과의 업무 진행이 필요하게 되기 때문입니다. 다만, 필요에 따라서는 탄력적으로 상호간 업무 효율화를 위해 고려할 필요는 있는 것 같습니다.

작은 미디어 업무도 소홀히 생각하지 마세요.

미디어 업무에서도 업무 진행 시 아주 작은 것까지 확인하고 챙겨야 할 경우가 많이 있습니다. 또한, 미디어 업무를 하는데 이 업무가 미디어 쪽인지 제작 쪽인지 해 깔리는 경우도 있습니다. 업무의 영역을 떠나 사실 이는 경험을 하지 않으면 알 수 없는 것들이므로 개인의 기존 경험에서 일어난 몇 가지 사례를 기반으로 공유해 보고자 합니다.

[공중파관련]

전파 광고물이 케이블TV에 나갈 경우 필요에 따라서는 다양하게 채널 성격에 맞추어 변형되어 나가게 됩니다. 이를 필러 물이나 범퍼 등 다양한 변형 광고물 이름으로 쓰이는데, 스포츠, 영화, 패션 채널에 맞추어 해당 광고주가 채널에 스타일에 맞추어서 채널광고나, 프로그램 소개와 동시에 이루어지는 성격의 광고물로 노출되게 됩니다. 이때도 그냥 CATV사에 제작물을 넘겨 제작될 수도 있겠지만, 미디어팀과 협의하여 기본적인 방향성에 대해 협의 없이 나갈 경우 핵심 멘트나 비주얼이 없어지거나 심하게 왜곡되어 지나치게 한쪽으로만 정리되어 노출되어질 수 있으므로, 사전에 기본 방향을 공유하고 집행되기 전 광고주에게 컨펌을 받는 것이 필요합니다.

[협찬 관련]

공중파 방송을 보다 보면 '이 캠페인은 OOO과 함께 합니다'라는 공익성 광고가 나옵니다. 이 또한 방송국에서 자체 제작할 때도 있고, 광고주 요청에 따라 방송국과 계약하여 진행하는 경우가 있습니다. 소위 방송사 공익 캠페인이라고 하는데, 이러한 캠페인은 방송사 자체 심의를 기존 소재 넣듯이 받는 것이 아니라 얼마만큼 공익적 내용이 있는지 방송국에서 심사를 하게 됩니다. 초수도 40초정도로 일반 공중파 광고에 비하여 초수도 길 때도 있습니다. 기획단계와 제작물 단계까지 방송사와의 협의가 중요한 만큼 지나치게 상업적인 메시지가 들어가지 않도록 신경 쓰는 것이 필요합니다. 그리고, 동일 소재를 방송국과 공유하기는 어렵습니다. 따라서, 3사가 나갈 경우는 별도로 제작하여 방송국별로 주어야 하는 것이 보통입니다.

[인쇄 변형 광고 관련]

미디어 크리에이티브 발휘한다고 기사를 파고 드는 광고를 만들고자 노력하는 경우도 있습니다. 기사 변형이나 기사를 파고드는 광고는 가능하다고 하겠지만 현실적으로 그렇지 못한 것이 있습니다. 혹 기사를 파고 들어가는 변형이라면 부정적 기사인지 아닌지 사전에 확인하는 센스가 필요합니다. 괜히 범죄 사건 및 사고 기사에 나가면 좋은 메시지라도 아쉬운 부분이 될 수가 있습니다. 그리고 제작들에게 해당 미디어사에서 쓰는 폰트며 글씨 규격 등 자세한 것을 확인시켜 주어 나중에 게재가 되었을 때 변형광고 효과가 떨어지지 않도록 유의해야 합니다.

일간지나 주요 신문을 보면 상단에 돌출이 있는데, 보통 광고주들이 연간계약을 통해거래를 하게 됩니다. 따라서, 사전에 확인하지 않으면 제안이 어렵고, 부킹 자체가 안될 수도 있습니다. 혹 진행하게 되면 좌우 로테이션을 어떻게 갈 것인지와 스타트 시점을 공유해야 하며, 기간은 보통 3개월이상으로 해야 된다는 등의 바잉 상에서의 다양한 지식을 알고 있어야 합니다. 짧은 것은 사실상 어려우며, 금액적인 부분은 통으로 하게 되면 그때 그때 다르게 됩니다. 가장 좋은 것은 좌수로 붙박이로 가는 것이 좋지만 그렇기는 현실적으로 어려움이 많습니다. 소재가 여러 가지 일 경우는 사전에 캘린더를 만들어 순서를 잘 지정하고 미디어팀과 공유해야 한다. 당연히 교정은 잘 확인하여 칼라나 그림이 이상 없는지를 확인해야 합니다. 집행일이 언제 좋은 지 등도 사전에 확인하는 게 필요합니다.

매거진에서 자주 언급하는 부분이지만 필름 출고 시 주의할 점 중에 우수로 나가는지, 좌수로 나가는지도 매우 중요합니다. 만약 우수로 나갈 경우 필름 좌측에 로고가 있다면, 밀려들어갈 수 있으니 그럼 펼칠 때 보이지 않는 경우도 생기므로 필름에 로고나 스펙을 약간씩 오른쪽으로 밀어야 말려 들어가질 않습니다. 그리고 우수일 경우에는 반대로 좌측에 로고가 들어간 경우 주의를 해야 할 것입니다. 월간지의 경우 두꺼운 미디어는 더욱 신경 써서 출고해야 합니다.

신문으로 행사 광고가 나갈 때가 있습니다. 예를 들어 4월 달 행사를 하기 위해 신문원고에 4월 행사를 명기할 경우가 있는데, 이렇게 나가다가 잡지가 나가게 될 경우 미디어를 제대로 확인하지 못하면 4월 행사가 5월호 광고에 나가는 사고가 생기게 됩니다. 따라서, 5월호에 나가는 잡지 미디어가 있을 경우 소재를 확인하여 4월 행사를 거두고, 다른 내용을 올려 수정해서 필름을 나가야 합니다. 물론 광고주에게 확인하여 수정한 원고가 나갈 수 있도록 해야 합니다. 이런 작은 미디어 관련 경험들은 실제 경험하지 못하면 사전에 알기 어려운 내용들입니다. 실제 미디어 관련 경험들은 발생할 때마다 메모를 해 두어 모아둔다면 별도의 아주 좋은 세부적인 매뉴얼이 될 수도 있습니다.

문서화된 업무연락이 기본입니다.

미디어 운영 시 변동되는 사항에 대해 실무AE들이 미디어 스텝에게 업무연락을 띄우게 됩니다. 구두로 전달 시 잘 못된 집행으로 문제가 발생할 수 있기 때문에 광고회사 나름대로의 양식을 만들어 미디어팀에 전달하여 사고를 최소화하는 장치로 활용하고 있습니다.
[방송광고 소재 관련 업무연락]
우선 업무연락을 보내려고 하는 담당팀과 담당자를 명기하고 이를 처리해야 하는 협조부터에 대한 수신팀과 수신자를 넣습니다. 다음으로 광고주와 업무를 해야 하는 미디어 구분을 넣게 됩니다. 주요 업무항목에는 업 프론트, 수시물, 임시물 등의 구매에 관련된 업무, CM지정의 신청, 기존 소재에서 신규 소재로의 변경, 중지, 제공자막 및 소재 폐기 등의 기타 업무인지를 구분하여 넣게 됩니다. 그 아래에 관련된 업무를 자세하게 기재하게 됩니다. 기재시 주의 사항은 변경 시점에 대한 것을 사전에 미디어 스텝과 협의하는 것이 좋습니다. 일방적으로 무리한 일정을 기재하여 업무 연락을 발송할 경우는 방송사 편집 일정 등을 고려하지 않는 상황으로 진행에 어려움이 발생할 수 있기 때문입니다. 그리고, 반드시 해당 소재의 심의 번호를 기재해야 합니다. 심의 번호는 소재를 구분하는 가장 명확한 기준이 되기 때문에 심의 번호를 틀리지 않게 기재를 해야 합니다.
미디어 모니터링도 매우 중요하다고 했듯이 업무 연락을 보냈다고 끝나는 것은 아닙니다. 해당 업무 연락이 제대로 수행되고 있는지 미디어 스텝을 통해 이후 지속적으로 확인을 해야 합니다. 자칫 중지한 소재가 계속 나가고 있거나 변경되지 않은 채로 나갈 수 있는 위험성이 언제나 도사리고 있기 때문입니다. 그리고, 업무 연락의 자료는 하나의 폴더에 관리를 계속 해야 합니다. 증빙자료로 필요로 할 수 있기 때문에 시계열별로 업데이트를 지속적으로 해야 할 필요가 있습니다.

[인쇄광고 업무연락]

인쇄 광고의 업무 연락의 내용은 우선 미디어 구분과 미디어명, 사이즈, 가격, 출고 마감일정, 게재일, 연락처, 비고등의 내용을 기재하게 됩니다. 중요한 것은 사이즈와 출고 마감 일정입니다. 마감일에 임박하여 사이즈를 잘 못 알고 있는 상황에서 출고를 하였는데 미디어사 측에서 사이즈가 잘 못 왔다고 했을 경우는 집행이 어려울 수도 있고, 급하게 진행하다 원고의 변형을 잘 못하여 게재지 상태가 좋지 않을 수 있습니다. 더구나 데이터로 출고할 경우는 색깔의 문제나 글씨 타입이 달라는 큰 문제가 발생할 수도 있습니다. 따라서 인쇄 업무 연락을 보낼 경우 실무AE들은 미디어 스텝이나 미디어사와 추가적으로 확인을 계속해야 할 필요가 있습니다. 업무 연락만 발송하여 처리를 기다리고 있다 원고 데이터가 제대로 전달이 안되거나 너무 늦게 전달될 경우도 종종 발생하기 때문입니다.

전파와 인쇄와 관련하여 업무연락에 대한 예를 드렸습니다. 비단 두가지 예시 미디어뿐만 아니라 옥외, 디지털 등 대부분에 미디어를 운영할 경우 업무 연락을 발송하여 문제가 없도록 관리해야 합니다.

구두로 전달하더라도 반드시 업무연락을 발송해야 합니다. 이는 미디어 사고를 방지하기 위한 기본 업무이기는 하지만 실무AE들은 방송이나 게재가 되는 순간까지 확인에 또 확인을 해야 합니다. 계속 언급하는 이야기이지만 미디어 사고는 돌이킬 수 없는 치명적인 과오가 될 수 있습니다. 따라서, 항상 업무 연락을 발송하고 나서도 수신자가 받았는지 여부 등 구체적으로 확인을 계속해야 하는 것을 잊지 말아야 합니다.

예산 집행에 문제가 생기지 않도록 모니터 하세요.

미디어 운영 업무에서 소재 이슈 못지않게 중요한 것이 미디어 예산 관리입니다. 미디어 예산 관리를 잘 못하여 추후 청구 시 금액이 오버되는 경우가 있어 예산을 집행하는 상황에서 수시로 모니터가 필요합니다.

전파 미디어의 경우 실무AE들이 미디어팀으로부터 받는 일반적인 방송 큐시트를 기반으로 집행 예산을 확인하는데, 예산 관리의 시작은 수시로 이 표를 모니터 자료로 하여 미디어팀과 예산 운영사항을 확인해야 합니다. 물론, 사전에 합의가 잘 되어 있다면 미디어팀에서 해당 업무에 문제가 없이 잘 진행될 것이나 변경이나 이슈가 중간에 많을 경우는 함께 계속 모니터링을 해야 합니다. 사실 다른 미디어에 비하여 전파 미디어는 불방, 보너스, 이관 등 다양한 조정 이슈들이 발생합니다. 스포츠나 큰 이벤트 같은 경우에는 더 그런 것 같습니다. 이외 인쇄나 옥외, 디지털은 정해진 금액을 사용하는 상황에서 상대적으로 예산 관리 이슈는 적은 것 같습니다. 이를 관리하는 테이블은 방송 큐시트 같은 문서입니다.

방송 큐시트 상에는 방송사와 프로그램, 요일, 시간대, 초수, 시급, 회수, 단가, 금액, 기타 사항이 들어가는 것이 일반적입니다. 추가적으로 GRP, 광고시청율, 소재명, 운행기간이 들어갑니다. 큐시트는 방송 온에어 되기 1~2주전이나 며칠 전에 최종 확정되어 실무AE에게 오고 이 내용은 광고주와 공유가 됩니다. 필요에 따라서는 광고주의 별도 양식에 맞추어 작업을 하여 제시하게 되는데, 이때 예산 운영 측면에서 실무AE들이 주목해서 보아야 할 것은 각 프로그램별 만료 시점입니다.

프로그램에 따라 지속적으로 가는 것이 있는 반면 종료가 되는 프로그램이 있는데 이때 종료되는 프로그램에 대해서는 사전에 종료가 되는지 다시 한번 확인하고 종료가 된 이후에도 추가 노출이 있는지 여부를 모니터를 통해 확인할 필요가 있습니다. 이와 반대로 운영 중인 프로그램이 제대로 운영이 되고 있는지도 모니터할 필요가 있습니다. 방송사의 특집 상황이나 변동 사항에 의해 간혹 프로그램 단가가 조정되거나 중지가 되는 경우도 있어 이런 상황이 발생하게 되면 광고주에게 업무 연락을 보내어 문제가 되지 않도록 해야 합니다. 큐시트를 놓고 모니터링을 계속하는 이유 중 가장 큰 것은 광고주의 광고비 예산에 대한 관리 때문에 그렇습니다. 광고주는 매월 광고비 집행 전 관련 품의를 받아 예산집행을 하게 되는데 예산 집행 금액이 넘어가거나 너무 부족하게 집행이 되면 예산 운영상에 큰 문제를 겪게 됩니다. 따라서, 예산이 확정되면 예산에 대한 관리를 반드시 실무AE가 광고주측 실무자와 지속적으로 커뮤니케이션 하면서 문제가 없도록 관리해야 합니다.

예산 관리에서 더 신경을 써야 하는 경우는 브랜드가 많아질 때입니다. 이때는 각 브랜드별 소재예산까지 하나하나 신경을 써야 하므로 상기와 같이 브랜드별 방송사별 예산을 함께 보면서 세부적으로 예산집행에 문제가 없도록 해야 합니다.

예산 관리에 대한 모니터 관련하여 공중파를 중심으로 예를 들었지만, 케이블, 라디오, 인쇄, 디지털 등 모든 미디어의 예산 집행 모니터가 필요합니다.

플래닝에 최적화된 바잉 가이드를 제시하려고 노력해야 합니다.

광고 캠페인 대한 미디어 플래닝에 대한 자료를 광고주와 합의를 하게 되면 청약 시점 전 광고주 미디어 바잉에 대한 가이드를 협의하게 됩니다. 앞서 공중파나 인쇄 등 다양한 청약관련 자료를 제시하는 것이 일반적이나 가장 통합해서 이야기할 수 있는 업무가 바잉 가이드라고 할 수 있습니다. 공중파 프로그램의 경우는 위시 리스트라고 하는 것을 플래닝에 기초하여 프로그램을 제안하게 되고 인쇄도 집행 제안을 구체적인 미디어나 단가를 기입하여 광고주에게 청약이나 부킹 관련 협의를 하게 됩니다. 미디어에 대한 바잉 가이드는 미디어의 비중을 떠나서 거의 모든 미디어를 청약하게 될 때는 플래닝에서 제시한 효과를 극대화하기위해 바잉을 어떻게 할 것인가에 대한 내용으로 제시하게 됩니다. 다만 미디어별 성격에 맞추어 제안하는 방식이 조금씩 다릅니다.
[미디어별 주요 바잉 가이드]

공중파는 타깃 시청률 기반 큐시트 작성과 유사한 형태의 위시 리스트, 신문은 열독율, 면, 단가, 매거진은 익월 기사 편집방향, 단가, 열독율, 면, 페이지수, 케이블/종편은 월 청약광고비, 요청 주요시간대 및 콘텐츠 등이 가이드에 들어가기도 합니다.

다이렉트 보험, 주문 등 인바운드 콜이 중요한 광고주나 가이드상에 시청율을 주간 시간대 단위로 분석한 세부적인 것까지 보게 됩니다. 위시 리스트를 제공하기전에 시간대까지 구체적인 분석을 통해 프로그램을 선정하는데 참조하는 자료로 제공하게 됩니다. 이는 광고주의 비즈니스 성격과도 결부되어 있으므로 바잉 가이드를 제시할 경우 이런 세부적인 분석이 추가적으로 필요하게 되며 제안서의 내용에 반드시 광고주 특성에 맞추어 제안할 필요가 있습니다.

케이블/종편도 바잉 가이드라는 것이 있습니다. 전파 미디어 대비 아주 디테일 하지는 않지만, 익월 예산 배분에 대해서도 어떤 목적으로 바잉할 것인지에 대한 큰 목표가 있다면 이를 효과적으로 달성하기 위해 채널 별 예산 배분 및 어떠한 프로그램 및 시간대를 집중적으로 구매할 것인지를 광고주와 협의하여 집행을 하게 됩니다.

각 케이블/종편 성격을 큰 구분으로 하여 각 채널을 명기하고 예산 배분을 합니다. 비고란에 구체적으로 어떤 시간대와 어떤 콘텐츠를 구매할 것인지를 세부적으로 기입합니다. 어떤 광고주의 경우는 각 채널별 예산을 매월 변동시키기도 하고 다양한 채널을 로테이션 방식으로 운영하여 시청 빈도가 높은 케이블 채널 특성상 노출 타깃 범위를 넓히기 위해 탄력적으로 운영하기도 합니다.

앞서 미디어별 특성에 맞추어 바잉 가이드를 제시한다고 하였는데 이와 함께 미디어별 청약 시점을 반드시 숙지하여 사전에 바잉 가이드를 합의하고 청약 일정에 지장이 없도록 해야 합니다. 또한 청약이 완료된 시점에서 청약 결과를 실제 바잉 가이드상에서 얼마만큼 달성이 되었는지를 정리하여 제시할 필요가 있습니다. 필요에 따라서 일부 청약이나 부킹 내용에 변동이 있을 수 있으므로 발생시에는 미디어 스텝과 미디어사에 신속하게 알려 조정을 해야 합니다.

전파 광고 제공 자막/제공 멘트도 광고입니다.

방송 프로그램이 시작할 때 화면에 제공자막이나 라디오 프로그램에서 제공한다는 멘트와 함께 광고주가 명기됩니다. 이는 해당 프로그램에 들어가는 광고주를 명기한 것이라고 보면 됩니다. 일반적으로 제공 자막을 별도의 요청이 없는 한 그대로 광고주명이나 브랜드명을 명기하게 됩니다. 그러나, 이런 것도 소비자들에게 노출되는 하나의 광고라는 개념으로 본다면 보다 전략적으로 활용할 수 있을 것이라고 생각됩니다.

[공중파 TV, 케이블, 종편 등]

공중파 TV나 케이블 제공 자막을 주식회사XXX라고 광고주만을 명기하는 것이 아니라 기업PR 소재라면 짧은 슬로건을 붙여서 명기하면 조금이라도 메시지를 전달할 수 있을 것입니다. 또한 브랜드나 상품광고일 경우는 메시지를 넣어서 제공 자막을 전달할 수 있을 것입니다. 제공 자막 타이틀이 나올 때 일반적으로 광고주만 명기하는 경우와 수식어를 넣어 재미를 더한 제공 자막의 차이를 보면 알 수 있을 것입니다. 그러나, 글씨가 많이 들어갈 수 없으므로 사전에 미디어 스텝과 관련 내용을 협의할 필요가 있습니다.

[라디오 및 기타 협찬 등]

이러한 미디어도 마찬가지입니다. 라디오도 '~맛있는 ~회사'라고 수식을 하면서 읽어주는 것도 있고, 교통 방송의 경우 '~함께 합니다'등의 일반적인 광고가 불가능하지만 이정도의 메시지를 넣어 광고주를 명기하는 경우가 있습니다. TV나 케이블과 마찬가지로 들어갈 수 있는 문구의 수가 한정되어 있으므로 사전에 미디어 스텝과 협의하는 것이 반드시 필요합니다. 시보와 같은 경우도 대표적인 협찬 광고주 명기가 되는데 모 정유회사는 교통방송에서 앵커가 TV에 나오는 슬로건을 읽어주듯 톤을 넣어 읽어주도록 유도하여 진행하는 경우도 있습니다. 매우 작은 것이지만, 일관성을 유지하기 위해 노력하는 것이라 할 수 있습니다. 특히, 협찬과 같은 경우는 일반 청약 형태와는 약간 다릅니다.

예를 들어 교통 방송과 같이 일반 광고를 하지 않는 미디어의 경우는 별도의 계약서를 작성하여 진행을 하게 됩니다.

어떤 경우는 시간대별 타깃 분석을 통해 적절한 시간대를 고려하여 맞추어 멘트를 넣기도 합니다. 물론 청약 가능한 시간대를 확인하여 시간대, 요일, 시급, 비용, 계약조건들을 명기하여 광고주에게 제시하게 됩니다.

관련 건을 일반적으로 제시할 때 광고주명부터 슬로건 조합이나 별도의 수식어를 넣은 제공 멘트를 별도로 제안하게 됩니다. 광고주와 하나의 제공 멘트를 결정하기 보다는 우선 순위를 정하고 방송사에 넘겨 가능한 제공 멘트를 최종 확인해야 합니다. 방송 기간에는 실제 해당 시간에 라디오를 틀어서 모니터링 하는 것이 필요합니다.

[관련 업무 연락]

제공 멘트나 자막에 대한 것을 진행할 때는 미디어팀에 띄우는 업무연락을 활용하여 기재해야 합니다. 공중파 소재의 경우는 소재 라벨 기타 란에 별도로 기재하여 표기할 수 있도록 해야 합니다. 다만 사전에 너무 길거나 쓸 수 없는 문구가 아닌가를 미디어 스텝을 통해 반드시 확인해야 합니다.

제공 멘트나 자막은 평소에 쉽게 지나치기 쉬운 부분일 수도 있습니다. 더구나 모든 것에 이를 반영하기는 어려울 수도 있습니다. 다만, 단순한 광고주 명기보다 재미있고 눈이나 귀를 즐겁게 한다면 작은 부분이라도 광고적인 것으로 활용도를 높이는 노력도 필요하지 않을까 합니다.

집행 시 현장 확인을 하는 경우도 있을 수 있습니다.

미디어 집행 관련해서 AE실무가 현장에 나가는 경우가 있습니다
전파, 인쇄, 디지털 미디어 등 대부분의 미디어는 사무실에나 미디어
가 있는 곳에서 확인이 가능하지만, 아주 급한 상황일 경우, 중요하
거나 사이즈가 큰 미디어 등 몇 가지 이유로 미디어팀이 확인하거나
때론 AE실무가 직접 가서 확인하는 경우가 있습니다.
 집행이후 아무 문제가 없다면 상관없지만, 문제가 될 경우는 현장 확인을 하
지 않을 것에 대한 부분이 문제시될 수도 있습니다. 다른
미디어 관련하여 이야기 한 것처럼 현장에 나가는 경우는 최종적으로 사고를
미연에 방지하고 게재시에 문제가 없도록 하는 것입니다.
 집행 일정에 여유가 있다면 사전에 하나하나 확인을 하면 되지만 시간 없이
진행되는 상황이나 한번 집행되면 오랜 기간 해야 되는 경우도 미디어에 있어
서는 현장 확인이 매우 중요할 때가 있습니다. 현장 확인에 대해 아래의 몇몇
사례를 통해 공유해 보고자 합니다.
 긴급하여 요청받아 신문광고를 진행 현장에서 컬러 등 확인해야 했던 사례
가 있었습니다. 사실 교정지도 다 확인했지만, 급하게 진행되어 걱정이 되는
상황이었습니다. 광고주 실무자와 함께 OO지역에 있는 OO일보 인쇄하는 곳
으로 가기로 했고, 저녁 8시쯤 도착해서 OOO판이 나오는 8시50분까지 기다리
기로 했습니다. 윤전기가 서서히 돌아가기 시작했고, 엄청난 소음과 함께 신문
이 인쇄되어 나옵니다. 몇 만부라 고해도 금방 나오는 것이 윤전기라 나온 신
문을 보니, 바탕칼라는 문제가 없는데, OO로고가 약간 어둡게 나왔습니다. 렌
즈로 보니 청과 검정이 깔려 있었고, 긴급히 제작에게 전화하여 수정데이터를
요청했습니다. 물론 OOO판은 어쩔 수 없었지만, XX판은 1시간이후 확인이 가
능해 일단 OO판부터 고쳐 보기로 했습니다.
사실 데이터를 전달한 대로 인쇄한 것이라 바꾸면 안되지만 칼라가 잘 구현이

안되어 다시 수정한 것이었습니다. OO판을 확인하고 나서 그제서야 모두 안심하고 돌아갈 수 있었습니다. OOO판이 양이 제일 많아 한번 돌아가면 끝이기 때문에 그나마 확인하는 시간은 11시쯤까지였습니다. 필름을 넘긴 후 제작부서와 공정부서를 거쳐 최종 인쇄부서로 넘어오다 보니 5~7시 까지는 필름이 도착해야 하는 현실이 어쩔 수 없는 것 같았고, 한 인쇄소에서 경제지들을 함께 인쇄해야 하다 보니 스포츠지나, 특집, 경제지 마감이 빠른 이유를 보다 피부로 체감할 수 있었습니다. 별로 큰 문제는 아니었지만, 역시 체험은 간접경험보다 더 도움이 되는 것 같았습니다.

신문이나 매거진 외에도 OOH, 옥외 광고물을 제작할 경우 AE와 제작 또는 광고주와 현장에 꼭 나가봐야 하는 경우가 있습니다. 그냥 책상머리에서 고민하여 사이즈만 받아 제작할 경우 나중에 보고한 후 현장을 이해 못하고 제작했다고 문제가 될 수 있기 때문입니다. 지하철이든, 옥외이든, 기타 다른 OOH 광고물은 현장에 나가서 가시거리가 어떤 지, 사람들의 동선과 유동인구가 어떤 지, 다른 광고물의 간섭이 심하지는 않은지를 항시 확인하여 제작물에 반영해야 합니다.

예를 들어 가시거리를 고려했을 경우 카피가 잘 보이지 않을 때는 이미지와 로고만으로 처리할 수 있어야 하고, 혹 동선을 고려하거나 미디어 특성을 이용하여 보다 크리에이티브 한 방법을 찾아내어 광고주에게 제안할 수도 있기 때문입니다. 한번 설치하고 하면, 공중파처럼 쉽게 소재 교체할 수 없는 특성이 OOH 미디어이기 때문에 현장에 나가보는 것이 꼭 필요합니다.

또한, 간혹 포스터나 리플렛 등을 대량으로 광고회사에 제작하여 인쇄하는 경우가 있는데, 인쇄소에서는 한번 돌아가면 돌이킬 수 없는 상황입니다. 보통 롤(Roll)개념으로 인쇄를 하는데, 인쇄전에 필름과 교정지를 주기는 하지만, 혹 날씨나 인쇄 지 상태에 따라 색깔 등이 달라질 수 있으니 사전에 확인하고, 이왕이면 제작에 아트와 함께 인쇄소에서 확인하는 것이 필요합니다. 혹 제단이 특수하게 진행되는 것은 반드시 인쇄소측 과도 사전에 협의를 해야 합니다. 칼을 사용하는 것이 한계가 있고, 비용과 직결되는 부분이 있기 때문에 이를 사전에 제작과 광고주, 인쇄소측 과도 확인할 필요가 있습니다.
사고시 당황하지 말고 빠르고 정확하게 하세요.

AE를 하면서 미디어 사고를 경험하지 않은 사람은 아마 없지 않을까 합니다. 아무리 미디어 업무 프로세스를 이해하고 세심하게 잘 챙긴다고 하더라도 미디어 사고는 예상치 못했던 곳에서 일어나기도 합니다. 실무AE의 직접적인 잘못이 아니더라도 미디어 사고는 발생할 수 있습니다. 경험상으로 보아도 다양한 미디어에서 다양한 문제들이 발생합니다.
[방송, 영상 소재 사고 예시]
멀티 소재가 운영되는데 잘 못 섞여 집행
운행이 종료되어야 하는데 계속 집행
신규 소재가 아닌 구소재의 집행
소재 운행 중 엔드 로고가 제대로 안 나오고
프로그램으로 넘어간 경우
음향 사운드가 작게 나오는 경우
갑작스러운 미디어사 사정으로 불방 등
파일 용량이 작은 것을 보내 깨져서 보이는 경우 등
[인쇄 및 기타 사고]
데이터 출고로 인한 교정과 다른 서체로 게재
CMYK칼라 중 하나가 빠진 듯 모노톤으로 게재된 경우
교통 및 옥외 광고물 파손 or 훼손
너무 진한 컬러를 사용하여 까맣게 나오는 경우
양면스프레드 컬러를 잘 못 확인하여 접지하고나서 떡 지는 경우
자사 광고주 앞에 예상치 못한 경쟁사 광고가 게첨
습도가 너무 높아 인쇄 품질이 현저히 떨어지는 경우
이외에도 예상하지 못했던 다양한 상황으로 인하여 미디어 문제가 발생하는데, 물론 이런 상황이 되면 막막한 느낌이 들지만, 중요한 것은 얼마만큼 사고가

발생하였을 경우 빠르고 정확하게 처리하느냐입니다.

우선 사고 발생시에는 인지한 부서나 담당은 관련 이슈가 발생했다는 사실을 기획팀과 미디어팀에 빠르게 전파해야 합니다. 이후 해당 건을 담당하는 미디어팀과 미디어사가 어떻게 발생한 것인지, 해결할 수 있는 것인지를 확인해야 합니다. 만약에 수습이 불가능한 상황이라면 대안까지 준비하여 광고주에게 연락하고 유선 협의나 미팅을 진행해야 합니다.

경험상 미디어사 내부에서 해결할 수 있는 수준이 있고, 광고회사 미디어팀과 협업으로 해결할 수 있는 수준이 있습니다. 그러나, 귀책사유가 분명하고 아무리 해결하려 해도 회복이 안되는 수준은 어쩔 수 없었던 것 같습니다. 이럴 경우는 내부 보고를 완료하고 경위 서를 작성 광고주에게 분명히 잘 못된 부분에 대해서는 사과를 해야 합니다 자칫 관련 사실을 왜곡하거나 숨길 경우는 더 돌이킬 수 없는 문제로 커질 수 있습니다.

미디어 사고를 경험하면서 처음 경험하거나 경험이 부족한 실무AE들에게는 큰 두려움과 어려움이 될 수 있습니다. 그러나, 같은 실수를 반복하지 않는 것이 중요하며, 향후 업무를 잘 할 수 있도록 옆에서 선배들이 많은 도움을 주어야 극복할 수 있다고 생각합니다.

계약업무에 익숙해져야 합니다.

AE들이 미디어 업무를 하다 보면 계약관련 업무를 하게 되는 경우가 종종 있습니다. 전파 미디어 관련해서는 방송광고관련 광고주간 계약, 미디어 콘텐츠 프로젝트시에는 프로젝트 단위 계약, 디지털 프로젝트도 필요에 따라서는 계약을 하는 등 정무적인 일이 더 많아질 경우도 있습니다. 그러나, 이런 정무적인 계약 업무들은 실행 및 진행을 위해서 선행적으로 이뤄져야 하는 것들이므로, 가급적 실무 기간 초에 빠르게 익히는 것이 필요합니다. 더구나 광고주까지 연계되어 계약되는 부분이라면 광고주 내부 보고 일정까지 전체적으로 반영하여 문제가 되지 않도록 해야 합니다. 수많은 미디어 관련 계약 중 AE들 많이 하는 계약업무 중에 몇 가지 사례를 들어 보도록 하겠습니다.

[방송광고대행계약확인서]

TV광고를 하기위한 방송광고대행계약확인서라는 것이 있습니다. 방송광고를 위해서는 미디어 랩에 제출하는 서류입니다. 사실 본 업무는 광고주 업무에서 이미 계약 관련하여 어느 정도 언급은 한 것입니다. 그러나, 좀더 구체적으로 미디어 관련한 업무 측면에서 몇 가지 공유 차 다시 한번 구체적으로 언급하고자 합니다. 우선 광고주와 대행 계약이 되어 방송광고를 해야 될 경우 저음하는 것이 방송광고대행계약확인서를 미디어랩사에 제출해야 한다고 했으며 이를 제출을 미리 해 두는 것이 좋다고 이야기했습니다. 그러나, 한번 하였다고 했고 이 업무가 끝이 난 것은 아닙니다. 자칫 몇 가지 실수로 인하여 진행에 차질을 빚는 경우가 있으므로 미디어 업무를 효과적으로 진행하기 위해서라도 신경을 많이 써야 합니다.

[방송광고대행연장확인서]

1년간 계약이 되어 있는 상황에서 계약이 만료되었는데 바로 미디어를 연장하여 온에어를 해야 한다면 미디어랩사에 방송광고대행연장확인서를 광고주 사업자 등록증 한 부와 날인을 하여 제출해야 합니다 연장확인서는 앞서 언급한데로 계약관리 현황에 항시 명기하여 절대 잊지 말고 연장될 시에는 반드시 미리 진행해야 하는 계약 업무입니다. 랩 사측에 전달되고 나서 바로 온에어할 수 있는 것이 아니기 때문에 전산 등록업무 시간 등을 고려하여 최소 일정기간 전에 등록을 하는 것이 미디어 운영 및 소재 운영에 문제가 없습니다.

[방송광고해지확인서]

광고회사가 가장 쓰기 싫어하는 서류이기도 하지만, 여러 가지 미디어 운영에 있어 고려해야 할 것이 있습니다. 우선 여러 광고회사가 대행을 할 경우 복수로 같은 대행계약을 할 수 없습니다. 그렇다 보니 소재를 나누어 운영할 경우 해당 품목을 하는 광고회사는 동일한 광고주를 하는 회사로부터 해지 확인을 받고 해당 품목의 연장확인을 해야 합니다. 이는 아래는 내용중 대행 품목에 전 품목이라고 기재를 할 경우 더욱 그러한 문제가 발생합니다. 복수로 진행할 경우에는 전품목이라는 내용에 부딪혀서 일부 품목만 대행을 하는 광고회사는 미디어 운영을 할 수 없기 때문입니다.

더구나 해지 확인서 자체를 빠르게 작성하여 받을 수 없는 상황이 될 수도 있으므로 사전에 일정을 충분히 두고 최대한 빠른 시간 내에 관련 업무를 처리해야 합니다. 미디어 운영 및 소재 운영에 있어 계약 서류 업무가 방송광고상에서는 간혹 당혹스러운 업무가 될 수 있습니다. 미디어 스텝이 이 부분을 모두 해결하는 것이 아니라 결국 광고주의 날인이 필요한 사항이므로 실무AE간에 해결을 적극적으로 하는 것이 오히려 더 필요합니다. 따라서, 관련 문의는 미디어 스텝과 진행하되 계약 서류의 작성 및 날인의 업무는 실무AE간에 협의를 통해 정리하여 소재나 미디어가 늦게 온에어 되어 광고주의 커뮤니케이션업무에 지장을 주지 않아야 합니다.

미디어 관련 계약서 중에서 미디어 랩 사와 관련된 계약 서류나 업무는 공무적인 성격도 있기 때문에 진행할 때 실수가 없는지 잘 살펴야 합니다. 미디어사의 전산 등록과도 맞물려 있어 청구까지도 연결되어 있는 서류 업무입니다. 따라서, 한번 실수를 하여 수정이 필요한 상황이 되면 많은 스텝들이 어려움을 겪을 수 있습니다.

제4장 경쟁PT 업무 수첩

경쟁 프레젠테이션 업무(이하 경쟁PT)는 AE 업무에 꽃이라고도 말 할 수 있습니다. 업무 강도도 매우 강하며, 새로운 광고주에 대해 아주 짧은 기간에 많은 것을 배울 수 있는 장점도 있습니다. 더욱이 경쟁PT를 승리했을 경우 회사의 매출에 대한 직접적인 큰 기여를 하게 되는 것이므로 다양한 측면에서 경쟁PT는 매우 중요한 업무라고 할 수 있습니다. AE라면 누구나 경쟁PT를 하게 되고 성공했을 때의 기쁨과 실패했을 때의 좌절을 맛 보았을 것입니다.

경쟁PT를 통해 더 많은 것을 배우고 한 단계 더 나아가는 자신을 발견하게 되는 경우를 많이 보게 만들어 주는 의미 있는 업무임에는 틀림없다고 생각합니다. 사실 경쟁PT에 관련된 것은 이론적으로나 실무적으로 많이 다루지는 않은 것 같습니다. 하지만, 광고회사에서 실제로 업무를 하다 보면 매우 중요한 업무라는 것을 느끼게 되는 AE들이 많다고 생각합니다. 이런 중요한 업무에 대해 한번쯤 공유해 보고자 합니다.

프로세스 전반을 알고 있어야 잘 따라갈 수 있습니다.

경쟁PT의 업무 프로세스는 일반적인 일반 발표 프레젠테이션과는 차이가 있습니다. 일단 경쟁이라는 상황이 발생하기 때문에 업무의 진행과 실무AE가 해야 할 업무 강도도 차이가 있기 때문입니다. 경쟁PT의 시작부터 끝날 때까지의 과정을 처음부터 알고 하는 것은 아니기 때문에 기본적인 프로세스를 알고 있다면 많은 도움이 될 것 같습니다.

최초 단계는 경쟁PT의 광고주 의뢰부터 시작됩니다. 경쟁PT 의뢰는 직접 오는 경우도 있고 개발하는 경우도 있는데, 일단 PT에 대한 의뢰가 오게 되면 관련 사항에 대해 기획팀 내부적으로 입장을 정리해야 합니다. 광고주는 무엇이고, 현 대행사는 어디이고 PT를 붙이는 이유는 무엇인지, 전년도 광고비등을 확인하여 컨택 리포트 형식으로 정리하고, 이를 기획팀 내부적으로 공유하여 1차적으로 보고여부를 결정한다. 신생 회사나 자금 사정에 문제가 있었던 회사라면, 필요시 재무팀에 신용 의뢰를 하여 안전성 여부를 확인하기도 합니다. 요즘은 많이 없어 졌지만, 리젝션 피를 주는 경우도 있습니다.

다음으로 PT가 의뢰 온 기본 정보를 바탕으로 보고를 하면 최종정으로 PT 참여여부가 결정이 되는데, 이때에는 광고주에게 참여 여부를 유선이나 불참시에는 불참에 관련된 업무연락을 작성하여 보내주어야 합니다.

이런 부분인 정리되면 오리엔테이션이 시작됩니다. 오리엔테이션 날짜와 장소 참여 가능인원을 확인하여 실무자는 차량관련 배차를 하고, 제작이나 다른 어느 팀을 함께 갈지 결정하여 광고주에게 인원 등을 통보해 줍니다. PT 정도나 중요도 주요 이슈에 따라 참여 인원 및 스텝 구성이 달라 지게 됩니다. 하지만, 기본적으로는 제작팀과 미디어나 AP팀이 참석하는 경우가 많고, 일반적으로는 CD들이 함께 배석하는 경우도 많이 있습니다. 오리엔테이션은 가급적 다른 대행사가 모두 참여한 상태에서 진행하는 것이 좋습니다. 간혹 어떤 광고주는 오티를 해놓고 부르는 경우도 있는데, 이미 시작한 다른 광고회사에 비하여 늦게 시작한 것은 그만큼 손해 일 수도 있기 때문에 사전에 확인을 잘 해야 합니다.

경쟁PT의 오리엔테이션을 받아오면, 컨택 리포트를 작성하고 관련사항을 보고 합니다. 이때 제작팀의 선정 작업이 우선적으로 이루어지는데, 업무 상황이나 제품이나 카테고리의 부합 여부등을 고려하여 제작팀을 선정합니다. 기획팀에서는 사전에 기획회의를 하기 전까지 광고주에게서 받은 기본 오티 자료를 전달하는 것이 추후 제작팀과 협의 시 오히려 기획팀이 생각한 것 이상의 방향성을 제시할 수도 있기 때문입니다. 물론 관련 자료는 AP나 마케팅팀 하고도 공유하여 추후 기획회의에 준비하여야 합니다. PT의 스텝들의 세팅이 완료되면, 자료 제공 시 스케줄을 만들어 기획팀내에서 컨펌을 하고 스텝들과 공유하여야 하는데, 스케줄은 문서 한장으로 작성하고, 각각의 협의일정은 AE는 수시로 확인하여 스케줄을 조정해야 합니다.

본격적인 기획의 아이디에이션은 지금부터입니다. 경쟁PT에서 기획회의는 콘셉트와 PT의 디자인을 하는 가장 중요한 업무 중의 하나입니다. 몇 차례에 걸쳐서 이루어지기도 하지만, 시간이 없을 경우는 짧은 시간에 답을 내놓아야 하는 고통스러운 업무이다. 이를 위해 우선적으로 AE는 다양한 관련 자료를 준비해야 합니다. 해당 제품이나 브랜드의 광고물, 기사자료의 정리된 것, 관련 기획서, 매출자료 등을 취합하여 빠른 시간내에 팩트 북을 만들어야 합니다. 실제 기획회의는 기획팀끼리 하는 경우도 있고, AP와 함께 진행하는 경우도 있는데, PT 날짜가 여유가 있는 경우는 몇 차례에 걸쳐 나누어 진행합니다,

1차 회의때는 오티 자료를 리뷰하면서 팩트 북에 나오는 주요 이슈들로 이야기를 시작하고 이야기가 무르익으면 아이디어를 내어 방향성을 점검해 나갑니다. 이러한 식의 회의가 진행될 때 AE는 관련 내용을 미팅 리포트에 정리하여 추후 회의나 기획서 작성 등에 활용할 수 있도록 남겨두어야 합니다. 방향성이 정리되면 제작팀과의 회의가 진행됩니다. 아무래도 처음 듣는 방향성이다보니 학습이 안 되어 소비자 적인 시각에서 이야기할 수 있어 기획들도 제작팀의 이야기를 경청할 필요가 있습니다.

제작팀과의 방향성이 합의가 되고 나면, 외주처 진행여부와 일정을 최종 공유하고, 특히, PT시 제작물의 범위를 결정하는 수위가 중요합니다. 물론 진행하면서 리뷰시에 정리될 수도 있으나, 광고주가 요청한 수준 이상으로 준비할지 여부를 1차적으로 결정하기도 한다. 이후 제작팀에게서 PT의 예산안에서 어느 정도 소요될지를 받아 품의를 올린다. 품의 같은 경우 사전에 받는 것이 추후 무리가 없다. 추후에 PT의 승패에 따라 문제가 생길 수도 있기 때문에 사전에 품의를 받아 놓는 것이 좋습니다.

제작팀 외의 협의는 미디어 팀, IMC팀등입니다. 관련 협의는 보통 제작팀과의 협의가 끝난 후 진행하되, 콘셉트를 가장 효과적으로 시너지를 낼 수 있는 방안에 맞추어 기본적인 가이드를 AE가 전달해 주는 것입니다. 경쟁PT에서 시안리뷰는 결과와 직결되는 것이라고 할 수 있습니다. 아무리 좋은 방향이 나와도 실 결과물로 이어지는 시안은 광고주가 보기에 의사결정 하는 가장 명확한 결과물이기에 중요하다고 할 수 있습니다. 시안 리뷰 시 여러가지 의견들이 나올 수 있겠지만, 제일 중요한 것은 과연 파워풀한 시안인 것인가입니다. 기존에 보지 못한 시안인지 광고주의 니즈에 부합하는지 등 여러가지 의견을 들어보지만 하여간 가장 차별화되고 재미있느냐 일 것입니다.

시안리뷰가 끝나면 보통 애니매틱이나, 슬라이드쇼, 심하면 실제 촬영하여 편집까지 해가는 경우가 있는데, 보통은 슬라이드쇼에 녹음하는 경우가 많습니다. 애니매틱이나 촬영의 결과물은 편집실이나 녹음실에 확인하게 됩니다. 이때 보통 기획서 정리 및 제본 등이 함께 이루어진다고 보면 됩니다. 리허설은 보통 PT당일이나 전달 이루어집니다. 몇 번 하면 좋겠지만, 지속적인 기획서 수정과 제작물의 약간의 수정 등이 계속 발생하기 때문에 자주 하기는 어려울 수 있습니다 프리젠터는 계속 연습을 하게 되고 보통 임원분들이 조정을 해주게 됩니다.

PT당일이 되면 리허설도 시간이 되면 더 하고 최종 점검 및 장비를 확인하여 출발 준비를 합니다. PT시 노트북, 스크린, 이젤, 보드, 멀티 탭, TV, 스피커, 빔프로젝트등 다양한 멀티미디어 장비를 사용하게 되고, PT가 아니어도 다양한 보고 상황 시 사용하게 됩니다. 일반 장비들은 그냥 반납하면 상관없지만, 노트북의 경우는 반드시 노트북에 남아 있는 관련 PT 자료나 영상물을 삭제해야 한다. 귀찮더라도 반드시 삭제해야 정보의 유출 등을 막을 수 있습니다.

PT가 끝나면, 광고주의 반응을 확인하기 위해 여러모로 알아보게 됩니다. 혹타 대행사와의 접촉이 있었는지 여부부터 촉각을 곤두세우게 됩니다. PT결과는 바로 연락주는 경우도 있고 아님 재PT가 걸리는 경우도 있고, 발표가 연기도 하고 하여간 여러 가지 결과가 사람을 당혹스럽게 합니다. 하지만, 어찌되었건 떨어졌을 때의 아픔은 이루 말 할 수 없습니다. 그 결과에 따라 누군가 책임을 물어야 하는 경우도 생기기도 하고 되었을 경우에는 뭐 그야 말할 필요도 없습니다. 그러나, 통산 5분 좋다고 합니다. 그 뒤에 수많은 또 일들이 존재하기 때문이지요.

간략하게 경쟁PT의 프로세스를 간략하게 정리해 보았습니다. 경쟁PT는 이런 시작부터 끝까지 많은 스텝들이 오랜 시간 고생을 하는 아주 밀도 있는 전쟁이라고 할 수 있을 것 같습니다.

개발, 경쟁PT를 유치하는 것은 연차와 상관없다고 생각합니다.

경쟁PT를 유치하는 것은 자칫 광고 회사 차원에서만 한다거나, 임원, 팀장, 시니어AE등, 일부 사람만이 하는 것으로 생각한다면 그것은 소극적인 자세가 아닐까 합니다. 광고주를 개발하는 차원의 경쟁PT를 유치하는 형태도 다양하며 그것들을 잘 알고 있을 때 연차와 상관없이 경쟁PT를 유치할 수 있을 것으로 생각됩니다. 광고주 개발에 있어 연차의 차이보다는 개인적인 성향의 차이라고 보는 것이 더 강하다고 생각되며, 연차가 들수록 이런 개발에 이슈는 더 커지므로 미리미리 사전에 내용을 알고 있거나 역량을 키워 나가는 것도 필요하다고 생각합니다.

[초청형 광고주 개발]

가장 일반적인 광고주 개발 형태로 근무하고 있는 광고회사 데스크로 연락이 오는 경우입니다. 이때는 대부분 광고주가 해당 광고회사의 담당자를 모르는 경우로 대표 전화로 하여, 공문을 보내 초청을 하는 것입니다.

[관리형 광고주 개발]

기존의 계약이 끝난 광고주나, 어떠한 케이스로 알게 된 광고주를 지속적으로 접촉하며 관리하다, 오티 의뢰를 받는 경우입니다. 쉽게 말하면 사람이 어디서 어떻게 만나게 될지 모르기 때문에, 좋은 관계를 유지하고 꾸준히 관리하면 좋은 결과를 얻는 다는 이야기입니다. 이러한 관리형 광고주 개발은 AE로서 지속적인 대인 관계 유지의 노하우를 가지고 대해야만 얻을 수 있는 결과라고 할 수 있습니다.

[관심광고주 개발형]

일명 빌딩 치기라고 할 수도 있는데, 빌딩치기도 아무렇 게나 하는 것이 아니라, 지속적인 관심과 타이밍에 맞추어 접촉하여 관리형 광고주로 전환시켜 추후 개발하게 되는 것입니다. 노하우를 습득하게 되면, 보다 좋은 결과를 얻게 될 것으로 예상됩니다. 예를 들어 본인과 지인이 개발한 모 외식업체 광고주의 예를 들면, 우선 우연히 지난 간판을 보게 되었지만, 기사 자료 및 대행사 관계(보통 미디어 랩 사나 미디어팀을 통하면 현 대행 광고주를 알게 됨)를 파악하여 아직 없는 상태라면, 해당 광고주가 관심을 가질 만한 데이터 자료 등을 정리하여 우선 전화하여, 미팅을 하고 이때 회사 소개서와 각종 자료를 함께 제시하여 통성명을 하게 되었습니다, 지속적인 자료 제공과 관심유도로 결국 경쟁PT가 진행되었습니다.

앞서 소개한 경쟁PT가 만들어 지는 몇 가지 유형을 이야기했습니다. 그러나, 실제 이것을 진행한다는 것도 그리 쉬운 것은 아닙니다. 통상적인 AE의 업무를 진행하면서 얻게 된 지식과 융합되어야 가능해지기 때문에 경험이 더 필요할 수 있습니다. 다만, AE의 일상적인 업무에서 할 수 있는 방법적인 것에 대해 공유할 수는 있을 것 같습니다.

우선 대상 광고주를 생활 속에서 찾아볼 수 있습니다. 100, 200억 광고주는 솔직히 쉽게 생활 속에서 찾아지는 것은 아닙니다. 특히 저 연차일 경우에는 더 힘든 일일 것입니다. 그러나, 업무 중 광고주를 방문하던 길이던, 직원들과 차를 한잔 마시다가 관심이 생기고 개발하면 정말 재미 있겠다? 하는 광고주를 보게 되면 일단 기억 속에 메모리 해 두거나 메모해두는 것이 가장 시작이라고 할 수 있을 것 같습니다. 과거 저도 선배와 광고주 업무 차 차를 타고 가다 '저 광고주 한번 개발하면 어떨까?' 했던 지나가던 말에 메모해 두었다가. 사무실에 돌아와서 시간이 날 때 해당광고주의 광고물과 기사들을 검색을 하면서 돌아가는 상황을 예측해 보는 것부터 시작했던 것 같습니다.

또 하나의 방법은 해당 광고주의 대행사 여부나 광고업무 진행에 대해 사전 확인해야 한다는 것입니다. 광고회사의 네트워크를 동원하여 광고주의 광고 대행 여부 등을 확인하는 것입니다. 기본적으로는 광고물 검색 등을 통해 혹시 대행사가 확인된다면, 미디어 바잉팀을 통하여 기간 등을, 확인하는 것도 방법이며, 혹시 그러한 대행관계가 없다면, 실제 공식적인 대행사는 없는 것으로 조심스레 판단할 수도 있습니다.

만약 확실한 대행관계가 없을 경우 관심을 가질 만한 자료를 만들어 연락합니다. 광고활동이 별로 없거나, 영업조직, 마케팅조직이 많지 않을 경우는 광고회사의 네트워크를 통해 만들어진, 동향자료나, 소비자 기본 자료들은 해당 광고주들이 관심을 가질 만한 자료가 될 수 있습니다. 그러한 자료를 크리덴셜을 포함하여 해당 광고주에 전화를 걸어 미팅을 한다면, 단순 크리덴셜만 가져갈 경우에 비하여 보다 원활하고 의미 있는 미팅이 될 수 있을 것 같습니다. 그리고, 실제 미팅 시에는 회사자체를 소개하는 것보다는 현재의 광고주 상황을 최대한 들어 추후에 도움이 될 만한 내용을 다시 한번 제시할 수 있는 상황이 되면 자연스레 추후 미팅까지 약속하게 되는 것 같습니다. 물론 광고주의 상황에 따라 무모한 도전이 될 수 있겠지만, 해당 광고주에게 좋은 인상을 심어 줄 수 있는 기회 임에는 틀림이 없는 것 같습니다.

그리고, 지속적인 관리와 필요사항을 확인하여 PT의 기회를 만들어야 합니다. 만남이후에 해당 광고주와 지속적인 연락과 혹 필요한 사항에 대해서는 피드백해주는 것이 필요한 것 같습니다. 이슈 자료 라든지 회사에서 발간하는 마케팅이나 미디어정보는 광고 경험이 없는 광고주들에게는 좋은 자료가 될 수 있는 것 같습니다. 현재는 당장의 광고 계획이 없더라도 이러한 관계를 유지하면 기회가 되면 PT참여까지도 가능 할 수도 있으니까요.

상기의 광고주 개발 방법이 모두가 통하는 것은 아니지만, 중요한 것은 AE라면은 광고주 개발에 대한 생각은 항시 가지고 있는 것이 필요할 것 같으며, 나름의 노력으로 개발하는 것도 개인의 역량이나 회사를 위해 중요한 마음가짐이 아닐까 합니다.

정보탐색 및 정보 보안 관리에 소홀히 하지 마세요.

경쟁PT에서 정보는 매우 중요한 역할을 합니다. PT관련된 정보뿐만 아니라, 자사의 정보 관리까지 정보에 의해 자칫 큰 프로젝트 자체가 와해될 수 있습니다. 따라서, 실무AE 또한 경쟁PT에 관련된 정보를 필요하다면 수시로 파악하여 PT업무 진행 시 반영을 해야 합니다. 우선 경쟁PT와 관련된 정보는 PT 전체의 틀을 좌지우지할 수 있는 것이고 경쟁PT가 끝난 후에도 문제가 될 수 있는 부분이므로 사전에 진행 시 확인하는 것이 필요합니다.

[경쟁PT의 배경]

우선 오리엔테이션을 받고 나서 경쟁PT가 실제적으로 시작된 배경에 대해서 좀 더 자세하게 알아볼 필요가 있습니다. 프레젠테이션의 공정성이 매우 중요하기 때문입니다. 실제 참여사들이 동일한 배경에서 참여하게 되었는지, 실제 PT의 발단이 다른 이유에서 가 아닌지 등 경쟁PT의 배경은 그 PT의 전체 큰 방향, 참여여부를 결정하는 매우 중요한 정보입니다.

[물량 등 대한 분석]

광고주의 경쟁PT 오리엔테이션시에 물량에 대한 것을 제시할 때가 있습니다. 당초 잡은 계획에 대비하여 실제 집행 시 내부 사정으로 인하여 달라질 수도 있겠지만, 이런 물량에 대하여 현실성이 있는지를 확인하기 위해 과거의 집행물량을 확인하기도 하고, 관공서의 경우 미디어의 대행 여부에 대한 것이 이슈가 되기도 합니다. 이럴 경우 실제적인 가능성을 다시 확인하기도 합니다. 왜냐하면 관공서의 경우 대부분 정부 기관 특성으로 인하여 광고회사에서 일반적인 미디어 대행이 불가능한 경우가 많기 때문입니다.

[광고주 관련 분석]

경쟁PT에서 광고회사를 결정하는 것은 결국 광고주입니다. 이런 광고주의 성향과 스타일의 정보도 중요하게 작용할 수 있습니다. 물론 광고회사 내부적으로 100% 맞다고 생각하는 방향을 최선을 다하여 전달하는 것도 맞을 수 있겠지만, 광고주의 의사와 상관없는 것으로 받아들여져 난감한 상황에 처할 수도 있게 됩니다. 따라서, 광고주가 사전에 어떠한 광고물을 선호하였는지, 과거에 집행하였던 광고물의 의사 결정과정 등 다양한 것을 사전에 정보사항으로 파악할 필요도 있습니다. 더구나 오너쉽이 강한 경영진의 경우는 더욱 이러한 사항이 정보로서 작용할 수 있습니다.

경쟁PT상에서 이런 정보들 외에도 많은 것을 수시로 확인하게 됩니다. 또한 진행상에서 궁금한 사항은 광고주에게 확인하기도 하고 전략적인 질문도 광고주에게 문의해야 할 필요가 있습니다. 예를 들어 모델을 제안해야 할 필요가 있을 경우 광고주가 사전에 많은 모델을 검토해 보았을 수 있을 것입니다. 따라서, 자칫 광고회사에서 제안한 모델이 사전에 확인이 안될 경우 밋밋하게 느껴질 수 있기 때문입니다. 필요한 사항에 한해서는 굳이 보안사항이 아니라면 광고주와의 확인을 통해 미리 확인해 두는 것이 매우 중요합니다. 경쟁PT와 관련된 정보 탐색만큼이나 정보 관리도 중요한 실무AE 중에 하나입니다. 자사의 광고방향 및 크리에이티브에 방향 등이 경쟁PT의 승부를 결정짓는 결과물이기 때문에 외부에 유출되지 않도록 PT날까지 보안에 신경을 써야 합니다. 실제 광고주의 요청에 의해 보안각서까지 쓰는 경우가 있습니다.

[내부 스텝 관련 보안관리]

내부 보안에 대해서는 굳이 광고주의 요청이 아니더라도 평소에 관리를 잘해야 합니다. 일단 내부 스텝들에게 협의 진행 시 보안 요청에 대해 하는 것이 필요합니다. 광고주에 따라서는 보안각서를 작성하기 때문에 더 신경을 쓰게 될 수도 있습니다. 제작뿐만 아니라 많은 스텝들이 동시에 업무를 진행하기 때문에 실무AE들이 공동의 회의 자리에서나 업무연락을 통해 보안에 신경 써 달라고 요청을 별도로 해야 할 필요도 있습니다.

[외주 스텝 관련 보안관리]

내부 보안만이 전부는 아닙니다. 제작 스텝의 경우 녹음실, 편집실, 프러덕션, 모델 에이전시 등 많은 외부 스텝과 업무를 진행하게 되기 때문에 프로젝트와 관련된 진행사항이 진행 중 자칫 유출될 수 있는 위험성이 언제나 노출되어 있습니다. 편집실에서 진행중인 프로젝트가 노출되지 않도록, 녹음실에서 카피가 아무데나 버려지지 않도록, 성우들이 중복해서 동일 프로젝트에 참여하지 않도록 세세한 부분까지 스텝들에게 공유를 해 두어야 합니다. 모델 에이전시도 동시에 여러 광고회사에서 전화가 갈 경우 동일한 프로젝트에 다른 광고회사가 컨택하는 경우도 발생할 수도 있습니다. 따라서, 이럴 경우는 사전에 그런 문제가 발생하지 않도록 스텝들에게 알려주어 사전에 그런 접촉이 없도록 차단해 주어야 합니다.

경쟁PT는 그야말로 치열한 전쟁이라고 할 수 있습니다. 경쟁PT가 되느냐 안되느냐에 따라 많은 결과들이 연쇄적으로 발생할 수도 있고, 개인 스스로는 매우 침체된 분위기를 가져갈 수밖에 없기 때문입니다. 이러한 경쟁PT에서 내용적인 측면이 아닌 정보적인 문제로 인행 어려움을 겪게 된다면 매우 아쉬울 수밖에 없을 것 같습니다. 실무AE들은 이런 정보가 남을 공격하거나 하는 것이 아니라, 자사의 정보를 보호하고 공정하고 경쟁력 있는 PT가 될 수 있는 측면에서의 정보라고 생각하고 파악하고 관리하여야 할 것입니다.

내부 보고도 신경 써야 합니다

실무AE들은 경쟁PT가 발생하면 여러 가지 정보를 취합해야 합니다. 이와 동시에 해야 하는 것이 경쟁PT와 관련된 간단한 보고서를 작성하여 내부적으로 보고해서 진행여부를 최종 결정하고 경쟁PT 참여를 결정하게 되면 오리엔테이션자료를 만들어 오리엔테이션에 들어가게 됩니다.

[경쟁PT 보고]

보고 양식은 별도로 없으나 가급적 1~2장으로 간단하지만, 핵심적인 내용을 구체적으로 기술해야 합니다. 경쟁PT 오리엔테이션 참석 후 가급적 빠른 시간 내에 작성하며, 변경 사항이 있을 경우는 변경된 내용을 구체적으로 기존과 어떻게 달라졌는지를 보 고해야 합니다. 필요에 따라서는 광고주에 대한 신용조사 의뢰를 하기도 합니다. 왜냐하면 광고주 신용이 매우 안 좋을 경우는 경쟁PT이후 대행을 하더라도 청구 문제가 발생할 수 있으므로 문제가 있을 것 같다고 판단되면 미리 확인하는 것이 필요합니다. 보고서는 오리엔테이션에 참석한 사람이나 영업관련 지원부서가 작성을 하게 됩니다. 실무AE들이대부분 작성한다고 보면 됩니다. 해당 부서의 팀장부터 경쟁PT와 관련되어 진행 여부를 결정해야 하는 경영진과 관련 부서까지 포함합니다.

[경쟁PT 보고를 위한 주요 내용]

-담당부서: PT를 진행한 기획팀/팀장: 해당 부서 팀장 성명 및 직급

-담당AE: 실무AE

-보고일자: 관련 PT건 작성일자(경쟁PT와 관련해서는 거의 발생시점에 보고가 바로바로 진행이 되어야 합니다.) 그렇지 않으면 시간적은 추후에 매우 쫓기게 되는 상황이 됩니다.

-광고주명: 경쟁PT 실시 광고주명을 정식 법인명으로 기재해야 합니다

-브랜드/품목: 대상 브랜드 또는 품목을 정확하게 기재해야 합니다.

-광고주 담당자: 광고주의 담당 부서, 성명 및 직급 기재하고 관련 필요 정보

를 비고란에 함께 기재합니다.
-PT과제: 광고에서 요구한 경쟁PT 과제를 브랜드/품목, 전략/CR/미디어/BTL등을 구분하여 자세하게 기재해야 합니다.
-진행일정: 오리엔테이션, 1, 2차 PT 등 일정 기재합니다. 예선이나 본선이 있을 경우 있어 사전 확인이 반드시 필요합니다.
-현대행사: 해당 광고주의 현 대행사명 기재하는데 만일 미디어전문대행, 크리에이티브, 품목 등을 나누어 대행중인 경우 해당사항 모두 기재해 두어야 합니다. 자칫 경쟁PT 이후에 PT 결과에 따라 복수나 미디어 대행과 제작대행을 구분하여 운영할 수도 있는데 광고회사 실무AE들은 이런 부분에 대한 것까지 구체적으로 확인해야 할 필요가 있습니다.
-참여 경쟁사: 경쟁 PT 참가 대행사명을 기재합니다. 가나다 순으로 기재하기도 하나 자사를 먼저 넣고 나머지 참여사를 기재하는 경우도 있습니다. 이 부분에 제일 중요한 것은 참가 포기 대행사도 기재 후 참가 포기 명시해야 한다는 것입니다. 경쟁PT참여시 경쟁사의 동향이나 움직임으로 모니터 해야 하므로 포기 대행사의 상황을 파악하는 것도 매우 여러 가지 상황을 확인할 수 있습니다.
-예상 빌링: 통상 억원 단위로 광고주가 제시한 예상 광고비 기재합니다. 담당부서의 예상이 광고주의 제시수치와 다를 경우 비고란에 의견 표시를 해야 합니다.
-진행상황 및 기타정보: 기타 광고주, 경쟁PT, 경쟁사 등에 대한 추가 정보를 기재합니다.
경쟁PT에 대한 오리엔이에션을 받고 나면 상기와 같은 내용을 경쟁PT에 대한 최고 보고 및 수정보고를 내부에 진행해야 합니다. 중요한 것은 정확한 정보를 알아내어 참여 여부 판단에 효과적으로 할 수 있도록 지원하는 것입니다. 경쟁PT 정말 많은 이야기가 주변에서 들려옵니다. 실무AE들은 이러한 다양한 상황이 있다는 것을 알고 정확한 정보를 빠른 시간에 고려하여 판단을 지원할 수 있도록 해야 합니다.

진행의 윤활유같은 역할을 해야 합니다.

경쟁PT에서 AE는 전체 프로젝트를 주도하기는 하지만 어찌 보면 그 프로젝트가 잘 수행될 수 있도록 윤활유와 같은 역할을 한다고 하는 것이 더 정확한 것이 아닌가 합니다. 광고주와의 컨택부터 회의를 진행하고 PT관련 보고, PT 당일 준비하여 진행하는 것까지 하는 것을 보면 충분히 그런 역할을 한다고 말 할 수 있는 것 같습니다.

우선적으로 실무AE는 제작 스텝과 전체스텝이 공동으로 진행하는 것이다 보니 스케줄 관련 사항부터 공유하여 부분별 스텝이 정리한 사항을 취합하여 일정에 차질이 없이 광고주에게 제시하는 스케줄러 역할을 합니다. 물론 스케줄 자체를 AE일방적으로 정리하는 것은 아니지만, 일반적으로 내부 보고 및 광고주 오티, 그리고 전체 스텝의 미팅일정을 고려하여 일정 관리를 하게 됩니다. PT일정은 임원 보고 및 내부 진행에 따라 조정될 수 있는 것이며, 가장 중요한 것은 언제 어떠한 상황에서 기획방향이나 제작물, 스텝들의 제안 내용 등이 변경될 수 있으므로 조정된 사항이나 스케줄이 발생할 경우는 반드시 스텝들과 다시 공유하는 것이 매우 중요합니다.

만약 일정 관리나 스텝 별 공유가 실무AE들을 통해 되지 않을 경우 하나의 스텝이 제대로 정리 안되는 것 때문에 전체일정에 치명적인 문제가 발생할 수가 있습니다. 따라서, 실무AE들은 합의된 일정은 서면이나 메일을 통해 반드시 첨부하여 공유하는 것은 PT주간 내에는 절대 잊지 말아야 할 업무라 보다는 오히려 임무에 가까운 것이라고 말하고 싶습니다.

경쟁PT에서 AE가 스케줄러 못지않게 중요한 역할은 메신저 역할입니다. 일반 업무에서도 매우 중요한 것이지만, 경쟁PT상에서는 더 중요한 역할로 부각됩니다. 우선 각 스텝별로 진행되는 시간과 스타일이 다르기 때문에 전체적인 프로젝트의 결과물이 동일한 메시지를 담아 힘을 낼 수 있도록 중간에서 메신저 기능을 잘 해야 합니다. 기획팀 간의 업무 관련 진행사항 공유, 각 스텝 별 업무 공유, 제작 스텝에서 나온 제작물의 각 스텝 별 공유여부, 조사관련 여부 등 이외도 많은 내용이 수시로 업데이트되고 공유됩니다.

메신저 기능을 수행하는데 있어 실무AE에게 중요한 경우를 위에 몇 가지 사례를 들어 보았는데, 우선 기획팀 간에 혼선이 절대 있으면 안됩니다. 그래서, 기획팀 간에 한 명이 빠진 상황에서 협의된 내용이라면 반드시 진행사항을 기획팀간 공유를 우선적으로 해야 합니다. 한사람이라도 힘을 실어야 하는 상황에서 의견이 분분할 경우는 여러 가지 혼선이 빚어질 수 있기 때문입니다.

스텝 별 업무 공유는 기획에서 발생할 업무나 각 스텝에서 고려하는 상황을 실무AE가 메일등으로 공유해야 하는 것입니다. 만약 사전에 공유가 안 된 사항을 가지고 전체 협의가 진행될 경우에는 회의 시작부터 문제가 발생할 수 있습니다, 따라서, 실무AE는 기획팀에서 협의와 관련된 사전 공유 사항을 한 스텝도 빠짐없이 공유를 해야 합니다.

제작 스텝에서 나온 제작물 관련하여 조정사항이 있을 경우는 각 스텝 별 제작 관련 공유를 가장 빠른 시간내에 해야 합니다, 예를 들면 캠페인 제작물이 사전 협의된 캠페인 수량보다 늘어날 경우나 모델이 변경되어 모델료가 지나치게 올라가 미디어 비용이 불가피하게 줄어들어야 할 경우 미디어팀은 미디어 플래닝 자체를 조정해야 할 필요가 있습니다. 그렇지 않으면 캠페인 전체 예산에 분배를 사전계획과 다르게 결과가 나오므로 실무AE가 이런 변동사항을 미디어팀에 빨리 전달해 주어야 합니다. 실제 진행을 하다 보면 더 좋은 아이디어가 나오는 경우도 있고 수정하는 경우도 있기 때문에 변동사항은 시간을 다투며 잊지 말고 전달해 주어야 합니다.

조사부분에서도 마찬가지입니다. 조사로 사전 테스트를 진행하려고 했던 제작물이 협의과정에서 변동될 경우는 수정 사항을 반영하여 조정한 뒤에 전달해 주어야 합니다. 이렇듯 별것 아닐 수도 있는 것이지만, 이렇게 작은 변동사항이라도 각 해당 스텝별로 전달하여 결과물이 나왔을 때 아쉬움이 없도록 최대한 지원 및 협업해야 합니다.

실제 PT상에서 진행하면 잊지 말고 전달해야 할 사항들이나 스케줄 때문에 스텝들과 갈등을 겪는 경우가 많이 있습니다. 이런 것을 방지하기 위해서 라기보다는 경쟁PT의 결과를 최고로 끌어올리기 위한 노력의 일환이라고 보고 실무AE가 노력하는 것이 필요합니다.

미팅 리포트를 활용도를 높이면 효과적입니다.

컨택 리포트(Contact Report), 현 상황 리포트(Status Report)등 많은 리포트가 있습니다. 경쟁PT에서는 미팅 리포트(Meeting Report)가 실무AE들에게는 꼭 진행하면서 챙겨야할 것이라고 생각합니다. 실무AE에게 매우 귀찮은 일일 수도 있습니다. 하지만, 미팅 리포트는 경쟁PT시에 보이지 않는 큰 힘을 발휘한다는 것을 실제로 하다 보면 느낄 수 있습니다.

[지난 회의에 대한 공유]

경쟁PT 킥오프 미팅, 제작 오리엔테이션, 제작물 리뷰, IMC 관련 리뷰시에 모든 스텝이 매번 참여할 수는 없습니다. 하지만, AE들은 모든 스텝과 함께 업무를 진행하기 때문에 모든 진행사항을 알 수 있다는 이점이 있습니다. 회의 자리에서 나온 사항은 다른 스텝에게 하나의 아이디어 팁이 될 수도 있고, 전체적인 방향에 대한 변경 및 수정사항을 이야기할 수 있는 것이므로 지난 회의에 대한 공유 차원에서 중요한 역할을 하게 됩니다.

[아이디에이션의 기초 자료 및 회의진행]

기획방향 협의시나, AP들과의 미팅 시 기록한 회의 내용은 다음 번 기획회의나 AP 미팅 시 지난번 회의한 자료로서 회의에 시작을 알 수 있는 좋은 자료가 됩니다. 지난번에 이런저런 이야기가 나왔다는 것부터 시작을 하게 된다면, 회의에 참석한 사람들에게 지난번 기억을 떠오르면서 그 부분에 대해 이런 생각을 추가적으로 했다 거나, 해당 아이디어에 대해 다르게 생각한 수정 부분을 협의할 수 있는 단초가 됩니다. 보통 회의 시작 전 지난번 리포트를 펼쳐 두고 이런 이야기들이 나왔다고 회의에 대한 기본적인 이야기를 늘어놓으면 전체 회의도 매끄럽게 진행할 수 있는 장점이 있습니다.

[기획서에 작성의 참고자료]

경쟁PT의 마지막 시점에는 기획서를 작성을 하게 됩니다. 모든 사람이 기획서 작성에 참여하는 것이 아니라, 통상 AP나 AE가 정리를 하여 프레젠테이션

할 사람이 정리하게 되는데, 이때 기획서의 논리상에서 경쟁사가 접근할 수 있는 논리를 이야기하는 경우가 있습니다. 기획방향 협의시에 나온 이야기나, AP들과 이야기한 내용 중 전략 대안으로 검토한 것이 미팅 리포트에 있다면, 그 내용은 경쟁사의 논리로 활용하여 자사의 광고 전략 논리를 탄탄하게 하는 내용으로 활용할 수 있게 됩니다. 하지만, 그것을 작성하지 않고 찾아내려고 별도로 고민하여 작성을 하게 된다면, 다른 스텝과 기획서 협의시 또 다른 논쟁거리를 일으키는 것이 될 수 있으므로, 사전에 이런 미팅 리포트에 내용이 있다면 상대적으로 그러한 논쟁은 최소화할 수 있습니다. 또한, 단순 논리뿐 아니라, 제작물의 해석을 달아주거나 좀더 기획서 자체를 부드럽게 포장할 수 있는 다양한 내용들이 들어있는 기초자료로서 활용하면 매우 편리합니다.

[업무진행의 종합 자료]

업무 전체의 종합자료로서 그 가치를 지닙니다. 일단 회의가 진행되면 이런 저런 이야기가 나오게 되며, 그 내용을 기본으로 합의된 내용이 나오게 됩니다. 기획방향에서는 여러 가지 고려해야 할 사항, 광고주 측에서 나올 수 있는 질문 자료, 향후 점검해야 할 내용, 제작 및 IMC스텝이 제작 진행 시 고려해야 할 사항 등 PT전체의 종합적 사항이 나오게 되면 그것을 미팅 리포트 하단에 확인 및 고려사항으로 표기하여 정리하게 되면 별도의 업무를 하지 않고 한번에 해결할 수 있습니다. 그리고, 내용의 정리만 잘 된다면, 확인해야 할 업무 체크 리스트로서의 역할도 할 수 있습니다. 예를 들어 제작물의 조사시 협의 내용이 반영되어야 하는데, 조사 내용이 변경될 수 있습니다. 그런데, 그러한 기록을 가지고 있을 경우 조사 내용이 변경된 것을 고려하여 제작물의 전달 시점이나 변경이 필요한지를 미리 알 수 있고 조사시 변경이 필요한 것을 뒤늦게 알게 되어 업무진행이 복잡해지지 않을 수 있습니다.

[종합 리뷰 자료]

간혹 경쟁PT가 끝난 이후에 PT에 대하여 리뷰를 하는 경우가 있습니다. 이때 PT기획서와 제작물, IMC 관련 제안등만을 이야기하는 것이 아니라, PT가 된 이유, 떨어진 이유를 종합적으로 고려를 하게 됩니다. 그럴 때 PT의 진행에 관련된 사항 또한 결과 리뷰의 하나로 활용되게 됩니다. 만약 이런 리뷰과정에서 정리된 것이 없다면 별도의 작업을 통해 찾아내 어야 하는 불편함이 있을 것입니다. 그러나 미팅 리포트를 시점별로 정리하여 그것을 하나하나 확인하면서 본다면 진행상에서 고려해야 했거나, 잘 되지 않았던 부분을 찾아내는데 도움이 많이 될 것입니다.

리포트 작성자체는 어려운 것이 아닙니다. 컨택 리포트와 비슷하게 일시, 장소, 참여자, 주요 의견, 확인 사항, 향후 일정, 기타 고려 사항 등의 내용으로 정리되지만, 중요한 것은 주로 나왔던 의견을 빠르게 현장에서 정리하는 것입니다 그래서 가급적으로 회의시 별도의 노트보다는 노트북 등에 바로 기입하면서 회의하는 것이 보다 도움이 될 수 있습니다. 이때, 심플하게 구분하여 관련 항목으로 넣으면 회의록 작성이 편리합니다. 미팅 리포트를 귀찮다 거나 남의 일이라고 미루는 것보다는 전체 프로젝트의 힘이 되는 것으로 생각하여 매번 단계에서 잊지 말고 기록했으면 합니다.

팩트 북 작성이 경쟁PT의 절반이라고 생각합니다.

경쟁PT에서 실무AE가 하는 일중 대표적인 것이 팩트 북을 만드는 것입니다. 팩트 북은 경쟁PT가 시작되었을 시점에 작성하여 스텝들과 공유하는 중요한 기초 자료입니다. 프로젝트에 대한 내용부터 광고관련 자료 기타 자료까지 매우 많은 내용을 담고 있습니다. 프로젝트 일정이 매우 빠듯할 경우는 빠른 시간 내에 만드는 것이 중요합니다. 자칫 팩트 북을 만들기 위해 시간을 지체하는 것은 전략이나 크리에이티브 등 더 힘을 많이 쏟아야 하는 과정을 부족하게 만들 수도 있기 때문입니다. 실무AE 입장에서는 이런 팩트 북을 효과적으로 짧은 시간 내에 만들어 공유할 수 있도록 해야 합니다.

[팩트 북에 들어가는 기본 내용 및 구성]

광고주 오리엔테이션 내용

광고비 데이터

광고물 데이터

빅데이터

기사 자료

논문/통계 등 전문 자료

온라인 블로그/소비자 의견 자료

과거 기획서/조사 자료

타깃 트랜드 등

팩트 북은 상기 내용처럼 경쟁PT와 관련된 내용부터 광고비, 광고물, 기사 등의 내용을 찾게 됩니다. 그러나, 팩트 북을 만들기 위해 단순하게 찾는다고만 생각하여 나열식으로 만드는 팩트 북은 사실 성의 없는 자료가 된다고 생각합니다. 광고비도 그냥 월별, 연도별, 엑셀 데이터로 다 뽑아서 붙이기만 하고 광고물도 그냥 스토리 보드형식만 모두 뽑아서 붙여 놓기만 한다면 그것은 아무런 의미가 없는 팩트 북입니다. 왜냐하면 팩트 북은 전략을 수립하고 크리에이티브의 아이디어를 만들어 내는 등 다양한 아이디어를 뽑는데 가장 중요한 기초자료가 됩니다. 그런 자료를 그냥 나열식의 모음집으로만 만든 다는 것은 어떤 의미를 뽑아 내기도 힘들고 특히 제작들에게는 그런 광고를 했구나 식으로 이해하여 그런 광고를 하지 말아 야지 하는 참고자료로 밖에 활용이 매우 제한될 수 있기 때문입니다. 결국 팩트 북을 만들 때는 이런 아이디어를 위한 시사점을 얻을 수 있도록 도와주는 장작과 같은 역할을 할 수 있도록 의미 있는 내용으로 느껴지도록 만드는 것이 매우 중요합니다.

광고비를 뽑을 때도 보통 실무AE들이 광고비를 뽑는 프로그램에서 연도별, 월별, 미디어별 광고비를 그냥 뽑아 두는 것이 아니라, 해당 수치 데이터는 첨부를 하더라도 엑셀 프로그램으로 광고비가 브랜드나 월별로 집행이 어떻게 되는지 연도별로 어떻게 변화가 되었는지를 볼 수 있도록 가공을 해야 합니다. 가공을 하다 보면 자연스럽게 해당 광고주가 어떤 시점에 어떤 브랜드나 미디어에 광고비를 집중했는지를 볼 수 가 있게 됩니다. 혹 이 시점에 기사 등을 찾아본다면 마케팅 활동상에서 중요한 이슈로 인하여 광고비를 집중했구나 라는 시사점을 얻을 수가 있게 됩니다.

광고물 또한 같은 맥락에서 정리해야 합니다. 광고 자체를 하지 않은 광고주일 경우 경쟁사의 광고물을 찾아내어 메시지와, 광고 집행 시점, 모델, 주요 카피 등을 별도로 정리하고, 집행량이 많았던 광고주의 경우는 연도별 월별, 브랜드별 가급적 한 장에 볼 수 있도록 스토리보드상의 메인 컷과 함께 정리해 보는 것이 필요합니다. 그렇게 정리하게 되면 광고주나 브랜드의 캠페인 전개가 한 번에 보일 수가 있고 혹 기술적 변화가 큰 카테고리의 경우 활용하였던 기술적 실체가 눈에 잘 보이게 되어 해당 카테고리 변화를 이해하는데 큰 도움을 주게 됩니다. 필요하다면 광고물의 변화를 정리한 것과 이를 기반으로 실체 변화를 요약한 장을 별도로 만들어 경쟁PT 오리엔테이션에서 제공한 광고주 자료와 함께 본다면 뭔가 의미 있는 내용을 뽑아 낼 수도 있습니다. 논문이나 리포트를 작성하는 것을 보면 같은 것입니다. 실체와 현상을 분석하여 결과를 도출하는 것처럼 광고물의 분석을 통해서도 비슷한 결과를 도출해 낼 수 있습니다.

기사 자료는 과거 관련 프로그램이 있었으나, 지금은 광고주 사이트나 인터넷 포털과 같은 사이트에서 검색해서 찾아내야 하는 조금은 더 손이 많이 가는 상황이 되었습니다. 그러나, 기사 자료는 광고주나 제품의 트랜드를 읽을 수 있는 매우 중요한 것이므로 반드시 해야 하는 팩트 북의 중요한 부분입니다. 우선 검색 키워드나 기간을 잘 설정해야 합니다. 자칫 너무 광범위한 키워드를 검색창에 넣을 경우는 많은 기사가 검색되어 불필요한 기사까지 보아야 하게 되므로, 사전에 광고주 사이트의 기사를 기반으로 보고 키워드를 고민하여 찾아보는 것도 필요합니다.

기간도 중요합니다. 무조건 긴 기간을 설정하여 찾는 것은 의미가 없을 수 있습니다. 정보통신과 같은 기술적 변화가 빠른 카테고리의 경우는 최근 6~3개월 정도만 보면 될 수도 있고 이와 반대의 경우는 긴 기간을 보아야 할지도 모릅니다. 왜냐하면 기술이나 서비스 변화가의 경쟁 강도가 큰 카테고리의 경우는 더 많은 기사를 경쟁적으로 내 놓다 보니 기사의 변화 자체가 빠르게 변하고 가장 최근이라 하더라도 금방 이슈가 변화한다는 측면에서 기간을 고려하는 것이 필요합니다.

이런 관점에서 기사를 찾게 되면 무조건 프린트하는 것이 아니라, 워드파일 등에 기사를 복사하여 파일로 가지고 있는 것이 좋습니다. 혹 기획사 등에 활용할 수도 있어 자칫 프린트만 하였을 경우 추후 그것을 다시 찾기 위한 수고를 해야 할 지도 모릅니다. 기사 자료상에서 가장 중요한 것은 기사들을 시계열 별로 경쟁사와 함께 나열하여 경쟁의 흐름이 어떻게 변화하였는지 볼 필요가 있습니다. 그렇게 비교하여 보면 시장의 이슈 흐름과 상호 대응을 어떻게 하였는지 알 수 있기 때문입니다. 정리는 기사 시점과 기사 헤드라인 등을 정리합니다. 별것 아닌 것 같지만, 정리하였을 경우 시장의 움직임이 한눈에 들어오게 되어 지금 경쟁PT상황에 결합하여 보게 되면 의미였는 이야기를 할 수도 있습니다.

전문자료나 기획서, 조사자로 등은 구매나 지인 등을 통해 구해지기 때문에 개인적인 친분이나 회사 비용적 측면에서 처리하여 얻을 수 있을 것입니다. 온라인의 소비자 의견 등은 관련 사이트가 어디인지를 잘 고려하여 시간을 좀 두고 검색하는 것이 필요합니다.

팩트 북은 경쟁PT의 매우 중요한 기초 자료입니다. 매번 하는 일이지만, 뽑아내는 것 자체가 중요한 것이 아니라 정말 도움이 될 수 있도록 만드는 노력이 더 중요함을 잊지 말아야 합니다.

한번쯤 기본으로 돌아가 생각하세요.

경쟁PT의 오리엔테이션에서 광고주로부터 기본적인 가이드와 같은 '어떤 방향으로 갔으면 합니다', 또는 '어떤 것을 핵심으로 생각하고 있습니다'라는 이야기를 듣는 경우가 있습니다. 그런 오리엔테이션 과정에서 AE들은 '아 이번 PT는 어떤 종류의 PT겠구나'라는 일종의 감을 잡기도 합니다. 이후에 자료 수집 등을 하면 서 나름 AE나 AP들은 머릿속으로 다양한 아이디에이션을 시작합니다.

그런 이후에 전략의 기본 방향을 설정하는 기획방향 회의를 하게 됩니다. 그런 회의 상에서 다양한 아이디어가 나오게 됩니다. 정말 좋은 아이디어, 좀 더 고민해 봐야할 아이디어, 아닌 아이디어까지...그러나 기획이나 AP들도 아무리 매력적인 아이디어라도 바로 결정하는 것이 아니라, 전체 일정을 고려하여 앞으로 회의가 더 있다면 몇 번의 회의를 거쳐 최종 결정하는 형태가 되므로 쉽게 결정하게 되지는 않습니다.

더구나 경쟁PT이다 보니 보다 매력적이고 강력한 아이디어를 필요로 하지 않는지 고민하게 됩니다. 그러다 보면 자칫 처음에 제시한 광고주의 오리엔테이션 방향에서 서서히 멀어지거나 더 큰 개념의 것을 생각하게 됩니다. 경쟁사의 아이디어가 무엇인지 모르는 상황에서 어찌 보면 이기기 위한 노력에 일환으로 그렇게 진행될 수 있습니다. 이런 과정을 거치면서 리뷰를 하게 됩니다. 아무래도 리뷰시에는 기획방향에 흐름을 완벽하게 이해하지 못하는 사람들이 리뷰를 하게 됩니다. 그러다 보면 오히려 소비자의 시각이나 객관적인 시각에서 문제나 목표, 콘셉트를 바라보게 됩니다.

그럴 경우 혹 너무 멀리 간 것 아니냐는 지적이 나오기도 하고 어려워진 방향때문에 프로젝트를 이해하는 사람 들만이 알게 되는 방향이 아니냐는 지적이 나오기도 합니다. 쉽게 말해서 많은 고민을 하게 될 경우 중심을 잃고 모호한 방향으로 해매이고 있는 상황이 됩니다. 그렇다고 너무 큰 뚜껑을 씌우다 보니 크리에이티브가 둥글둥글 해지는 방향으로 정리되는 때도 있습니다. 이때 우리는 심으로 돌아가 크게 두가지 관점에서 생각해보고 판단을 하는 것이 필요하지 않을까 합니다.

첫째, 소비자 시각에서 객관적으로 보았을 때 명쾌하고 심플한 이야기인가라는 것입니다. 일반적인 전략이나 크리에이티브를 바라볼 때도 해당되는 이야기이지만 특히, 경쟁PT시에는 소비자의 철저한 공감이라는 기반 하에 광고주를 설득할 수 있는 힘을 만들어 내어야 합니다. 따라서, 만약 광고주의 오리엔테이션 자료가 아무리 분석을 해보아도 우리가 고민한 방향이 소비자 관점에서 200% 옳은 방향이라고 판단될 경우는 숙제를 하고 안하고의 문제를 넘는 중요한 기준점이 된다는 것입니다. 이런 경쟁PT의 경우는 광고주를 철저히 소비자 관점에서 설득을 하여 공감을 얻어내는 데 최선을 다해야 할 것입니다. 광고주의 숙제를 버리고 한 다기 보다는 오히려 광고주의 숙제를 다르게 해석하여 실질적이고 숨어있는 문제를 적극적으로 해결하려는 노력이 더 보일 수 있어야 합니다. 예를 들어 광고주가 실체를 제공해 주고 이것을 해석하여 캠페인 전략을 설계해 보라고 했을 때, 실제 들여다보니 브랜드 관점의 문제가 심각하다면 그것을 해결하는 것이 소비자들의 문제를 해결하는 것으로 판단이 되어 우선적으로 그것을 해결하고 실체와 연결시키는 작업을 했을 경우 보다 근원적인 문제를 해결하는 것으로 접근하는 것으로 이해될 수도 있습니다. 그만큼 광고회사의 고민이 광고주의 고민보다도 더 깊이 들어가 있다고 이야기할 수 있을 것 같습니다.

둘째로, 정말 광고주의 시각에서 바라보았을 때 숙제를 잘 해결하고 더 매력적인 이야기 인가라는 관점입니다. 앞서 제기한 것들 중에 아무리 보아도 명쾌한 광고주의 오리엔테이션 과제에 대해 이기기 위한 고민의 노력이 과한 나머지 숙제를 과다 해석해서 오는 경우 때문입니다. 그럴 경우는 처음 리뷰 과정에 있는 사람들이 매우 이해하기가 어려운 것으로 해석될 수 있다는 것입니다. 이때 오히려 모호한 제작물이 나와 그들만의 리그와 같은 싸움으로 끌고 가 자칫 크게 해석한 것이 아닌 숙제를 제대로 이해 못한 것으로 광고주에게 인식될 경우가 있습니다. 명확한 숙제와 목표가 주어진 PT의 경우 움직일 영역이 별로 없을 때가 있습니다. 이런 PT는 숙제를 다르게 보는 것보다는 일단 소비자 측면에서도 문제가 없다는 것을 알게 되었을 때는 철저하게 크리에이티브 PT로 접근하는 것이 맞을 수 있습니다. 오히려 기획에 입장에서는 산으로 방향이 몰고 갔을 때 처음부터 다시 과제를 들여다보고 크리에이티브에 독특한 접근을 통해 PT의 핵심을 가져가는 것도 방법입니다.

전체적으로 경쟁PT의 오리엔테이션에서 AE나 AP들은 서로의 협의과정에서 전략적인 방향을 너무 고민한 탓에 의도하지 않는 모호한 방향으로 접근하는 경우가 종종 있습니다. 이럴 경우는 소비자의 시작이나, 광고주의 오리엔테이션 과제를 몇 번씩 다시 보면서 원점부터 다시 생각해 보는 것은 중심을 잡는데 중요한 의미를 가질 것입니다. 혹자는 그럽니다 '우리 지금까지 이렇게 잡았는데, 한번만 더 백지로 두고 생각해보자' 이런 이야기는 모두를 힘들게 하는 것이 아니라, 정말 경쟁PT의 승리를 위한 땅을 다지는 중요한 노력이 아닌가 합니다.

승리의 키가 되는 것을 찾아야 합니다.

실제 경쟁PT에서 프레젠테이션 자체로 중요하지만 실전에 임하는 많은 경쟁 광고회사들도 쟁쟁한 실력을 보이기 위해 노력합니다. 경쟁PT상에서 큰 사고나 프레젠테이션 자체에 문제가 없었다면 전략도 중요하지만 크리에이티브가 결국 최종 판단에 기준이 되는 경우가 매우 많은 것 같습니다. 당연히 좋은 전략이 나와야 좋은 크리에이티브도 나오지만 광고주들이 경쟁PT상에서 가장 기대하는 부분은 항시 보면 크리에이티브에 관한 것 같습니다. 그래서 개인적으로는 그러한 크리에이티브를 위해 전략을 생각하는 것이나 크리에이티브를 생각하는 것에 있어서 조금은 다르게 보려고 노력하는 자세를 가졌으면 합니다.

[반드시 연관성을 가지고 있어야 합니다]

자신이 이야기하는 전략이나 크리에이티브가 말도 안되도록 낯설게 느껴지는 경우도 있습니다. 그러나, 발전 가능성이 있다는 측면은 PT하려는 제품이나 브랜드와 연관성은 분명이 있거나 연결될 수 있는 기회가 보인다면 철저하게 발전시켜 나갔으면 합니다. 모든 광고가 그렇듯 매우 독특한 메시지라도 그것이 분명 연관성이 있다면 해 볼만한 가치가 있다는 데서 이런 말씀을 드리는 것입니다. 그것 자체가 이미 엄청난 차별점을 가지고 있기 때문이라고 생각합니다. 경쟁PT에서 전략이나 크리에이티브는 분명 그러한 독특함과 차별성이 있어야 경쟁자들과의 전쟁에서 하나를 남기고 오기 때문입니다. 따라서, 무조건 말이 안된다고 생각하기 보다는 충분한 독특함과 차별성이 있다면 PT하려는 제품이나 브랜드와의 연결성이 확보될 수 있는 지나 연관성이 있는지를 찾아내어 더 멋지게 만들려고 노력해야 한다고 생각합니다. 어떤 제작스텝은 오리엔테이션을 해주었으나 다른 방향으로 풀어오는 경우도 있습니다. 매우 낯설고 받아들이기 어려울 수도 있지만, 분명 발전 가능성이 있는 충분한 독창성이 있다면 쉽게 버리지 말아야 한다고 저는 생각합니다.

[위닝샷(Winning Shot)이라는 것이 있습니다]

경쟁PT를 준비하다 보면 위닝샷(Winning Shot)이라는 이야기를 종종 듣게 됩니다. 전략이나 크리에이티브 간에 하나의 빅 아이디어를 의미하는 것입니다. 이는 콘셉트 워드 일 때도 있고 크리에이티브의 표현 키 비주얼 일수도 있고, 독특한 프로모션일 수도 있고 어떤 경우는 생각지도 못한 셀럽 일수도 있습니다. 이해가 안될 수도 있지만, 이런 위닝샷은 어떤 PT에나 있는 것 같습니다. 실무AE들은 광고주의 오리엔테이션부터 정보탐색 등 PT의 전과정에서 이 위닝샷이 무엇인지를 찾는 것이 필요하다고 생각합니다. 과거 모 광고주 PT에서 크리에이티브까지 똑같은 경우가 있었습니다. 예상되는 모델까지 이미 광고주가 제시한 상태라 그 모델을 가지고 활용할 콘티까지 사실은 누구나 아는 그림이 나올 수밖에 없는 상황이었습니다. 당시 PT에서 승리를 하였는데 위닝샷은 IMC였습니다. 광고주의 대리점이나 영업 현황을 파악하여 그것을 오프라인에서 구현할 수 있는 IMC를 다양하게 풀어갔던 것입니다. 어떤 분은 PT를 준비하다 보면 감이라는 것이 있다고 하기도 합니다. 물론 100%다 그 감이 맞는 것은 아니지만, PT를 준비하면서 그런 위닝샷이 있는 것 같다고 느낀다면 나름 자신감에 찬 PT를 하는 것 같습니다. 따라서, 실무AE들도 PT의 전과정을 살펴보면서 이런 것이 있는지를 찾아보고 만약 그럴 수 있다면 함께 진행하는 스텝들에게 해보자는 권유를 적극적으로 해야 할 것이라고 생각합니다.

[적극성과 자신감이 필요합니다]

PT는 막내 사원부터 고참 대선배까지 함께 보고 진행하게 됩니다. 신입사원도 낮은 연차의 후배도 많은 고참선배들과 함께 회의를 할 때 지켜 보고만 있거나 주저주저 말하는 것을 보게 될 때가 있습니다. 이는 직급 고하를 막론하고 자신의 주장이나 논리가 분명히 있다면 전달하여 공유해야 합니다. 물론 사장당할 수도 있고 무시당할 수도 있습니다. 그렇지만, 자신감 있게 계속 이야기를 해야 합니다. 그래야 아이디어에 아이디어를 물고 진정한 위닝샷이나 독창성을 찾아 낼 수 있다고 생각합니다. 말을 잘 못한다면 그림이나 글로 표현해도 된다고 생각합니다. 정말 다양한 사람들이 모여 자신만의 캐릭터로 표현하는 것은 광고회사의 경쟁PT에서 자연스럽게 해야 할 것이라고 봅니다. 말하지 않고 조용히만 지내는 그런 경쟁PT는 오히려 분위기만 저해할 뿐입니다.

경쟁PT는 오직 1등만이 기억이 되고 1등만이 그 광고주의 광고를 만들 수 있습니다. 독특하고 차별적인 PT를 위해 연관성을 찾아내거나 PT의 위닝샷을 찾아내기 위해 실무AE 뿐만 아니라 사실 모든 전 스텝이 적극성과 자신감을 가지고 노력해야 한다고 생각합니다. 그런 과정을 거쳐야 진정한 승리의 키를 찾을 수 있는 것 같습니다.

모든 스텝에게 힘이 되도록 솔선수범이 필요합니다.

경쟁PT는 AE가 주도하기는 하지만, 그 결과물을 만들어 내는 것은 각 스텝들입니다. 따라서, 경쟁PT가 끝나는 순간까지 실무AE들은 각 스텝이 진행사항을 확인하여 문제가 되는 부분 부족한 부분, 심지어 늦은 밤까지 고생하는 많은 스텝들에게 힘이 되도록 노력하는 자세가 필요합니다. PT의 시작이 되면 킥오프 미팅이나 오리엔테이션 이후에는 다양한 스텝들이 업무를 분장하여 진행되게 됩니다. 그럴 때 AE들은 단순히 전략서 만을 쓰는 것이 아니라, 스텝들이 진행하는데 문제는 없는지 혹 도와줄 것이 없는지를 수시로 보아서 챙겨주어야 합니다. 일단 시작이 되었다고 해서 결과물들이 나올 때까지 기다리다 의도하지 않았던 것들이 나올 경우나 기대치 보다 못한 것들이 나올 수 있는 경우가 매우 많기 때문에 그렇습니다.

[조사부문]

경쟁PT시에 조사가 이루어지는 경우가 있습니다. 전략을 만들기 위한 소비자 조사일 수도 있고, 광고물의 경쟁력을 높이기 위한 사전 조사가 될 수도 있습니다. 전략을 위한 소비자 조사의 경우는 기본 적인 회의는 함께 하지만, 조사 관련하여 보드가 필요한지, 질문자료는 이상이 없는지 등을 수시로 확인해서 협의를 해야 하며, 제품관련한 사항일 경우는 제품을 구해주는 노력도 필요합니다. 필요하다면 마트나 광고주에게 요청하여 받아서 제공하는 일도 해 주어야 합니다. 또한, 광고물일 경우는 광고물 조사 자체가 단독으로 하는 경우도 있지만, 다른 광고물 사이에 넣어 조사되는 경우도 있으므로 해당 제작물을 협의하여 만들어 줄 필요도 있습니다.

[제작스텝]

아무래도 많은 것을 요청하는 스텝일 것입니다. 오리엔테이션이 끝나더라도 고민을 하면서 팩트에 대한 질문을 하는 경우도 있고, 제작리뷰 단계에서 나온 것은 아니지만, 의견이 어떤 지 물어볼 경우도 있습니다. 이럴 때 AE들이 객관적인 시각에서 의견을 주는 것은 방향이 이상한 곳으로 가지 않도록 챙겨주는 것이 됩니다. 또한, 중간에 아이디어가 잘 나오지 않거나 타깃에 관련된 인사이트를 추가적으로 요청하는 때도 있습니다. 실무AE들은 온라인이나 지인들을 통한 인터뷰를 통해 간략히 정리하여 제공할 수도 있고, 대리점이나 영업소가 있다면 방문하여 인터뷰한 자료를 제공하기도 합니다. 특히, 경쟁PT 후반부에 가면 다양한 IMC 적용 제작물을 만들게 되는데, 이때 해당 사진을 실무AE가 촬영하여 제작에게 제공할 수도 있습니다. 물론 제작 스텝이 나가 촬영하여 할 수도 있지만, 메인 제작물에 대한 아이디에이션과 진행의 시간을 벌어 주기 위해서라도 실무AE가촬영해서 제공하면 큰 도움이 됩니다.

[미디어 스텝]

제작 스텝과 비슷할 수도 있습니다. 보다 크리에이티브 한 미디어를 제안한다고 할 경우는 미디어팀의 요청에 따라 실무AE가해당 장소에 직접 나가 확인하고 촬영을 해 와서 기획서상에 올릴 수 있도록 지원하는 역할도 할 필요가 있습니다. 특히, 미디어는 특히 제작 스텝에서 만들어진 제작물과 TV 캠페인 수량에 따라 전개 방식이 많이 달라 질 수 있으므로 수시로 확인하여 반영해야 합니다.

[IMC, 디지털 스텝]

IMC스텝의 경우는 때론 기상천외한 아이디어를 제공하곤 합니다. 특히, 캠페인 전체를 아우르는 빅 아이디어에서부터 기존에 없던 무언가를 만들어 내는 독특한 기술을 가지고 있습니다. 물론 경험하는 사람에 따라 다르겠지만, IMC스텝의 이런 독특하고 매력적인 것을 뒷받침하기 위해서는 항상 실무AE가뒤에서 필요한 것이 없는지를 밀착해서 챙겨주어야 합니다. 예를 들어 광고주로부터 구하기 힘든 무언가를 구해 달라고 하든가? 실제 이런 촬영이 가능하겠냐? 등 예상치 못한 요청사항들이 많기 때문에 협의를 자세하고 가능성 있는 결과물을 뽑아내기 위해 챙겨야 합니다. IMC스텝에서 구성한 새로운 플랜 자체가 시중에 보편적인 아이디어를 하지 않는 것이 일반적이기 때문에 만약에 현실화되었을 경우는 매우 파괴적인 것이 많아 실현가능한 것으로 만들어 질 수 있도록 함께 노력해 주는 것이 필요합니다.

[기획스텝]

실무AE 혼자서 PT를 준비하는 경우는 거의 없습니다. 한 팀의 여러 명이 하거나 TFT를 구성하여 더 많은 사람이 참여하게 되는 경우도 있습니다. 이런 경우는 실무AE가 주도가 되어 보다 매력적인 PT를 위해 뭔가 필요 없는 것이 있지는 않을까 서로 고민하는 것도 필요합니다. 각 스텝을 미팅하면서 또는 챙겨주면서 드러난 이야기들을 협의하다 보면 좀 더 다른 것, 추가적인 것을 뽑아 낼 수도 있기 때문에 기획 스텝끼리도 서로가 확인하고 챙겨줄 필요가 있습니다.

[기타]

모든 스텝들이 경쟁PT가 시작되면 나름의 아이디어를 기반으로 고민을 하게 됩니다. 그리고, 항시 AE들에게 필요한 것을 요청하고 확인을 요구하게 됩니다. 기본적으로 AE들은 자신들의 오리엔테이션을 끝으로 생각하고 기다릴 것이 아니라 고생하고 있는 스텝들이 있는 한 사무실이나 사무실 밖에서 필요한 것이 수시로 발생할 수 있으므로 나름 고민을 하면서 기다리는 것도 필요한 태도일 것입니다. 스텝들 입장에서 프로젝트를 총괄하는 AE들이 소홀할 모습을 보인다면 매우 서운한 것일 수 있기 때문입니다. 또한, 많은 야근을 하는 것이 경쟁PT상황이다 보니 필요하다면 저녁을 먹었는지 등을 챙겨주는 것도 작은 것이지만 스텝에게는 큰 힘이 될 수 있는 태도입니다. 각 스텝들은 AE들을 중심으로 움직이지만, 반대로 AE가 움직이는 만큼 스텝들은 움직인다고 생각해야 합니다. 일의 시작부터 끝까지 모든 스텝을 솔선수범하여 챙기는 것 실무AE의 경쟁PT에 임하는 기본 자세라고 할 수 있습니다.

PT의 전체적인 구성에도 콘셉트가 필요합니다.

경쟁PT에서 여러 광고회사가 경쟁을 하게 됩니다. 이런 경쟁을 할 때 다른 광고 회사에 비하여 강력한 단 하나의 빅 아이디어로 승부하고자 많은 노력을 합니다. 또, 그런 단 하나의 빅 아이디어를 멋진 프레젠테이션으로 전달하고자 노력을 합니다. 그때 PT에서 광고나 캠페인의 콘셉트가 아닌 프레젠테이션 자체에 콘셉트를 적용하면 긍정적인 효과가 있을 수 있습니다.

첫째, 광고주에게 제안하는 전략, 콘셉트나 빅 아이디어에 대한 흥미와 이해도를 높입니다. 조사도 많고 이론적인 내용이 많이 들어가야 하는 전략PT나 브랜드 컨설팅PT의 경우는 지루하거나 개념적일 수 있습니다. 이럴 경우 PT 자체가 어렵고 지루해질 수 있습니다. 그런데, 이를 광고주와 관련된 업태의 이야기나 아주 일상적이고 흥미로운 이야기로 구성한다면 매우 재미있는 프레젠테이션이 될 수 있습니다. 예를 들어 제약회사나 병원, 의사들에게 하는 프레젠테이션에서 문제점이라고 쓰지 않고 증상이라고 쓰게 될 경우는 오히려 광고주가 쉽게 이해하는 용어이다 보니 바로 와 닿을 수 있다는 것입니다. 또한, 해결책을 치료제라는 용어로 사용한다면 비슷한 반응을 얻을 수 있을 것입니다. 정치 광고의 프레젠테이션도 마찬 가지 일 수 있습니다. 정치적인 용어를 잘 활용하여 프레젠테이션의 용어나 구성에 활용한다면 훨씬 더 이해하기가 쉬울 것입니다.

둘째, 강력한 인상을 남길 수 있다는 장점이 있습니다. 우리는 드라마나 영화에서 감동을 얻기도 합니다. 구체적인 설명을 하지 않더라도 그 캐릭터가 하는 하나하나의 스토리들이 엮어질 때 전체적인 내용에서 감동을 얻게 됩니다. 그리고 우리는 그 내용을 가슴 깊이 새기게 되고 잊지 않게 됩니다. 광고 프레젠테이션도 마찬가지입니다. 단순한 전략을 상황분석, 경쟁사 분석식으로 늘어놓기만 한다면 매우 지루한 것일 수도 있습니다. 더구나 경쟁PT상에서 다른 경쟁사들도 그러한 식으로 매번 반복한다면 묻히는 PT, 차별화되지 못한 PT

로 인식될 수 있고 결국 강력한 콘셉트이더라도 매력적으로 전달되지 못할 수 있게 됩니다. 따라서, 전체 프레젠테이션의 구성에 있어 하나의 드라마나 코드를 콘셉트화 하여 이끌고 간다면 상당히 재미있는 이야기처럼 느껴지게 되고 해당 광고회사의 논리전개에 쉽게 빠져 들 수 있게 될 것입니다. 예를 들어 모 광고주는 원래하던 카테고리 비즈니스를 벗어나 장기적인 차원에서 다른 비즈니스 쪽으로 전개하고자 하는 요청을 광고회사에 한 적이 있었습니다. 당시 현 비즈니스에서는 매우 좋은 퍼포먼스를 내고 있고 소비자들은 해당 광고주를 지금의 비즈니스를 하는 회사로 굳게 인식하고 있는 상황에서 다른 비즈니스로 이동한다는 것에 대해 매우 부정적이고 요원한 것으로 인식하고 있었습니다. 그러나, 광고주의 마케팅 목표에 따라 광고전략이 캠페인 전략이 필요하고 실제 전략의 변화를 통해 인식을 다르게 포지셔닝 하는 것이 광고 업무 중 하나이다 보니 해당 광고회사에서는 그런 요청에 대해 프레젠테이션 자체를 하나의 '여행'이라는 콘셉트로 잡아서 프레젠테이션을 하기로 했습니다. 그에 따라, 기획서의 겉표지부터 간지, 콘셉트를 꺼내어 놓는 부분, 마무리 결론까지 전체 프레젠테이션을 다 들은 후에는 긴 여행을 떠나온 것과 같은 느낌을 광고주에게 전달했던 기억이 있습니다.

과거 블루오션이라는 책이 유행했던 시절이 있었습니다. 이 책의 유행에 맞추어 어느 건설회사는 불가능한 땅에 큰 프로젝트로 변화를 꾀하고 있었던 적이 있었습니다. 그러나, 매우 어려운 현실이었고 주변에서도 불가능하 다라는 이야기를 부동산을 통해 듣게 되었습니다. 하지만, 프로젝트가 결정 난 이상 광고상에서 그런 것을 극복하고 무언가를 만들어 내어야 한다는 관점에서 '블루오션 전략'라는 개념으로 광고주에게 레드오션의 시장을 극복하는 전략을 제안했던 기억이 있습니다. 물론 이렇게 제안한다고 해서 모든 프레젠테이션이 다 성공을 거두는 것은 아닙니다. 하지만, 이런 콘셉트의 기반하에 프레젠테이션을 구성하여 전달하게 된다면 보다 효과적으로 전달할 수 있다고 생각합니다. 이런 프레젠테이션의 콘셉트를 구성하는 것에는 프레젠테이션을 구성하는 요소들에 변화를 통해 가능하다고 생각됩니다.

[기획서]

우선 콘셉트가 설정이 되면 기획서의 겉장, 간지, 전략을 접근하는 부분, 콘셉트를 제안하는 부분, 마무리까지 모두 하나의 소재와 스토리를 가지고 묶어주어야 합니다. 또한, 미디어, IMC, 온라인, 프로모션까지 다른 스텝들이 해야 할 부분에서도 동일한 기획서 양식과 접근법을 공유해야 합니다. 물론 제작물도 이러한 콘셉트에 맞춘 내용이어야 할 것입니다. 그리고, 기획서의 구성도 일관성을 가지고 있어야 합니다. 자칫 전체 기획서 콘셉트를 앞쪽에만 구성하고 뒤로 갈수록 모호해진다면 사전에 예상했던 전달력이 반감될 수 있기 때문입니다. 또한, 이런 일관성을 유지하면서 드라마타이징을 해야 합니다. 힘을 주어야 할 때와 가볍게 치고 넘어 가야 할 때를 고려하여 기복이 있도록 구성해야 합니다. 일관성과 이런 드라마타이징은 매우 배치된 이야기일 수도 있으나, 스토리에 매력도를 높이기 위해서는 불가피한 것 같습니다.

[프레젠테이션]

프리젠터와 프레젠테이션을 콘셉트에 맞추어 정해야 합니다. 어떤 스토리나 콘셉트로 정리되었는가를 고려하여 맞는 프리젠터를 선정하거나 프리젠터가 직접 기획서를 구성하고 마무리해야 합니다. 또한, 프레젠테이션의 톤을 어떻게 할 것인지도 결정해야 합니다. 이성적인 것인지, 감성적인 것인지에 따라 톤앤매너가 달라질 수 있기 때문입니다.

프레젠테이션은 이렇듯 내용 자체도 중요하지만, 전달하려는 방법에 따라 프레젠테이션의 힘이 달라지게 된다고 생각합니다. 많은 사례들을 보면서 익히고 나름의 칼라를 가지고 해 본다면 서서히 방법이나 스킬이 올라갈 것이라고 생각됩니다.

프레젠테이션은 자신감과 끊임없는 연습만 있을 뿐입니다.

많은 사람들이 프레젠테이션에 대해 이런 이야기들을 합니다. '설득의 기술'이라고, 그런데 실무에 있는 저는 조금 다르게 생각합니다. 큰 맥락에서는 비슷한 것이라 이야기할 수 있겠지만, 좀 더 공격적으로 해석하자면 우리 회사의 프레젠테이션을 듣고 난 후에 '아 저 회사와 해야 겠다'라는 동인을 만드는 '설득을 넘어 움직이게 만드는 기술(Movement)'라고 생각합니다. 설득을 통한 움직임이 오히려 프레젠테이션에서 이끌어 내고자 하는 근본적인 목적이 아닌가 하는 차원에서 다르게 생각해 보고 싶습니다.

이런 'Movement'를 만들기 위해 정말 개인적으로도 광고회사 생활을 하면서 드라마틱하고 멋진 프레젠테이션을 하는 것이 꿈이라고 생각합니다. 경쟁PT시에도 그런 감동을 줄 수 있는 프레젠테이션을 항상 꿈꾸고 그것을 위해 노력하는 것 같습니다. 그렇다고 '이런 프레젠테이션이 답이다'라고 이야기하는 것은 아직까지도 없는 것 같습니다. 다만 두 가지 실무AE들에게 프레젠테이션에서 기억했으면 하는 것은 있습니다. 그것은 자신과 연습입니다.

기대감만 띄워 놓고 별것 아닌 이야기를 하는 것 아니냐고 하겠지만, 어떤 프레젠테이션을 하느냐 얼마만큼 매력적인 프레젠테이션을 하느냐는 이 두 가지뿐인 것 같아 조금은 안타깝지만, 연차가 좀 되는 저에게도 지금껏 느낀 것은 아쉽게도 두 가지인 것 같습니다. 하지만, 이 두 가지만 잘 기억하고 해 본다면 프레젠테이션이 생각보다 달라질 수 있다고 믿고 있습니다.

우선 자신감은 프레젠테이션의 두려움을 없애는 출발점이라고 생각합니다. 두려움이 있다면 일단 사람들 앞에 서는 것 자체가 두렵고, 하고 싶은 말도 잘 안 나오게 되고 머리속이 하얗게 되어 중요하게 전달해야 할 이야기가 잘 전달되지 않게 됩니다. 결국 프레젠테이션을 하게 되는 의미는 없고 화면만 보고 벌벌 떨면서 읽게 되는 것이죠. 자신감이 있다면 누구 앞이든 간에 얼마만큼의 사람이 있든 간에 자신의 소견을 충분하게 전달할 수 있고, 더구나 자신이 무엇을 말하는지를 인지하면서 되기 때문에 중언부언하거나 논리적인 흐름을 해치지 않을 수 있다고 생각합니다. 문제는 두려움을 없애고 자신감을 갖는 것이 어려울 것이라고 생각합니다. 그런 분들에게 제가 실제로 해 보았던 몇 가지 생활속에 방법을 이야기해 드리겠습니다.

[한 두 사람 모였을 때 어제 들은 이야기를 해보세요]

누구나 어제 있었던 일들을 누구에게 이야기한다는 것은 어렵지 않은 것입니다. 다만, 이런 이야기를 할 때 인지를 하면서 차분하게 이야기한다고 생각해보면 조금 다른 느낌일 수 있다는 것입니다. 즉, 조금 더 생각하면서 이야기를 한다는 느낌으로 해보면 내가 지금 무슨 말을 하고 있는지를 알게 되면 보다 중언부언이나 말의 논리성이 조금 더 나아질 수 있다는 것입니다. 또한, 이런 이야기를 하면서 자연스럽게 손짓이나 눈을 맞추면서 해보는 것입니다. 다른 사람이 이상하게 볼 수도 있지만, 이런 자연스런 습관은 실제 프레젠테이션에서 나의 자연스런 제스처로 나타나는 것 같습니다.

[길을 가다 남자친구/여자친구/엄마/아빠를 크게 불러보세요]

어떤 학원, 클래스에서는 자신감을 키워 주기 위해 하는 것이 있다고 합니다. 예를 들어 사람들이 많은 곳에서 일부로 세워 두고 크게 외치게 한다고 하는데 그것과는 좀 더 생활적으로 실제 약속을 했을 때 자연스럽게 크게 외치는 것을 해보면 자신도 모르는 사이에 큰 자신감이 생기는 것 같습니다. 프레젠테이션 현장에서 목소리를 크게 내는 것이 몹시 부담스러울 때 이런 훈련은 매우 큰 도움이 되는 것 같습니다.

[이야기할 때 일부러 눈을 맞추어 보세요]

프레젠테이션에서 눈을 맞추는 소위 아이 컨택이라는 스킬이 있습니다. 광고주의 키맨의 움직임과 반응을 보는 것인데, 실제 아는 사람과 이야기할 때 이를 의식하고 하게 되면 프레젠테이션에서 보이지 않게 자연스럽게 가능해지는 것 같습니다.

별것 아닌 3가지 정도는 실제 생활 속에서 자연스럽게 할 수 있는 것들로 이야기했습니다. 프레젠테이션을 잘 할 수 있는 기본은 이런 자신감이 반드시 기반이 되어야 하고 이것만 해낸다고 할 때 프레젠테이션의 50%이상을 한 것과 다름이 없다고 개인적으로 생각하고 있습니다.

다음으로는 프레젠테이션은 오직 연습뿐입니다. 그런데 우린 이런 연습을 통상적인 프레젠테이션이 준비된 공간에서의 연습만 생각하는데, 본인은 오히려 장소의 구애는 없다고 생각합니다. 실제 준비된 공간에서 연습할 시간은 부족한 것이 사실입니다. 오히려 원고가 어느 정도 준비되면 버스 안이나, 지하철, 택시 안에서, 혼자 걸어가면서, 심지어 화장실에서도 그 원고를 외우고 입에서 조용하게 중얼거리는 것도 큰 훈련이라고 생각합니다. 별것 아닌 것 같지만, 연습의 회수를 높이는 방법이고 실제 프레젠테이션 공간에서 준비되었을 때 자연스럽게 할 수 있는 기반이 되는 좋은 훈련 방법이라고 생각합니다.

프레젠테이션을 몇 개월 동안 정규적으로 훈련받을 수 있는 시간을 내어 하는 것은 쉽지 않을 겁니다. 나름대로의 노하우를 가지고 헤쳐 나가는 것이 더 중요하다고 생각됩니다. 다만, 프레젠테이션의 절반이상은 이런 자신감과 오직 연습뿐이라는 사실은 현업을 하면서 맞는 것 아닌가 라는 생각이 듭니다. 어떤 좋은 책이나 교재보다도 실제 해 보려고 노력하는 자세와 해보는 것과 알고 있는 것의 차이를 안다면 별 것 아닌 방법으로 보다 더 진보된 프레젠테이션을 할 수 있을 것으로 기대합니다.

자신만의 프레젠테이션 칼라가 필요합니다.

프레젠테이션을 경험하다 보면 정말 다양한 형태와 스타일의 프리젠터를 만나게 됩니다. '아 정말 잘한다'나도 저렇게 해야 지 라는 동기를 부여받는 프레젠테이션도 많은 것 같습니다. 앞서 프레젠테이션에 대한 '자신감과 연습'에 익숙해지면 자신만의 칼라를 찾는 것이 필요하다고 생각합니다.

첫째, 프리젠터는 정말 다양하고 자신만의 색깔을 가지고 있기 때문입니다. 어떤 분은 PT현장을 크게 울릴 만큼 큰 목소리로 강하게 프레젠테이션을 하는 분이 있습니다. 또 어떤 부분은 조곤 조곤 하나하나를 짚어가며 차분하게 말하는 스타일도 있고, 프레젠테이션 자체의 스킬은 떨어지지만 핵심만 집어가며 놀라운 이야기로 공감을 만들어 가는 등 정말 다양한 스타일의 프리젠터가 있습니다. 이런 다양한 프레젠테이션 스타일은 실제 경쟁PT에서 전략적으로 활용하게 됩니다. 광고주의 성향이 공격적이고 시원시원한 스타일을 좋아하는지, 스타일 리쉬한 스타일을 좋아하는지, 마치 대학교수님 들처럼 친절하게 이야기하는 것을 좋아하는지를 사전에 판단하여 프레젠테이션을 하게 됩니다. 그러다 보니 자연스럽게 어떤 형태의 프리젠터가 정답이라고 이야기하기에는 어려운 것이며, 다만 이런 다양한 스타일의 프리젠터가 있듯이 자신만의 프레젠테이션 스타일을 완성해야 한다는 것입니다.

둘째, 자신의 스타일이 분명이 있기 때문입니다. 물론 원하는 스타일을 만들어 갈 수도 있을 것입니다. 하지만, 이왕 프레젠테이션을 해야 한다면 자신의 평소 스타일과 성격에 맞는 스타일을 찾아내어 결합한다면 더 큰 시너지가 날 것이기 때문에 굳이 힘든 스타일에 맞춘다는 것은 오히려 자신을 변화시켜야 하는 또 다른 노력이 필요하게 됩니다. 굳이 목소리가 작은 사람이 억지로 목소리를 키우는 프레젠테이션이 좋다고 생각하여 무리하게 목소리를 키워서 하다 보면 오히려 프레젠테이션 중간에 힘이 빠질 수도 있기 때문입니다. 또 목소리가 큰 사람이 조곤조곤하게 이야기하려고 하다 보면 괜히 자신의 역량을 피우지 못하는 답답한 프레젠테이션을 하게 될 수 있습니다.

그러나, 처음부터 자신만의 스타일을 만든다는 것은 쉬운 일이 아니라고 생각합니다. 광고에서도 효과적인 광고 전략을 만들어 내기 위해 경쟁사를 분석하고 자사를 분석하는 방법과 어찌 보면 비슷하다고 생각이 듭니다.

우선 가장 자신이 매력적이라고 생각하는 스타일을 멘토로 설정해 보는 것이 방법이라고 생각됩니다. 그것이 회사 내에 잘 하는 프리젠터 일수도 있고, 영화에 나온 영화배우나, 방송에 나온 방송인 일수도 있습니다. 예를 들면, 제가 개인적으로 좋아했던 데블스 에드버킷(Devil's advocate)라는 영화에서 키아누리브스가 지방 변호사에서 잘 나가는 뉴욕 멘하튼의 변호사로 변화하는 과정에서 피고인을 변호하는 모습을 보면 많은 장면이 나오지는 않지만, 그 캐릭터에서 뿜어져 나오는 자신감과 상대방을 압도하는 자신감 등을 보면 나름 배워볼 만한 캐릭터라고 생각이 듭니다. 이와는 다르게 모 방송사에 세계의 현재를 다루는 프로그램인 'W'라는 프로그램에 진행자로 나오는 아나운서를 멘토로 삼는 것도 방법이라고 생각이 듭니다. 사실 저는 해당 프로그램을 자세히 보면서 그 아나운서의 움직임이나 말투 그리고, 제스처 등을 자세히 보는 편입니다. 남자, 여자를 떠나서 차분하게 가벼운 무빙과 함께 부드러운 말투는 사람을 프로그램으로 빠져들게 하는 힘이 있는 것 같습니다. 과거 많은 캐릭터를 낳았던 '그것이 알고 싶다'라는 프로그램의 진행자들 또한 진지한 신뢰감과 한번쯤 생각하게 만드는 힘을 느끼게 하는 프리젠터로서 멘토로 정해도 무방하다고 생각한 적이 있습니다. 물론 지금도 그 톤이나 방식은 변하지 않았지만, 나름 프레젠테이션의 멘토로 손색이 없는 것 같습니다. 이렇듯 우리가 일상에서 쉽게 지나치기 쉬운 주변의 자원들을 멘토로 삼아 잘만 활용한다면 매우 큰 도움이 되는 것 같습니다. 이왕이면 이런 여러 가지 스타일 중에 자신이 맘에 드는 스타일을 하나 잡는 다면 그것을 똑같이 연습하는 것도 좋은 방법이라고 생각합니다. 이것을 연습할 때 가장 좋은 것은 거울을 보면서 하는 것 같습니다. 모 댄서가 이야기했는데, 자신은 댄서가 되기 위해서 자신이 좋아하는 유명 댄스 가수의 모든 춤을 똑같이 따라했다는 이야기에서 얼마만큼 그것이 동기 부여가 되고 도움이 되는지를 알 수 있을 것 같습니다. 그런 멘토들이 하는 하나하나의 동작과 말투 등을 거울을 보면서 흉내 내다 보면 어느새 자신도 모르게 보다 프리젠테 다운 면모를 지니지 않을까 생각합니다.

개인적으로는 처음부터 대본을 준비하여 연습하기 보다는 프레젠테이션 원고를 자신이 직접 작성하여 프레젠테이션 한다고 생각하고 보지 않고 연습하는 것이 훨씬 더 도움이 된다고 생각합니다. 사실 경쟁PT나 어떤 광고업무의 보고에서 프레젠테이션 원고를 보고 PT를 하는 것은 있을 수 없는 일이기 때문입니다. 그것은 프레젠테이션이라기 보다는 오히려 일방적인 사실에 보고자리일 뿐입니다.

따라서, 가급적 원고를 마치 영어단어를 외우기 위해 사전을 찢어 한 장씩 씹어 먹듯 완전 마스터하여 뭐가 나올지를 명확히 머릿속에 떠올리며 한 장 한 장 진행하는 습관을 터득하려고 애를 써야 할 것입니다. 그런 후에 비로소 자신만의 스타일을 찾는 것이 방법일 것 같습니다. 앞서 이야기 한 것처럼 정말 여러 스타일의 프리젠터가 있듯이 프리젠터로서 연습과 스타일을 1차적으로 완성하였다면 자신의 캐릭터가 무엇인지를 생각하여 자신만이 할 수 있는 스타일로 2차 완성을 해야 합니다. 어떤 사람은 좀 오버하는 스타일로 할 수도 있습니다. 물론 부담스러울 수 있지만, 유머 코드로 무장된 오버하는 스타일이라면 나름 그런 스타일이 통하는 PT에서는 매우 매력적인 것으로 활용될 수 있을 것입니다. 혹 자신이 진중하거나 조심스러운 스타일이라면 공감을 충분히 얻고 차분한 것을 선호하는 광고주에게는 적절한 프리젠터가 될 것입니다. 또한, 깜찍하고 보다 크리에이티브적으로 프레젠테이션을 하는 프리젠터로 칼라를 맞춘다면 보다 젊은 브랜드나, 제품의 PT에 매우 잘 어울릴 수도 있을 것입니다.

프레젠테이션에 있어 자신의 색깔을 만드는 방법도 명확한 정답은 없습니다. 다만, 상기와 같은 방법들이 실무를 하면서 적잖게 도움을 되었습니다. 혹시 남을 따라하고 있다면 나아가 조금씩 자시만의 프레젠테이션 컬러를 만들어 보면 어떨까 합니다

멀티미디어에 달인이 되면 큰 도움이 됩니다.

경쟁PT시에 실무AE가 멀티미디어를 다루는데 기술이 능숙하다면 프로젝트를 수행하는데 큰 도움이 됩니다. 보통 기획서는 AE쪽에서 정리를 하고 제작 스텝은 크리에이티브 방향이나 제작물을 제작 쪽에서 모두 제작하여 기획 쪽에 전달을 하여 통합본을 만듭니다. 그런데, IMC/디지털, 미디어, 프로모션, 혹은 광고회사에서 신규 광고주에게 서비스를 제공한다는 페이퍼를 제공하는 분야 등 다양한 부분의 페이퍼를 만들면서 멀티미디어의 스킬을 AE가 익혀 적용하면 보다 더 멋지고, 이해를 높이는 PT내용을 만들 수 있다고 생각합니다.

[기획서 작성 프로그램]

기획서 작성 시에는 일반적으로 파워 포인터를 사용하여 기획서를 AE들이 만들게 됩니다. 어떤 경우는 키노트를 활용하여 기획서를 만들기도 합니다. 두 가지 모두 기획서를 작성하는데 가능은 하지만, 장단점이 있는 것 같습니다 AE들에게는 파워포인트가 더 익숙한 것이 사실입니다. 키노트의 경우는 칼라의 심도나 다양한 애니메이션 효과와 디테일까지 고려한다면 더 세련되고 디자인 적인 기획서를 만들 수 있는 프로그램인 것 같습니다. 다만 호환성 문제 등이 있을 수 있어 PT환경을 고려하고 사용해야 합니다. 만약 실무AE가 이런 프로그램들에 익숙하고 활용이 가능하다면 광고주의 성향이나 PT의 성격에 따라 적용할 수 있을 것 같습니다. 예를 들어 시간이 충분하고 텍스트가 많이 들어가는 PT의 경우는 파워포인트 프로그램을 활용한 기획서가 효율적일 수 있고, 보다 패션, 뷰티 등 감각적이고 크리에이티브 적인 프레젠테이션이 필요한 광고주에게는 키노트와 같은 프로그램을 활용한 기획서가 적절할 수도 있습니다.

[그림 프로그램]

포토샵이나 일러스트 프로그램 등은 최근 AE들도 많이 활용하려고 하는 프로그램인 것 같습니다. 이런 프로그램 등을 제작 스텝에서 사용하는 프로그램인데, 실무AE가 잘 활용한다면 큰 도움이 됩니다. 미디어 제안을 할 때 제작물의 적용이나 미디어를 설명하는 것에서 아주 간단한 것들까지 제작 스텝에게 요청하는 것이 현실입니다. 그런데, 실무AE가 조금만 다룰 줄 안다면 제작 스텝이 본 제작물에 더 신경 쓸 수 있는 시간적 여유를 벌어줄 뿐만 아니라, 원하는데 여러 가지 다양하게 만들어 볼 수 있을 것 같습니다. 그리고, 기획서의 디자인을 이런 프로그램 등을 통해 할 경우 일반 문서 프로그램으로 활용하는 것 보다 세련된 디자인이 가능해집니다. 물론 복잡한 것보다는 더 심플하고 광고주와 관련성 있게 디자인해야 할 것입니다. IMC측면에서도 많은 제작물이 필요할 경우가 있습니다. 문서화된 설명을 하는 것보다는 이런 방법을 통해 적용된 것을 바로 보여준다면 해당 부분의 이해도를 높이는 데 도움이 됩니다.

[편집 프로그램]

일반 소비자들도 개인 동영상을 만들거나, 간단한 편집 프로그램 등을 활용하여 동영상을 제작하고 오디오, 자막을 넣어 완성합니다. 실무AE들도 이런 프로그램에 익숙하다면 경쟁PT시 매우 매력적인 프레젠테이션을 할 수 있을 것 같습니다. 예를 들어, 소비자들의 의견을 인터뷰하는 동영상을 기획서에 넣기도 합니다. 이때 간단한 동영상 프로그램을 활용하여 촬영한 영상에 자막을 넣고 작업을 하여 활용한다면 굳이 시간을 들여 외부에서 만들어 오는 수고는 덜 수 있을 것입니다. 과거 모 건설회사 경쟁PT시에는 콘셉트를 보여주는 방법을 문서로 하지 않고 여러 컷의 스틸 컷을 넣어 음악과 자막으로 처리하여 보다 더 감동적으로 동영상을 넣었던 기억이 있습니다. 기획서 상에서 이런 작은 부분도 경쟁사와 차별화하거나 보다 효과적으로 전략의 메시지를 전달하고 좋은 방법이 아닐까 생각됩니다. 편집 프로그램 자체는 더 활용도가 큰 것 같습니다. IMC, 디지털이나 미디어 등 다양한 제안이 들어갈 때 통상 문서화된 것으로 좀 딱딱하게 진행되는 경우가 대부분입니다. 그런데, 이런 프로그램을 활용하여 적용하게 되면 훨씬 더 도움이 될 것입니다. 과거 경쟁PT시에 기획과 제작스텝의 결과물들이 매우 감성적으로 구성된 적이 있습니다. 그런데, IMC나 미디어 등이 후반부에 PT를 하는데 앞서 감성적인 구성과는 다르게 딱딱하게 구성되어 전체 PT의 디자인이 매력적으로 느껴지지 않을 것 같은 판단이 들어 해당 부분의 구성에 들어가는 부분을 이런 프로그램들로 구성하여 다시 작업한 적이 있습니다. 별것 아닌 것 같지만, PT도 전체 콘셉트를 가지고 진행하기 때문에 전체적인 톤앤매너를 맞추는 것은 매우 의미 있는 것입니다.

현업을 하면서 이러한 스킬을 익힌다는 것은 시간적으로 어려울 수도 있습니다. 그런데, 디지털 환경에 익숙해진 AE들이 많이들 들어오면서 자연스럽게 이런 것들이 많이 확산되는 것 같습니다. 멀티 미디어의 스킬을 익힌다는 것은 그만큼 커뮤니케이션의 전달력을 높이고 세련된 프레젠테이션을 하게 된다는 측면에서 볼 때 보다 더 확산되어야 하는 것이 필요하다고 생각합니다.

과거 경쟁PT는 OHP를 활용하여 기획서를 만들고, 스토리보드를 만들어 프레젠테이션을 하던 시대와는 다르게 적용되어 PT자체의 차별화를 이루어 가고 있는 것이 현실을 볼 때 적극적으로 고려되어야 하지 않을까 합니다. 하지만, 절대 잊어버리지 말아야 할 것은 '내용'이 무엇보다도 우선시되어야 한다는 것입니다. PT를 위한 단순한 포장에 그치는 것이라면 이러한 멀티 미디어를 배우고 치장하는 것은 단순 껍데기에 지나지 않을 것입니다. 경쟁력 있는 메시지와 크리에이티브라는 알맹이를 잘 만들어 이를 고급스럽고 세련되게 전달한다는 측면에서 활용해야 지 포장만 그럴싸하게 한다는 것은 아무런 의미가 없다고 생각합니다. 소비자들은 프레젠테이션을 보는 것이 아니라 그것을 통해 제작된 것을 만나기 때문입니다.

PT진행시 오퍼레이팅은 한 명이 하는 것이 좋습니다.

오리엔테이션 이후에 기획방향이 합의되고 제작물이 어느 정도 정리가 되면 마무리 순간까지 실무AE 한 사람을 정해 프로젝트의 진행 및 정리하는데 있어 오퍼레이터 역할을 해합니다. 가장 큰 이유는 자료 등이 분산되어 있는 상태에서 여러 명이 나누어 정리를 하다 가는 나중에 취합하는 문제가 생기기도 하고 실제 PT상에서 사용할 노트북에 익숙한 사람이 사고에 대해 적절히 대응할 수 있기 때문입니다. 이외에도 다양한 이유들이 있습니다.

[기획서 정리]

기획서는 여러 스텝이 나누어 자기가 맞은 분야의 내용을 정리합니다. 기획서의 배경이나 서체 등을 지정하여 전달하였다 하더라도 마케팅, 디지털, 미디어 파트 같은 경우는 매우 내용이 많아 글씨의 사이즈가 작아질 수도 있고, 제작물에 들어간 서체의 형태가 달라질 수도 있기 때문에 한 사람이 취합했을 경우 그것을 통일시키는 작업을 해야 하기 때문입니다.

[리허설의 수정사항 반영]

해당 오퍼레이터는 반드시 리허설에 참석해야 합니다. 리허설 상황에서 수정사항이 반영될 수 있고, 수정된 내용을 잘 못 전달하게 될 경우에는 반영이 제대로 되지 않을 수 있기 때문입니다. 더구나 한 사람을 정해 놓으면 계속 해당 문서를 수정하고 진행했기 때문에 어디에 무엇이 있는지를 정확히 알고 있습니다. 따라서, 오퍼레이터 역할을 하는 사람은 리허설에서도 매우 중요한 역할을 합니다.

[제작물 확인]

기획서에는 보통 제작물이 들어가게 됩니다. 동영상이 들어갈 수도 있고, 슬라이드 쇼로 넘길 수도 있습니다. 그런데, 이 업무를 나누어 진행하다 보면 동영상의 링크가 깨져 잘 구동이 안 될 수도 있습니다. 그리고, 가장 그 구동에 대해 파일의 위치나 용량 등을 알고 있는 사람이기 때문에 현장에서의 제작물

구동 문제로 인한 것을 가장 빠르게 해결할 수 있습니다. 제작물이 파워포인트나 키노트에서 작업이 완료되면 제작 스텝에게 확인을 맞 겨야 합니다. 제대로 위치가 정해졌는데, 혹시 파워 포인트 상에서 수정할 것이 있는지를 확인해야 합니다. 통상적으로는 제작물 확인을 제작 스텝에서 하기 때문에 수정사항이 발생할 경우 한 사람의 오퍼레이터 역할을 하는 이가 정해져 있다면 매우 편리합니다.

[프레젠테이션 종합준비]

프레젠테이션이 진행되면 확인하고 챙겨야 할 것이 많아지는데, 예를 들어 프레젠테이션의 참석 인원을 확인하고 이를 기반으로 현장에서 어떻게 착석을 해야 할지 이동시 배차는 어떻게 해야 할지 알게 됩니다. 그리고, 수정된 내용을 최종까지 확인하여 출력물을 만들기 위해 출력을 보내고 제본을 해야 합니다. 이것이 따로 진행될 경우는 리허설 상황은 물론 다른 곳에서 발생한 수정에 혼선이 생겨 나중에 다른 결과물이 나올 수 있습니다. 장비도 마찬가지입니다. 실제 리허설을 광고주 가지 전에 진행해야 할 상황이 자주 있는데 그 당시 바로 수정하고 출력 등을 하기위해서는 장비를 오퍼레이터가 확인하여 리허설에 참여하여 진행에 문제가 없도록 해야 합니다.

[프레젠테이션 진행]

프레젠테이션을 진행하기 위한 연락이나 체크 리스트의 작성, 업무 연락 등 많은 것을 중간 중간 스텝들과 공유해야 합니다. 이런 것들도 가급적 지정된 오퍼레이터가 하는 것이 효과적이라고 생각합니다. 작은 수정 내용이나 혹 제작이나 다른 스텝에서 오는 요청사항들을 빠르게 반영하여 진행할 수 있으므로 여러 채널을 건너서 확인하다 잘 못 반영되는 것을 막기 위해서라도 가급적 진행 관련된 업무연락도 지정된 오퍼레이터가 하는 것이 좋은 것 같습니다.

[프레젠테이션 현장]

현장에 도착하면 이젤이나 스크린, 빔을 최종 확인하여 디스플레이를 합니다. 일단 가장 많이 장비들과의 궁합을 맞추었기 때문에 진행상에는 크게 문제가 없을 것입니다. 그리고, 노트북을 구동하는 것도 지정된 오퍼레이터가 진행을 하게 될 경우 문제가 될 위험성을 최소화하게 됩니다.

절대적으로 지정된 오퍼레이터가 모든 일들을 할 필요는 없다고 생각합니다. 다만, 프레젠테이션을 하긴 얼마전부터는 제작물과 기획서 취합되다 보니 이때부터는 중간에서 트래픽 하는 역할을 정해주어 복잡한 과정을 최소화하고 시행오차를 줄이는 것이 더 중요하다고 판단되는 측면에서 오퍼레이터를 지정하는 것 같습니다. 실제 업무를 나누어 한다고 하더라도 분산되어 관리가 되다보면 많은 문제가 발생하게 되는 것 같습니다. 일단 오퍼레이터로 지정되면 확인을 철저히 하고 업무 처리를 매우 빠르게 해야 합니다. 업무적으로 힘들고 어려운 부분도 있겠지만, 전체 프로젝트를 운영하는데 매우 효과적인 방법이라고 생각하고 혹 누군가 이런 업무를 맞게 된다면 피하기 보다는 적극적으로 대응하여 자신의 업무로 만들어 보았으면 합니다.

PT사고 최소화는 현장확인이 기본입니다.

경쟁PT에서 현장 확인은 광고주가 요청하지 않아도 반드시 한번쯤 해보는 것이 필요합니다. 아무리 회사에서 출발하기 전 확인하였다고 하더라도 PT현장의 시스템이나 이동시 문제로 인하여 작동이 안 되는 경우가 간혹 있기 때문입니다. 따라서, 가급적 실무AE들은 PT전달 제작물이나 완성직전의 기획서를 가지로 현장에서 똑같이 진행이 되는지를 확인해야 합니다. PT시에는 정말 예상치 못하는 일들이 벌어질 수 있습니다. 그러다 보니 PT직전에 리허설이나 현장에 가보는 것은 아래의 문제와 같은 상황을 최소화하는 차원에서 라도 매우 중요한 것이라 할 수 있습니다. 모든 스텝들이 확인하지는 못하더라도 실무AE들은 일부러 라도 문제가 발생하지 않도록 모든 장비를 들고 현장에서 실행을 해볼 필요가 있습니다. 그러나, 이러한 확인에도 불구하고 현자에서 다른 문제로 인해 진행에 어려움을 겪을 수도 있으니 끝나는 순간까지 긴장을 늦추지 말아야 합니다.

PT상황에서는 아래 상홍 외에도 다양한 예상치 못한 일들이 벌어집니다.

사무실에선 돌아가던 동영상이 현장에서 안 돌아 가는 상황

시안보드나 기획서를 깜빡 있고 가지고 오지 않는 상황

빔프로젝트가 컬러가 이상하게 나오거나

노트북과 호환이 안 되는 상황

노트북이 그냥 뻑 나는 상황

노트북 밧데리가 방전된 상황

기획서 폰트가 깨지는 상황

동영상이나 그림 링크가 깨지는 상황

노트북과 TV와 호환이 안 되는 상황

이젤의 받침대를 빼놓고 다리만 가져온 상황

포인터 밧데리가 방전되는 상황

프리젠터와 최종 확인을 못해 문구가 다른 상황
CD와 협의를 최종적으로 못해 콘티 순서가 다르게 되어 있는 상황
아침에 기사를 제대로 확인 못해 엉뚱한 인트로를 하게 되는 상황

상기 문제외에도 많은 다양한 현상 상황으로 문제를 겪은 경험이 있을 것입니다. 그런데, 현장을 한번쯤 확인해 본다면 그런 문제를 적어도 최소화는 할 수 있을 것입니다. 광고주가 현장 확인을 위해 광고 회사별로 시차를 두어 공식적으로 방문을 요청하기도 하는 경우가 있고, 실무AE들이 확인을 위해 광고주에게 요청하여 리허설하는 경우가 있습니다. 만약 방문이 어렵다면 어떠한 상황인지를 광고주에게 자세하게 확인해야 하고, 현장 상황을 제작 및 다른 스텝과 공유해야 합니다. 스크린, 프로젝션은 있는지, 스피커나, 노트북, 스크린 사이즈나 거리, 앉는 위치 등 다양한 것들을 확인해야 합니다.

이와는 다르게 방문이 가능할 경우는 현장에서 실제 구동을 하면서 준비된 것을 확인해 보아야 합니다. 스텝들의 착상 위치, 오퍼레이터의 위치, 빔의 상태, 스크린 상태, 노트북 혼환 여부, 스피커 음량 등 현장에서 실제 확인하여 문제시될 만한 것들을 하나하나 구동해 보아야 합니다. 그런 확인 중에 있어서 프로젝션에 파워포인트를 띄워보게 되는데, 회의실의 규모나 상황을 보면 대략 어느 정도 화면의 글씨 사이즈를 조정해야 할지 가늠을 할 수 있습니다. 현장에서 광고주에게 의사 결정권자의 위치를 확인하여 실제 그 위치에서 화면을 보았을 때 복잡하지는 않는지 글씨 사이즈는 작지 않는지 일반적으로 아무리 작은 글씨는 PT나 보고시에는 가급적 18~20포인트 이상을 쓰는데, 현장의 규모가 크거나 예상했던 것과는 다를 경우 조정을 해야 할 필요가 있습니다.

경쟁PT 현장의 테스트이후에는 리포트를 작성하여 스텝들과 공유해야 합니다. 시스템의 확인결과를 우선적으로 정리를 하고, PT이후에 제출한 제출물, 기획서, 그리고 각 스텝들이 위치할 위치까지 확인한 결과를 정리하여 그림과 함께 제공하면 참여스텝의 인원이나, 제작물, 기획서 준비 수위 등을 결정할 수 있습니다.

경쟁PT에 있어서 현장을 확인하여 실제와 같이 해본다면 문제를 최소화할

수 있습니다. 그러나 사무실에서 임의대로 확인하거나 리허설과 정리에 급급한 나머지 이런 확인절차를 거치지 않는다면 결국 현장에서 조금 늦게 오더라도 확인 못한 문제점으로 인해 더 문제를 커지는 상황이 될 수도 있습니다. 이런 확인을 위해서라도 스케줄을 사전에 조정한다 던지 다른 스텝을 활용하여 확인하는 것도 현장확인을 효과적으로 할 수 있는 방법일 것입니다.

체크 리스트를 활용해 보세요

기본적으로 체크 리스트는 업무의 정확한 분장과 책임의식을 줍니다. 그리고 혹시 모를 업무의 누수를 막아주는 중요한 역할을 합니다. 물론 실무AE가 작성하여 관리해야 하는 것 중의 하나입니다. 그런데, 업무 분장과 관련된 것은 이미 오리엔테이션을 진행하면서 자연스럽게 AE는 무엇을 하고 각 스텝은 무엇을 하는지를 정하게 되어 있습니다. 다만, 나중에 PT준비자 마무리되어 가는 상황에서는 PT전날, 당일 등 얼마 남지 않은 시점에서 여러 가지를 동시에 확인하고 챙겨야 하는 상황이 오게 됩니다.

특히, PT관련 내용의 종합본을 만들어야 하고 제출해야 하는 AE입장에서는 기획서도 단 하나의 기획서가 아닌 PT용 기획서, 제출용 기획서로 나뉘고 다시 제출용 기획서는 출력용으로 수정되어야 합니다. 왜냐하면 출력용 자체는 광고주 요청에 따라 흑백으로 요청할 수도 있고, 내용이 좀더 추가되어 정리되어야 할 필요가 있기 때문에 다를 수 있습니다. 제작물도 광고주 PT용과 출력용은 달라집니다. 출력용 제작물 즉 TV-CM 같은 경우는 스토리보드만 있으면 되기 때문에 여라 장이 필요한 PT용 보다는 내용이 많이 필요 없을 수 있습니다. IMC, 디지털 등 다른 부분도 제출할 것과 광고주에게 PT할 것은 내용에 차이가 있을 수 있고, 특히 애니메이션 쇼 효과를 다루게 되면 모양자체가 약간 다를 수 있습니다. 단순 기획사뿐만 아니라 이렇듯 많은 부분이 차이가 있을 있어 이럴 때 작성한 Check List는 복잡한 PT업무를 효율적으로 관리할 수 있도록 도와주는 것 같습니다.

체크 리스트의 시작은 일단 각 부문별로 나누어 세분화시키는 것입니다. 같은 전략 부분이라도 전략, 제작, 미디어, IMC, 디지털 등 모든 부분이 전략적인 배경과 접근방법을 기술하게 되므로 해당 페이퍼를 작성하는 것을 고려하여 구분하여 두어야 합니다. 제작물은 상기 내용보다 더 세분화될 수 있습니다. 더구나 제작물의 경우는 CD와 협의하여 어떻게 구성할지를 세밀하게 협의해야 하는 부분이 있습니다. PT진행에 있어서는 실무AE가 진행하는 것이 대부분입니다. 전체 취합을 언제까지 할 것인지에 따라 각 스텝별로 지속적으로 연락하여 해당시점에 완성본을 받아야 하고, 장비 및 좌석 배치 등도 고려하여 사전에 조율을 맞추어야 합니다. 장비의 경우 부족할 때는 다른 부서에서 협조를 받아야 하는 부분이 발생하기 때문에 아주 미리 1차적으로 확인하여 준비를 하고, 이후 추가적으로 필요에 따라 보완을 해야 합니다. 차량부분도 매우 중요합니다. 출발인원에 따라 차량의 크기 등도 달라질 수 있고 주유여부의 필요도 사전에 확인하여 주유문제로 지각되지 않도록 확인하여야 합니다.

PT의 현장 확인은 별도로 다룰 정도로 매우 중요한 부분입니다. 현장확인을 본인이 하지 못하는 상황이 될 경우라도 업무 분장을 통해 반드시 진행 상황을 확인해야 합니다. 출력물에 대한 부분도 출력 전 사무실에서 출력을 할 것인지, 외부에서 출력을 진행하여 제본할 것인지를 고려하여 확인해두고 인쇄본만을 준비하여 출력해야 합니다. 혹 최종 리허설 중 변경될 수 있는 부분이 발생할 수도 있으므로 마지막까지 많은 수정이 있을 것으로 예상된다면 대기하고 있어야 합니다. 그리고, 그 옆에 각 부문별 세부적으로 진행될 일정을 시간대 별로 나누어 표기할 수 있도록 만듭니다. 가장 중요한 것은 각 진행사항에 대한 담당을 나누어 두어야 하는 것입니다. 그래야만 각 스텝 별 업무 분장이 명확해지기 때문입니다.

이때 실무AE는 각 스텝 별 업무 분장을 나눈 후에 각 부문에 해당되는 진행사항을 내용 란에 기입을 하여 명기하게 됩니다. 기입하는 내용은 진행사항 뿐만 아니라 혹 있을 만한 추가적인 내용까지 기입을 해 두어야 합니다. 또한 담당과의 수시 확인을 통해 완성본을 만들 수 있는 시간을 예측하여 기획팀 내부적으로 공유를 해야 합니다. 내부 리뷰 및 최종 리허설 시간에 조정이 종합본의 완료 시점과 결부되어 있어 자칫 완성본이 늦어질 경우 스케줄 조정이 불가피해지기 때문에 시간이 지난 후에 공유하는 것은 문제가 될 수 있습니다.

실제 당일이 되면 이런 체크 리스트대로 움직이는 것도 힘들 수 있습니다. 리허설 상황에서 변경될 수 있는 부분으로 인해 기획서, 제작물 다시 해야 하는 부분이 발생할 수 있기 때문입니다. 이때는 실무AE가 해당 부분을 확인하여 출발직전 출발 인원을 조절해야 할 필요도 발생하고, 장비나 제작물을 가져오는 것에 다른 담당을 두어 대응해야 할 필요도 있습니다.

항상 경쟁PT는 마지막 날까지 매우 시간을 다투고 바쁘게 움직이게 되는 것이 사실입니다. 일이 미진해서라기 보다는 함께 하는 프로젝트이다 보니 더 좋은 전략, 더 좋은 크리에이티브, 더 좋은 IMC 아이디어를 위한 진통에 따른 수정이라고 보는 것이 맞을 것 같습니다. 어찌 되었건 최선을 다하는 모습을 만들어 내는 과정의 완벽함을 위한 실무AE가 체크 리스트를 두고 PT의 마무리 진행이 잘 될 수 있도록 신경 쓴다는 측면에서 효과적으로 관리와 운영을 한다면 큰 도움이 될 것입니다.

PT중에는 해야할 것, 지켜야 할 것들이 있습니다.

저는 영국의 잉글리쉬 프리미어리그 중계를 자주 봤습니다. 좋아하는 팀은 맨체스터 유나이티드이고 물론 박지성 선수를 좋아하였었습니다. 그런데 맨유를 더 좋아하게 된 이유는 크리스티아누 호날두때문이었습니다. 환상적인 드리블과 그 특유의 무 회전 킥 정말 놀라운 선수가 아닐 수 없었습니다. 그런데 경기를 보다 호날두가 골을 넣는 것 중에 정말 발끝 하나차이로 들어가는 것을 볼 때가 있습니다. 광고카피에도 있지만 '조금의 차이'라는 말 모두 훌륭한 프로 선수들임에는 틀림이 없을 것인데 그 '조금의 차이'가 큰 차이를 만든다는 말에 저는 매우 공감합니다. 경쟁PT 현장에서도 이 '조금의 차이'는 존재한다고 생각합니다. 작은 문제나 실수가 전체 PT의 분위기를 만든 다는 측면에서 PT당일 현장에서 임하는 우리의 자세를 생각해 보고자 합니다.

[연습한다고 생각하세요]

경쟁PT를 위해 PT리허설은 연습에 또 연습을 해야 한다고 이야기합니다. 오직 연습만이 답이지 다른 것은 없는 것 같습니다. PT현장은 실제 한 치의 오차나 실수도 용납되지 않는 조용한 전쟁터와 같은 곳입니다. 이런 곳에서 그간의 모든 노력들을 쏟아 붓게 됩니다. 저는 이런 전쟁터에서는 오히려 리허설하듯 연습하는 느낌으로 차분한 마음을 가졌으면 합니다. PT현장에서의 긴장은 자칫 실수로 이어질 수 있기 때문입니다. 스포츠 스타들이 경기에서 긴장한 모습으로 경기에 임할 때 오히려 실수를 하는 것처럼 연습을 실전처럼, 실전을 연습처럼 하라는 이야기를 하고 싶습니다. 예전에 모 경쟁PT에서 있었던 일입니다. 리허설에서 장비를 점검하고 현장에까지 가서 모두 확인하였습니다. 그런데, 당일 아침 노트북이 고장이 나서 바꿔야 하는 상황이었습니다. 그것을 들고 PT현장에서 구동을 하는데 빔프로젝트로 전환이 안되는 것이었습니다. 대안 노트북을 가지고는 갔지만 성능상 메인 노트북으로 하려고 애를 썼습니다.

PT심사자들이 모두 착석하는 순간까지 안되고 있어 당황하는 눈빛과 행동이 역력했습니다. 그때 모 선배가 '차분하게 해 괜찮다'라고 하고 함께 확인을 해서 다시 부팅을 하니 연결이 되었습니다. 물론 안 될 수도 있었지만, 다행히 잘 되어 진행이 되었습니다. 다른 것은 모르겠지만, 한번에 안되었다고 당황을 하는 저에게 그 한마디는 아주 큰 마음에 평안을 찾게 해 주었습니다. PT현장에서는 오히려 급하게 부담을 느끼는 것 보다는 차분하고 심지어 느긋한 마음으로 설치하고 진행을 지원하는 것이 실무AE로서 현장에 임해야 도움이 되지 않을까 합니다.

[질문을 잘 적으세요]

경쟁PT현장에서 광고주들은 중간에 질문을 하거나 끝난 후에 질문을 합니다. 경쟁PT현장에서 나올 예상 질문은 리허설 과정에서 예상을 하곤 합니다. 일단 중간에 갑작스러운 질문이나 PT후 나온 질문들을 프리젠터나 다른 사람들이 답변을 하기도 하는데 실무AE들은 나온 질문들을 꼼꼼하게 받아서 기록을 해 두어야 합니다. 그 질문들의 내용이나 개수는 해당 프레젠테이션이 얼마나 광고주에게 관심을 가지도록 했는지를 알 수 있는 1차적인 척도가 될 수도 있기 때문입니다. 오히려 질문이 안 나왔을 경우가 개인적으로는 더 큰 걱정이라고 생각이 됩니다. 관심이 없거나 자신들의 생각하는 것과 아주 다르고 맞지 않는 것이라 생각해서 질문을 하지 않을 수도 있기 때문입니다. 또한, 기록한 질문은 회사로 돌아와서 다시 한번 볼 필요가 있습니다. 광고주의 질문에 대응한 우리의 답변이 적당했는지를 보고 전체적인 프레젠테이션의 분위기를 예측해볼 필요가 있습니다.

[반응을 잘 관찰하세요]

질문을 기록하면서 또 하나 해야 할 것이 PT현장에 참석한 청중들의 반응입니다. 전략이나 크리에이티브를 설명할 때 분명 얼굴의 표정이나, 눈빛 등은 PT내용에 대해 공감을 하고 있는지, 반대하는지, 부정적인지 등의 느낌을 조금씩 알 수 있기 때문입니다. 따라서, 실무AE들은 PT현장이 어둡더라도 스크린의 하얀 빛에 반사되는 청중들의 얼굴 특히 키 맨들의 얼굴이나 눈빛을 자세히 보면서 확인해야 합니다. 아무래도 오퍼레이터에 자리에 실무자들이 앉게 되므로 확인하기가 쉽습니다.

[시간 확인을 해주세요]

PT에 주어진 시간을 광고주가 통상 이야기해줍니다. 질문 시간을 제외하고 전체 PT시간을 조절하면서 리허설까지 하기는 하지만, 중간에 말이 늘어나거나 리허설 보다 더 많은 것을 보여주는 상황이 될 수도 있습니다. 실무AE들이 오퍼레이터자리에 앉아 있다면 프리젠터와 눈을 간혹 맞추어 가며 PT시간이 오버될 것 같은 경우에는 눈빛으로 신호로 줄 수도 있어야 합니다. 어떤 PT의 경우는 광고주가 시간을 알리는 종을 울리기도 하는데, 어찌되었건 시간을 최대한 지키려고 노력해야 합니다. 많이 이야기하면 좋을 수 있을 것 같지만, 오히려 임팩트가 반감될 수도 있고 지루하게 느껴질 수도 있습니다.

PT현장에서 실무AE가 프레젠테이션을 할 때도 있고 오퍼레이터, 배석등을 하게 됩니다. 준비와 진행을 실무AE가하게 되기 때문에 침착한 자세로 해야 할 역할을 익혀 현장에서 착실하게 수행했으면 합니다.

끝났다고 끝이 아닙니다.

경쟁PT를 매번 승리하는 것도 매우 힘들며, 더구나 참여한 프로젝트가 매번 안 될 경우는 더욱 힘들게 느껴 질 수밖에 없습니다. 학교 다니던 기억을 돌이켜 보면 못 본 시험은 시험지도 돌아보고 싶지 않은 기억이 있습니다. 그렇지만, 시험은 언제나 계속되기에 틀린 시험문제는 반드시 풀어 보기도 합니다. 그래야만 다시는 같은 실수를 반복하지 않게 되는 것 같습니다. 경쟁PT도 끝이 났다고 모든 일이 끝난 것은 아니라고 생각합니다. PT가 되었을 경우는 당연히 신규 광고주 영입 업무에 들어서야 할 것이고 떨어지게 되면 아쉬움에 술잔을 기울이기도 합니다. 그런데, 이런 걸 떠나서 실무AE들은 PT가 끝난 후에 해야 할 것이 있다고 생각합니다.

[PT에 참여한 모든 스텝들에게 감사해야 합니다]

모든 광고일이 그렇듯 한 사람이 만들어 내는 것이 아닌 기획, 제작, 마케팅, 미디어, IMC, 디지털 등 다양한 스텝이 어울러져 하나의 경쟁PT를 만들어 냅니다. PT가 끝난 후에는 반드시 문자나 전화를 통해 스텝들에게 감사의 인사를 해야 합니다. 잘된 PT든 안된 PT든 간에 그것은 꼭 필요한 것이라고 말씀드리고 싶습니다. 감사하는 마음은 스텝들 간에 힘을 주는 것이기 때문에 실무AE들은 PT가 끝난 후 별도의 이런 인사는 꼭 해야 할 것 같습니다.

[자료를 정리하세요]

PT에 관련된 자료는 PT진행시 많은 자료들이 빠른 시간 내에 모아 지고 복잡해집니다. 따라서, PT가 끝나고 나면 실무AE는 관련 자료를 불필요한 자료는 지우고 정리를 해야 합니다. 정해진 형식은 없지만, 파일들을 아래와 같이 분류하여 정리해 놓으면 어려가지 도움이 되는 것 같습니다.

-PT진행: 스케줄, 광고주 연락처, PT현장 방문 리포트 등

-기획부문: 미팅리포트, 오리엔테이션 자료, 팩 트북 등

-제작부문: 제작물(TV콘티, 동영상, 스토리보드)

-임원보고: 임원보고용 기획서 및 제작물, 임원 의견 등
-미디어/IMC/디지털: 부문 기획사 등
-광고주 서비스: 광고주를 위한 대행사 서비스 내역 등
-제작물 리뷰: 1,2,3차 리뷰물 및 리뷰 내용 등
-조사: 각종 조사 자료 등
-PT본: PT를 위해 링크된 완성본
-인쇄본: 광고주 제출을 위한 인쇄용본, 흑백본, CD 및 표지라벨
-광고주 자료: 광고주 오리엔테이션 자료, CI/BI자료등

이렇게 정리해 놓은 자료는 우선 경쟁PT의 리뷰 과정에 도움이 됩니다. 사례 발표를 하더라도 기획서와 제작물만 놓고 하는 것이 아니라 경쟁PT의 전 프로세스 과정상에서 잘 진행되었는지를 알 수 있게 됩니다. 따라서, PT관련 자료를 각 파일 폴더 별로 구분하여 버전이 여러 가지 인 것은 삭제하고 해당 데이터만 구분하여 보관하는 습관이 필요하다고 생각합니다.

[리뷰를 반드시 해야 합니다]

경쟁PT의 결과를 떠나서 리뷰 과정은 반드시 필요합니다. 잘 된 PT의 경우도 어떤 포인트가 어떻게 효과적이었는지를 확인하여 앞으로 더 발전시켜 반영해야 하며, 안된 PT는 문제된 부분을 확인하여 다시는 그런 일이 반복되지 안도록 해야 할 것입니다.

[떨어진 PT후 광고주와의 지속적인 연락]

경쟁PT에서 광고주와 초기에 인사를 하게 됩니다. 이후 자료를 요청하면서 광고주와의 연락이 잦아지게 됩니다. 만약 PT에서 떨어지게 될 경우에도 지속적인 연락은 실무AE가 가져야 할 기본적인 광고주 관리 태도라고 생각합니다. 좋은 관계를 유지할 경우 향후 다시 초청될 수도 있는 기회가 있으므로 꾸준한 관계를 가지려는 노력은 필요하다고 생각합니다.

경쟁PT의 끝은 또 다른 시작입니다. PT의 결과와는 상관없이 끝이 날 경우 앞서 언급한 내용을 참조하여 또 다른 시작이 더 발전될 수 있고 좋은 결과가 나올 수 있도록 고민하고 노력했으면 합니다.

체력관리를 잘해야 합니다.

경쟁PT는 업무 강도가 단기간 내에 매우 강한 업무입니다. 짧은 기간 내에 PT를 하는 경우가 많아 기획방향을 수립하고, 제작 회의나, IMC, 디지털, 미디어 등을 동시다발적으로 진행해야 하므로 시간적인 여유 없이 빠른 시간 내에 많은 업무를 수행해야 합니다. 더구나 많은 밤샘 회의나 기다림이 있을 수 있으므로 체력관리를 잘하는 것이 중요합니다. 과거 어떤 분은 링거를 맞으면서까지 프레젠테이션을 한 적도 있는데 자칫 체력관리를 잘 못하면 몸을 상하는 상황까지 올 수 있습니다. 사실 업무 강도가 강한 상황이라 딱히 어떤 방법이 있다고 생각은 들지 않습니다. 다만, 개인만 조금 노력한다면 이런 PT업무상에서 체력 관리하는데 도움이 되지 않을까 합니다.

[스케줄을 확인해서 짬을 내세요]

분명 사람이 하는 일이라 스케줄이라는 것이 있습니다. 매일 매일 일할 것 같지만, 임팩트 있게 몰아서 스케줄이 돌아가는 경우도 있고 그 사이에 시간이 날 수도 있습니다. 이런 스케줄을 사전에 확인하여 약간씩의 여유는 있는 것 같습니다. 그런 여유는 머리를 식히는 역할로 활용하거나 운동을 하는 것이 도움이 되는 것 같습니다.

[긴 회의 답이 안 나오면 여유를 두고 만나세요]

기획이든 제작이든 오래 회의한다고 답이 나오는 것은 아닙니다. 물론 나올 수도 있겠지만, 체력적으로 지친 상황에서 명쾌한 해답이 나오는 것은 쉽지 않습니다. 이런 회의는 아예 접고 잠깐 휴식을 취하는 것이 나을 수도 있다고 생각합니다. 아이디어라는 것도 번뜩이는 것이 있듯 쉬거나 다른 생각, 운동을 하다 생각 날 수도 있기 때문에 무리하게 회의만 길게 하는 것도 무모한 것이라고 생각합니다.

[웃으려고 노력해야 합니다]

실무AE들은 회의 때 웃음을 주려고 노력하는 것도 방법입니다. 즐거운 분위기는 더 좋은 아이디어나 부담을 덜어주는 것 같습니다. 그래서, 힘든 업무이지만 즐거운 분위기를 유지하려고 노력하는 것도 PT진행에 많은 도움이 되는 것 같습니다.

짧은 PT에서 체력관리는 자칫 몸을 망가뜨릴 수 있습니다. 더구나 반복되는 경쟁PT는 사람을 피폐하게 만들 수도 있습니다. 치열한 업무 상황 속에서도 체력을 유지하려고 노력하는 것은 더 좋은 업무를 위한 것입니다. 결과도 중요하지만 건강을 잃으면 아무 소용이 없다고 생각합니다.

PT승리 후 기쁨은 오래가지 않습니다.

PT가 끝난 후 대행이 결정되면 AE들끼리는 이런 농담도 합니다. '5분 좋다' 왜냐하면 이후 많은 신규 업무들이 기다리고 있기 때문입니다. 실무AE들은 PT가 되고 난 후에 몇 가지 진행될 업무에 대해 알고 있으면 대응하기가 좋을 것 같습니다.

[기존 광고회사 컨택 포인트 확인]

좀 불편한 일일 수도 있으나, 필요한 것을 받아야 할 상황이 발생합니다. 해당 광고회사에만 가지고 있는 데이터나 각종 자료, 그리고 기존 대행계약 현황이나 미디어 운영에 관한 각종 계약사항까지 자주 커뮤니케이션할 일은 없겠지만, 적어도 계약문제 때문이라도 커뮤니케이션해야 할 경우가 생깁니다. 따라서, 실무AE는 기존 광고회사의 AE와 커뮤니케이션 할 수 있도록 컨택 포인트를 확인해 놓을 필요하기 있습니다.

[광고 대행 계약 업무 준비]

신규 광고주와 진행하는 가장 기본적인 업무입니다. 다만, 실무AE들은 광고 대행 계약서를 작성하기 전 광고주나 기존 광고회사 AE를 통해 대행 계약 기간이나 계약 내용을 확인할 필요가 있습니다. 계약기간이 만료되지 않을 수도 있어 조정이 필요하거나 해지가 현실적으로 어려운 상황에 처할 수 있으므로 사전에 확인하는 것이 필요합니다. 또한, 미디어팀을 통해 방송광고 등의 계약기간이나 품목을 추가적으로 확인해야 합니다. 광고주에 따라 대행계약과 방송광고 계약에 차이가 있을 수 있어 추후 미디어 대행에 복잡한 상황이 발생할 수 있기 때문입니다.

[경쟁PT 자료의 요약본 사전 작성]

경쟁PT가 되고 난 후에 광고주가 PT자료의 요약본을 요청하는 경우가 종종 있습니다. 내부 품의를 위해서 자료를 만들려고 요청하는 것입니다. 광고주가 요청할 때 작성하여도 상관은 없으나, PT가 끝난 후 상기 업무를 정리하면서 미리 2~4페이지로 프레젠테이션의 요약본을 만들게 되면 광고주 업무 진행이 빨라질 수 있습니다. 더구나 대행계약을 빨리 해야 하거나, 온에어를 빠른 시간 내에 해야 할 경우 광고주 품의를 진행해야 하는데 요약본 문제로 시간에 쫓기게 될 수 있습니다. 따라서, 미리 해 두는 것도 좋은 방법인 것 같습니다.

요약본에 들어가는 것은 캠페인 전략의 목표와 콘셉트, 제작물 요약으로 아주 간단합니다. 그러나, 실제 PT본은 엄청난 분량일 수도 있어서 요약하는데 시간이 상당히 걸 수 있고 내부 리뷰과정까지 거칠 수 있어 사전에 미리 작성해 놓는 것이 좋습니다.

제5장 IMC, 디지털, BTL 업무 수첩

IMC, 디지털, BTL관련 업무는 실무AE들이 더 주목하고 보아야 할 업무라고 생각합니다. 미디어 환경 다양화되고 디지털 기술이 발전함에 따라 미디어별 역할이나 프로모션이 기존의 전형적인 구분에 의해 규정하기에는 경계가 없는 상황이 되었기 때문입니다. 이런 관점에서 보면 실무AE들은 단순 TV광고를 중심으로 기획하는 역할을 하기보다는 IMC를 위한 다양한 콘텐츠, 채널, 미디어를 아우르는 커뮤니케이션 솔루션 전문가라고 하는 것이 더 정확할 것 같습니다. 이점을 고려하여 실무AE들이 어떠한 업무가 이루어지고 어떻게 챙겨야 하는지에 대해 팁을 공유해 보고자 합니다.

아이데이션과 효과적인 실행을 위해 기본기가 필요합니다.

광고회사에서 IMC는 아주 오래된 개념입니다. (통합 마케팅 커뮤니케이션. 1989년 미국 광고대행사협회는 IMC를 광고, DM, 판매촉진, PR 등 다양한 커뮤니케이션 수단들의 전략적인 역할을 비교, 검토하고, 명료성과 정확성 측면에서 최대의 커뮤니케이션 효과를 거둘 수 있도록 이들을 통합하는 총괄적인 계획의 수립과정으로 정의하고 있습니다.) 지금의 상황에서 과거의 개념을 중심으로 이야기하는 것은 자칫 광고 꼰대라는 소리를 들을 수도 있을 것 같습니다. 그렇다고, 광고회사 내부에서 여전히 ATL광고나 빅 아이디어로 설계된 것 외에 연계된 프로그램을 실무적으로 통칭할 경우 다른 대체할 만한 개념도 딱히 없는 것 같습니다.

더구나 앞서도 언급하였지만, 디지털 기반으로 미디어 환경이 급변하면서 IMC로 활용할 수 있는 툴들이 매우 많아졌습니다. 현업에서는 오히려 TV광고나 ATL하는 것 보다 더 어렵고 복잡하다는 이야기도 나오곤 합니다. 실무AE들에게 IMC 아이데이션이나 효과적인 실행을 위해서는 가져야 할 몇 가지 기본기가 있다고 생각합니다.

[각 IMC 채널 별 개념이해와 지식이 필요합니다.]

자신이 근무하는 광고회사에 IMC 관련 부서가 있건 없건, 실무AE들은 IMC로 활용할 수 있는 다양한 커뮤니케이션 미디어/툴에 대한 기초지식을 가지고 있어야 합니다. 기존 전통적인 미디어를 비롯하여 디지털 미디어의 개념들, 온오프라인 이벤트 아이템, 디지털 퍼포먼스 마케팅 툴, AI, 메타버스, 애드테크, 브랜디드 콘텐츠 마케팅까지 매우 많은 영역에서 각 개별 아이템의 개념과 어떻게 활용하는지에 대한 기초 지식이 가지고 있어야 해당 부서와 협업을 하거나, 외부 파트너사와 협업하여 진행할 경우 원활한 업무 커뮤니케이션이 가능할 수 있습니다. 더구나, 광고주가 해당 분야에 지식이 많을 경우 이는 더 빠르게 습득하여야 합니다. 관련한 내용을 시간을 내어 체계적으로 배우면 좋겠지만, 현업을 하면서 할 수 있는 것도 아니고 더구나 디지털 분야의 미디어나 툴들은 하루가 다르게 변화하기 때문에 시점을 놓칠 경우 이미 지난 정보일 수도 있습니다. 결국 현업에 있다면 평소에 유관부서와 커뮤니케이션 하면서 배우거나 스스로 자료를 찾아 학습하는 방법 외에는 뾰족한 수가 없는 것 같습니다. 전부는 아니지만 방법적으로는 디지털 미디어의 경우 랩 사나 전문 회사에 뉴스레터 서비스를 등록하여 들어오는 정보를 수시로 보고 확인하는 것도 바쁜 현업에서 도움을 얻을 수 있는 작은 방법이 아닐까 합니다.

개념적인 이해도 중요하지만, 실행 측면에서는 각 아이템별 프로세스에 대한 이해도 필요합니다. 전통적인 ATL 프로세스와는 각 채널 별 일정과 프로세스가 차이가 있을 수 있기 때문에 이러한 점도 함께 이해야 합니다. 제작, 미디어에서도 언급했지만, 광고물 제작의 프로세스와 온라인 제작의 프로세스는 다를 수 있습니다. 온라인의 경우 제작물이라 하더라도 해당 채널이나 미디어 가이드에 맞추어 진행되어야 하고, 세팅해야 할 미디어가 많다면 ATL대비 시간이 좀더 걸릴 수도 있는 상황이 발생할 수 있습니다. 따라서, 진행 방법과 일정, 가이드, 프로세스를 명확히 알고 있어야 아이데이션 이후 실행에 있어서 문제를 최소화할 수 있습니다. 어떤 경우는 경쟁PT는 그럴 듯하게 IMC까지 하였지만, 결국, 실행단에서 관련 지식이나 수행 경험이 없어 광고주와 트러블이 생기는 경우도 있습니다.

[자신만의 IMC 스텝 풀을 가지고 있어야 합니다]

미디어별, 툴 별 개념이나 프로세스를 이해했다면, 실제 협업하고 활용할 스텝 풀이 있어야 합니다. 기본적으로 실무AE가 해당 IMC를 모두 직접 수행할 수는 없습니다. IMC 채널 별, 툴 별 카테고리화 하여 평소에 스텝을 리스트업하고 업데이트하면서 발생시 수시로 협업하고 활용해야 합니다. 물론 회사내 관련 리소스를 가지고 있는 부서가 있으면 좋지만, 없다면 실무AE가 관련 내용을 스스로 찾아 준비해야 합니다. 관련 풀을 만드는 타이밍은 가급적 프로젝트가 발생하기전에 시작해 두는 것이 좋습니다. 막상 프로젝트 시작 후 풀을 만들고 스텝과 협의가 되면 해당 스텝 컨디션이나 스킴을 제대로 이해하지 못해 협업이 잘 안될 수도 있기 때문입니다.

[총체적인 실행의 중심에 있다고 생각해야 합니다]

모든 경우에 AE가 중심에서 해야 한다고 말하는 것은 아닙니다. 다만, 광고주의 프로젝트가 AE로부터 시작되는 경우가 매우 많은데 핵심 콘셉트의 설정이나 각 스텝과 미팅일정을 잡고 진행하는 것을 보면 IMC 전반의 실행에 있어 실무AE가중간에서 트래픽을 해야 하는 것이 보다 정확한 것 같습니다.

전략 부분의 비중이 크다고 이야기 한 부분도 이런 맥락과 비슷합니다. 광고전략상에서 전체적으로 브랜드나 제품이 가야할 큰 방향을 정하기 때문에 이에 맞추어 나머지 채널들도 이를 고려하지 않을 수가 없기 때문입니다. 더구나 광고 제작물에서 나온 아이디어들이나 표현물들은 다른 채널들의 크리에이티브를 만드는 핵심 비주얼이 될 수 있기 때문에 실무AE가 IMC의 가운데 있는 것은 이를 적용하고 동일한 메시지와 비주얼이나 메시지의 톤앤매너를 맞추는 측면에서도 그렇다고 할 수 있습니다.

[열린 생각이 더 필요합니다]

IMC의 아이디어가 광고 전략에서 나올 수도 있고 다른 IMC스텝과 협의상에서 더 좋은 생각과 아이디어가 나올 수 있습니다. 무조건 이런 콘셉트와 아이디어만 있다고 고집하는 것 보다는 실무AE들도 회의에 참석하면서 보다 IMC의 구현이 효과적이라고 판단이 든다면 적극적으로 반영할 수 있는 열린 사고가 필요하다고 생각합니다.

IMC에 대한 정의보다 실무입장에서는 실행에 관련된 고민을 더 많이 하게 되는 것 같습니다. 이런 고민들은 앞서 이야기한 방법들로 쌓아 나가야 하며 접근하는 방식자체를 새롭게 하여 IMC 실행에 보다 효과적으로 대응해야 할 것이라고 생각합니다.

부서, 스텝 협업 시 일반 광고와는 다른 스킬이 있어야 합니다.

실무AE들이 디지털, 프로모션, 콘텐츠팀 등 IMC부서나 외부스텝과 캠페인이나 솔루션 설계차원에서 회의할 때 어려워하거나 실수하는 것이 있습니다. 일반 영상광고 제작회의를 하는 브리프를 가지고 IMC 스텝들에게 가서 회의를 하는 경우입니다. 크리에이티브를 만드는 제작이나 제작스텝은 이해할 수 있으나 IMC 스텝들은 자신들이 하는 커뮤니케이션 기능에 최적화된 스킴으로 업무를 진행하기 때문에 광고 컨셉트 가지고 다 이해할 수 있다는 생각을 한다면 큰 착각일 수 있습니다. 따라서, 사전 설계시부터 이런 부분을 고려하여 목적, 방향, 가이드를 IMC부서나 스텝에 최적화하여 협업을 진행해야 할 것입니다.

[IMC스텝의 성격과 스킴에 대한 사전 이해]

광고회사 규모에 따라 내부에 다양한 IMC스텝이 있는 경우도 있고 외부의 스텝과 협업하는 경우도 있습니다. 실무AE는 경쟁PT나 프로젝트가 걸리면 프로젝트 디자인을 해야 합니다. 누구와 어떻게 어떤 규모로 일정으로 해야 한다는 기본적인 프레임을 만드는 것입니다. 이런 프레임을 만들 때 이미 머리속에는 각 스텝 별 성격과 어떤 아웃풋을 만든다는 이해가 되어 있을 때 가능해집니다. 따라서, 앞서 IMC 미디어나 툴에 대한 기본 개념과 이해도 중요하지만, 해당 업무를 수행하는 각 부서나 스텝의 성격과 스타일, 스킴도 이해하는 것이 필요합니다. 예를 들면 새로운 이미지나 태도를 형성하는 캠페인인지, 직접적인 반응이나 구매를 유도하는 것인지 등의 목적에 따라 커뮤니케이션 툴이나 이에 맞추어 브리프나 회의진행이 달라집니다. 그러다 보니 하나의 IMC를 만들더라도 각 부서의 성격에 맞는 최적화된 브리프나 가이드가 별도로 필요하게 됩니다.

[전 스텝과 전략 방향에 대한 공유]

콘셉트나 아이디어를 내기 전에 가급적 관련 스텝들이 모인 자리에서 오리엔테이션이나 전략적 방향성에 대한 공유가 우선되어야 한다고 생각합니다. 필요하다면 오리엔테이션을 위한 킥오프 미팅부터 시작해도 무방하다고 생각합니다. 광고 전략상에서 콘셉트를 놓고 회의하는 것에 비하여 전략적인 방향성만을 공유하고 이후에 콘셉트에 대한 이야기를 하면 IMC 설계에 매우 적합한 아이디어가 나올 수도 있기 때문입니다. 특히, 이런 회의에서는 실무AE의 역할이 매우 중요합니다. 전체 스텝의 일정을 사전에 공유하면서 중간 중간 점검을 해야 합니다. 만약 중간 확인을 하지 않고 진행하게 되면, 정작 전체 회의시간에 서로가 모호한 회의를 하게 되고, 실제 성과가 없어 질 수 있습니다. 예를 들어, 하나의 전체 콘셉트에 대한 공유가 있고, 나름 각 파트별로 공유가 되었을 지라도, 스텝에서 별도로 재미있는 아이디어가 나올 수 가 있습니다. 온라인에서 이런 것을 해보자는 등, 오프에서 이런 것을 하자는 등 하여간 제작과 모인 전체 자리에서 회의를 진행할 때 그러한 것을 공유하는 자리에서 각 스텝별로 전체 키 비주얼이나 테마를 공유할 수도 있겠지만, 나름 스텝의 아이디어가 더 효과적이어서 그것을 발전시키는 경우가 있기 때문에 스텝과의 회의 시 시간 관리와 최적의 아이템을 뽑아내기 위해AE가 중간에서 조율을 잘 해야 합니다.

[빅 아이디어를 찾아 내려는 노력]

IMC관련 콘셉트 등은 다양한 채널과 프로그램에 적용될 수 있는 빅 아이디어야 한다고 생각합니다. 적용되는 부분을 떠나서라도 충분히 언론이나 미디어 상에서 이슈화 될 수 있는 것이라면 더욱 좋은 것 같습니다. 과거 국내 유명한 해외 면도기 브랜드가 신제품 론칭 시 남성들에게 파고들 핵심 아이디어를 '축구' 특히 'EPL리그'로 잡아서 공중파부터 매장내 POP물까지 활용한 것처럼 메시지 지향적인 콘셉트 일수도 있지만 이처럼 타깃이 반응한 핵심 아이템을 찾아 파워풀하게 적용할 수 있는 빅 아이디어를 찾는 것이 중요할 수 있습니다.

[유기적인 연계 및 확장에 대한 고민]

IMC의 아이디어는 각 채널 간의 벽도 허물 수 있는 능력이 있어야 할 것 같습니다. 여러 아이데이션 중 괜찮은 브랜디드 콘텐츠와 같은 아이디어를 만들었을 경우 이런 아이디어가 광고용으로 확장성 있게 적용된 다면 활용도도 높아지고 비용대비 효율성도 좋아질 수 있는 아이디어가 될 수 있다면 실무AE는 이를 전사 유기적으로 적용 및 활용할 수 있도록 중간에서 조율해야 할 것입니다.

[실현 가능성에 대한 점검]

아무리 좋은 IMC 아이디어라도 실현 가능성이 없다면, 의미가 없을 것입니다. 통상 아이디어가 나온 후 광고주 제안 전 기본적인 실현 가능성은 점검하고 가는 것이 좋습니다. 법적인 이슈, 예산, 일정, 전체적인 기대효과 등 점검해야 할 항목은 많지만, 100%는 아니더라도 유관부서와 기본적인 탭핑은 하고 가야 합니다. 또한, 광고주 제안 시점에는 실행시에는 세부적인 협의가 필요하면 변경될 수 있다는 사항도 함께 전달되는 것이 좋습니다.

오리엔테이션시 사례별 경험이 많을수록 좋습니다.

일반 ATL 광고회사의 AE실무들은 크리에이티브 브리프에 기반한 일반적인 브리프에 익숙합니다. 여기에 TV, 라디오, 신문, 잡지, OOH등에 오리엔테이션 시 미디어 특성에 맞추어 전체적인 골격은 유지하되 가이드라인을 최적화시켜 진행하게 됩니다. 예를 들어 TV에서는 짧은 시간내에 알려야 하기 때문에 많은 정보를 알려야 하는 측면에서 본다면 신문이나 잡지의 역할이 커질 수 있습니다. 그렇다면 제작 스텝과 사전에 관련 제작물을 오리엔테이션 할 때 TV와 지면의 역할은 분명 구분되어 오리엔테이션을 해야 합니다. 결국 TV와 신문이 동일한 표현을 하는 것이 아니라, 신문은 보다 구체적인 정보 전달 왜 그 제품을 사용해야 하는지에 대한 자세한 내용을 전달해야 하므로 보다 스펙이나 장점이 잘 들어 나도록 만들어야 합니다. 그렇기 위해서는 자연스레 오리엔테이션도 달라질 것입니다.

IMC의 경우도 전체적인 스킴과 구성은 유사합니다. 일반적으로 그러듯 배경, 목적, 타겟, 컨셉트, 가이드라인, 일정, 기타 참고사항 등 구성은 유사할 수 있습니다. 다만, 각 사례별, 채널 별, 툴 별 디테일에서 차이가 있습니다. 물론 해당 스텝에 맞는 브리프 형태가 있다면 거기에 맞는 내용으로 브리프하면 될 수도 있습니다. 그런데 중요한 것은 어떻게 오리엔테이션 해야 어떤 아웃풋이 나올 것이라는 예상은 많은 사례와 경험을 통해서 얻어지게 됩니다. 이런 경험과 노하우가 쌓이면 브리프의 내용이나 깊이보다도 더 핵심적으로 최적화 시켜 브리프할 수 있는 노하우가 생길 것이라고 생각됩니다.

만약 BTL만 오리엔테이션 하여 진행할 상황이라면, 해당 채널특성에 맞추어 브리프하면 될 것입니다. 다만, ATL과 BTL의 통합 IMC를 설계하는 상황이라면, 전체 기획방향의 컨셉트 개념이 오리엔테이션 브리프상에 명확히 있어야 하고 이와 연계된 채널이나 프로그램의 해결해야 할 세부적인 목적과 방향성, 방법론, 세부 가이드라인이 있어야 할 것입니다. 이때 실무AE는 오리테이션 자료의 분량을 떠나, 숲을 보듯 브리프를 보면서 전체적인 균형과 역할론이 맞는지를 보는 것이 필요합니다.

IMC부문에서 계속 나오는 이야기이지만, 가장 차이가 있는 부분은 목적과 아이템의 성격을 구분하는 것입니다. 이외에도 전술적인 가이드나 일정 등을 별도로 기입하여 협의를 하는데, 실무AE들이 IMC관련하여 오리엔테이션 자료를 만들 때 가장 잘 보아야 할 부분은 이런 차이가 존재한 다는 것과 이를 잘 구분하여 시너지가 날 수 있도록 스텝들에게 오리엔테이션을 해주는 것입니다. 이렇듯 오리엔테이션을 각 채널별로 특화시켜 작성하는 것을 잘 하려면 채널별 성격도 잘 알아야 하지만 현실적으로 운영 시 문제점을 경험을 통해 잘 이해하고 있어야 합니다. 그러다 보니 결국 경험에 대한 이야기가 나올 수밖에 없는 것입니다. 경험을 해보지 않고 이런 페이퍼만 스텝들에게 이야기하는 것도 스텝들이 현실적인 적용을 고민하기에 대단히 어려운 부분이 있을 수 있습니다. 따라서 단순한 목적성만 고민하고 간략한 가이드를 제시해 주는 것 이상 어떤 접근 방법이 있을 것이라는 아이디어도 적극적으로 제시해 주어야 합니다. 그러면 전략과 전술에 대한 이해도도 높아지고 고민해야 할 범위가 실무AE들이 생각하는 것과 큰 차이가 발생하는 것을 최소화시킬 수 있을 것입니다.

전체적이고 세부적인 통합적 관리가 필요합니다.

IMC 설계가 끝나고 실행에 들어가게 되어 실무AE가 종합적인 관리를 하게 되면 전체적인 스케줄과 세부적인 스케줄을 스텝들과 함께 확인하는 습관이 필요합니다. 워낙 많은 분야에서 동시다발적으로 이루어지므로 여간 일일이 확인하고 진행시킨다는 것이 매우 어려운 부분입니다. 실무AE들은 어떤 업무 든 스케줄 관리에 대한 방법 등을 잘 알고 있으므로 IMC가 실제 진행될 때 전체적이고 세부적인 것을 알 수 있는 스케줄을 만들어 잘 진행될 수 있도록 챙겨야 합니다. 우선적으로 만들어야 하는 것은 종합 스케줄 표입니다.

[종합 스케줄 관리]

종합 스케줄표는 통상적인 ATL광고 스케줄표 대비 매우 복잡하고 난해하게 되어 있지만, 주요 프로젝트 이슈를 좌측에 두고 우측으로 주차별로 구분하여 일정을 정리해 놓는 것이 일반적입니다. 1차적으로 큰 일정을 정리하고 나머지 세부적인 일정을 넣게 됩니다. 이때 중요한 것은 각 파트 별 일정 운영이 가능한 지를 사전에 해당 스텝과 논의를 해야 합니다. 오프라인과 온라인의 업무 스피드나 과정이 다른데 동시에 진행되는 처럼 되어 있다면 차후 종합 보고나 온에어하는 시점에 문제가 발생할 수 있기 때문입니다. 더구나 외부 스텝까지 연결되어 있다면 해당 업체와 업무를 진행하는 스텝에게 일정을 확인하여 진행 상황을 확인해야 합니다. 또한 일정이 변화가 있을 때는 수정을 바로 하여 전사 스텝과 광고주와 공유를 해야 합니다.

[데일리 리포트]

종합 스케줄 표 정리가 1차적으로 완성되면 그것에 맞추어 세부적으로 매일 매일 진행되는 업무를 확인할 필요가 있습니다. 건설현장에 가면 공정율이라는 것이 있는데 전체 공정에서 하루하루 해야할 업무의 분량과 달성율을 만들어 관리하는 것이라 보면 됩니다. IMC에서도 이와 동일하게 상기의 종합 스케줄 표가 있다면 아래처럼 그에 매일 매일에 해당하는 데일리 리포트가 있습니다.

전체 스케줄표와 마찬가지로 정해진 양식이 따로 있는 것은 아닙니다. 작성 방법은 맨 위에 매일매일의 스케줄을 정리하고 함께 공유한 스텝들을 첨부하게 됩니다. 그리고 좌측에 주요 IMC 채널 및 프로그램별 구분을 두어 세분화 시킵니다. 우측에는 당일 진행하는 업무에 대해 각 채널과 프로그램별 진행해야 할 업무를 기재해 놓습니다. 단순히 기재만 하는 것이 아니라 몇 시에 어떻게 챙기고 확인해야 할지를 담당 실무AE는 알고 있어야 합니다. 그리고, 익일 진행 사항에 대해 다음 우측 칸에 구체적으로 기술해 두어야 합니다. 만약 보다 구체적인 내용이 필요하거나 절대 잊지 말아야 할 사항에 대해서는 비고란을 활용하여 기재하는 것도 필요합니다. 데일리 리포트상에 진행되는 부분 중 전체 스케줄에 변동이 있는 것이 발생할 경우는 전체 스케줄도 조정을 해야 합니다. 그렇다 보니 전체 스케줄과 데일리 리포트는 항시 함께 관리되어야 하며 매일 내부 스텝과 공유되어야 하고 필요에 따라서는 회의나 기타 커뮤니케이션을 통해 진행이 잘 될 수 있도록 해야 합니다. 혹 광고주가 관련 스케줄을 요청시에는 별도의 양식을 만들어 공유할 필요도 있습니다. 내용상에 불필요한 것을 없애고 더 깔끔하게 상대방이 알아볼 수 있도록 할 필요가 있기 때문입니다.

IMC 실행은 이처럼 실무AE들의 많은 스케줄 관리 능력을 필요로 하는 것 같습니다. 자칫 업무 진행에 차질이 빚어지게 되면 아무리 좋은 아이디어라도 상호 시너지를 내기가 힘들어 지기 때문입니다. 조금은 귀찮은 일이지만 실행이 시작될 경우 효과적인 관리방법을 찾아 진행하는 능력을 갖도록 노력해야 합니다.

종합적인 결과 리포팅은 필수입니다.

IMC 프로젝트가 완료되었다면 결과보고를 해야 합니다. 광고도 미디어 리포트, 먼쓸리 리포트, 조사결과 리로트를 통해 미디어, 메시지의 전달력등 광고 목표 달성여부를 점검하듯 IMC 프로젝트도 종합적인 결과 보고서를 작성하여 내부 및 광고주와의 리뷰가 반드시 필요합니다.

[각 분야별 결과의 취합]

IMC 실행 시 다양한 미디어나 채널에 맞추어 다양한 결과가 도출됩니다. 그런 결과들은 종합적으로 취합해야 합니다. 취합을 위해서는 해당 미디어나 채널 담당자에게 결과보고 관련한 협조 요청을 사전에 해야 합니다. 다만 결과보고도 각 미디어나 채널에 따라 취합시점이 다르기 때문에 광고주와 종합 보고 일정을 협의할 때는 이를 감안하여 잡아야 합니다. 예를 들어 IMC 제작물이 공중파 TV, 온라인에 방영이 되었다면 두 개의 시청율이 나오는 집계시점의 차이가 있어 동시에 결과 보고를 받는 것은 어려운 것입니다. 따라서, 종료시점을 동일하게 적용하더라도 결과 보고를 받는 시점은 다르게 해야 종합 보고서를 제대로 취합할 수 있게 됩니다.

[계량화 된 자료나 정성적 자료가 필요합니다]

IMC의 콘텐츠를 만들어 캠페인을 전개하였다고 보았을 때 크게 계량화한 자료나 정성적인 자료가 도출될 수 있습니다. 콘텐츠 자체가 공중파, 온라인, 다른 방식으로 나갔다고 하더라도 유기적인 연계를 기본으로 하게 되기 때문에 그것의 추적이나 소비자 반응을 두 가지 정도로 결과를 요약할 수 있습니다. 온라인에 IMC 프로젝트의 일환으로 콘텐츠를 노출시켰을 경우 상기와 같이 계량화 된 자료를 요청하여 얻을 수 있습니다. 종합적으로 콘텐츠에 대한 클릭이나 방문자 등 온라인에서는 기본적으로 계정별로 들어온 수를 계량화 할 수 있기 때문에 온라인의 콘텐츠로 활용하거나 블로그를 활동하든 온라인을 기반으로 한 IMC의 경우에는 상기와 같이 계량화 된 자료를 얻을 수 있습니다. 또한 정성적인 결과도 동시에 확인할 수 있습니다. 소비자들의 댓글 등으로 실제 콘텐츠에서 어떠한 부분이 좋았는지 문제가 있었는지를 파악할 수 있습니다. 공중파에 노출이 되었다면 시청율이나 관련 사이트에서 댓글 등의 정성적 내용도 확인할 수 있습니다. 오프 프로모션일 경우 대략적인 집계인원이나 참석자들의 반응 등을 모니터 할 수도 있고, 온라인 프로모션의 경우는 온라인 기반이므로 더 구체적이고 세부적으로 반응을 알 수 있습니다. 만약 기사화되었을 경우는 관련 기사를 클리핑하여 자료를 종합해서 어떤 분야에 기사가 어떻게 나갔는지를 확인해서 몇 회가 나갔는지 계량화 해야 합니다. 더구나 사전에 계량화 된 목표치가 있다면 달성율 등을 확인할 수 있어 보다 전략적인 리뷰가 될 수도 있습니다.

[종합적인 개선점 공유]

모든 커뮤니케이션관련 프로젝트에 대해서 리뷰이후 어떠한 부분을 개선해야 겠다는 내용은 반드시 들어가야 합니다. 종합적으로 어떤 부분에서 문제가 있었는지 앞으로 해당 미디어나 채널을 활용할 경우는 어떤 부분을 개선해야 할지 등 다양한 부분의 개선점을 공유하는 것이 리뷰의 맨 마지막일 것입니다. 실제 실무AE들은 모든 채널이나 미디어에 대한 업무 프로세스를 완벽하게 알지 못하기 때문에 실제 진행하면서 지식이 부족한 상태에서 문제가 발생하는 경우도 종종 있습니다. 따라서, 이러한 프로젝트의 리뷰 중 개선점에 대해 이해를 높이고 향후 유사한 모듈의 프로젝트에 적용할 경우는 다시 한번 과거의 자료를 리뷰해 보는 것도 상당한 도움이 됩니다.

평상시 아이디어를 수집하세요

IMC의 아이디어도 제작이나 미디어 아이디어처럼 평소에 수집하는 것이 아이디에이션상에 많은 도움이 됩니다. 프로젝트를 처음에 받았을 때부터 아이디에이션이 시작되기는 하지만 기본적인 아이디어의 소스가 없을 경우는 시간적인 부분이나 아이디어의 질적인 측면에서도 어려움을 겪게 되기 때문입니다.

[평소에 관련 기사에 관심을 가지세요]

언론에서 게재되는 다양한 프로모션 사례들을 보면 이슈화되는 기사들이 있습니다. 특히, 하나의 아이템으로 다양한 효과를 만들어 낸 기사들은 IMC 사례의 전형이라고 할 수 있습니다. 예를 들어 모 축구선수가 어디에 모델로 선정되었는데 관련 마케팅이 매장이나 온라인상에서 활용되었다는 기사가 난다면 그것 자체도 타깃을 고려한 축구라는 핵심 아이디어를 가지로 IMC를 전개한 사례라고 볼 수 있습니다. 이런 기사를 보게 되었을 경우 클리핑 해 두어 참조할 수도 있을 것입니다. 실제 적용된 사례를 중심으로 기사화되기 때문에 실행 측면에서 현실 가능성이 매우 높은 것으로 추후 활용할 수도 있기 때문입니다. 또한, 트랜드 기사도 주목해서 보아야 합니다. 트랜드 기사는 새로운 아이디어를 만들어 낼 수 있는 기본 자료가 될 수 있기 때문입니다. 신제품 마케팅 기사도 흥미롭게 볼 필요가 있습니다. 출시 관련 이벤트나 프로모션이 광고와 연계성이나 효과가 높다면 분명 IMC의 좋은 사례로 볼 수도 있기 때문입니다.

[해외 사례에 대해 주기적으로 모니터 할 필요가 있습니다]

해외 사례를 보면 IMC관련하여 매우 주목할 만한 사례들이 많이 보입니다. 국내에 소개되지 않는 사례나 정말 독특한 방식의 사례들이 많이 있습니다. 국내에서 똑같이 적용되지는 않더라도 국내 문화에 맞추어 변형되어 활용될 수도 있기 때문에 충분한 벤치 마킹의 스터디 자료로 따로 모아두는 것도 필요하다고 생각합니다. 또한, 해외 광고제의 다양한 자료들은 정기적으로 자료를 받아 볼 필요도 있습니다. 치열한 경쟁을 뚫고 선정된 것이며 많은 사람들이 인정한 좋은 캠페인 사례일 수 있기 때문에 해당 사례의 IMC는 반드시 볼 필요가 있습니다.

[온라인의 다양한 사이트를 모아 보세요]

해외 애드테크 동영상으로 유명한 SNS/사이트가 있습니다. 이 사이트에서 기존에 경험하지 못했던 다양한 애드테크 영상들이 매일 엄청난 양이 업데이트 되고 있습니다. 이런 사이트에서 실무AE들은 단순하게 즐기는 것으로 끝나는 것이 아니라 뭔가 IMC적인 시사점이 있지 않을까 하는 시사점을 얻었으면 합니다. 또는 해외 유명 프러덕션이나 콘텐츠 관련 사이트의 영상들은 그런 영감을 주기에 매우 도움이 됩니다. 이런 사이트들을 단순하게 보고 즐기는 것이 아니라 아이디어를 얻는 원천 소스로서 즐겨 찾기를 해 놓으면 도움이 된다고 생각합니다. 제작 스텝들도 많은 영상과 자료를 통해 새로운 아이디어를 얻듯이 이런 노력들이 평소에 이루어 진다면 IMC에 대한 아이디에이션 상에서 좋은 아이디어로 발전될 것이라고 생각합니다. 평상시 이런 아이디어는 프린트해서 자료화 하여 가지고 있을 수 있지만, 개인적인 경험에 비추어볼때 개인 컴퓨터에 관리 폴더를 만들어 관리하는 것이 활용성 측면에서 좋은 것 같습니다. 파일 관리를 방식과 같이 폴더에 구분을 하여 관리하는 것이 1차적인 것 같습니다. 이런 소스에 대한 관리가 1차적이라면 이를 기반으로 자신만의 활용하는 방법을 찾아내는 것이 필요하다고 생각합니다.

[콘셉트의 적합성을 고려해야 합니다]

모든 소스가 적합한 것은 아니지만, IMC가 지향하는 콘셉트와 같은 맥락에서 해석된 사례를 보는 것이 1차적으로 좋은 소스가 됩니다. 그렇다고 아예 다른 개념의 아이디어가 잘 못되었다는 것은 아닙니다. 실행적 측면에서 콘셉트의 해석에 따라 맥락은 다르지만 변형하여 적용시켰을 경우 어울릴 수 있는 것이 있으니 우선 순위에서는 밀리더라도 고려해 볼만한 것으로 두어야 할 수도 있습니다. 더구나 이런 아이디어를 언급했을 때 아이디에이션상에서 열어두고 발전시킬 수 있는 이야기를 서로 오가는 것이 좋습니다. 만약 여지가 있을 경우는 무조건 배제시키는 것이 아니라 발전시키는 아이디에이션은 당연한 것이라 생각됩니다.

[타깃을 고려해야 합니다]

많은 아이디어들에서 가장 큰 기준 중 하나는 타깃이라고 생각합니다. 타깃과의 공감을 얻지 못하는 아이템은 오히려 IMC의 효과만 반감시킬 수 있으므로 아이디어 개발 단계에서 타깃과의 관련성이 떨어지는 것은 과감하게 배제해야 한다고 생각합니다. 모듈 자체도 타깃이 어려워하거나 국내 현실에 적용하기 어려운 것이라면 배제해야 합니다.

IMC의 아이디어는 해당 시점에서 시작하는 것이 아니라, 평상시에 스크랩된 다양한 아이디어가 실제 회의시에 힘을 발휘하게 됩니다. 정답이라고 하기는 어렵지만 모든 아이디에이션의 자료는 평상시에 관심과 노력으로 얻어지는 것 같습니다. IMC 또한 그런 관점에서 평상시에 수집하는 노력을 꾸준히 하여 실제 적용시 많은 소스로 업무에 대한 효율성을 가져갔으면 합니다.

타깃에 대한 이해를 보다 깊이 있게 해야 합니다.

IMC 핵심 아이디어는 타깃에서 나온다고 이야기할 수 있습니다. 물론 모든 커뮤니케이션이 그렇지만 IMC는 타깃의 숨겨진 니즈 안에서 빅 아이디어가 나올 수 있는 것 같습니다.

과거 모 광고제에서 수상했던 사례가 하나 있습니다. 일본에 나이키가 아주 칼라풀한 신발을 론칭 한 적이 있었습니다. 타깃은 보편적인 젊은 직장인을 대상으로 하고 있었는데 젊은 직장인들의 대부분은 양복을 입고 회사에 다니다 보니 이런 칼라풀한 신발을 신을 수 있겠는가 하는 것이었습니다. 당시 이를 해결하기 위해 주목한 것이 칼라풀한 것을 쉽게 수용하는 아이템이 무엇이 있을까였습니다. 당시 찾아낸 것이 애니메이션이라는 아이템이었다고 합니다. 그래서 만들어 낸 것이 아키바맨이라는 울트라맨과 같은 캐릭터였는데 'Colorful Play'라는 콘셉트로 도시에 양복입고 루틴 하게 지내는 젊은 직장인을 칼라풀한 아키바맨으로 변화시킨다는 내용의 디지털 영상으로 바이럴 하였습니다. 일본 업무지구 중심가에서 실제로 아키바맨들이 그런 타깃들을 공략하는 장면을 카메라에 라이브 하게 담았던 이 캠페인은 일본내에서 엄청난 파급효과를 기록했던 것으로 기억합니다. 이를 굳이 예로 든 것은 제품의 문제를 해결하기 위해 타깃의 핵심 인사이트를 찾아내어 그것을 해결하는 아이템을 찾아 IMC에 전사 적용하였다는 것입니다.

이런 사례 등을 여러가지 보면서 나름 만들어내는 구조가 있습니다. 상단에는 제품이 지향하거나 해결해야 할 것을 간략하게 정리해 보고 하단에는 타깃의 인사이트가 될 만한 것이나 타깃들의 트랜드를 놓고 가운데 그것을 해결하는 접점을 찾아보는 것입니다. 물론 잘 못된 개념도 일수 있으나 당시 사례를 들으면서 IMC를 위한 빅 아이디어를 만들기 위해 타깃 연구가 매우 중요하다는 것은 당시에 느꼈습니다. 이와 비슷한 것은 상품이 아닌 공공적인 요소에서도 찾을 수 있었습니다. 일본에서 실행되었던 'Cool Biz'캠페인입니다. 이 캠페인은 심지어 국내에서도 진행되었는데 유행하지 못하고 사라진 것으로 기억하고 있습니다. 당시 에너지 문제로 지구온난화 이슈가 계속되는 가운데 이를 국민들과 해결할 수 있는 캠페인이 없을까 고민하고 있었습니다. 해당 광고회사가 찾은 것은 에어콘의 온도를 높이자는 것이었고 이를 다이렉트 하게 전달한 것이 아니라, 사람들의 옷을 얇게 입으면 가능하지 않겠느냐 라는 방법을 활용하여 '여름 패션'을 IMC의 핵심 아이디어로 적용하게 되었었습니다. 양복에 넥타이를 하는 일본 직장인들에게 넥타이를 풀고 여름에 맞는 시원한 복장을 전국적인 캠페인으로 활용하기 위해 'Cool Biz'하는 캠페인 슬로건으로 공무원뿐만 아니라 직장인 심지어 이를 전문으로 하는 온라인 오프라인 매장까지 열어 대성공을 거두었던 사례를 본적이 있었습니다.

IMC를 기획하는데 있어 일반 광고대비 어렵고 복잡할 수 있지만, 결국, 문제점, 전략, 해결방안이라는 3단 논법에 의해 정리되는 것 같습니다. 그 중심에는 시대나 트랜드가 바뀌어도 사람, 타깃이 중심이 있기 때문에 가능한 이야기 인 것 같습니다.

항상 문제를 위에 묻고 타깃이나 해결해야 할 포인트와 핵심 아이디어를 연결해 보는 노력은 도움이 되는 것 같습니다. 일반 광고도 그렇지만, IMC의 핵심 아이디어는 이처럼 힘을 얻기 위해 타깃의 인사이트를 최대한 찾아내어 현실화시킬 수 있는 아이템을 만들어 내는 것도 좋은 방법이라는 차원에서 도움을 주고자 이야기 해 봅니다.

프로젝트를 주도하면서도 스텝들의 진행을 서포트 해야 합니다.

IMC를 위한 실행안들은 IMC의 목적, 광고주 비즈니스 특성, 커뮤니케이션의 목표 등 여러 가지 변수에 의해 달라집니다. 그런 특성들을 고려하여 만들어진 실행안 들은 각각의 채널에 맞는 스텝이 실행을 하게 됩니다. 그럴 경우 실무 AE들은 진행이 잘 될 수 있도록 진행사항을 수시로 확인하고 챙겨주어야 합니다.

[각 스텝들의 회의 참석 지원]

실행 진행 중인 스텝이 실무AE들에게 회의나 문의를 하는 경우가 있습니다. 오리엔테이션이후 나온 결과물을 함께 본다 거나 잘 풀리지 않는 문제에 대해 확인, 각종 확인 등 다양한 이슈로 연락이 오고 관련 건으로 의사결정을 함께 해 주어야 할 때가 종종 있습니다. 이런 회의가 실무AE 입장에서는 다른 업무들 때문에 소홀해지기도 하는데 그럴 경우 나중에 결과물이 생각한 것과 달라지는 상황이 발생할 수 있으므로 가급적 참석하여 의사결정을 함께 해 주어야 합니다.

[각종 광고관련 제작물 지원]

통합 IMC 캠페인의 경우 실무AE는 광고주 관련 제작물들은 제작 스텝과 함께 가지고 있습니다. IMC를 진행하다 보면 IMC 스텝들이 관련 제작물들의 각종 데이터를 요청해 옵니다. 판촉 행사를 한다고 가정했을 때 현장에 백월이나 도우미들의 유니폼이 있을 수 있습니다. 그때 광고주 제품의 브랜드 로고나 제품 비주얼이 필요할 수 있습니다. 이럴 경우 실무AE들은 관련 내용을 제작 스텝에게 요청하거나 광고주에게 요청하여 자료를 받아 관련 IMC 스텝에게 전달하여 적용할 수 있도록 해야 합니다. 간혹 자료 전달을 제대로 하지 못해 제작물의 퀄리티가 많이 떨어져서 문제가 되는 경우도 있으니 IMC 스텝들이 요청하는 자료를 귀찮다고 생각하지 말고 최대한 지원을 잘 해주어야 합니다.

[문제 해결 지원]

IMC스텝이 업무를 진행하다가 견적 및 각종 업무 관련 문제로 실무AE들에게 협조를 요청해 오는 경우가 있습니다. 특히, 금액적인 부분으로 인해 업무 진행이 되지 않을 경우 IMC 스텝이 관련 건 진행을 위해 해결을 어찌 해야 할지 업무요청을 하는 것인데 쉬운 부분은 아니지만 당초에 업무 의뢰를 했던 양에 비하여 변동이 심해 불가피한 상황이 발생한다면 실무AE들이관련 업체를 만나 함께 해결하고 필요하다면 광고주와 업무 협조를 통해 해결할 수 있는 중간 역할을 해야 할 필요가 있습니다.

IMC 진행 시 어떠한 채널에 어떤 업무가 발생할지 모릅니다. 따라서 실무AE들은 중간 중간 상기와 같은 내용을 고려하여 관련 스텝을 지원해 주어야 합니다.

오프라인 프로모션은 서포터 역할을 잘 해야 합니다.

이벤트, 전시, 세일즈 프로모션, 공연, 팝업스토어, 신제품 론칭 행사 등 일반적으로 오프라인에서 이뤄지는 프로모션입니다. 광고회사내에 관련 부서가 있기도 하고 없는 회사의 경우는 외부회사와 협업하여 진행하기도 합니다. 프로모션 스텝의 경우는 독립적으로 움직이는 경우가 많습니다. 다만, AE와 협업할 경우는 PT시 통합 제안을 해야 하거나 광고와 연계가 강할 경우 정도 아닐까 합니다. 실제
실행의 경우는 AE는 서포트 역할을 많이 했던 것 같습니다.

광고주 신제품 론칭 프로젝트시 광고와 론칭 쇼케이스 등이 동시에 진행될 경우가 있습니다. 이럴 경우는 전체적인 콘셉트는 AE쪽에서 광고주와 사전에 협의하여 통합 콘셉트를 만듭니다. 동시에 광고 및 프로그램들을 개발합니다. 컨펌이 나게 되면 가장 중요한 부분 중에 하나가 론칭 프로모션입니다. 실무 AE입장에서는 광고나 제반 연관 제작물들 만들겠지만, 동시에 신경 써야 하는 것이 확정된 콘셉트나 제작물이 진행되는 상황과 만들어진 제작물을 프로모션 스텝과 공유하고 최적화시키는 일들이 필요해집니다. 실제 행사장에 AE들도 가서 확인하고 문제가 없는지 보게 됩니다.

별도로 광고주와 프로모션 스텝과 진행하는 경우에도 AE는 해당 브랜드나 제품의 기획방향, 제작물 등의 전체적인 상황을 잘 알고 있기 때문에 관련해서 요청이 있을 경우 잘 진행될 수 있도록 서포트해 주어야 합니다.

간단한 발표회나 초청 간담회 등 예산이 워낙 부족하여 내부 외부 스텝을 적극적으로 운영하기 힘든 상황일 경우에는 일부 지원을 받아 AE들이 직접 실행하는 경우도 있습니다. 프로모션 스텝과 협업 시 진행되는 프로세스나 메커니즘을 알아 두면 도움이 될 수도 있습니다.

미디어 콘텐츠사와는 사전 계약 조율이 중요합니다.

IMC, BTL 프로그램 중에 많이 활용되는 프로그램 중 하나가 미디어 콘텐츠사와의 협업입니다. 케이블, 종편, 디지털 콘텐츠 등 영역도 매우 넓습니다. 과거에는 CATV를 중심으로 탄력시보, 등급고지, 중CM범퍼, Next ID등 미디어 적인 활용에 국한되어 있다가 IP(Intellectual Property Right, 지적 재산권)을 기반으로 한 브랜디드 콘텐츠(Branded Contents)로 확장되었습니다. 예를 들어 CATV와 공동으로 드라마를 기획했다고 했을 때 그것을 메인 콘텐츠로 하여 광고물, 판촉 프로모션, 브랜드 페이지 콘텐츠, 그리고 음악이 들어가 있다면 영상 및 음악 판촉물, 온라인과 연동된 판매나 홍보, PR까지 다양한 커뮤니케이션 툴에 적용할 수 있는 것 같습니다. 경쟁이 치열할 상황에서 광고 마케팅 예산이 많지 않을 경우 제작부터 미디어까지 효과적으로 활용할 수 있는 툴이기도 합니다.

이러한 미디어 콘텐츠사와 협업시에는 전체적인 예산규모나 일정 등도 중요하지만, 해당 IP를 활용함에 있어 사전 계약에 범위 설정이 중요한 포인트인 것 같습니다. 해당 콘텐츠를 제작하고 나서 2차 제작물로 활용할 수 있는지, 광고주 브랜드 상품에 적극적으로 반영할 수 있는지, 프로모션까지 확장하여 사용할 것인지 사전에 범위를 설정하지 않고 추후에 관련부분이 발생할 경우 계약 문제나 비용이 크게 올라가는 상황이 발생할 수 있습니다. 더구나 광고주 입장에서는 관련 사항을 사전에 이야기하지 않았다는 문제로 상호간에 어려움에 처할 수도 있습니다.

따라서, 콘텐츠 제작 자체도 중요하지만, 이를 마케팅 관점에서 어떻게 활용할지에 대해 숲을 보는 관점에서 유관 부서나 스텝과 협의하여 사전에 사용범위를 설정하는 것이 중요합니다.

아티스트와 협업 시 적합성이 기준이 됩니다.

광고나 IMC를 진행하다 보면 OO아티스트와 콜라보, 아티스트그룹과 협업 등 미디어 콘텐츠사가 아닌 아티스트들과 협업을 하여 프로그램을 만들 때가 있습니다. 인플루언서나 크리에이터의 경우는 정무적인 부분들이 오히려 잘 되어 있어 상대적으로 어려움이 덜 한 것 같지만, 아티스트들 과의 협업은 그야말로 상업적이지 않은 영역에 있는 분들이라 더 섬세하게 협업을 해야 한다고 생각합니다.

그래서 사전에 브랜드와 제품, 서비스와의 적합성 점검이 중요하다고 생각됩니다. 아티스트의 진행여부나 비용, 조건, 일정 등도 중요한 포인트이지만, 특히, 담당 광고주와의 적합성이 명확하지 않으면 시작 자체가 어렵기 때문에 이 부분이 우선적으로 협의하여 정리되어야 한다고 생각합니다.

담당AE입장에서는 여러 아티스트 풀을 놓고 협의하게 될 때도 있는데 적합도 순으로 놓고 순서대로 협의해 나가는 스킬도 필요한 것 같습니다. 자칫 아티스트들 사이에서 모두 탭핑이 들어왔다는 소문이 돌 경우는 해당 광고주나 광고회사에 부정적 인식을 줄 수도 있기 때문입니다. 따라서, A아티스트와 협의가 마무리되고 안되었을 경우 B아티스트와 접근하는 순으로 하는 것이 좋은 것 같습니다

적합한 아티스트와 협업이 결정되면 최대한 아티스트의 업무 스킴과 일정에 맞추어 주는 것이 필요할 것 같습니다. 경험이 많지 않은 사람일 경우는 AE실무의 업무 스킴이나 일정이 매우 부담스러울 수도 있기 때문입니다. 주관과 자신의 자신의 작품 세계가 뚜렷한 아티스트일 경우 이점을 오히려 더 중요하게 생각하고 진행해야 할 수도 있습니다. 그만큼 노력과 정성이 필요합니다.

광고 캠페인 PR을 기획이 진행하는 경우도 있습니다.

재인적으로는 광고와 홍보 영역이 더 많이 모호해 진 듯합니다. 과거 홍보 대행사에서는 기사나 기자 중심으로 비즈니스 했으나, 이제는 일반 광고회사나 디지털/소셜 광고회사의 영역도 수행하고 있는 상황이라 통합이나, 협업 시 해당 스텝이나 회사의 리소스를 더 정확히 봐야 할 듯합니다.

실무AE입장에서는 광고 업무를 수행하면서 홍보 쪽과 연계되어 몇 가지 진행되는 상황들이 있습니다. 예를 들어 광고 캠페인이 집행되고나서 광고 관련 홍보를 해야 해야 하는 상황입니다. 이럴 경우 내부에 홍보나 미디어 스텝이 있을 경우 요청할 수도 있고 없을 경우 외부 홍보 회사와 협업하여 진행할 수도 있습니다. 물론 비용적인 측면이 발생할 수 있습니다. 만약, 광고주가 소셜이나 채널을 별도 홍보 회사와 협업하여 진행하고 있다면, 광고 쪽 콘텐츠들을 연계하여 홍보 제작물을 2차로 제작하는 상황이 생길 수도 있습니다. 이럴 경우는 담당AE가 광고주가 연결해준 홍보 회사와 협업하여 업무를 진행하는 경우도 생깁니다. PR관련해서 AE의 관여도가 높아지는 경우는 내부나 광고주 요청에 의한 광고 캠페인 PR입니다. 아무래도 해당 프로젝트에 대한 이해도가 가장 높기 때문에 주도적으로 진행하기도 합니다.

[PR 업무의 의뢰]

광고회사에 PR팀이 있거나 외부에 PR팀에게 업무를 의뢰할 때 작성하는 것이 PR브리프라고 할 수 있습니다. 정해진 양식이 따로 있는 것은 아니지만, PR브리프에 들어가는 내용은 아래와 같습니다. -담당자/광고주/건명/요청업무/마감기한

-세부요청내용/미디어/집행면/소재명/기타요청사항/첨부자료

PR을 의뢰하는 담당자와 광고주, 건명을 자세하게 기재합니다. 이후 요청업무에 어떤 건으로 인하여 어떤 기사를 요청한다는 보다 구체적인 내용을 기재하고 이와 함께 본 기사가 언제까지 노출이 완료되어야 하는지를 기재합니다.

[기사의 작성]

광고회사 내부에서 기사를 작성하는 경우는 크게 두 가지로 나눌 수 있는 것 같습니다.

첫째는 기사자료를 모아서 브리프와 함께 내부 PR 스텝이나 외부 스텝에게 기사 작성 요청을 하는 것입니다. 이럴 경우는 기사를 작성할 수 있는 다양한 이야기 꺼리를 AE들이 찾아내어 자료화해서 제공해야 합니다. 이와 함께 사진 자료를 제공해야 합니다.

두 번째로 내부에서 기사를 1차적으로 작성하는 경우입니다. 이럴 경우는 방향에 맞추어 기사 형식에 맞추어 초안을 정리하는 것인데 가급적 많은 내용을 자세하게 정리하는 것이 필요한 것 같습니다. 실무AE들이 작성할 경우 기획기사나 스트레이트 기사를 작성하는데 기획기사는 여러 가지 이슈를 묶어서 하나의 트랜드나 이슈로 포장하여 전달하는 것입니다. 이럴 경우는 유사 사례들의 내용과 사진들을 함께 전달해야 합니다. 스트레이트 기사는 기획 기사와는 다르게 자사의 이야기만을 활용하여 작성해야 합니다. 경험적으로는 스트레이트 기사보다는 하나의 트랜드나 이슈로 만들어 전달하는 기획기사가 보다 언론사나 미디어사에서 수용하는 폭이 더 넓은 것 같습니다. 단점은 자사의 기사가 포함된 형태로 나가기 때문에 상대적으로 내용이 적게 나온다는 것입니다. 기사의 작성하는 방법은 아무래도 실무AE가전문 기자가 아니기 때문에 관련 형태의 기사를 많이 보는 방법뿐이 없다고 생각합니다. 헤드라인이나 소제목 내용의 기승전결을 다른 유사 기사들을 보고 여러 번 구성하다 보면 나름대로의 방법은 생기는 것 같습니다. 하지만, 이렇게 작성을 하더라도 미디어사에서 편집량등을 고려하여 조정하게 됩니다. 그렇기 때문에 광고주와 기사 노출 관련 협의할 때도 전달된 기사가 변동될 수 있다는 이야기는 반드시 해 두어야 합니다.

[광고주 제안]

일단 1차적으로 기사까지 작성이 완료되고 내부 PR스텝이나 외부 스텝이 검토를 시작하게 되면 관련 기사를 전체 배포하는 경우도 있지만, 타깃 미디어만 전달하여 검토하는 경우도 있습니다. 특정 기사의 경우는 특정 미디어와만 진행하는 경우도 있어 필요에 따라서는 사전 검토가 필요합니다. 이렇게 기사 검토가 미디어사와 진행되면 1차적으로 스텝에서 게재될 미디어와 일정에 대한 초안을 실무AE와 협의를 하게 됩니다. 이때 집행 예정 기사와 일정을 놓고 협의하게 되는데 내용과 일정은 확정된 것이 아니라는 것을 사전에 염두하고 보아야 합니다. 스텝들과 협의된 내용은 실무AE가정리하여 제안서를 구성하게 됩니다.

-PR 기본방향/주요 내용/게재 미디어/게재 예정일/기사 본문

주요 내용은 상기의 내용으로 심플하게 정리를 합니다. 앞서 언급한 데로 미디어 상황에 따라 기사 내용이나 게재일이 유동적이므로 위시 리스트개념으로 보아야 합니다.

[집행 모니터 및 결과 보고]

PR기사가 게재 내용이나 일정이 매우 유동적이므로 실무AE가지속적으로 확인해야 합니다. 신문의 경우는 온라인에서 우선 게재가 될 수 있으므로 게재된 이후에 오프 미디어에 게재되는지 여부도 재차 확인해야 합니다. 게재 여부가 확정되면 광고주에게 게재 날짜와 내용을 한번 더 알려주어야 합니다. 광고주 쪽에서도 PR기사 확인을 지속적으로 하기 때문에 광고주가 사전 확인하기 전에 알려주는 것이 좋습니다. 그리고 게재가 안 되었을 경우는 어떤 문제로 되지 않았는지를 PR 스텝을 통해 확인할 필요가 있으며 게재가 완료되었을 경우 게재 리스트와 본문 내용을 클리핑하여 보고서로 만들어 집행 결과에 대한 리포트를 제출해야 합니다.

실무AE들의 PR관련한 업무가 그리 많은 것은 아닙니다. 그러나, 업무 진행은 제작 스텝이나 다른 스텝과 업무를 진행할 때와 같이 공식적인 브리프와 관리가 필요합니다. 모든 프로젝트가 똑같은 플로우로 진행되지 않을 수 있지만 실제 PR업무를 하게 될 경우는 상기와 같이 진행 시 보다 착오 없이 진행되지 않을까 합니다.

광고주간 코마케팅은 상호 시너지가 핵심입니다.

광고주 업무 수첩에서 선제안에 대한 이야기를 드린 적이 있습니다. 광고주에게 좋은 광고적인 아이디어 선제안도 좋지만, 비즈니스적으로 광고주와 광고주간 IMC, BTL 형태로 코마케팅을 제안하는 것도 좋은 방법입니다. 예를 들어 제조사와 서비스회사를 연계한다든가 플랫폼사와 제조사를 연계한다 거나 방법은 매우 여러가지입니다.
이러한 광고주간 코마케팅을 연계한 IMC는 좋은 사례도 많지만, 메이드하고 확정하는 것이 쉽지 않은 부분도 있습니다.
 우선, 상호간에 명확한 시너지를 만들 수 있느냐가 관건입니다. 광고주와 중간에서 현재 담당하고 있는 광고주만 혜택이 크다면 상대 광고주 입장에서는 함께 하기가 기본적으로 어려울 것입니다. 따라서, 진행 전 내부적으로 아이디어를 올려 놓고 어떤 부분을 상호간에 공유할 수 있는지 어떤 혜택이 있는지 명확히 정리하는 것이 필요합니다. 꼭 그것이 비용적일 필요는 없습니다.
 다음으로 상호간에 일정이 잘 맞아야 합니다. 따라서, 급하게 되는 경우도 있지만, 사실 실무차원에서 올리는 제안의 경우는 내부적으로 필요성에 대한 설득과 상호 혜택에 대해 디테일 하게 보기 때문에 일정이 오래 걸릴 수도 있습니다. 물론 업종에 따라서는 의사결정이 빠르게 진행될 수도 있습니다.
 또한, 통합 캠페인이나 경쟁PT 제안 시 당사의 제안이라고 현 광고주와의 협업하는 아이디어를 제안하고는 합니다. 이럴 경우 해당 아이템을 매력적으로 보는 광고주도 있습니다 다만, 사전에 가능여부나 진행 시 문제가 없는지 탭핑하고 제안하는 것이 필요합니다.

PPL 콘텐츠 마케팅을 보는 시각을 가져야 합니다.

일반인들도 PPL(Product Placement)마케팅에 대해서는 익숙할 것입니다. 과거에는 방송에 협찬이나 제품의 노출으로만 생각했지만, 이제는 콘텐츠, 인플루언서등을 기반으로 수위에 따라서 입체적으로 활용하는 상황이 되었습니다 중요한 것은 활용도의 폭과 넓이가 넓은 만큼 성공 가능성을 어떻게 극대화하느냐 일 것입니다.

특정 카테고리 광고주의 경우 PPL에 대한 마케팅 집중이 높은 경우도 있습니다. 따라서, 실무AE들도 PPL관련 제안이나 콘텐츠, 인플루언서등 제안이 왔을 때 보는 시각을 가지고 나름의 기준을 가지고 있었으면 합니다.

[콘텐츠 PPL 일반 구성]

-콘텐츠 소개: 해당 콘텐츠 PPL에 대한 기본 소개이며, 콘텐츠사, 형식, 시간회수, 방송일, 제작사, 연출에 대한 내용

-기획의도/드라마 줄거리/캐스팅/관계도: 콘텐츠의 소개가 간략하게 끝나면 기획의도와 드라마의 기본적인 줄거리 출연진과 출연진이 분한 캐릭터의 관계도를 설명합니다.

-효과/요청사항: 전체적인 콘텐츠 관련 내용이 설명되고 나면 광고주 측에서 제공했으면 하는 대물, 금액 등 협찬 내용과 이를 제공함으로써 얻어지는 효과에 대해 언급을 하게 됩니다.

[콘텐츠에 대한 검증]

만들어질 콘텐츠에 대한 출연진과 시놉을 검토하면서 실제 해당 콘텐츠가 어느 정도 이슈가 될지를 보아야 합니다. 출연진이 의심되는 경우라 하더라도 시놉이 좋다면 성공할 수 있으며, 시놉은 잘 모르겠으나 출연진이 파괴력이 있다면 검토해 볼만한 가치가 있을 것입니다.

[광고주 적합성/이슈성/활용성]

당초 제시부터 광고주와의 적합성을 보기는 하지만, 실무AE가 이성적으로

실제 콘텐츠의 퀄리티가 담당하는 브랜드나 제품과 적합성이 있어야 합니다. 성격이 전혀 맞지 않는 상황일 경우도 비용이 아무리 저렴해도 자칫 브랜드 이미지를 저해할 수 있기 때문입니다. 또한, 콘텐츠 자체가 커뮤니케이상에서 다양한 채널로의 확장성이 있어야 합니다. 너무 제한된 콘텐츠에 국한될 경우 콘텐츠가 성공한다는 보장이 없는 상태에서 검토하기는 매우 어려울 것입니다.

[비용 대비 효율성]

마지막으로 제안서상에 비용을 확인하고 기본적인 노출 량을 보게 됩니다. 이때 관련 스텝과 미디어팀이 함께 보는 것이 좋습니다. 미디어 적인 효과를 1차적으로 놓고 보았을 때 진정 의미가 있는 것인지 그 안에서도 브랜드나 제품 노출이 의미가 있는지를 한번 더 확인해야 합니다.

이런 내용을 전체적으로 검토하여 보고서를 작성 최종적으로 협의하여 진행을 하게 됩니다. 진행시에는 계약된 내용으로 PPL이 되고 있는지 모니터를 해야 하며, 집행을 완료하고 나서는 모니터링한 내용을 보고서화하여 제출해야 합니다.

디테일한 프로모션 제작물을 직접 하는 경우도 있습니다.

실무AE가 광고 캠페인이나 IMC를 진행하면서 굿즈나 패키지나, 전단, 브로셔 등을 직접 핸들링 하여 제작하는 상황도 있습니다. 물론 내부에서 진행할 수도 있지만, 나름 전문화된 영역이라 외부 스텝과 협업하여 진행하는 경우가 많습니다. 광고 제작 프로세스와 다르지는 않지만, 몇 가지 실무AE가 알고 있어야 할 것이 있습니다.

[패키지]

광고주나 상품별로 매우 다르곤 하지만, 패키지와 같은 경우는 실제 제작 단계에 대한 지식이 많이 있어야 합니다. 예를 들면 패키지로 사용할 재질이나, 인쇄할 수 있는 색의 가지 수, 전개도상 구현하기 힘든 그림, 필수 문구의 삽입 여부등 다양한 것들을 알고 있어야 제안을 할 수 있습니다. 간혹 경쟁PT시에 패키지에 관한 것들도 IMC상에서 제안을 하곤 하는데 패키지 실 제작에 대한 지식이 없는 상황에서 제안하는 것은 매우 위험한 제안이라고 할 수 있습니다.

[리플릿/브로셔]

편집 디자인에 가까운 업무라고 생각이 듭니다. 더욱 워낙 텍스트와 비주얼이 많아 AE가 아주 구체적으로 정리를 해 주어야 합니다. 제작 스텝에게 전달할 때도 전체적인 제작방향과 그림아이디어를 이야기하더라도 텍스트를 반드시 파워포인트 등에 정리하여 제작 회의를 해야 합니다. 표지, 내지 등의 구성과 문구가 들어가는 것 전체적인 콘셉트는 어떻게 잡을지를 고민해서 제안해야 합니다.

[포스터]

인쇄 광고물을 그대로 적용하는 것은 포스터 개념을 이해하지 못한 것입니다. BTL 진행 시 제작물로 포스터를 만들더라도 현장이 어딘 지를 확인하여 헤드카피등을 최소화해서 임팩트 있게 구성하는 것을 알고 있어야 합니다.

[기타]

이외에도 매장의 와블러나 바닥 POP등 다양한 것들을 광고주에게 제시합니다. 이러한 것을 제시할 때도 현장 제품이나 디스플레이 상태 등 실제 적용 가능한 것을 제안하기 위해 우선 현장을 확인하여 크리에이티브의 가이드를 잡아야 합니다. 단순하게 그림에 적용한다는 생각으로 진행할 경우는 현실성이 없는 것으로 오히려 PT에 보여주지 않는 것이 나을 수도 있습니다.

크리에이티브 미디어는 실행 가능성이 중요합니다.

IMC프로그램을 개발하거나 그와 관련된 BTL을 진행할 경우 미디어 부문도 실무AE들이관련 스텝과 고민해 보아야 할 부분입니다. 미디어 부문과도 연계가 되어 있지만, IMC의 아이디어나 실행 시 크로스오버 되는 형태가 워낙 많아 어떤 영역에 있다고 정확히 구분하기도 힘들기 때문입니다. 예를 들어 광고주의 브랜드나 제품의 메시지를 알리는 미디어 역할을 하는 것이지만 기술적인 지원을 통해 소비자들이 실제 체험하는 것으로 만든다고 한다면 그것 또한 BTL적인 기능을 하게 된다고 할 수 있을 것 같습니다.

과거 IPTV와 같은 것도 그런 것입니다. TV라는 전형적인 미디어를 통해 메시지만 전달받을 것 같지만, 리모컨을 통해서 소비자들이 프로모션에 참여하고 원하는 정보를 얻어 체험 해 볼 수 있다면 미디어와 프로모션적 역할을 동시에 해결한다고 할 수 있을 것 같습니다. 이런 것도 실무AE들이 미디어 스텝이나 IMC 스텝과 함께 고민해 보아야 할 부분인 듯합니다. 이런 크리에이티브 미디어나 프로모션이 가능한 미디어를 개발할 때 몇 가지 생각해 볼 것이 있다고 생각합니다.

[기존 미디어나 신규 미디어에 대한 관심]

기존에 와이드 칼라나 LED등 보편적으로 사용되는 미디어도 기술적인 지원이나 크리에이티브의 툴을 약간만 적용하면 크리에이티브 한 미디어로 활용할 수 있습니다. 해외에 수상한 옥외 광고물 들에서도 그런 것을 많이 볼 수 있습니다. 완벽하게 새로운 미디어를 찾는 것은 사실 어려운 것이지만, 광고 아이디어를 만들어 내는 과정과 비슷하게 비틀어 보고 다시 생각해 보는 노력을 통해서 새로운 것으로 만들어 낼 수 있다고 생각합니다. 광고도 소비자들이 기존에 알 던 것에서 그것을 다르게 본 것을 통해 "WOW'하다는 것을 만들어 내는 것과 동일하다고 생각합니다.

[브랜드나 제품과의 연관성 찾기]

아무리 새로운 것이라도 브랜드나 제품과의 연관성이 없다면 소용이 없는 것이라고 생각합니다. 예를 들어 안전이라는 것을 전달하고자 하면 안전을 상징하는 펜스 등도 미디어가 될 수 있다는 것입니다. 그런 곳에 브랜드나 제품과 함께 연계하여 커뮤니케이션 장치를 하게 되면 안전이라는 메시지는 미디어와 브랜드가 함께 연계되어 쉽고 임팩트 있는 것으로 시너지 있게 전달될 수 있다고 생각합니다.

[실행 가능성에 대한 검토]

어떤 미디어 든 간에 실행 가능성이 매우 중요합니다. 아무리 크리에이티브 하더라도 설치를 할 수 없다면 아무런 의미가 없을 것입니다. 좋은 아이디어가 나올 경우 미디어 스텝과 함께 실행 가능성에 대해서 수시로 확인해볼 필요가 있습니다.

[평소에 관련 자료 수집]

미디어관련 팩트 북을 만들거나 아이디어를 평소에 별도로 모와 두는 것에서 크리에이티브 미디어를 만드는데 도움이 되는 것 같습니다. 신문기사나 온라인 상에서 다양한 자료를 쉽게 지나치지 말고 수집하여 이런 이슈가 발생하였을 경우 아이디어의 풀로 활용하는 것이 효과적인 것 같습니다.

디지털 바이럴 후킹 요소 만드는 것이 핵심입니다.

광고실무를 하면서 바이럴 하면 통상 AE실무들은 바이럴 광고 영상만 떠오르는 것 같습니다. 좁은 관점에서는 맞는 부분이지만, 넓게 보면 '이슈화'라는 관점으로 볼 땐 우리가 하는 모든 커뮤케이션이 지향하는 것 아닌가도 생각됩니다. 그런 관점에서 보면 바이럴 할 수 있는 방법들은 영상, 이벤트, SNS, 프로모션 등 매우 다양한 채널이나 툴에서 만들어 질 수 있다고 생각합니다.

이슈화의 핵심은 고객을 사로잡는 '후킹' 요소를 결국 찾아 내는 것입니다. 그런 예들은 무수히 많은 것 같습니다. 패러디부터 춤, 사운드 등 따라하고 싶고 중독성 있는 요소들이 그런 것 같습니다. 처음부터 그러한 것을 노리고 준비하기도 하지만, 실제 집행하고 나면 다른 곳에서 반응을 보이는 것도 있습니다. 따라서, 처음부터 정교하고 전략적으로 후킹 요소를 만드는 것은 어려운 것 같기도 합니다 어떤 경우는 고객들 사이에서 우리 브랜드나 제품을 특별하게 활용하고 이용하는 트랜드를 빠르게 캐치하여 그것을 광고나 IMC에 활용하는 때도 있습니다.

많은 비용을 들여 멋진 셀럽과 함께 이슈화를 만드는 것을 쉬울 것입니다. 그러나, 모든 광고주나 광고회사가 고민하듯 저렴한 비용으로 예상하지 못한 퍼포먼스를 늘 기대하고 찾고 있습니다.

실무AE들은 우선적으로 이런 고효율의 후킹 요소를 찾기 위해 많은 리소스를 보고 듣고 경험하고 있어야 한다고 생각합니다. 그리고, 그런 소스들 속에서 빠르게 자신의 브랜드나 제품에 적용시켜보는 것도 필요할 것 같습니다. 이런 활동들은 일반 광고를 준비하는 스킴이 아닌 빠르고 숏한 프로세스와 프로토콜로 여러가지를 첼린지하는 속에서 이슈화될 확률을 높일 수 있을 것이라 생각됩니다.

시작부터 브랜드 CI, BI 회사와 협업할 수도 있습니다.

일반적으로는 정해진 브랜드와 제품, 서비스를 기반으로 광고업무를 후행하고 있습니다. 그런데, 어떤 경우는 실무AE들이광고주의 브랜드나 제품의 CI/BI 프로젝트에 참여하거나 함께 업무를 해야 되는 경우도 있습니다.
-경쟁PT상에서 광고주의 요청이나 광고회사 자발적으로 전략적인 PT를 위해 제안하는 경우
-담당광고주의 신규 프로젝트로 CI/BI 개발 단계부터 TFT로 참여하여 진행하게 되는 경우
-광고주의 별도 요청으로 함께 검토해야 할 경우 연간 PT나 워크샵에서 이슈로 다루어 져 진행해야 할 경우
-브랜드나 제품의 팻, 서브 네임을 개발해야 할 경우 등
상기 사항이외에도 다양한 상황에서 CI/BI업무가 실무AE들에게 진행을 해야 할 수도 있습니다. 그러나 CI/BI부분은 매우 전문화되어 있어 프로세스는 광고제작과 비슷하게 네이밍이나 디자인부분도 전략수립, 아이디에이션과정, 리뷰, 보고의 과정을 아래와 같이 진행하게 됩니다.

네이밍에 관한 부분까지 더한다면 국내외 검색을 통한 과정이 별도로 있어 물리적인 시간까지 광고물 제작에 비하여 오래 걸리는 경우도 있습니다. 실무AE들은 CI/BI관련 프로젝트 업무에 있어서는 전반적인 프로세스를 이해하고 있는 것도 도움이 될 것 같습니다.

[사전 계약 단계에서의 철저한 점검]

CI/BI 관련 전문 회사 들과의 업무를 공동으로 진행하게 되는 경우 계약서를 진행하게 되는데 광고주의 성격이나 업무 진행을 고려하여 보고 프로세스나 문제가 되었을 경우를 고려하여 계약서를 사전에 철저히 점검해야 합니다. 많은 수정이나 번복이 있을 경우 앞서 언급한데로 국내외 검색하고 법적인 부분을 검토하는데 비용이 많이 투입이 되기 때문에 무리한 제안은 결국 비용문

제로 붉어 질 수 있기 때문입니다. 따라서, 기간이 충분한지, 제안 회수나 문제가 되었을 경우 조정을 어떻게 할지에 대한 것을 CI/BI회사와 충분한 협의를 해야 합니다. 만약 내부적으로 개발한 CI/BI 일지라도 결국 독자적인 권리를 보호받으려면 법적인 검토나 검색은 불가피한 것입니다.

[각 단계별 업무 추진]

CI, BI, 네이밍이 진행될 때 각 단계별 소요되는 기간과 보고 시점이 있습니다. 중요한 것은 보고시점에서 전체 마케팅 일정에 차질이 없도록 최대한 해당 단계에서 합의나 협의를 도출하는 것이 중요합니다. 한번 프로세스 상에서 잘못되면 아예 처음부터 하거나 더 진행이 힘들어 질 수도 있기 때문에 각 단계별 그런 문제가 없도록 실무AE가업무를 공동으로 할 경우는 적극적으로 지원해야 합니다. 더구나 실무AE가 업무 참여를 했을 경우 광고주의 내부 상황이나 고려하고 있는 부분들을 더 잘 알고 있으므로 필요에 따라서는 아이디에이션에 도움을 줄 수 있는 부분을 조언해 주는 것도 필요합니다.

CI/BI업무는 다른 BTL 업무보다도 매우 사전 준비나 프로세스 관리가 쉽지 않은 프로젝트입니다. 처음부터 무리하는 것보다는 최대한 사전준비를 철저히 할 수 있는 시간을 확보하여 업무 진행에 차질이 없도록 해야 하고 이후 청구나 정산 부분에 있어서도 문제 발생시 실무AE가 업무지원을 했다면 해결이 될 때까지 정리를 진행해 주어야 합니다.

스포츠 마케팅은 해당 규정을 잘 알아야 합니다.

본 책에서 다루는 스포츠 마케팅은 스포츠 브랜드 광고를 어떻게 해야 하는가, 스포츠 마케팅은 어떤 것이다 이야기라는 보다는 올림픽, 월드컵, 각종 스포츠 종목, 구단 등과 협업하는 상황에서 광고나 IMC, BTL시 어떤 부분이 중요한지를 다루고자 합니다. 물론, 스포츠 브랜드, 골프 브랜드 등 스포츠를 다루는 AE들은 좀더 관련 업무에 이해도가 높을 것이라고 생각합니다.

현업 실무AE를 하면서 담당 브랜드가 광고주가 월드컵, 올림픽, 스포츠대회 개회치 후원하게 된다면 기존에 하던 업무대비 더 많은 일들이 생길 것입니다. 기본적으로 각 스포츠 후원 시 후원사마다 권한이 주워집니다. 광고나 각종 IMC에서 어떻게 얼마만큼 활용할 수 있는지 규정을 주게 됩니다. 실무AE 입장에서는 이러한 기본 규정을 잘 이해해야 합니다. 필요시에는 제작된 광고물이나 IMC를 검수 받아야 할 수도 있습니다. 올림픽의 경우에는 선수 모델 출연 시 해당 선수가 올림픽에 출전할 경우 후원사가 아닐 때는 집행 날짜의 규제를 받기도 합니다. 우리가 소위 말하는 엠부쉬 마케팅이 이럴 때 적용됩니다. 만약 후원사가 아닐 경우 규정을 잘 알고 있다면 이를 우회하여 광고 마케팅을 통해 효과를 볼 수도 있습니다.

단편적인 이야기 드렸지만, 자신이 담당하는 브랜드가 스포츠 시즌에 후원을 한다면 후원사대로의 IMC를 만들어 제안해야 하고 후원사가 아닌 상황에서 광고주가 니즈가 있다면 앰부쉬 전략과 전술을 만들어 가야합니다. 경험상 실제 해보지 않은 상황에서는 시행착오와 어려움을 많이 겪는 것 같습니다. 관련해서는 주변에서 진행되거나 사례들에 대해 기본적으로 스터디 하여 해당 프로젝트를 만났을 때 효과적으로 대응했으면 합니다.

커머스, 퍼포먼스 마케팅에 대한 이해도 필요합니다.

실무AE들에게 많이 듣는 질문 중에 하나가 '저는 ATL AE가 맞는지 퍼포먼스 AE가 맞는지 잘 모르겠어요'라고 이야기하는 후배들이 있습니다. 개인적으로는 광고라는 큰 영역과 AE라는 직무라는 특성에서는 크게 다르지 않지만, ATL AE는 브랜딩 쪽, 퍼포먼스는 분명 성과, 매출 등 계량적 관점에 더 집중되어 있다는 것은 분명한 것 같습니다. 또한 각 영역의 역할로 스킴이 다르기 때문에 어떤 것이 더 좋다 나쁘다 라는 의견을 드리기도 어렵습니다

중요한 것은 광고주의 브랜드, 제품, 서비스가 처한 상황에서 어떠한 것이 더 좋은 해결책인가에 따라 사용되는 툴이 달라지는 것 아닐까 합니다. 다만, 실무AE들은 커머스, 퍼포먼스는 다른 비즈니스라고 생각하고 스터디 하지 않는 것도 조금은 편협한 생각이 아닌가 합니다.

어떤 플랫폼 광고주가 브랜딩과 퍼포먼스를 동시에 과제로 요청한 적이 있었습니다. 이러한 프로젝트를 보면서 IMC설계할 때 기획입장에서는 전체 콘셉트를 설정하고 이를 풀어가는 프로그램들은 만들어 갈 때 기존 IMC 스텝과 협의하듯 퍼포먼스 쪽에서는 어떠한 목적, 스킴, 구성으로 하자고 협의를 했었습니다. 그 당시 퍼포먼스, 커머스 광고의 영역도 분명한 광고 솔루션이며 ATL과 시너지 날 수 있는 고민과 설계도 매우 중요하겠구나 생각했었습니다.

실제 디지털 마케팅, BTC 커머스 등 활성화되면서 관련 퍼포먼스 마케팅은 매우 비중 있는 영역이 되었습니다. ATL 영역에 있던, 퍼포먼스 영역에 있던 광고주는 한팀에서 관할하는 경우도 많이 있기 때문에 관련해서 상호간에 교류하고 스터디 하여 시너지 낼 수 있는 효과적인 IMC 만드는 것이 필요하지 않을까 합니다

제6장 광고 회사 업무 수첩

광고회사에 다닌다고 하면 외부에서는 대부분 광고를 만드는 사람들로만 생각할 수 있습니다. 하지만, 실제 다니는 사람들은 '무슨 회사 내부 업무가 많아'라고까지 이야기할 정도로 광고 회사 자체의 정무적인 업무도 많이 있는 것이 사실입니다. 실제 현업을 하고 있는 실무들은 정무적인 업무로 인해 어려움을 호소하는 경우도 있습니다. 하지만, 광고회사도 하나의 기업 조직으로서 실적에 대한 보고, 매주 업무 추진을 위한 정규 주간 업무 회의, 부서간 업무 소통을 위한 커뮤니케이션 협의 등 팀내, 조직간 다양한 업무가 있습니다. 일반적인 광고 실무서에서는 다루지 않지만, 분명 광고 회사에 실무AE로서 경험한다는 측면에서 알아야 하고 그렇다면 나름의 노하우가 필요하다고 생각합니다.

매주하는 주간업무는 형식적으로만 보지 마세요.

주간업무는 굳이 광고회사가 아니더라도 있는 가장 일반적인 업무 중 하나입니다. 통상 금주의 업무와 차주의 업무를 나누어 정리하게 됩니다. 같은 팀에서 담당하고 있는 브랜드나 제품 담당에게 주간업무 작성을 요청하고 작성된 주간업무를 한사람이 취합하여 정리 후 내부에 확인하고 내부 공유 후 결제라인을 통해 올리게 됩니다. 이를 바탕으로 회사내부의 팀 회의나 간부회의시 그 주에 해당하는 업무를 다시 한번 점검하고 주요 이슈에 대한 것을 회의를 통해 의사결정이나 수정하게 됩니다. 주간업무의 양식이 명확하게 따로 있는 것은 아닙니다. 그 팀이나 회사에 맞게 맞추어 만들어 사용하는 것이 보통입니다.

[기재 방법]

두 개팀이 한 본부라는 것을 기준으로 했을 때 예를 들면 상단에 실시사항과 예정사항에 날짜를 기재하고 각 팀별로 브랜드나 제품에 맞추어 실시했던 사항과 차주의 예정사항을 기재하게 됩니다. 기재시에 주의할 점은 실시사항이나 예정사항 모두 간략하고 명확하게 기재해야 한다는 것입니다. 서술형으로 불필요하게 넣는 것이 아니라 명확하게 진행한 것을 심플하게 단문형태로 기재하는 것이 중요합니다. 예를 들어 XX제품 론칭 커뮤니케이션 전략이라고 기재하고 바로 아래로 금주에 했던 전략 아이디데이션이라고 심플하게 적고 차주에 광고주와 협의가 있으면 날짜와 함께 진행예정사항을 기재합니다.

[회의진행]

광고주에게는 회사 내부의 주간업무를 보내지는 않지만, 필요에 따라 업무가 많은 광고주의 경우는 홍보팀, 커뮤니케이션팀, 마케팅의 광고주 요청에 따라 주간업무를 광고주용으로 수정하여 보내주기도 합니다. 하지만, 광고주 요청에 의한 주간업무보다는 광고주와 광고회사의 업무 효율성을 높이고 향후 있을 업무에 대한 공유를 위해서도 주간업무는 매주 일정한 날을 정하여 작성하여 공유하기도 합니다. 대부분 작성은 전주 목 금에 작성하여 공유를 하고 회의는 목요일 오후나 금요일 또는 다음 주 월요일 오전에 주간업무 회의를 진행하게 됩니다.

[활용 방법]

주간업무는 단순 주간업무로 끝나는 것이 아니라, 자신의 업무 관련 일정에 반드시 기입하여 실질적인 업무 활용 용도로 적용해야 합니다. 예를 들어 다음 주 수요일에 시안제시가 있다면, 시안제시를 위한 제작팀과 내부 보고 일정은 주간업무에 기입하지는 않으므로 자신의 업무 관련 일지에 기입하여 수시로 확인할 수 있도록 해야 합니다. 모든 업무를 일적으로 생각하기 보다는 업무의 효율화와 실무에 실질적으로 활용할 수 있는 것으로 생각하여 활용한다면, 굳이 귀찮다는 생각만 하지는 않을 것이다.

또한, 주간업무는 전체 팀이나 본부 내 다른 팀이 돌아기는 업무 현황을 한눈에 볼 수 있는 것입니다. 그렇다 보니 전체 업무의 흐름을 파악하는데 매우 큰 도움을 줍니다. 특히, 큰 광고주를 한 본부에서 두 개팀이 나누어 할 경우 주간업무를 보면 다음 주 스케줄을 잡거나 광고주와 협의할 때 보다 효과적으로 일정 등의 조율을 할 수 있게 됩니다. 내부보고 진행도 마찬가지입니다. 여러 프로젝트가 동시에 진행될 경우 일정 및 시간 조정을 주간업무를 통해 한번에 할 수 있는 장점이 있습니다. 그러나, 무엇보다도 본부나 팀내에서 어떠한 일이 돌아가고 있는지 무슨 문제가 있는지를 알 수 있는 자료이므로 한 장의 내용에서 주간 팀 분위기까지 대강 읽을 수 있습니다.

[관리 방법]

이렇게 작성된 주간업무는 매주 변경이 됩니다. 실제 주간업무의 작성을 하게 되는 담당자가 아니더라도 시계열별로 두고 관리를 해두면 추후 담당자가 바뀌거나 다른 사람이 관련 업무에 대해 문의하더라도 이야기 해 줄 수 있을 것입니다. 따라서, 공유 폴더나 개인의 일정 폴더를 만들어 매주 추가시켜 흐름을 볼 수 있도록 정리해 두어야 합니다.

매주 주간업무가 있지만, 실제 현업을 하면서 주간업무는 자칫 바쁜 상황에서 귀찮을 수도 있습니다. 그러나, 주간업무를 귀찮아 하기 보다는 전체 돌아가는 상황이나 차주의 업무 스케줄을 조절하는 등 업무 진행을 위한 실무 자료를 만든 다는 차원에서 긍정적으로 생각하고 작성 및 관리를 하는 노력이 필요하다고 생각합니다.

스테이터스 리포트는 여러 용도로 활용됩니다.

스테이터스 리포트(Status Report)는 사실 규정화 된 리포트는 아닙니다. 말 그래도 현 상황보고 리포트입니다. 업무를 진행하다 보면 다양한 이슈로 인하여 내부 스텝과 공유해야 할 경우가 발생하거나, 내부에 보고를 통해 의사결정을 받아야 하는 경우가 있습니다. 이럴 때 결재서류를 사용하거나 광고주와 협의를 한 후에 작성하는 컨택 리포트와 같은 양식은 내부 협의를 하기에는 좀 애매한 성격이라고 할 수 있습니다. 우선 결재서류는 각 결재라인의 서명이나 날인이 있고 더구나 협의의 자료로 활용하기에는 내용을 부가적으로 자세하게 기술할 수 없기 때문이고, 컨택 리포트와 같은 경우는 광고주와의 커뮤니케이션 상에서 발생한 내용을 중심으로 기술하여 협의하는 양식이라 바로 내부 협의용으로만 사용하기에는 모호하기 때문입니다. 이럴 때 스테이터스 리포트라는 것을 쓰는데 명시화 된 양식이 따로 있는 것은 아닙니다. 오히려 제목자체가 말해주는 협의 그 이슈에 해당하는 내용을 구체적이고 자율적으로 기술하면 되는 것입니다.

[경쟁PT 상황에 대한 보고]

경쟁PT가 진행되는 상황에서 광고주의 상황을 지속적으로 관심 있게 지켜보게 되는 것은 당연히 하게 되는 일입니다. 그런데 언론 기사에 해당 광고주의 중요한 이슈가 발생하거나 검토해야할 것이 발생할 경우 간략하게 상황을 파악하여 기술해서 내부에서 협의해야 할 수도 있습니다. 이럴 경우에도 스테이터스 리포트상 관련 건에 대해 간략하고 필요에 따라서 구체적으로 기술하여 PT 이슈에 대한 것을 협의하는 경우 활용하기도 합니다.

[내부 업무 관련]

내부 광고주 관련 다양한 업무를 진행할 때 내부에서 발생하는 문제점이나 이슈를 스테이터스 리포트에 기술하는 경우가 있습니다. 예를 들어 제작 스텝과 업무 진행중 외부 업체와의 진행상 문제가 발생하는 것 등 다양한 내부 업무 진행과 관련된 이슈를 정리하여 보고할 수 있도록 기술하기도 합니다. 문제점을 자세하게 기술하여 내부 협의시 문제를 해결하고 관련 문제가 더 이상 붉어지지 않도록 하는데 사용됩니다.

[사고 등 경과보고 관련]

제작 스텝, 미디어 스텝 등 다양한 스텝이 광고주와 얽혀 문제가 크게 발생하여 해당 문제에 대한 경과보고를 할 때도 관련 내용을 시계열 별로 정리하고 해결과제나 해결방법을 정리하여 내부 협의시 활용하게 됩니다. 공중파 온에어시 소재 사고로 인해 대응과 관련해서도 사고가 나게 된 배경과 시간이 흐름에 따라 어떻게 문제가 크게 발생하였고, 어떻게 대응하였는지에 대한 경위, 그리고 해당 문제를 어떻게 해결해야 하는지에 대한 방안까지도 함께 기술하여 내부에서 협의를 하게 됩니다. 실문AE들에게 있어서는 세금계산서와 관련된 사고 시에는 스테이터스 리포트가 매우 많이 활용되는 것 같습니다. 청구시점이 지나서 문제가 된 세금계산서로 인해 이슈가 발생했을 시에 내부에 보고하고 대응책을 빨리 찾아 해결을 해야 하는데 이럴 때 스테이터스 리포트에 정리하여 보고 후 처리를 해야 합니다. 스테이터스 리포트의 작성법도 앞서 양식이 따로 있는 것이 아니라고 한 것처럼 정해진 것은 없다고 할 수 있습니다. 하지만, 몇 가지 기술하면서 고려해야 할 것이 있습니다.

[최대한 쉽게 작성해야 합니다]

기획서는 광고주나 광고회사 내부 모두가 이해하기 쉽게 작성하고 광고 제작물 또한 소비자가 쉽게 이해하도록 만드는 것과 같이 최대한 리포트를 볼 사람 입장에서 쉽게 작성하려고 노력해야 합니다. 자신만이 아는 용어나 약어를 사용하여 설명을 해야 할 정도로 작성한다면 아무런 도움이 되지 않습니다. 회의에 참석하지 못한 사람이 메일이나 서면으로 보더라도 한 번에 이해가 되도록 상대방 입장에서 최대한 쉽게 작성하는 것이 가장 기본입니다.

[기승전결이 분명해야 합니다]

기획서에도 기승전결이 있듯이 처음에 발생배경, 핵심 쟁점, 해결 방안, 기타 내용으로 작성해 나가야 합니다. 처음부터 문제해결이나 기타 내용을 언급하게 되면 전체 내용이 더 모호해질 수 있기 때문에 가급적 6하 원칙에 의거하여 상황을 설명하듯이 문제나 이슈의 발단부터 차분하게 정리해야 합니다.
[문제나 이슈에 대한 내용은 사전에 1차적으로 협의되어야 합니다]

스테이터스 리포트에 문제나 이슈에 대한 해결을 절대 임의로 작성해서는 안됩니다. 더구나 아무런 대안 없이 문제만 기술하는 것은 더 무책임한 일일 수 있습니다. 관련 스텝부서와 협의를 하여 가능성 있는 대안을 분명히 기술해야 합니다. 해당 대안을 기반으로 해서 문제가 없다면 그대로 가지만, 아닐 경우에는 별도의 대안들이 나올 수 있기 때문입니다.
[신속하게 작성해야 합니다]

스테이터스 리포트를 작성하는 경우는 문제나 이슈의 사안을 빠르게 해결해야 하는 경우가 많이 있습니다. 그러다 보니 관련 리포트를 작성하는데 너무 많은 시간들을 허비하다 보면 이미 쟁점이 지나쳐 버릴 수 있습니다. 따라서, 가급적 상황이 발생하면 구두로 공유하고 빠른 시간 내에 상기의 기준을 두고 작성하여 내부 스텝과 협의하거나 보고를 해야 합니다. 미디어 문제의 경우는 더 촌각을 다툴 수도 있으므로 더욱 빠른 대응이 필요할 수 있습니다.

자신만의 파워 북을 만들어 업무 관리에 활용해 보세요.

광고 업무를 하다 보면 많은 자료들이 만들어집니다. 그런 자료들 중에 일부는 폐기되기도 하고 꼭 보관을 해야 하기도 합니다. 그런데, 자료를 보다 보면 어떤 자료는 꾸준히 찾게 되거나 정기적으로 보게 될 필요가 발생합니다. 이럴 때 파워 북이라는 것을 만들어 놓으면 매우 편리한 것 같습니다. 파워 북은 따로 명칭이 정확하게 있는 것은 아니지만, 광고주에 대한 업무 관련 자료를 한 권의 파일로 책으로 만들어 정기적으로 업데이트하면서 관리하는 광고주에 대한 꼭 필요한 업무 자료를 망라한 책이라고 보면 될 것입니다.
[파워 북의 구성]
 파워 북을 만들 때 광고주의 기본정보부터 업무에 필요한 핵심적인 자료로 구성하게 됩니다.
-광고주 정보
광고주의 연락처, 메일 주소 등 광고주에 해당하는 기본 컨택 라인부터 광고주 현황에 대한 기본 자료로 구성을 하게 됩니다.
-기획부문
 광고주에게 제시되었던 전략기획서, 각종 주요 제안서와 광고주 오리엔테이션 자료 그리고 업무에 필요한 청구관련 서류(세금계산서, 청구내역), 각종 계약서(광고 대행계약/모델/방송광고대행계약확인서등)등을 포함하여 전략이나 업무 진행에 필요한 자료로 구성하게 됩니다.
-조사부문
 조사 브리프, 광고효과조사, 광고주 조사자로 등 전략 수립 등에 필요한 조사관련 자료를 포함하여 구성합니다.
-제작부문
 크리에이티브 브리프와 제작물, TV 스토리보드, PPM북등 제작 관련된 내용을 각 프로젝트를 한 묶음으로 하여 구성합니다.
-미디어부문

미디어전략서, 미디어 운영안, 큐시트, 포스트 바이, 먼쓸리 리포트 등 미디어 관련 참고자료를 시계열별로 정리하여 구성하게 됩니다.

-IMC부문

디지털, 프로모션관련 제안서, 크리에이티브 미디어나 특수 미디어 광고관련 자료를 모아서 구성하게 됩니다.

-기타자료

광고주 관련 기사자료, 논문 학술 전문 자료 등 상기사항에 빠진 자료를 중심으로 구성하게 됩니다.

파워 북은 성격상 팩트 북과 비슷하다고 할 수 있지만, 엄연히 현 진행하고 있는 광고주의 모든 주요 자료를 모아둔 것이기 때문에 활용하는 방법이나 그 내용이 팩트 북과는 큰 차이가 있습니다.

[능동적인 업무 활용]

업무 진행 시 관련 자료를 항시 준비해 두면 광고주와의 커뮤니케이션에서나 스텝 부서와의 미팅시에 매우 유용하게 활용할 수 있는 장점이 있습니다. 예를 들어 광고주가 언제 어떠한 미디어를 집행했느냐는 문의를 할 경우에도 일일이 네트워크나 DB에서 찾을 것이 아니라 해당 시점만 대강 알고 있다면 파워 북의 미디어부분만 보더라도 금방 관련 문의를 해결할 수 있을 것입니다. 또한, 제작 스텝이나 마케팅 스텝이 해당 프로젝트의 히스토리 등을 문의할 때도 별도의 자료 찾기 필요 없이 바로 파워 북에서 관련 사항을 확인할 수도 있을 것입니다. 특히 제작 회의 시에 큰 프로젝트를 해야 할 경우 별도의 팩트 북 성격의 자료를 만들 필요 없이 관리하고 있었다면 바로 회의를 진행할 수 있는 능동적인 장점이 분명히 있습니다.

[인수인계 자료로서 편의성]

광고회사는 이동이 많은 편이라고 생각합니다. 그런데 이런 변동에 의해서 새로운 업무에 적응하는 데는 적잖은 시간이 필요한 것이 사실입니다. 이때 파워 북과 같은 성격의 자료가 있다면 별도의 스테이터스 리포트를 만들고 오리엔테이션이나 인수인계 자료를 만들 필요 없이 읽어 보면 바로 알 수 있기 때문에 업무 인수인계에 매우 편리한 장점을 가지고 있는 것 같습니다. 이는 반대로 광고주에게도 장점일 수 있습니다. 관련 내용을 업데이트 관리하였다면 광고주 내부 실무자 변동에도 매우 편리하게 업무 현황을 파악할 수 있도록 지원하는 자료로 충분한 역할을 하게 됩니다.

파워 북의 이런 편리성이 있는 반면에 실상 실무AE들이 이를 만들고자 한다면 엄청난 작업을 해야 하는 것은 사실입니다. 더구나 브랜드가 많을 경우에는 더 많은 것들을 해야 하는 어려움이 분명히 있습니다. 그렇지만, 한번 만들어 두었을 때의 편리함과 장점을 경험한다면 그만한 가치는 있는 업무라고 할 수 있습니다. 이런 파워 북을 만들 때는 우선 관리책임자를 지정하여 관리할 수도 있도록 해야 합니다. 너무 분산시켜 놓으면 양식자체를 통일하기도 어렵고 복잡한 과정을 거쳐야 하는 어려움이 있습니다. 따라서, 관리자를 지정하고 해당 관리자가 파기나 분실되지 않도록 주의 깊게 챙기는 노력이 필요합니다. 그리고, 꾸준한 관리와 업데이트가 필요합니다.

한번 만들어 놓고 이후 업데이트를 하지 않는다면 그것은 만들어 놓은 의미가 전혀 없는 것이 되고 이미 지난 자료로 최근 상황을 아는데 또 다른 업무를 해야 하므로 더 불편하게만 만드는 자료가 될 것입니다. 따라서, 업무 중간 중간 실제 업무를 하는 자료로 관점을 바꾸고 실제로 사용하면서 업데이트에 신경을 쓰는 노력이 반드시 필요합니다.

기안품의는 수시로 발생합니다.

기안 품의라는 것은 굳이 광고회사가 아니어도 어느 회사나 있는 업무일 것입니다. 광고주와는 밀접한 관련은 없지만 기안 품의업무는 광고주 업무를 진행하기 위해서 내부적으로 반드시 거쳐야 하는 업무이며 광고회사별로 양식이나 써야하는 품의 업무는 약간씩 차이가 있습니다. 그러나, 실무AE들에게는 업무진행을 위해 종종 기안 품의를 작성해야 합니다. 그리고, 기안 품의를 작성한 당사자가 결재라인 통해 결재를 받는 것은 모든 회사가 그러듯 동일하다고 보면 될 것입니다.
[기안 품의의 종류]
-경쟁PT품의
경쟁PT가 진행이 되면 관련 품의를 작성하게 됩니다. 주요 내용에는 광고비, 대행범위, 시점, 참여회사, 그리고 비용부분을 기재하게 됩니다. 사실 이 품의는 광고주의 오리엔테이션 자료를 기초로 하여, 기획팀 협의 후 제작범위를 산정 최종적으로 예산을 뽑아내게 됩니다.
-대행계약/해지 품의
신규 광고주의 영입 시에 작성하는 품의로서 회사에 광고주 등록을 위해 품의를 올리기도 합니다. 광고주명과 기간, 예상 광고비, 특이사항을 기재하여 상신하게 되면 실제적으로 내부에서 광고 업무를 진행할 수 있게 됩니다. 반대로 해지시에도 관련 품의를 상신하기도 합니다.
-조사 품의
광고주의 마케팅 조사나 광고효과조사 관련하여 상신하는 품의로서 마케팅이나 조사부서에서 품의를 올리기도 하지만, 통상 실무AE들이 품의를 올리기도 합니다. 조사명칭과 조사방법, 기간, 비용 등을 기재하여 품의를 올리게 됩니다.
-제작 품의
필요에 따라 특정 제작 프로젝트에 대하여 올리는 품의입니다. 관련 내용은 경쟁PT나 조사 품의의 내용과 크게 다르지는 않지만, 첨부로 제작물 관련 내용이 첨부되기도 합니다.

-기타

이외에도 다양한 품의들이 있습니다. 광고주와의 워크샵 진행 시 필요한 품의나, 출장관련 품의, 다양한 외부 제작 스텝과 진행 시 맺는 계약품의, 비용이 들어가는 내부 업무 관련 품의 등 다양하게 발생할 수 있습니다. 기안 품의는 실무AE라면 누구나 일 년에도 몇 번씩 다양한 이슈로 품의를 상신하게 되는데, 품의서를 작성할 때는 몇 가지 고려해야 할 것이 있습니다.

[상신 관련 결재라인의 파악]

회사마다 상신하는 이슈에 따라 결재를 받는 과정이나 참조해야 할 사람들이 다를 수 있습니다. 따라서, 사전에 관련 업무 규정을 반드시 읽어보고 다시 결재를 받는 상황이 발생하지 않도록 해야 합니다. 결재 규정을 잘 못 이해하여 여러 번 결재를 다시 받다 보면 다른 업무에 지장을 받게 되고 결재 과정이 불편해질 수도 있습니다. 해당 이슈에 대해 전결권자와 협조자를 잘 파악하고 사전에 실무간 협의를 하여 결재를 상신하는 것을 잊지 말아야 합니다.

[사전에 결재 내용을 충분히 고민하세요]

무조건 결재를 상신한다고 해서 해결되는 것은 아닙니다. 해당 사항이 문제가 될 소지가 있거나 부정적인 것이라면 더욱 사전에 협의하여 가능성 여부를 타진하고 결재를 상신해야 합니다. 문제의 수준을 떠나서라도 가급적 품의를 올려야 하는 건에 대해서 사전에 공유가 일정부분 되어 있어야 하는 것이 필요합니다.

[심플하고 명료하게 기술해야 합니다]

실무AE들은 사실 모든 문서에 대해 가급적 간단하고 명료하게 기술하라는 이야기를 많이 하게 됩니다. 품의 자료도 마찬가지입니다. 아주 심플하고 명쾌하게 하는 것이 작성시에 가장 고려해야 할 부분입니다. 어려운 단어나 자신만이 아는 용어를 사용하지 말고 누구나 쉽게 알아볼 수 있는 것으로 복잡하지 않게 작성하는 것이 매우 중요합니다.

[결재의 타이밍을 놓치지 마세요]

본 내용에서 가장 강조하고 싶은 사항입니다. 결재의 품의를 놓친다는 것은 여러 가지 문제를 만들게 됩니다. 이미 진행된 건을 사후 품의를 올리게 될 경우는 해당 건이 아주 잘 정리되어 아무런 문제가 없으면 다행이지만, 자칫 문제가 발생한 것으로 결재자체가 안될 수도 있습니다. 특히 비용이 들어가는 품의의 경우는 가급적 사전에 품의를 올려야 합니다. 품의가 늦었을 경우는 정산 시점과 차이가 날 수 있어 정산 자체에 문제가 더 심각해질 수도 있기 때문입니다. 내용이 잘 못되었거나 결재 과정을 잘 못 넣었을 경우 수정하면 되지만, 타이밍을 놓쳤을 경우는 내용을 떠나서 결재 자체를 받기가 힘들어 질 수도 있기 때문입니다.

업무를 하다 보면 결재 품의로 고생을 하는 실무AE들을 종종 보게 됩니다. 바쁜 업무 과정에서 기안 품의를 받는 것도 쉬운 것이 아니라는 것은 사실입니다. 그러나, 기안 품의 업무도 광고주와 직간접적으로 연결되어 있는 업무이며 타이밍을 놓쳤을 때 발생한 문제는 더 큰 문제를 야기할 수 있다는 것을 인지하여 전체적인 업무 조정을 통해 매끄럽게 진행될 수 있도록 기안 품의 업무에 대한 나름의 노하우를 가지는 것도 필요하다고 생각합니다.

실적에 대한 개념을 가지고 있어야 합니다.

광고회사에서 실적이라는 말을 많이들 사용합니다. 빌링이라는 것을 회사의 실적이라는 개념으로 보고 이야기하는 것인데, 아시다시피 미디어비용과 제작비용으로 크게 나누어 광고회사의 수익을 결정하는 중요한 척도가 됩니다. 그런데, 실무AE들은 실적 자료에 대한 작성 등에는 관여는 하지만 실적의 중요성이나 관련 업무를 하면서 좀 더 의미 있는 노력을 해야 하지 않는가 하는 생각을 하게 됩니다. 전부 동일한 것은 아니지만, 광고회사에서 실적관리는 일단 실적 자료의 작성부터 시작한다고 할 수 있습니다.

[실적자료의 기본 구성 및 작성]

실적은 보통 월단위로 구성하는 것인데 월별 목표치와 달성율, 전년 및 전월, 그리고 세부적인 광고주별 미디어 및 제작 등으로 세분화되어 구성되어 있습니다. 실적 자료에 대한 작성은 통상 실무AE들이 팀간 협의를 거쳐 데이터를 입력하는데 집행 미디어와 제작실적을 실제 청구하는 담당자이므로 해당사항을 잘 알고 있기 때문에 실무AE들이하는 업무 성격이 강한 것은 사실입니다. 쉽게 말하면 목표는 얼마인데 달성을 얼마만큼 하고 있고 초과한 부분, 미달한 부분에 대해 세부적으로 데이터를 입력하여 문제점을 찾을 수 있도록 구성하는 것이 기본입니다. 또한, 월이외에도 분기별, 반기별, 연도별로 작성하기도 하고 연말에는 내년도 목표를 위한 협의를 위해 관련 자료를 별도로 만들기도 합니다. 필요에 따라서는 수시로 작성을 하여 협의자료로 만들기도 합니다.

[실적자료의 회의]

실무AE들이 회의하기도 하지만, 최종 실적자료를 근거로 하여 내부 회의하는데 실적 보고용 자료로 많이 활용됩니다. 아무래도 실적 자료 자체가 숫자 중심으로 되어 있기 때문에 실무AE들은 관련 자료를 구성하는데 있어 청구 내역 등에서 빠진 사항이나 변동사항이 없는지를 꼼꼼하게 살펴야 합니다. 예를 들어 금월에 진행되었지만, 청구자체의 변동으로 익월에 청구하기로 하였다면 실제 발생한 실적인 위치를 변경해야 합니다. 그렇지 않고 두었을 경우는 실제 발행된 계산 내역의 비교 수치와 달라지기 때문에 왜 변동되었는지 회의 시에 문제가 될 수 있기 때문입니다. 또한, 갑자기 실적이 크게 변동되는 사항에 대해서는 어떠한 이유로 그렇게 변동되었는지에 대한 첨부 설명이 필요에 따라서는 들어가 있어야 하기도 합니다. 사실 실무AE들이 실적 자료를 작성하는 것 자체가 어려운 것은 아닙니다. 다만 실적을 함에 있어서 단순한 숫자로 볼 것이 아니라 보다 광고 업무적으로 관점이나 시작을 돌릴 필요가 있지 않나 생각하게 됩니다.

[남의 목표가 아닌 우리가 가진 목표라는 인식]

아무래도 가장 우선되는 것은 실적이라는 것이 단순한 숫자가 아니라 회사나 팀을 위해 달성해야 할 목표라는 분명한 인식을 공유하고 있었으면 합니다. 그렇게 인식할 경우에는 실적 관련 업무를 진행 시 목표 달성에 대한 고취가 차원이 좀더 다른 것 같습니다. 함께 해내야 하고 반드시 달성해야 할 목표라는 공통의 의식을 하고 있다면 실적을 작성하면서도 '왜 실적이 변동이 되었는가? 어떤 부분에서 구체적으로 어떤 이슈로 인하여 달성이 되지 않았는가?' 라는 고민을 계속 하게 되면 해당 업무에 대한 성취욕이나 니즈가 좀 더 달라질 수 있지 않을까 하는 차원에서 목표인식을 공유한다는 것은 매우 중요하다고 이야기하고 싶습니다.

[달성을 위한 노력]

일단 그러한 목표의식을 분명히 공유하게 되면 보다 실적을 구체적이고 나의 팀의 업무에서 어떠한 부분에 의해 미진했는가를 고민하게 됩니다. 그렇게 되면 자연스럽게 익월에는 미진한 부분을 달성하기 위한 더 많은 노력을 하게 될 수 있습니다. 예를 들어 금월에 진행하기로 했던 프로젝터 등이 현안에 밀려 진행이 늦어진 이후로 실적에 반영에 안되었다는 것이 나타난다면 실무AE는 이에 대한 자료를 보면서 어떠한 방법으로 프로젝트를 진행할 것인지 그리고 어떠한 형태로 제안하여 효과적으로 커뮤니케이션할지를 고민해야 합니다. 즉 실적의 목표에 대한 개념을 공유하고 중요성을 인식하게 된다면 당연히 그에 대한 해결책을 실무입장에서 고민하게 된다는 것입니다. 실제 업무관련 내용을 수치화 하여 목표 달성율이 조금씩 늘어가는 것을 본다면 그것을 달성하려는 니즈는 자연스럽게 강화되는 것 같습니다. 사람이 어떠한 목표의식이나 구체적인 방법을 가지고 있지 않다면 멀리 있는 목표를 달성하기에는 포기하거나 요원한 것으로서 적극적인 행동을 하기 어려울 수 있습니다.

이런 실적자료를 실제 작성함에 있어 목표에 대한 공유나 달성을 위한 노력을 하는 것은 팀전체의 분위기를 보다 적극적이고 단합된 느낌을 가질 수 있는 밑바탕이 되는 것 같기도 합니다. 누구 혼자만이 고민하는 실적이 아닌 함께 고민하고 필요에 따라서는 적극적인 광고주 개발에 동기가 되므로 실무AE들도 초기부터 실적을 단순히 숫자를 입력하는 것으로만 보지 말고 보다 적극적인 의미로 대응해야 할 것입니다.

수상 등 대내외적인 성과관리에도 신경을 써야 합니다.

광고를 기획하고 제작하는 사람 누구나 자신들이 참여한 캠페인이나 광고물이 좋은 퍼포먼스로 평가받기를 원하는 것은 당연할 것입니다. 또한, 그러한 좋은 퍼포먼스는 캠페인 자체가 소비자들에게 좋게 평가받는 것과 마찬 가지로 그런 것을 통해 캠페인에 참여한 사람들도 좋은 성과를 내었다는 평가를 받을 수 있습니다. 그러나, 단순 캠페인의 효과를 내기위해 캠페인 진행이후 추이만을 지켜보는 것이 아니라 광고회사 실무AE로서 신경을 써야 하는 부분이 있다고 생각합니다.
[대외적인 성과관리]
-각종 광고제 출품
캠페인이나 광고물의 마케팅적 성과와는 별도로 광고제와 같은 곳에 출품하여 좋은 성과를 얻어 내는 것도 의미 있는 성과관리에 하나의 방법이라고 생각합니다. 물론 모든 광고물을 광고제에 출품할 수도 없으며, 당연히 시장이나 소비자들 그리고 주변에서 충분히 올린 만한 수준에 있다고 평가되는 것을 제출해야 할 것입니다. 한해에도 깐느, 클리오, 뉴욕페스티벌등 해외 광고제뿐만 아니라 국내 다양한 광고제와 광고 대상 수상이 있습니다. 이런 광고제의 시점을 미리 알고 있다 출품에 의미가 있다고 생각할 경우에는 굳이 광고주의 요청이 아니더라도 실무AE가 사전에 이러한 스케줄을 확인하여 제출할 수 있도록 고민해보는 것도 필요하다고 생각합니다. 이런 광고제에서 우수한 성적을 낸다는 것 자체는 광고회사를 알리는 매우 좋은 기회가 됩니다. 또한 기사화되는 경우가 많기 때문에 자연스럽게 언론이나 미디어 상에 좋은 이미지로 전달될 수 있는 효과까지도 거둘 수 있는 장점이 있습니다.
-학술대회 및 초청 강연 사례 발표
광고물이나 캠페인의 퍼포먼스가 있다면 마케팅 학술대회나 대학의 학교 강연에 초청되어 사례를 발표하는 경우도 있으며 실제 학생들과 프로젝트를 진행하는 경우도 있습니다. 많은 사람들에게 노출되는 것은 아니지만, 이런 경우를 통해서 많지는 않지만 직간접적인 PR을 할 수 있는 계기가 되기도 하고 자료를 위해 정리를 하게 되므로 캠페인이나 프로젝트를 한번쯤 정리하는 좋은 기회가 되기도 합니다. 캠페인이나 프로젝트의 상기와 같은 성과관리를 시너지가 나게 하기 위해서는 PR기사등을 개발하여 더욱 많은 노출을 할 수 있도록 지원하는 것도 필요하며 노출이 잘 될 수 있도록 모니터하는 노력도 중간에 필요할 수 있습니다.

[대내적인 성과관리]

-사내 교육 및 사례 발표

경쟁PT의 경우 성공 사례 든 실패 사례 든 간에 필요에 따라서는 케이스 스터디를 하는 경우가 간혹 있습니다. 이런 경우를 통해 문제점과 개선을 공유하게 되고 모두가 더 발전할 수 있는 자리가 될 것입니다. 캠페인 결과나 광고물에 대한 대내적인 공유도 마찬가지라고 생각합니다. 무조건 크리에이티브가 뛰어난 것만 내부에서 공유하는 것이 아니라 비용대비 효율성이 큰 크리에이티브라든지, 미디어 효율성이 매우 좋았던 사례라 던지 다양한 상황에서 나름의 퍼포먼스를 낸 프로젝트나 캠페인이 있다면 얼마든지 내부에서 사례 공유를 할 수 있는 기회가 있다면 매우 좋을 것입니다. 자칫 실무에만 집착하여 업무 중심으로만 돌아간다면 시각을 넓히거나 깊이를 더하는 노력이 덜해질 수 있으므로 바쁜 업무 시간을 쪼개서라도 이런 자리를 만들거나 자리가 있다면 언제든 함께 하는 것이 좋다고 생각합니다.

이런 대내외적인 캠페인, 프로젝트의 성과관리를 위해서는 우선 각 진행된 프로젝트의 자료를 체계적으로 관리하는 것이 매우 중요합니다. 기본적으로 이런 캠페인이나 프로젝트의 자료를 구성하는 것들이 해당 업무를 진행하면서 발생한 각종 자료로 구성되기 때문에 그 중요도가 높아지는 것입니다. 기획서 자료, 제안된 시안들, 각종 조사지표등 캠페인이나 프로젝트가 끝나면 자주 보지 않게 되는 자료들이 다시금 필요하게 됩니다. 그러다 보면 파일관리나 파워북, 팩트 북 다양한 자료 관리에 대한 업무들이 자연스럽게 직간접적으로 영향을 준다고 할 수 있을 것입니다. 이런 성과관리 관련 업무들이 갑자기 발생하였다고 했을 경우 평소에 자료 관리를 체계적으로 하지 않았다면 많은 시간을 들여 별도로 만들어야 하는 수고로움까지 있기 때문에 더욱 이를 위한 기본 관리 업무를 잘 수행해야 할 것입니다.

잡지는 업무에 좋은 영감을 주는 것 같습니다.

광고회사에 제작 스텝들을 보면 아이디어를 구상할 때 많은 자료를 놓고 고민하고 보는 광경을 자주 보게 됩니다. 그리고, 항상 주변에 많은 이미지 자료나 잡지 등 다양한 볼거리들이 항상 주변에 쌓여 있기도 합니다. 세상에 완벽한 창작이 없듯이 사람들이 만들어 놓은 것들 속에서 새로운 창조를 하는 것이 우리의 일이다 보니 자연스럽게 아이디어를 떠올리기 위해 영감을 얻기 위해 많은 자료를 보는 것이 거의 일상화되었다고 할 수 있습니다. 이는 AE들도 마찬가지라고 생각합니다. 시간이 나면 책을 읽으려고 하고 인터넷을 뒤지고 좋은 방향과 콘셉트를 찾기 위해 노력하는 것은 동일한 것 같습니다. 그런 차원에서 개인적으로 추천하는 것은 광고 회사 내부에서 약간의 여유로운 시간이 생긴다면 미장원에 머리를 말고 잡지를 쓱쓱 넘기며 보듯이 광고 회사로 들어오는 다양한 인쇄 미디어들의 자료를 보는 것입니다. 별것 아닌 것 같지만, 매우 효과적으로 아이디어를 얻는데 나름 도움이 되는 것 같습니다.
[최근 트랜드에 대한 이해]
XXX트랜드, XXX코드등 현상에 대해 해석한 것들이 많이 책이나 언론에서 다루는 것을 볼 수 있습니다. 그런데 이런 규정된 현상 말고 정말 숨어있는 인사이트나 시사점은 꼭 그렇게 규정하지 않더라도 느낄 수 있는 것이 잡지같은 것이라고 할 수 있을 것 같습니다. 본인은 지금 게재된 잡지가 아니더라도 이월된 잡지는 보다 쉽게 자리에 놓고 볼 수 있기 때문에 한달정도 이월된 잡지를 여러 가지 놓고 빠르게 보는 것을 추천하고 싶습니다. 그냥 보다 보면 전체적으로 어떤 경향으로 흘러가고 있는지 또는 공통분모가 조금은 더 이미지화 되는 것 아닌가 합니다. 사실 코드화 되고 무슨 트랜드화 되었다는 이야기가 나왔을 때는 이미 많은 브랜드나 제품들이 수혜를 입고 지나버린 것이 아닌가라는 생각도 들기 때문입니다. 그렇다 보니 최근 잡지들이 곧 이어질 경향을 미리 제시하고 소비자보다 반보이상 앞 서있다고 생각할 때 나타날 실질적인 트랜드나 코드는 보다 이런 잡지들과 같은 자료들 속에서 찾을 수 있지 않을

까 생각합니다. 따라서, 잡지와 같은 것들은 최근 트랜드를 이해하는데 매우 큰 도움을 준다고 생각합니다. 더구나 광고의 경향도 많은 광고가 한꺼번에 모여 있는 것이 잡지이다 보니 다양한 카테고리의 광고 트랜드까지 엿볼 수 있는 장점이 있는 것 같아 매우 좋은 것 같습니다.

[좋은 전략을 반영한 키워드나 콘셉트 워드의 발견]

우리는 때로 전략을 만들어 내거나 기획서를 작성할 때 제작 스텝이나 다른 스텝들이 이해하기 쉽지만 차별화된 워드로 만들어 내기위해 매우 노력하곤 합니다. 어떤 경우는 워드를 찾기 위해 밤새 매직아이가 되어 인터넷을 헤매고 다니기도 합니다. 이런 경우에도 잡지와 같은 자료는 매우 도움이 되는 것 같습니다. 특히 이미지 광고나 뭔가 매력적인 포장이 필요한 광고의 경우에는 잡지가 더 좋은 자료가 되는 것 같습니다. 실제 여성지나 주부지, 패션지와 같은 경우 이미지에 승부를 걸고 매력적인 카피나 아니면 아예 카피 없이 있는 광고도 많이 보게 됩니다. 매우 함축적이지만, 많은 이야기를 담고 있는 것 같습니다. 똑같은 워드를 쓰라는 것 보다는 전략 키워드나 콘셉트 워드를 잡을 때 많은 전략의 흐름을 담아야 하는 것이 해당 광고와 비슷한 맥락이라고 볼 때 도움이 될 수 있는 많은 내용을 볼 수 있다는 것입니다. 또한, 에드버토리얼이나 뭔가 분위기 있는 기사 등에서 트랜디한 워드까지도 발견할 수 있다 보니 이런 부분에 고민과 어려움이 있다면 더욱 잡지 미디어와 같은 자료에서 많은 도움을 얻을 수도 있다고 생각합니다.

이런 도움을 얻을 수 있는 잡지 미디어를 활용할 때도 고려했으면 하는 것이 있습니다. 우선 꼼꼼하게 읽으려고 하기 보다는 정말 스킵하면서 읽는 방법이 더 효과적인 것 같습니다. 모든 내용을 자세하게 읽는 다는 것은 오히려 시간 낭비일 뿐일 수도 있고 불필요한 내용이 더 많을 수도 있기 때문입니다. 또한, 부분만 보게 되기 때문에 전체적인 흐름을 이해하기가 오히려 어려운 것 같습니다. 그래서 가급적 쓱쓱 넘어가면서 전체를 보는 것이 더 나은 것 같습니다.

읽으면서 중요한 것이나 의미 있는 것이 나오면 메모를 하거나 클리핑을 해

두는 것이 좋다고 생각합니다. 좋은 워드나 문구들은 오히려 별도의 메모장을 두고 그때그때 기재를 해두면 나중에 다른 상황에서도 활용할 수 있는 장점도 있어 만들어 두고 수시로 메모하는 방법도 매우 좋은 것 같습니다. 제작 스텝도 마찬가지로 좋은 워드나 이미지는 별도로 클리핑하거나 스캔을 받기도 합니다. 실무AE들도 잡지를 볼 때 이미지를 클리핑북에 넣어 두면 나중에 기획서나 제작 아이디에이션에도 적잖은 도움을 줄 수 있을 것 같습니다.

실제 조사에서는 잡지의 이미지를 활용하여 타겟의 성향을 분류하거나 조사 결과를 정리할 때 이미지 등을 잡지나 비슷한 자료에서 활용하는 경우도 종종 보게 됩니다. 모호한 타깃 이미지를 한 번에 눈으로 쉽게 이해하게 만들어 주기 때문에 필요하다면 적극적으로 클리핑 해 두는 것이 좋은 것 같습니다. 앞서 다른 장에서도 자료에 대한 수집이나 좋은 아이디어는 평소에 고민하라는 이야기를 드린 것 같습니다. 굳이 잡지가 아니어도 평소에 이런 노력들은 아이디어를 위해 꾸준하게 해야 할 광고회사에 있으면서 개인적인 내공을 키우는 좋은 방법이 아닐까 합니다. 심지어 게재지를 광고주에게 제시해야 하는 업무를 할 때 아예 이런 방법을 적용하여 한다면 별도로 보지 않고도 할 수 있는 좋은 방법이 아닐까 합니다, 물론 잡지광고를 많이 하지 않는 브랜드나 제품을 하고 있다면 별도로 여유가 있을 때 해야 할 것입니다.

잡지는 쉽게 지나치고 그냥 시안을 보드 눌러 놓는 용도로 활용하기 보다는 보다 좋은 아이디어와 매력적인 전략의 구성을 위해서도 이제 잡지를 다시 보는 눈을 가지는 것이 좀 필요하지 않을까 합니다. 작은 것을 쉽게 놓치지 않는 것도 매우 큰 의미 있는 결과를 만들어 낼 수 있다고 생각합니다.

회사 크리덴셜은 꾸준한 관리와 변화가 필요합니다.

통상 말하는 광고회사 크리덴셜은 기획 영업의 가장 기본이자, 광고회사의 얼굴이기도 합니다. 회사별로 별도 부서에서 관리되어 만들어지는 경우도 있고 필요에 따라서는 해당 기획부서에서 만들기도 합니다. 매년 만들어지는 광고물이나 프로젝트가 결과물이 다르기 때문에 정기적으로 업데이트해야 해야 합니다.

[크리덴셜의 기본 구성]

 크리덴셜의 구성도 회사마다 차이가 있고 나름의 칼라와 디자인으로 만들지만 기본적으로 들어가는 구성은 회사의 기본적인 소개를 우선적으로 하고 타사와의 차별화 포인트로 할 수 있는 전략 모델이나 미디어 모델을 소개하기도 합니다. 그리고 해당 회사만이 할 수 있는 광고주 서비스나 수상실적등 다양한 내용으로 크리덴셜을 구성하게 됩니다.

-회사 기본 소개: 회사 연혁, 회사 조직도, 매출 규모, 맨파워등

-전략 및 크리에이티브: 각종 기획, 미디어, 조사 전략모델, 성공 캠페인, 프로모션 등

-기타: 광고주 서비스, 수상실적 등

  크리덴셜이 가장 많이 필요한 경우는 경쟁PT나 신규 광고주 영입시등 광고주에 대해 광고회사를 소개하는 상황에서 제출하거나 별도의 PT를 하기도 합니다. 또한, 대외적으로 회사에 대한 소개가 필요할 경우 크리덴셜을 활용하여 소개하기도 합니다. 통상 실무AE들이 필요할 경우 크리덴셜을 작성하거나 업데이트를 하는 경우가 있는데 크리덴셜도 단순히 회사를 소개하는 자료라고 생각하기보다는 보다 전략적인 의미를 갖는 것으로 생각하고 관리하고 변화시켜야 한다고 생각합니다.

[정기적인 업데이트는 필요합니다]

  크리덴셜은 광고회사에서 필요에 따라 수시나 정기적으로 업데이트를 해야하는데 주로 실무AE들이 많이 하게 됩니다. 회사차원에서 하는 경우도 있지만,

자세한 내용을 구성하는 것이 별도로 필요한 경우가 많기 때문에 실무AE들의 노력이 필요합니다. 크리덴셜에 있어 가장 기본은 앞서 잠깐 언급한 업데이트에 있습니다. 매년 만들어지는 제작물, 새로운 캠페인이나 성공사례, 미디어, 기획, 전략, 조사 모델 등 다양한 내용을 정기적으로 업데이트 해야 합니다. 이 또한 평소에 업데이트하지 않으면 한꺼번에 많은 양을 해야 하는 불편함이 기본적으로 있기 때문입니다. 따라서, 누군가 업데이트 해 놓은 크리덴셜이 있다면 받아서 보관하고 있고 새로운 이슈나 변화가 생기면 그때 그때 업데이트를 해놓는 것이 좋은 것 같습니다.

[전략적인 구성이 필요합니다]

특히, 경쟁PT 상황이나 처음 만나는 광고주라면 더욱 그렇습니다. 무조건 기존에 있던 크리덴셜의 몇 가지만을 업데이트하여 보고한다면 아주 일반적이고 매력적이지 못한 크리덴셜이 될 것입니다. 해당 광고주의 성향이나 니즈를 사전에 잘 파악하여 정말 해당 광고주가 매력적으로 느낄 만큼의 퍼포먼스를 낼 수 있는 역량을 가진 회사로서 느낄 수 있도록 만들어야 합니다. 예를 들어 관련 프로젝트에 대한 경험을 매우 중시하는 광고주라면 수행한 많은 프로젝트들 중에서 해당 자료를 중심으로 크리덴셜의 사례나 맨파워를 만들어야 할 필요가 있습니다. 크리에이티브에 대한 새로움이 중요할 경우 관련 사례를 중심으로 구성을 해야 하는 것은 당연할 것입니다. 크리덴셜도 실무AE가 구성을 할 때 PT나 광고 제작물을 만들 때 광고주를 고려하듯 크리덴셜도 기본적으로는 그런 사항을 사전에 확인하여 전략적인 크리덴셜이 될 수 있도록 고민할 필요가 있습니다.

[새로운 디자인으로 업그레이드해야 합니다]

회사별로 사용하는 칼라, 서체, 디자인이 있을 수도 있습니다. 그러나 크리덴셜이 회사의 얼굴인 만큼 꾸준한 디자인이나 편집 레이아웃을 업그레이드할 필요가 있습니다. 이는 사실 실무AE의 페이퍼웍에 스킬에 달려있기도 하지만, 필요에 따라서는 제작스텝의 도움을 일부 받아 더 매력적인 디자인으로 템플릿이나 디자인을 구성할 수도 있을 것입니다.

[만들어진 크리덴셜은 공유되어야 합니다]

이렇게 전략적으로 구성되고 업데이트와 업그레이드를 거친 크리덴셜은 혼자만 가지고 있는 것이 아니라 내부 다른 기획스텝과 필요하다면 공유를 해야 합니다. 상대방이 필요할 수도 있고 변화된 크리덴셜이 더욱 업그레이드될 수도 있기 때문입니다. 몇 번의 과정을 거친다면 더욱 훌륭한 크리덴셜을 기대할 수도 있습니다.

크리덴셜의 작성을 해보지 않았다면 처음에는 매우 어려운 업무 일 수 있다고 생각이 됩니다. 어떤 워드를 써야 할지 어떤 그림과 사례를 넣어야 할지 광고 전략서를 작성하는 것보다도 자신의 회사 소개를 하는 것이 더 어려운 것이 크리덴셜일 수 있다고 생각합니다. 하지만, 실무AE에게 업무를 하다 보면 분명히 한번 이상은 만나게 되는 것으로서 평소에 많은 크리덴셜을 볼 수 있다면 매우 도움이 될 것이라 생각이 됩니다. 그러나 단순히 보는 것에만 그치는 것이 아니라 이를 실제 작성을 해보고 업그레이드하려는 노력은 더 중요할 것 같습니다. 사람의 첫인상을 보고 1차적으로 그 사람을 평가하듯 크리덴셜은 광고회사를 서류상으로 첫인상을 가지게 하는 매우 중요한 것이기 때문입니다. 평소에 기존에 있는 자료라고 생각했다면 한번쯤 다시 보고 좋은 업그레이드 방향이 있는지 고민해 보았으면 합니다.

파일관리를 효율적으로 하세요.

실무AE 나름대로의 데이터 관리하는 방법이 있겠지만, 무작정 나름대로의 분류 없이 정리하는 것 보다는 구분의 기준과 광고주에 따라 약간은 탄력적으로 관리를 하는 것이 보다 더 효과적인 것 같습니다. 브랜드가 많거나, 브랜드 단일한 경우, 국내인지 국외까지 함께 하는데, 아님 미디어만 대행하는 것인지. 제작만하는 것인지. 하여간 여러 가지 조건에 의해 일률적으로 구분할 수는 없지만, 대략 몇 가지의 기준을 가지고 한다면 보다 그때 사항에 맞추어 정리는 가능할 것 같습니다.

[별도로 관리를 하세요]

관리된 데이터는 시간이 지날수록 쌓이게 되는데, 보통 6개월 이상 사용하지 않는 데이터나 광고주가 변경되어 현재 당장 필요가 없는 데이터는 별도의 메모리나 오프라인상에서 파일 폴더를 활용하여 저장이나 클리핑 해놓는 것이 효과적입니다. 대부분 데이터 중심으로 관리를 하기 때문에 대부분의 데이터는 외장하드를 이용하여 백업합니다. 오프라인의 파일은 계약서류나 업무 연락 날인된 각종 서류를 중심으로 관리하되, 꼭 필요한 것인지를 보고 파악하여 철을 하게 됩니다. 물론 불필요한 철이라도 버릴 때에는 보안에 유지하여 이면지로 돌아다니거나 그냥 버려지는 일이 없도록 파기를 철저히 하여야 합니다.

[업무 플로우에 맞는 트리를 만들어야 합니다]

파일명을 정리하게 되면 처음부터 무리하게 트리를 만들 필요는 없습니다. 기존의 광고주라면 기존에 정리된 트리를 나름대로 편리하게 업무별로 정리해야 하고, 신규 광고주라면, 발생하는 건부터 차례로 트리를 만들어 가면서 완성하면 됩니다. 예를 들어, 신규 광고주의 경우 컨택 리포트가 발생하면, 광고주 업무라는 큰 폴더 밑에 기획 폴더-일반업무-컨택 리포트라는 폴더를 만들어 연도와 날짜_광고주_브랜드나/제품_컨택 리포트로 명기하여 넣어 놓으면서 하나하나 추가해 나가면 나중에 외부에 있더라도 업무 플로우에 따라 정리해 놓은 트리는 효과적으로 다른 사람과 공유하고 업무에 효율을 가져올 수 있습니다. 전체적으로 말하자면, 크게 광고주 업무 폴더를 두고 광고주별-브랜드-제품-각 브랜드 제품별 기획과 제작업무를 밑으로 두고, 일반적으로 돌아가는 업무는 기획이라는 큰 폴더아래 만들어 미디어와 일반 정규 업무를 관리하면 전체적으로 볼 수 있는 것 같습니다. 각 브랜드나 제품별로 너무 세분화하면 너무 분류가 많아지고 트리구조가 복잡해져 오히려 기획이나 제작업무만 분류해 놓으면 편리한 것 같습니다. 제작업무 같은 경우 폴더자체를 연도와 월을 명기하고 브리프와 제작물을 넣어두되, 수정이 계속되는 것을 감안하여 날짜별로 수정안을 구분해 놓으면 아무래도 버전 별 수정 사항을 알 수 있어, 심지어 광고주의 수정성향을 알 수 있습니다.

특별하게 발생하는 업무는 별도의 폴더를 만들고 기획서나 PT 그리고 기타 자료는 기타 폴더를 만들어 별도로 관리하면 됩니다. 기획서 폴더 같은 경우도 카테고리별로 구분하여 정리해 놓으면 편리하고, PT는 기획/제작/미디어/마케팅 등의 업무 구분으로 해 놓으면 대부분 포함하게 됩니다. 전체적으로 추가하자면 부서 업무와 개인업무 폴더도 만들어 회사 내부에서 일어나는 업무도 분류하고 개인적인 업무 관리가 필요한 폴더는 개인 업무 폴더로 만들어 관리하면 좋습니다. 바탕화면에 많이 깔아 놓는 경우도 있는 가급적 깔끔하게 정리하고 자주 쓰는 폴더는 상위에 자주 안 쓰는 폴더는 하위에 두는 것이 좋은 것 같습니다. 특히, 청구 및 견적 관련 폴더는 매월 관리 폴더를 별도로 만들어 연도별 월별 트리를 볼 수 있도록 해놓는 것이 좋습니다.

[파일명의 구분을 잘 하세요]

오프라인의 페이퍼는 대부분 계약서등 정무적인 기본 양식들 중심으로 보관하게 되는데, 사실 과거에는 출력물에 대한 관리를 더 신경 썼으나, 이제는 데이터 위주의 관리를 하는 것이 보통인 것 같습니다. 그러다 보니 데이터 관리의 첫번째는 파일명에 대한 정리입니다. 파일명을 우선적으로 정리를 잘 하면 나중에 트리를 만들어 구분할 때 대단히 효과적으로 분류할 수 있다. 가장 효과적인 방법은 거꾸로 쓰건 바로 쓰건 상관은 없으나, 연도와 날짜_광고주_브랜드/제품_업무_건명_버전 등의 순으로 정리해 놓으면 트리를 구성한 후 분류할 때 편리한 것 같습니다. 약간은 파일명이 길어 지기는 하지만, 버전까지 표기해 놓으면 얼마만큼의 수정인지, 언제 것을 다시 수정해야 하는지 효과적으로 찾아내어 작업할 수 있습니다.

[기존자료]

몇 년간 이렇게 저렇게 정리해본 결과 크게 7가지의 구분으로 나누면 광고주 및 제작에서 발생하는 다양한 것을 정리하는 데는 어렵지 않은 것 같습니다.

-기획부분

광고주와의 커뮤케이션 상에서 발생하는 각종 문서 등을 관리합니다. 해당광고주의 경쟁PT관련 자료 및 컨택리포트 업무협조전 계약서등을 시계열별로 정리하는 것이 좋습니다. 각각의 파일명에는 '날짜_광고주_분야_건명_버전. 파일명'식으로 데이터를 정리하면, 추후 확인 시 다양한 검색어로 검색이 가능하므로, 가능하면, 상기와 같이 따르면 좋습니다.

-업무지원

광고주관리 파일 데이터나, 일정 관련된 자료들을 관리할 수 있습니다.

-제품/브랜드

광고주 쪽에서 보내주는 제품이나 브랜드관련 자료들을 별도로 관리하면, 추후해 깔리지 않고 찾아낼 수 있습니다.

-크리에이티브

제작 건이나 프로젝트 건 폴더를 안에 별도로 만들어, 오티 자료부터 시안까지 모아두면 됩니다. 하나의 프로젝트가 끝나면, 시간 나는데로 필요한 자료만 남기고 삭제하면, 나중에 쉽게 찾을 수 있습니다.

-미디어

미디어 파일은 전파미디어와 인쇄미디어, 옥외, 그리고 온라인 등으로 나눌 수 있으며, 월별 큐시트와 모니터 된 자료 등을 첨부합니다.

-먼쓸리등 리포트

매월 보고되는 먼쓸리등 리포트는 전에 언급한 것과 같이 월별로 광고 및 데이터 폴더를 만들어서 관리하는 것이 추후 애뉴얼 시에도 도움이 되며, 포스트 바이와 브랜드 믹스 같은 경우에도 함께 담아두면 미디어별 돌아가는 상황을 전체적으로 알 수 있어 광고주 요청 시 빠르게 대응할 수 있습니다.
-기타
신규 캠페인 집행시나 이슈 발생이 필요한 기사자료나 광고주 관련 기사자료, 각종 데이터들을 한꺼번에 모아서 관리합니다.
상기에서 언급한 다양한 것들을 트리화 해보면 아래와 같이 대략 분류하여 들어갈 수 있을 것 같습니다.
상황에 따라 다를 수 있고 정해진 파일관리라는 것은 없지만, 광고주나 브랜드가 많을 경우는 상기와 같이 기본 트리를 만들어 놓고 관리하면 개인이 관리하기도 좋은 것 같고, 본인이 부재중이어도 다른 사람이 찾기에는 어렵지 않게 관리할 수 있을 것 같습니다.

업무 네트워크의 연락처를 효과적으로 관리하세요.

실무AE들은 하루에도 많은 통화를 하는 것 같습니다. 광고주와 스텝들과 외부와 물론 모든 실무AE들이 그런 것은 아니지만, 다양한 사람들과 업무를 처리하기 위해 통화를 하게 됩니다. 더구나 긴급 상황이 생기게 되면 주식시장의 딜러들처럼 여기 저기 바쁘게 정신없이 통화를 하는 것 같습니다. 예를 들어 미디어 출고에 문제가 생긴다 던지, 소재에 문제가 생길 경우 등 민감하고 큰 사안의 경우에는 더욱 그런 것 같습니다. 따라서 나름대로의 전화번호와 네트워크를 관리하는 방법이 필요 하다고 생각합니다. 특히, 외부에 있을 경우 연락처가 없거나 잘 모를 때 그것을 알기 위해 부가적인 통화를 하는 경우도 많은 것 같습니다. 바쁜 상황에서 이런 문제가 발생한다면 매우 난감해질 수밖에 없는 것 같습니다. 물론 나름대로의 기술을 가지고 있겠지만, 개인적인 경험에 비추어 보면 몇 가지 이런 난감하고 어려운 상황을 극복하기 위해 몇 가지 방법을 터득한다면 큰 도움이 될 것 같습니다.

[전화번호 및 연락망의 정리]

일단 전화번호를 잘 정리하면 대부분 연락 등의 문제는 해결되는 것 같습니다. 엑셀에 개인 연락처, 광고주 연락처, 제작사, 미디어사, 모델 에이전시, 조사회사, 프로모션, 회사 전화, 프러덕션, 편집실, 개인 웹하드, 녹음실, NTC현상회사등 다양한 연락처를 일괄로 정리하는 시트를 만들어 관리하면 되는데, 이를 하나의 파일에 넣어 시트별로 관리하면 아주 편리합니다.

[연락망관련 정보의 휴대]

일단 이렇게 작성된 각종 연락처와 관련 정보는 아주 작게 출력합니다. 그런 후에 1차적으로 다이어리에 부착을 하고 개인이 휴대하는 지갑이나 가방에 항상 가지고 있으면 언제 어디서나 업무를 불편하지 않게 처리할 수 있는 것 같습니다. 물론 휴대전화에 입력하여 할 수도 있지만, 연락처 외에는 다양한 정보를 가지고 있기에는 한계가 있고 속도면에서도 어떤 때는 오히려 업무처리에 장애가 되는 경우가 있어 이렇게 활용하는 것이 처음에는 불편할 수 있지만, 매우 도움이 되는 것 같습니다. 하지만, 처음부터 이런 연락처를 만든다는 것도 쉬운 것이 아닙니다. 업무를 하면 엄청난 양의 연락처가 있기 때문에 많은 시간을 초기에 허비할 수밖에 없습니다. 결국 이것도 평소에 수시로 관리하는 방법뿐이 없다고 생각합니다.

[연락처 및 관련 정보는 가급적 수시로 업데이트 하세요]

일단 명함을 주고받고 인사할 때마다 그 내용을 바로 기입하여 잊어버리지 않는 것입니다. 필요할 때는 아웃룩에 주요 연락처는 이중으로 기재하여 필요시 메일 보낼 때 편하게 활용할 수 있습니다.

[폰에도 기본적인 정보와 연락처는 입력해야 합니다]

자주 연락하거나 중요한 연락망은 미리 폰에 저장하여 나중에 물어보는 일이 없도록 하는 것도 센스인 것 같습니다. 별것 아니지만, 누군가 그랬습니다. 정리만 잘하면 50%는 된 것이라고, 광고 특히 실무AE들도 이렇게 정리만 하면 많은 도움이 될 것 같습니다.

[연락관련 정보망은 항시 컴퓨터에 띄어 놓는 것이 효과적입니다]

실제 업무시에는 이런 정리된 연락망 파일을 열어 두는 것이 도움이 되는 것 같습니다. 우선 새로운 연락처를 받을 시 별도의 메모 필요 없이 바로 기입할 수 있는 장점이 있고, 책상에 어지럽게 널려진 연락처로 나중에 찾을 때 헤깔리지 않을 수도 있습니다. 더구나 긴급으로 연락 오는 사항에 대해서는 분류된 자료를 서칭하면 바로 볼 수 있으므로 업무 대응의 속도 자체도 향상시키는데 큰 도움이 되는 것 같습니다.

[연락관련 정보망은 확장되어야 합니다]

이런 연락 정보망을 1차적으로 만들게 되면 광고주 연락처를 중심으로 정리하게 됩니다. 그러나 차차 누적이 되다 보면 스텝부서와 외부 스텝까지 서서히 확장이 됩니다. 또한 단순한 연락처뿐만 아니라 자주 사용하는 웹하드의 주소나 각종 계약기간까지 넣어 기재하는 양이나 폭이 매우 넓어지게 됩니다. 그럼 결국 하나의 파일을 통해 다양한 것을 한 번에 알 수 있고 처리하게 되는 장점을 가지게 됩니다. 단순한 연락망 이상이 될 수 있도록 이렇게 확장하는 것도 필요하다고 생각합니다.

[해당 파일에 대한 저장 관리]

이런 파일이 엄청난 정보 자료로 커지면 모든 자료가 이 안에 들어 있기 때문에 절대로 분실되거나 파기되어서는 안됩니다. 따라서, 중복하여 다른 저장소에 가지고 있는 것이 필요합니다. 힘들게 만들어 놓은 연락 정보망을 잃는다면 컴퓨터에서 힘들게 작업한 데이터가 꺼지는 바람에 느끼는 허무함 보다도 더 크게 느껴질 수도 있을 것입니다.

업무를 하다 보면 연락망이 점점 실무AE의 네트워크 DB가 되어 감을 느낄 수 있습니다. 연차가 쌓일수록 더 의미 있는 자산이 될 수 있도록 차곡차곡 업데이트 및 관리를 잘 하셨으면 합니다.

광고 회사의 보안은 기본입니다.

경쟁PT상에서 보안은 매우 중요하다고 언급한 적이 있습니다. 그런데, 이는 경쟁PT뿐만 아니라 전체 업무 진행상에서 기본적으로 지켜야할 것이라고 생각합니다. 굳이 경쟁PT가 아니더라도 잘 못 관리한 자료가 유출되어 큰 문제가 발생하는 경우도 있기 때문에 업무 관련 보완은 실무AE들은 기본적으로 광고회사 내부에서 잘 지켜야할 기본인 것 같습니다.

[보안 서약서 작성이 필요합니다]

광고주가 요청하는 경우도 있고 프로젝트 중요성에 따라 광고회사 주도로 내부 및 외부 스텝과 작성하는 경우가 있습니다. 서류 작성시 사고시 발생할 책임소재를 명확히 하기위해 가급적 담당자 모두를 받아 서명하고 관리해야 합니다.

[중요한 서류는 서류함에 넣고 잠금 장치를 해야 합니다]

계약서나 중요 전략 기획서, 데이터로 전송되지 않는 광고주 문건 등 광고회사에서는 항상 시장보다 앞선 자료를 가지고 있습니다. 그러다 보니 관련 자료를 프린트된 상태로 책상위에 놓거나 회의실에 그냥 두고 왔을 때 다른 사람이 보거나 한다면 1차적으로 자료가 유출된 것이라고도 할 수 있습니다. 따라서, 사물함 등에 보관을 하여 분실의 우려가 없도록 서류함 등에 넣고 잠금 장치를 하는 것이 필요합니다.

[자료 폐기시 파쇄를 해야 합니다]

일반 회사도 마찬가지이지만 종이를 얇게 자르는 파쇄기가 사무실에 비치되어 있는 경우를 종종 보게 됩니다. 광고주로부터 받은 PDF파일이나 워드, PPT문서등에서 특히 중요한 문서를 출력하여 보게 되는 경우가 있습니다. 별도의 메모를 하여 따로 보관해야 하는 상황이 아니라면 데이터가 있으므로 기본적으로 파쇄를 하는 것이 맞다고 생각합니다. 대강 손으로 찢어 버릴 경우 자칫 유출될 수도 있기 때문입니다. 과거 고객 데이터가 가득 있는 쓰레기더미가 뉴스상에서 화제가 되었던 것처럼 주요 자료를 데이터를 출력하여 가지고 있을 경우 보고난 후에는 파쇄하는 것이 맞는 것 같습니다.

[컴퓨터 자체에 잠금 장치도 필요합니다]

실무AE들의 컴퓨터는 그야말로 보물 창고입니다. 광고주의 많은 정보는 물론 전략 기획서, 조사 보고서, 그리고 아이디어들까지 만약 이런 자료들이 경쟁사에 들어간다면 그에 대응한 전략으로 노출된 회사의 어떤 마케팅이나 커뮤니케이션 활동도 무의미해질 것입니다. 따라서, 실무AE들의 컴퓨터는 로그인 자체나 잠시 자리를 비웠을 경우 자동으로 암호가 걸릴 수 있도록 장치를 하는 것이 필요합니다. 더구나 노트북의 경우 분실되었을 때는 문제가 심각하므로 1차적으로 그런 장치는 더욱 필요한 것 같습니다.

[자료 공유시에 가급적 프린트물로 제공해야 합니다]

경쟁PT나 일반 업무시에도 많은 스텝과 자료를 공유하게 됩니다. 데이터나 프린트물로 공유를 하게 되는데 이때 많은 자료를 한꺼번에 많은 사람이 공유를 하게 되어 배포가 될 수밖에 없습니다. 이럴 경우에는 1차적으로 구두로 보안에 대한 요청을 해야 하며 가급적 주요 자료는 프린트물로 만들어 배포하는 것이 문제를 최소화하는 방법이 아닌가 합니다. 무조건 자료를 공유한다고 해서 데이터로 매번 하다 보면 자칫 유출의 문제가 발생할 수도 있기 때문입니다. 이는 외부 업체와의 커뮤니케이션시에는 더욱 그렇습니다. 데이터가 외부로 나갔을 경우는 겉잡을 수 없는 상황이 되므로 필요하다면 보안각서는 물론 자료를 프린트형태로 제시하는 것이 필요합니다.

[오래된 자료는 폐기해야 합니다]

통상 업무를 하다 보면 6개월 이상 된 자료는 잘 보지 않게 되는 것 같습니다. 따라서, 그것이 꼭 필요한 자료가 아니라면 프린트 상태의 자료는 파쇄하고 데이터는 별도의 저장 장소에 보관하여 컴퓨터의 용량문제까지 해결하는 것이 좋은 것 같습니다.

[스텝 회의실에 대한 관리도 필요합니다]

예전에 호텔 작업이라는 것이 있었습니다. 저도 한번 해보았는데 호텔 하나를 잡아 관련 스텝이 며칠 동안 회의를 하여 정리되면 결과물을 만드는 나름 보안과 경쟁PT에 집중하겠다는 방법의 일환으로 한 적이 있었습니다. 사실 실무AE들도 많은 회의를 제작 스텝이나 다른 스텝과 하는데 회의과정에서 보면 벽에 많은 안들과 키메시지 등을 붙여 놓고 회의를 하게 됩니다. 이와 관련된 자료들도 보관이나 관리가 매우 중요하므로 스텝들과 함께 신경을 써야할 부분이라고 생각합니다.

광고주뿐만 아니라 광고회사도 이런 보안문제로 인하여 자료의 관리가 매우 철저해진 것이 사실입니다. 실제 데이터만 볼 수 있게 한다든지 프린트 자체가 안된다 던지 매우 다양한 방법으로 자료의 보안에 신경 쓰는 것 같습니다. 힘들게 만들어가는 전략과 크리에이티브 보안을 위한 방법도 중요하지만 이 자체가 매우 중요하다는 의식을 갖는 것이 가장 우선인 것 같습니다.

부서간 업무에 대해 원만한 관계 유지를 위해 노력해야 합니다.

광고회사에서 실무AE로 일하다 보면 광고주 관련 직접적인 업무만 하는 것이 아니라 다양한 부서와 함께 공동으로 업무를 진행하거나 지원을 받을 경우가 AE들에게는 많이 발생합니다. 회사 규모를 떠나 광고 직접 관련 부서 외에 인사, 재무, 총무, 제작지원 팀이나 담당과 업무를 하게 됩니다. 많은 지원 부서와의 커뮤니케이션을 하다 보니 기본적으로 원만한 관계를 유지하는 것이 당연한 것이나 자칫 잘 못하여 불편한 관계로 업무에 어려움을 종종 겪는 경우를 보게 됩니다.

[인사 총무부서]

실무AE 기준으로 보았을 때 새로운 AE를 뽑아야 하는 상황이거나 할 때 해당부서와 관련 협의를 진행하기도 합니다. 또는 부서이동 및 직무등 조직적인 부분이나 AE로서 실제 생활하는데 있어 필요한 이슈들을 가지고 협의하게 됩니다.

[재무 관련 부서]

회사의 경영과 관련된 재무를 관할하는 부서입니다. 실무AE들의 경우도 비용 관련 품의 등을 진행할 경우는 항시 협조를 받아야 하며, 특히 AE들에게 있어 청구관련으로 협조를 구해야 하는 경우가 매우 많이 있습니다. 광고주 업무에서도 다루었던 세금계산서 및 청구 관련사항에 있어서 가장 큰 비중을 두고 광고회사 내부에서 커뮤니케이션해야 할 부서입니다. 또한, 광고회사의 실적을 취합하고 보고해야 하는 부서로서 관련 건으로 협의할 때가 자주 있을 수 있습니다.

[제작 관리 관련 부서]

광고회사에서 부서가 있던 담당이 있던 제작비용에 대한 것을 진행해주는 부서가 제작 관리 관련 부서입니다. 각종 광고를 만들 때 가장 많은 협의를 해야 하는 부서이며 전체적으로 앞서 본 광고관련 부서외 중에서도 가장 많은 업무를 함께 해야 하는 부서이기도 합니다.

우선적으로 제작이 시작되는 시점에서 가장 먼저 알아야 하는 부서입니다. 계약관계 및 외주 업체 선정에서 있어 확인 및 검토를 함께 하기 때문에 광고물 제작이 진행이 관련 건에 대하여 가장 우선적으로 알고 있어야 합니다. 그렇지 않고 진행될 경우는 민감한 문제까지 발생할 수 있습니다. 그리고, 제작 진행 중에도 함께 필요한 부분에 있어서는 공유해야 합니다. 영상광고의 경우 PPM등의 프로세스나 촬영시에 참여를 해야 하는데 실제 PPM이나 광고주에게 제시한 것들을 충실하게 실행이 되고 있는지를 확인하는 차원에서도 제작관리 관련 부서는 매우 중요한 기능을 합니다.

단순한 관리 감독의 차원을 넘어서 제작 진행이 원활하게 될 수 있도록 합니다. 그렇다 보니 제작관련 다양한 이슈나 문제를 공유하게 되고 해결을 하게 됩니다. 또한 제작비 청구나 세금계산서 발행에 있어서 해당 부서가 관한하는 경우가 많기 때문에 광고주 청구 시점에서도 협의를 해야 합니다. 실무AE들에게 있어서는 정기적으로 제작비 관련 청구 시 외부 업체와 함께 진행하는 경우가 많기 때문에 가급적 많은 이야기를 제작 관리 관련 부서나 담당자와 꾸준하게 해야 하고 자세하고 정확하게 알려줄 필요가 있습니다. TV 광고, 영상 같은 경우는 프로젝트는 워낙 비용도 많이 투입되므로 현장까지도 오는 경우가 많은데 신문, 잡지, 라디오 등 모든 제작 건을 확인할 수가 없으므로 실무AE들은 진행 시 수시로 공유하고 알고 있어야 할 사항에 대해 반드시 전달해야 합니다

실무AE들은 이처럼 많은 부서와 커뮤니케이션을 하게 되는데 개인적으로 볼 때 관계를 원활하기 위해 가장 중요한 것은 자주 커뮤니케이션 하고 필요한 부분에 있어서는 매우 자세하게 전달하고 관련 부서에서 협조가 올 경우는 시간 배분을 잘 하여 필요한 것들을 적극적으로 협조해 주어야 한다고 생각합니다. 매번 모든 것을 다 할 수는 없겠지만, 광고회사에서 전반적인 업무효율성이나 실제 큰 문제가 발생하였을 때 협조 받을 수 있는 부서들이기 때문에 평소에 필요한 것들을 상호간에 잘 처리해 주는 것이 중요한 것 같습니다.

팀 살림에 대한 것도 실무AE의 몫입니다.

실무AE들의 업무 중 팀 내 각종 경비를 관리하는 것도 실무AE들이해야 할 일 중에 하나입니다. 회사마다 관리하는 사람이 다르긴 하지만, 전체적 팀 운영 비용을 팀장님과 함께 관리하는 것은 매우 중요한 실무AE들의 몫입니다.

[팀 비용 주요 항목]

팀내 사용되는 예산은 매우 다양합니다. 기본적으로 야근 등을 할 경우 식사 비용, 광고주 경조사 시에도 관련 비용(결혼, 문상, 광고제 수상시에 꽃 구매 등 다양합니다)이 필요하게 됩니다. 또한 각종 회식비용, 교통비(광고주 방문이나 업무 차 편집실, 녹음실, 촬영장 등), 휴대전화비, 법인 카드 비, 주유비등 이외에도 많은 다양한 부서비용이 팀을 운영하는데 필요하게 됩니다.

[팀 예산의 책정]

팀 예산은 부서 임의로 책정하는 것은 아닙니다. 회사 전체의 운영상황이나 인원현황, 광고주 현황을 고려하여 회사 전체적인 기준 하에 책정을 하게 됩니다. 그러다 보니 자연스럽게 팀비용에 대한 관리를 예산안에서 효과적으로 사용해야 하는 것은 매우 중요한 것이 됩니다. 비용자체를 많이 책정하는 것이 아니기 때문에 자칫 비용이 과다하게 소요될 수가 있어 문제가 발생할 수도 있습니다.

[경비의 정산]

팀 비용의 주요 항목마다 다르고, 회사마다 정산하는 방식이 다르지만 주단위나 월단위로 정기적으로 경비를 정산하는 경우가 많이 있습니다. 이때 실무AE가 정산을 하거나 별도로 담당하는 사람이 정산을 진행하게 됩니다. 처음에 하다 보면 재무적인 용어나 각종 계정항목이 난해해서 처리하기 어려워하기도 하지만 시간이 지나면 익숙해지는 것 같습니다.

이런 팀내 비용에 대해 기본적인 내용을 알고 있고 경험이 많은 실무자라면 나름의 비용 관리에 대한 노하우를 가지고 있는 것 같습니다.

[팀 비용 상황에 대한 공유]

팀 비용을 정산하는 실무AE들은 예산 현황을 수시로 공유하는 것 같습니다. 그래야만 예산이 넘칠 것 같은지 여유가 있는지를 알 수 있게 해주어 회식이나 기타 비용 처리에 대한 예상을 할 수도 있도록 해주는 것 같습니다. 무조건 사용된 비용을 처리만 할 경우 상황을 몰라 자칫 월말에 많은 예산이 오버되어 문제가 되거나, 정작 꼭 필요한 상황에 예산 문제로 집행을 못하는 경우도 발생하므로 예산 상황을 수시로 공유하는 것은 매우 효과적인 예산 운영의 기본적인 방법인 것 같습니다.

[팀 비용 정산 시 항목에 따른 탄력적인 정산]

비용이 크게 들어가는 항목이나 정기적으로 해야 하는 비용이 있는 반면에 교통비와 같은 것은 수시로 비용이 들어가는 항목이라고 할 수 있습니다. 그런데, 교통비와 같은 비용이 수시로 들어갈 경우 월말에 1회 정산을 하거나 하면 지급 시간이 오래 걸려 불편한 점이 있는 것 같기도 합니다. 하지만, 그렇게 지급받는 것을 더 효과적이라고 느끼는 사람들도 있는 것 같습니다. 팀내 분위기나 의견을 듣고 탄력적으로 정산을 하는 것이 효과적이라고 생각이 됩니다.

[중장기적인 예산 집행 고려]

월별 예산을 받기도 하지만 전체 상황을 고려할 경우 이후 예산이 어떻게 나올 것인지를 생각하는 것도 필요합니다. 그렇게 볼 경우 월별로 예산이 더 필요한 경우나 연말같이 모임이 많은 자리를 대비할 수도 있기 때문에 정산을 담당하는 사람은 그런 중장기적인 상황까지 고려하여 예산을 협의할 수 있는 노하우를 가져야 합니다.

[예산 집행에 대한 철저한 관리]

비용 집행 상황은 해당 담당자가 잘 알고 있으므로 예산을 불필요하게 사용하거나 무리하게 사용될 사용에 대해서는 담당자가 철저히 시어머니처럼 관리를 해야 한다고 생각합니다. 다른 업무적인 것은 모르지만 관련 비용을 처리하는 부서 와도 문제가 될 수 있어 가급적 해당 부분만큼은 담당자가 철저히 주도권을 가지고 안되는 부분은 분명이 안 된다고 해야 하고 꼭 필요한 부분은 방법을 찾아 팀내 예산이 효과적으로 운영될 수 있도록 생각해야 할 것 같습니다.
[정산 시점 관리]
모든 일이 그렇지만 마감일정을 반드시 준수해야 합니다. 정말 힘든 경우는 바쁜 업무과정 중에 처리를 못하고 있다가 마감에 임박하여 많은 비용을 한꺼번에 처리하는 경우를 간혹 보게 됩니다. 그러면 그것 자체가 일이 되고 다른 업무에 지장까지 초래하게 됩니다. 따라서, 가급적 빠른 시간 내에 처리하거나 미리미리 처리하여 지장이 없도록 하는 것이 필요합니다.
팀 비용관리는 사실 광고회사 업무에서 큰 비중을 차지하는 것은 아닙니다. 그러나, 팀 운영을 원활하게 하고 팀 비용을 잘하여 보다 좋은 즐거운 팀 생활을 할 수 있다는 것은 누려본 사람만이 아는 것이라 생각됩니다. 이런 업무를 맡았을 때 귀찮 다기 보다는 실제 운영하는 사람의 입장으로 긍정적으로 대응하는 자세를 가졌으면 합니다.

전화예절도 상황 별 스킬이 필요합니다.

광고회사 실무로 일하다 보면 대면, 비대면, 스마트폰, 메신저 등 다양한 방법으로 광고주나, 사내 커뮤니케이션을 진행합니다. 그 중에서 전화 관련된 예절은 상황별로 자연스럽게 숙지하고 있으면 도움이 되지 않을까 합니다. 더구나 광고회사 생활에 익숙하지 않은 주니어들에게는 좀더 필요한 부분이라고 생각합니다. 평소에 하는 전화를 업무적으로 하다 보면 본의 아니게 실수하여 오해를 사는 경우가 있어 상황별로 신경 써야 할 부분들이 있는 것 같습니다.

[회의실이나 전화 전용 부스를 사용]

사무실에 있을 경우 유선이나 스마트폰으로 전화가 올 경우 주변에 직원들이 있을 때 업무적으로 긴 통화나, 개인적인 이야기 등 길게 통화해야 할 경우는 가급적 회의실이나 전화 전용 부스로 가서 전화하는 것이 좋을 수 있습니다. 간혹 어떤 분들은 자리에서 크게 이야기하는 경우가 있는데 나이나 직급을 떠나 그다지 좋게 보이지는 않는 것 같습니다. 유선으로 오더라도 이야기가 길어질 경우 가급적 장소를 옮겨 통화를 이어가는 것이 기본 예정이라고 생각됩니다. 혹시 업무적인 통화인데 자리를 옮겨야 한다면 메모할 수 있는 것을 고려해서 옮겨야 합니다.

[통화상의 상호간 기본적 멘트]

유선이든 아니든 우리는 전화가 오면 통상적인 다음과 같은 멘트를 한다고 생각합니다. '어느 팀 누구입니다', '잠깐 통화 가능하신지요' 그런데 어떤 경우는 이런 멘트를 스킵하고 누굴 찾는다던지 자기 이야기만 하는 경우도 있습니다. 본인에게는 전화상 별 것 아닌데 가장 불편하고 오해하는 전화 상황입니다. 이렇게 전화를 받을 경우는 매우 언짢게 되고 누가 그런 식으로 받았는지 알게 될 때는 그 사람에 대한 인상까지도 오해를 하게 되는 것 같습니다. 아주 작은 기본적인 것까지 무시하면서 자기 중심적으로 전화한다는 것에 태도까지 의심하게 되기도 합니다. 아무리 급하다고 해도 전화를 받았을 경우나 할 경우 상호간에 누구인지를 먼저 밝히는 것은 가장 기본인 것 같습니다.

[필요시 명확한 메신저 역할]

광고주나 다른 팀에서 자신의 기획팀으로 일반 유선전화가 오는 경우가 있습니다. 이럴 경우는 보통 전화를 당겨 받게 됩니다. 받는 사람은 어느 팀 누구라고 이야기하고 담당이 없으면 메시지를 전달하면 됩니다. 아주 쉬운 것이지만, 연락 온 상대방의 이름이나 메시지를 정확하게 알지 못해 커뮤니케이션에 오해를 만드는 경우도 있습니다. 어떤 경우는 광고주가 전화가 왔는데 당겨 받는 실무 AE와 같은 이름이었습니다. 그러다 보니 실무AE가 장난 전화인 줄 알고 상대방과 싸우고 전화를 끊어서 크게 문제가 되었던 적도 있었습니다. 특히, 주니어 AE들에게는 전화를 받아도 문제도 안 받아도 문제인 상황에서 큰 스트레스가 될 수 있습니다. 침착하게 자신을 이야기하고 잘 듣고 전달하는 것이 방법이지 않을까 합니다. 또한, 메시지 전달할 때 메모하여 담당 책상 등에 남겨놓는 경우도 있습니다. 시간적인 여유나 문제가 없으면 다행이지만, 시간을 다투거나 오래 부재중인 상황에서는 상대방에게 전화나 문자 메시지로 리마인드를 시켜주는 센스도 필요합니다.

[자신과는 다른 좀더 친절한 캐릭터]

어떤 경우는 일보다 전화를 많이 하게 되거나 전화로 인사를 하는 경우도 있습니다. 이럴 경우는 자신의 캐릭터를 떠나 최대한 예의 있고 친절한 모습으로 상대방에서 전화를 하면 어떨까 합니다. 그랬을 경우 추후 미팅에서 긍정적인 효과를 만들 수 있을 것 같습니다. 자신의 캐릭터가 원래 친절하면 크게 문제가 안되지만, 짧고 딱딱한 스타일이라면 전화상으로 같은 말이라도 불편하게 전달될 수 있기 때문입니다. 전화상으로는 목소리가 전부이다 보니 톤이나 멘트 하나에 상대방이 오해할 수 있습니다. 어렵더라도 해보는 연습이 필요한 듯합니다.

[필요하다면 가급적 짧게]

AE들 특성 중에 같은 말을 반복하고 길게 이야기하는 성향의 사람들이 있습니다. 필요하면 통화를 길게 할 수 있고, 광고주나 파트너사와의 스킨십을 위해서도 필요할 수 있습니다. 하지만, 습관적으로 길게 통화하는 스타일의 AE

라면 이러한 점은 고쳐야 하지 않을까 합니다. 업무 관련해서 효율화 시킨다는 측면이나 다른 곳에 보다 에너지를 쏟아야 할 수도 있는 상황이 될 수도 있으므로 습관적인 긴 통화 스타일이라면 고쳤으면 합니다.

전화는 우리에게 아주 일상적인 것입니다. 그러다 보니 소홀하게 업무적으로 대하는 측면도 있는 것 같습니다. 자신이 전화하는 스타일이나 방법에 대해 한 번쯤 생각해 보는 것도 필요하지 않을까 합니다.

부재중 업무 공백의 문제가 발생하지 않도록 해야 합니다

실무AE들에게 광고주와의 업무, 촬영이나 워크숍 등의 이슈를 제외하고 라도 회사를 비울 수 있는 공백이 여러 가지가 있습니다.
정기휴가/월차/연차 등 휴가
국내와 광고제, 박람회 참여
각종 사내 행사 참여 등

AE들끼리는 이런 이야기도 합니다. 'OOAE없다고 일이 안돌아 가는 것은 아니다' 좀 얄궂은 농담이기는 하지만 사실 누가 없다고 해서 진행이 안되는 것은 분명 아닙니다. 그러나 상기와 같은 공백이 발생할 경우는 몇 가지 지켜야 할 것이 있다고 생각합니다.

[사전에 충분한 기간을 두고 공유해야 합니다]

대표적으로 휴가입니다. 정기 휴가와 같은 것은 보통 휴가계획을 먼저 짜면서 만들게 되어 공백으로 발생하는 문제는 크게 없는 것 같습니다. 그러나, 중요한 것은 업무 전체적인 흐름상에 문제가 크게 없는지를 담당하는 사람이 우선적으로 볼 필요가 있습니다. 한참 촬영이나 보고가 진행 중일 것 같은 상황인데 무조건 미리 짠다고 해당 스케줄을 고려하지 않는다면 인수인계 받은 사람은 매우 당혹스럽게 될 수밖에 없습니다. 더구나 경쟁PT와 같은 상황은 더 많은 사람의 아이디어와 노력이 필요한데 이럴 때 부득이한 상황이 아니고 공백을 가져가게 되면 자칫 무책임한 사람은 오해를 받을 수 있습니다. 하지만, 분명 개인적으로 해야 할 중요한 문제가 있다면 공백이 필요하다면 이해할 수 있으므로 그런 경우는 제외해야 할 것입니다.

광고제나 사내 행사에 참여할 경우도 사전에 이야기를 해야 합니다. 광고회사의 AE는 팀단위로 움직이므로 자칫 무리한 행사 참여나 업무가 한참 진행 중이고 얼마 남지 않은 상황에 갑자기 이야기하는 것은 팀 분위기를 저해할 수도 있기 때문입니다. 누구가는 '가야할 때는 가야하지 않느냐'라고 이야기 하지만, 그것도 업무 상황이나 분위기를 어느 정도 모니터 하면 최대한 서로 간

에 피해가 가지 않는 선에서 해야 한다고 생각합니다

[인수인계를 꼼꼼히 해야 합니다]

만약 공백이 발생할 경우는 인수인계를 해야 합니다. 인수인계의 양식은 따로 있지는 않습니다. 다만, 공백 기간에 발생할 것이나 공백직후 바로 처리해야 할 업무를 자세하게 기재하여 회의를 해야 합니다. 그냥 문서만 주고 갔을 경우는 해야 할 사람이 이해가 되지 않아 결국 담당자가 처리해야 할 수도 있습니다.

부재중 업무 인수인계

-부재, 부재 기간

-부재중 주요 업무 이슈, 현 진행사항, 진행해야 할 이슈

-처리 방법, 담당 연락처, 기타 참고사항

-비상 연락처 등

부재중 업무 인수인계서는 가급적 심플하게 정리하되 처리할 수 있는 방안까지 정리해 주어야 하나 앞서 언급하였듯이 회의를 통해 구체적으로 전달해야 합니다. 그리고, 연락 받을 사람들에게 인수인계가 되므로 인수자가 이렇게 변경되었다고 알려주어야 합니다.

[비상 연락이 되어야 합니다]

비상 연락망이나 업무 관련 정보에 대한 관리나 중요성을 앞서 이야기했습니다. 공백이 발생할 경우 상기와 같이 가능한 컨택이 될 수 있는 연락처를 최대한 기재해 놓아야 합니다. 이동 중 핸드폰은 물론 집과 스마트폰이나 집 연락에 문제가 발생할 경우 연락할 수 있는 최종적인 채널까지도 기재해 놓는 것이 좋은 것 같습니다. 그리고, 메일 주소도 함께 기재하여 수시로 메일이 오는 것을 확인할 필요도 있습니다.

부재 후 복귀시에는 관련 업무가 어떻게 처리되었는지 다시 인수인계를 받아야 합니다. 회사 업무에 공백은 여러 상황으로 발생할 수 있습니다. 다만, 타이밍이나 분위기를 확인해야 하고, 공백이 발생하였을 때 인수받는 사람이 기존 현업에 무리가 없게 잘 전달하여 팀웍을 높이는 노력이 필요할 듯합니다.

면허나 여권, 각종 증명서는 미리미리 만들어 두어야 합니다.

면허나 여권이 없는 실무AE들은 거의 없을 것입니다. 광고회사에서는 엄청난 자격증을 요하지는 않습니다. 다만 아주 간간히 면허나 여권 문제로 업무에 지장이 발생하는 경우가 있어 한번쯤은 면허나 여권, 각종 증명서는 가급적 사무실에 개인함에 관리하고 필요한 것은 항시 지니고 다니는 것을 잊지 않았으면 합니다.

[주민등록증]

항상 가지고 다니는 것이지만, 간혹 없는 경우로 당혹스러운 상황이 발생하기도 합니다. 광고주에 따라 다르지만 출입부터 보안이 있는 경우나, 특정 지역을 방문해야 하는데 반드시 주민등록증이 있어야 하는 경우 사전에 파악을 하지 못하고 갔을 경우는 출입자체가 불가능한 경우가 있습니다. 따라서, 항시 휴대를 하는 것을 잊지 말아야 합니다.

[운전면허증]

운전면허증은 신분증을 대신하기 때문에 주민등록증이 없는 상황을 고려해서 항시 가지고 다녀야 하며 더 중요한 것은 운전을 할 수 있어야 합니다. 실무AE들 대부분은 운전면허를 가지고 있지만, 혹 없는 경우는 광고주 방문 시 면허가 있는 사람만이 운전을 계속해야 하므로 업무 편의를 위해서도 가급적 운전 면허를 취득해 있는 것이 좋은 것 같습니다. 누가 운전하는 것이 뭐 얼마나 대단하겠냐고 생각하겠지만, 사수는 면허가 있고 부사수는 면허가 없는 상황에서 매번 사수가 운전하는 것도 부사수 입장에서는 매우 미안한 것이 아닐 수 없을 것입니다. 더구나 PT나 보고가 매우 먼 곳에서 해야 할 경우는 모두 면허를 가지고 있어 힘든 PT나 보고길에 서로가 힘이 될 수 있습니다. 그리고, 차종자체도 2종보다는 1종이상이 필요하다고 생각합니다. 경쟁PT와 같은 경우 많은 스텝과 이동할 수도 있기 때문에 12인승 이상을 운전해야 할 때도 있으므로 1종 이상의 면허가 더 도움이 되는 것 같습니다. 그러나 무엇보다도 운전을 할 수 있느냐 없느냐 하는 경험이 더 중요할 겁니다. 아무리 면허가 있어도 운전경험이 없다면 운전을 하다 사고가 났을 때 현장에 도착도 못하는 상황이 발생하면 더 난감해지기 때문입니다.

[여권이나 비자]

여권도 요즘은 해외여행, 유학 등을 많이 다니기 때문에 가지고 있고 비자의 경우도 미국은 과거와는 다르게 더 편리해졌기 때문에 좀 나아졌을 수도 있습니다. 그러나, 간혹 여권이 유효기간이 지난 것을 모르고 있다가 갑자기 촬영이나 출장을 가야하는 상황이 발생한다면 여권이 있는 다른 사람이 대체해서 급하게 가야하게 되므로 실제 담당자가 못 가는 당혹스러운 상황이 발생할 수도 있으므로 여권의 유효기간 등은 알고 필요하면 연장을 해 놓는 것이 좋습니다. 비자의 경우는 사실 그때 그때 하는 것이 보통이기는 하지만, 과거 미국 비자관련해서 재미있는 상황도 있었습니다. 학생 때 받은 비자를 가지고 미국 출장을 가야하는 상황이 발생했는데 학생비자로 되어 있어 공항에서 출국을 못하고 다른 사람이 대신 가는 경우가 발생하기도 했습니다. 정신없이 출장준비와 촬영준비를 하다 미처 자신의 비자가 학생비자인지를 모르고 그런 어처구니없는 상황을 경험했던 것을 본적이 있습니다. 이렇듯 아무리 사소한 것이라도 미리미리 확인해 두어 긴급 상황에서도 바로 사용할 수 있도록 신경을 쓰는 노력이 매우 필요합니다.

[기타 자격증]

광고 업무를 하다 보면 주변에서 독특한 자격증이 도움이 될 때가 있는 것을 종종 보게 됩니다. 건설광고주 중 분양광고와 관련해서 부동산관련 자격증이 있거나 하면 시장이나 상품을 보는 것에 도움이 되는 것을 본 적이 있었습니다. 금융이나 다양한 광고주에서 해당 카테고리 관련 자격증이 있다는 것은 그만큼 학습이 되어 있고 보다 전문가적인 시각을 가질 수 있다는 데서 매우 도움이 되는 것 같습니다. 어학 같은 것은 굳이 광고업무 쪽이 아니더라도 많은 도움이 되는 것 같습니다. 국내 해외광고주와의 커뮤니케이션은 물론 촬영시 해외 스텝과의 자연스런 커뮤니케이션까지 매우 효과적인 경우가 종종 있는 것 같습니다.

광고회사에서 많은 자격증이 반드시 필요한 것은 아니지만, 업무의 진행과 편의를 위해서는 꼭 있어야 하는 것과 있으면 어떤 시점에서는 매우 도움이 되는 자격증이 있다고 생각할 때 광고회사 입사 전이나 광고업무 중 혹 관심 있는 카테고리가 있다면 하나쯤 준비하는 것도 광고회사 업무의 좋은 성과를 위해 한번쯤 고려해 봐도 되지 않을까 합니다.

팀이나 회사를 옮기게 될 경우 아름다운 마무리가 중요합니다.

실무AE들에게도 여러 가지 이유에 의해서 자신이 속해 있던 팀을 옮기거나, 다른 회사로 이직하는 경우가 있습니다. 물론 오랫동안 한 팀이나 한 직장에 있을 수도 있지만, 혹 이러한 이동이나 이직의 상황이 실무AE들에게 발생하면 이동이나 이직을 하는 순간까지 마무리를 잘 하고 나가야 한다고 생각합니다.
[광고주 업무나 내부 업무의 마무리]
이동이나 이직이 발생하였다고 해서 그냥 가버리는 경우는 없겠지만, 기본적으로 담당업무에 대한 마무리는 가급적 완벽하게 하고 가는 기본인 것 같습니다. 그러나, 모든 업무를 마무리하고 나가는 것은 현실적으로 어려울 것입니다. 업무 특성상 꼬리에 꼬리를 무는 업무가 광고 업무인지라 끊임없는 광고 제작물이 끝나는 것은 결코 아닐 것입니다. 더구나 미디어 업무도 청구가 매월 이루어지기 때문에 누군가는 지속적으로 관련 업무를 해 나가야 할 것입니다.
다만, 각 업무별로 문제점을 남기지는 말아야 한다는 것입니다. 제작, 미디어, 광고회사 내부 업무 등 소위 말하는 사고가 될 만한 것은 최대한 없애는 것이 가장 중요하다고 생각합니다. 문제를 모두 만들어 놓고 나가는 것은 후임자에게 관련 문제를 해결하라는 것이며,
관련 업무를 받은 지 얼마 안된 상황에서 받게 되면 어떤 사람과 어떻게 해결하지 구체적인 스토리를 모르는 상황에서 매우 어려울 것입니다. 예를 들어 제작비 견적에 문제가 있는 것을 그대로 인수인계하고 갔을 경우 전혀 어떤 플로우로 진행되었는지를 모르는 상황에서 인수인계 받은 후임은 매우 난감하고 처리하기가 매우 힘들어지게 됩니다. 따라서, 이동시에는 문제점이 발견되지 않도록 마무리를 해야 할 것입니다. 통상적인 인수인계와는 달리 매우 구체적이고 전체적인 인수인계서를 작성하게 되는 것 같습니다.
-광고주 컨택 라인: 조직도 및 업무 컨택 라인과 각 컨택 라인 별 고려사항 등을 전체적이고 구체적으로 기술해 줍니다. 통상적인 업무와 청구 및 기타업무를 처리하는 실무자들도 함께 기술합니다.

-광고 집행 현황: 현재 집행 중인 광고를 종합적으로 정리해 줍니다. 공중파나 케이블 등의 영상/음성 미디어는 큐시트를 첨부하게 되고, 신문 등 인쇄의 경우는 집행 내역을 첨부하게 됩니다.
-주요 업무: 현재 진행 중인 주요 업무를 큰 이슈부터 정리합니다. 그리고, 현재까지 진행된 사항을 최대한 자세하게 기술하고 대응이 필요한 부분이 어느 부분부터 인지를 기술합니다.
-기획, 제작, 미디어, 디지털, BTL등 담당자: 인수인계서를 작성하는 이전 담당자는 해당 업무들의 컨택 라인을 각 파트별로 구분하여 작성해 주어야 합니다. 혹 세부 담당자별로 진행사항이 별도로 있다면 그 내용까지 구체적으로 기술이 되어야 합니다.
-청구 등 기타 업무: 청구 업무와 미디어나 반복적으로 진행되는 업무들이 있습니다. 또는 제작비 처리 방법이 다를 수도 있으며, 별도로 청구나 세금계산서 발행시 주의하거나 광고주별로 다른 청구 양식이 있을 수도 있으니 확인하는 것이 필요합니다.

[내부 이동시에는 옮길 곳도 미리 신경 쓰세요]

다른 직장으로 가는 상황이 아닌 내부 이동시까지는 업무인수인계 작성이나 문제없이 마무리를 하는 것은 동일합니다. 그러나 내부 이동시에는 동일한 회사에 근무하는 것이므로 내부 평판에 신경을 써야 합니다. 그리고 다음 부서로 발령이 나는 순간 소속이 바뀌는 것이므로 옮기는 곳의 팀장에게 인사를 하고 필요하면 지시사항을 전달받아 진행을 하기도 합니다. 물론 기존 팀과의 아무런 문제가 없도록 하고 옮긴 이후에도 기존 팀에서 후임이 문제를 제기할 경우 지속적으로 함께 해결해 주는 것이 필요합니다.

[외부 이동시에는 평판 관리가 매우 중요합니다]

아예 다른 회사로 가는 경우에는 마무리 측면에서 보면 좋은 관계로 남을 수 있도록 최대한 인사와 의사전달을 자주하는 것이 오히려 좋은 것 같습니다. 더구나 인수인계를 하게 될 때도 관련 부가적인 자료의 위치나 활용 방법 등을 꼼꼼하게 알려주는 것이 필요합니다. 그리고, 이직하는 일정자체도 일방적으로 하기 보다는 최대한 선배나 팀장과 협의하여 무리가 되지 않게 정리하는 것이 필요합니다. 워낙 광고업이 좁은 특성이 있다 보니 잘 못 관리한 평판은 돌아서 아주 불리한 조건으로 작용할 수 있기 때문입니다. 또한, 자신이 빌리거나 사용한 모든 회사관련 물품을 반납하는 것이 필요합니다. 출입을 위한 카드키, 자료실에서 빌린 책자 등 생각지도 못한 것을 밖으로 다시 가지고 나오지 않아야 합니다. 마지막에는 자신과 함께 했던 많은 사람과도 명확하게 인사를 나누는 것이 필요합니다. 언제 어디서 만날지 모르며 좋지 않은 평판은 그야말로 오랜 동안 하지 못하게 만드는 큰 장애 요인이 될 수도 있기 때문입니다.

회사내에 팀간 이동이나 직무를 이동하든, 아예 회사를 옮기든 간에 자신의 평판은 결국 업무진행에 있어 얼마만큼 적극적이고 문제가 없이 진행을 해왔는가 라는 것으로 만들어 지게 됩니다. 따라서, 잘 들어왔다면 잘 나가는 기술도 필요한 스킬이 아닐까 합니다.

때론 맥가이버, X맨, 슈퍼맨이 되어야 합니다.

AE들은 어떤 때는 맥가이버처럼 만능으로 모든 것을 해결해야 할 때도 있고, X맨처럼 돌연변이의 능력을 가져야 할 때도 있고, 슈퍼맨처럼 엄청난 힘을 발휘해야 할 때도 있는 것 같습니다. 사실 말이 안되는 것 같지만 지금도 어떤 실무AE는 이런 영웅적 캐릭터 하나로 변신하여 지금 이 순간에도 하고 있을지 모릅니다.

[간단한 것들은 직접 해결할 수도 있습니다]

실무AE들은 업무 진행 시 스텝부서가 진행해 주어야할 것들을 분류하여 오리엔테이션을 하고 진행을 합니다. 그런데, 어떤 경우는 건 자체가 스텝부서가 진행하기 애매하거나 오히려 광고주나 관련사항을 실무AE가더 잘 알고 있거나, 시간이 워낙 없는 건이라면 직접 해결해야 하는 경우도 있습니다. 그렇다고 이런 상황에서 모든 것을 해결하라는 것은 아니지만, 실무AE들도 스텝부서의 자료를 보면서 광고주와 기획팀 내부에서 지속적으로 커뮤니케이션 하다보면 일정 부분은 직접 해결할 수 있는 능력에 어느 순간 와있을 때가 있기 때문이라고 생각합니다. 미디어 확인이나 간략한 제안서 등도 이에 해당할 수 있으며 관련 사항만 신속하게 확인하여 작성하면 오히려 시간을 다투는 일로 업무 전체에 영향을 주지 않고 잘 해결할 수 있을 것 같습니다.

[업무상 불가능한 것에 도전해야 할 때도 있습니다]

과거에 모델 계약 건으로 반드시 체결해야 했던 적이 있었습니다. 모델 에이전시의 역할 중 하나는 광고회사와 함께 특정 모델과 계약을 진행하는 것이었습니다. 그러나, 계속 모델 에이전시에서 관련 계약이 성사되지 않고 금액적인 문제를 넘어 출연 거부 사태까지 번지고 있는 것이었습니다. 내부적인 판단에는 반드시 해당 금액에서 합의를 보고 진행이 되어야 하는데 금액을 증액할 수 없는 상황에서 이런 문제가 발생한다면 결국 에이전시에서 단독으로만 해결하기에는 어려운 판단이 들었고 실무AE를 주축으로 찾아가서 해결한 적이 있기도 했습니다. 또는 촬영현장에서 나타난 문제로 인해 진행이 제대로 되지 않아 시간이 지체되고 있을 때 제작 스텝이 해결하기 어려운 상황이 되자 함께 해결한 경우도 있습니다. 이처럼 다른 스텝들과 업무를 진행하면서 실무AE들이해결을 주도적으로 불가능한 것을 해야 할 때가 있습니다. 모든 것이 다 이루어진다고 하기는 어렵지만, 실무AE들이조금이나마 해결할 수 있는 이유가 있는 것은 우선 전체적인 책임은 AE에게 있기 때문입니다. 어느 부분에서 잘 못 되더라도 총체적으로 결과물에 대한 책임은 AE가 맨 앞에서 대변하고 이를 조정해 나가야 하기 때문입니다. 누군가는 AE가 '무한책임'을 가져야 한다고도 이야기합니다. 이렇듯 AE의 위치는 광고업무 전반에 중심이자 맨 앞에 있기 때문에 불가능한 경우도 돌파하려는 노력을 언제나 상황이 악화되면 해결해야 합니다.

[멀티 테스킹이 가능해야 합니다]

실무AE의 일은 하나가 시작되고 끝난 뒤에 다음일이 이루어지는 경우는 거의 없습니다. 이는 광고주 업무나 다른 업무 부분에서 많이 다루었듯이 하나의 프로젝트나 캠페인이 시작되면 다양한 업무들이 동시 다발적으로 이루어지기 때문에 일정관리부터 하나의 프로젝트가 완성되기 위해 여러 가지 일을 한꺼번에 처리해야 합니다. 그러다 보니 광고회사에서 업무를 진행할 때 다양한 것을 빠른 시간 내에 처리해야 하는 압박에 시달리는 것은 당연할 수밖에 없습니다. 저는 개인적으로 두 가지를 이야기합니다.

첫째, 광고주 업무나 다른 광고관련 업무가 진행 시 광고회사 내부적인 업무가 동시에 걸린다면 무엇보다 우선 순위를 빠르게 정해야 한다고 이야기합니다. 어떤 것이 가장 중요하고 시급을 다투는 일인지를 알고 그것부터 가장 먼저 진행될 수 있도록 조정해야 합니다.

두 번째는 우선 순위가 정해지고 나면 어떻게 일을 처리할 것인지를 빠르게 판단하여 손을 빠르게 움직이는 것입니다. 어떤 경우는 전화로는 다른 업무를 하면서 컴퓨터 상에서는 또 다른 업무를 하는 경우도 있습니다. 사실 한번에 동시에 해결한다는 것 자체도 힘들고 사람의 능력에 따라 처리가 가능하기도 하고 못하는 경우도 있습니다. 그러나, 실제는 분명 동시에 이루어 져야 하는 경우가 더 많습니다. 컴퓨터도 맨 처음 들어온 것부터 처리를 하듯 사람은 더 그런 것 같습니다.

개인적으로는 이런 빠른 진행을 위해서는 많은 경험이 1차적으로 필요하다고 생각합니다. 특히 선배들의 간접경험은 매우 중요한 정보가 됩니다. 그런 내용들을 평상시나 위기가 닥쳤을 시 조언을 얻고 실패율이나 착오를 줄여가는 것이 필요합니다. 즉 이슈에 대해 밀도 있게 처리한다고나 할까요?

기획이나 전략도 마찬가지로 시장이나 소비자에게서 가장 큰 문제 하나 킹핀을 찾아내는 것이 매우 중요한 것 같습니다. 많은 것들이 모두 문제이지만 그 문제의 근본은 하나인 경우가 많기 때문입니다. 이것을 얼마만큼 빠르게 찾아내느냐가 관건일 수밖에 없을 것 같습니다. 그러나, 찾아 내더라도 페이퍼웍이나 실행 능력이 떨어진다면 이는 애써 해 놓은 결과를 제시하고 처리하는데 많은 시간을 허비하고 결국 시간이 이미 늦어버린 일이 될 수도 있습니다. 따라서 평소에 많은 경험을 하는 것이 이러한 실행까지도 해결하는 것 아닐까 합니다.

실무AE들의 업무는 때에 따라서는 여러 가지가 동시에 이루어지는 것이 매우 많다는 것을 다시한번 말씀드립니다. 그런 업무 환경에 적응한다는 것도 사실은 어렵고 힘든 것이라고 할 수 있습니다. 하지만, 그것이 분명한 AE들의 세계이고 운명이라면 극복하는 것밖에는 없는 것 같습니다. 물론 아직 본인도 그런 부분이 약하고 어려운 것은 많은 사람들이 공감하는 것입니다. 다만, 조금이나마 그런 상황에 대해 공유해 보고 나름의 노하우를 어떻게 키울 것인지에 대해 이야기하는 것 가는 길에 적잖은 힘이 되지 않을까 생각합니다.

가급적 다양한 광고주를 경험하세요.

광고회사에는 다양한 광고주들이 있습니다. 계속 같은 광고주를 어카운트 할 수도 있지만 연차가 쌓이면서 상황이 바뀌고 다양한 광고주를 경험하게 될 수도 있습니다. 일본의 모 광고회사에는 특정 브랜드나 카테고리만 1~20년 이상 하는 기획이나 제작을 본적도 있습니다. 엄청난 전문성을 키울 수도 있다고 생각하는데 아이디어를 만들어 가야하는 AE들에게 있어서는 오히려 다양한 광고주들의 경험을 회사 내에서 해보는 것인 도움이 되지 않을까 하는 측면에서 제안하고 싶습니다. 다양한 광고주를 경험하는 이유는 각 카테고리에 있는 광고주마다 비즈니스의 성격이 다르므로 광고업무 자체도 그것에 맞추어 다릅니다.

[광고주나 카테고리별 특성]

광고주와 카테고리별 특성은 예를 들면서 보는 것이 가장 이해가 쉬울 것 같습니다. 정보통신, 휴대폰과 같은 제품은 제품 주기가 빠르고 경쟁상황이 매우 치열하기 때문에 경쟁사에 대한 모니터나 항시 경쟁사를 염두하고 타이밍을 고려한 대응이 매우 중요한 카테고리입니다. 실제 이동통신과 같은 경우는 신상품이 나오는 것도 많고 경쟁상황이 매우 치열해 빠른 시간 내 광고를 만드는 경우도 매우 많이 있습니다. 사실 양과 질을 한꺼번에 만들어 낸다는 것은 쉬운 일이 아닙니다. 하지만, 이런 카테고리 특성을 볼 때 빠른 업무 대응의 스킬이나 퍼포먼스가 큰 아이디어에 대한 고민을 많이 하는 장점이 있습니다.

다음으로는 다이렉트/인바운드 콜 관련된 광고주입니다. 보험, 금융, 프렌차이즈등과 같은 카테고리의 광고주들은 소비자들의 다이렉트한 반응을 유도하기 위한 노력을 많이 합니다. 따라서 빠른 대응도 대응이지만 그런 콜을 유발하는 전략적, 크리에이티브적 장치를 많이 고민하게 되고, 미디어 측면에서는 소비자들의 라이프 스타일을 철저히 고려하여 미디어에 노출시키고자 합니다. 피자광고가 주말에 집중되어 있거나 배달이 가능한 시간과 취식관련 시간을 고려하여 배치하는 것이 그런 차원이라고 생각하면 됩니다. 패션이나 화장품은 그야말로 브랜드에 대한 전략과 감성을 찾는데 많은 고민을 하고 퀄리티에 대한 업무강도가 매우 강한 분야입니다. 심지어 하나의 인쇄가 나가기 위해 엄청난 수정과 확인을 하게 됩니다.

[다양한 광고주를 경험할 경우의 장점]

이런 특성을 가진 다양한 광고주를 경험할 경우 개인적으로 생각할 때 우선 미디어 운영의 폭과 깊이가 넓어진다고 생각합니다. 그것은 카테고리별이나 광고주별로 해당 타깃이 다를 수 있어 젊은 타깃을 대상으로 한 제품과 나이든 타깃을 대상으로 한 제품의 미디어 운영이나 활용은 다를 수 있기 때문입니다. 이동통신등 젊은 타깃을 대상으로 했을 경우 TV는 물론 신규 미디어나 디지털 연계의 프로모션 활용까지 정말 톡톡 튀는 아이디어들의 빠른 시간 내에 많이 필요할 것이라 생각이 듭니다.

이와는 다르게 주부나 40대 이상의 남자를 겨냥한 제품들의 미디어는 젊은 타깃들과는 매우 다를 것입니다. 이런 경험을 할 경우 실무AE들에게는 보다 같은 TV 미디어라도 미디어 운영의 전술적인 변화를 가져와야 할 것이며, 신규 미디어를 제안하더라도 연령대에 맞춘 미디어인지 아닌지를 보게 될 것입니다. 다음으로는 오히려 시너지 효과가 있다고 생각합니다. 크로스 오버라고 이야기할 수도 있는데 폭넓게 경험함으로써 기존에 활용했던 것들을 새롭게 재해석해서 활용을 할 수 있다는 것입니다. 모두 할 수 있다는 것은 아니지만, 새로운 광고주의 다른 비즈니스 성격을 오히려 신선할 수도 있다는 것입니다. 그래서, 기존 광고주에서 신규 광고주로 이동할 때 비즈니스를 잘 모를 수도 있지만, 당시 가진 것들을 신규 광고주에서도 비즈니스 특성에 잘 맞게 변형을 하면 좋은 아이디어로 활용될 수도 있다는 것입니다.

이런 다양한 광고주의 특성이나 장점을 안다고 하더라도 광고주의 경험을 무조건적인 목적으로 이동이나 이직을 하는 것은 좀 잘 못된 생각이 아닌가 합니다. 무슨 일이든 시점이라는 것이 있고 좋은 기회가 닿았을 때 오히려 그것을 알아보는 눈을 갖는 것이 필요하지 광고주 경험을 위해 짧은 기간 내 이리저리 옮기는 행동은 오히려 자신의 이미지 관리나 평판에 좋지 않은 영향을 끼칠 수 있습니다. 다양한 광고주를 경험하기 위해 자신이 충분한 준비가 되어 있는지를 먼저 확인할 필요가 있다고 생각합니다. 기존 광고주에게서 캠페인이나 프로젝트의 전체 프로세스를 충분하게 경험을 해보아야 새로운 것에 대한 적용이나 응용을 고려할 수 있기 때문입니다. 다양한 광고주의 경험을 추천은 하지만 그것이 목적이 되어서는 안되며 자신의 캐리어 관리와 연결되어 있다고 할 수 있으므로 충분한 고민이 필요합니다.

제7장 광고 회사 생활 수첩

광고회사는 사람이 전부인 조직입니다. 사람과의 관계속에서 다양한 상황들과 감정이 생깁니다. 어떤 경우는 현타가 오거나 멘탈이 무너지는 경우도 생깁니다. 본 장에서는 업무 수첩이 아닌 생활 수첩을 이야기 드리고자 합니다. 모든 직장 생활이 행복하고 즐거울 순 없습니다. 광고회사도 회사의 규모를 떠나 마찬가지입니다. 다만, 지금의 이야기를 통해 나름 멘탈의 근육을 키우고 어떤 상황이 발생했을 때 의연하게 생각하고 대처하는 멋진 광고인이 되시길 바라는 마음에서 이야기해보고자 합니다. 사실 업무 수첨보다도 더 필요한 수첩이 아닌가도 합니다.

AE에 대한 막연한 환상을 버리세요.

지금까지도 드라마나 영화를 보면 광고회사에 다니는 사람들이 옷 잘 입고 자유롭고 멋지게 사는 영혼들로 묘사되는 것을 많이 보게 됩니다. 그러나 실제 광고회사에서 일하는 많은 사람들은 그러한 드라마나 영화 들에서 묘사되는 모습들에 대해서는 그리 크게 공감하지 않는 것 같습니다. 개인적으로 실무AE들이나 AE로 일하고자 하는 많은 사람들과 이런 AE로서 일하는 환상을 좀 깼으면 합니다.

[광고회사 AE 정말 스타일리쉬 한가?]

영화나 드라마에 나오는 것처럼 스타일리쉬한 AE들도 분명 있습니다. 그러나, 워낙 야근이나 밤샘 등도 많아 자주 그렇게 하고 다니기는 어려운 것 같습니다. 밤새 일하거나 늦게까지 일하다 보면 그냥 편하게 입고 다니는 것이 좋다 보니 가벼운 옷차림을 하고 다니거나 아예 여러 벌의 옷을 사무실에 두고 다니는 사람들도 있습니다. 다만 경쟁PT나 보고가 걸리면 정장을 하고 가게 됩니다. 매일 스타일 있게 살고 싶지만 업무를 생각하면 매번 그렇지 못하는 것 같습니다.

[프로젝트, 캠페인의 선장이자 총 지휘자?]

내 물론 맞습니다. 담당하는 광고주가 있고 해당 광고주의 캠페인이나 프로젝트를 광고주와 커뮤니케이션 하는 맨 앞에 있는 사람이 바로 AE입니다. 그러나, 본 책의 내용을 보다 보면 선장이자 총 지휘자라는 것이기 보다는 오히려 캠페인이나 프로젝트를 위해 모든 스텝들에게 힘이 되는 조력자 같은 역할도 적잖은 것을 알 수 있을 것입니다. 오리엔테이션으로 실무AE의 업무가 끝난 것이 아니라 결과물이 나올 때까지 그리고 그것이 성공할 수 있도록 끊임없이 지원하고 도와주는 조력자라는 역할이 크다고 이야기할 수 있습니다. 무조건 앞에서 서서 선장이나 지휘자 역할만 한다고 이야기하기는 좀 어려운 것 같기도 합니다.

[매일 밤새고 아이디어의 스트레스가 심한가요?]

광고회사의 거의 모든 사람들이 스트레스를 받는다고 생각하면 됩니다. 그러나, 매일 스트레스를 받고 산다면 사람이 하는 일인데 살 수 없을 것 같습니다. 분명 밤을 새는 경우도 있고 아이디어가 잘 나오지 않아 고생하는 것도 맞지만, 매일 그런 것이 아니라 경쟁PT 준비, 광고주 보고, 촬영 등 중요한 이슈가 있다면 밤을 지새거나 하게 됩니다. 다만 스트레스는 실제 실행상이나 많은 상황에서 받게 되는 것이 사실이나 밤을 새는 것보다는 스트레스 받는 것이 더 많다고 생각됩니다. 하나의 광고주라도 브랜드가 여러 가지 일 수 있고, 각 브랜드마다 제작부터 미디어, 조사 전략 등 다양한 업무가 한꺼번에 걸려 바쁘게 돌아갈 수도 있습니다. 더구나 보고 일정이 겹쳐 한꺼번에 처리해야 하는 경우가 발생하면 그 업무량은 상상을 초월할 수도 있습니다. 어떤 경우는 정말 도망이라도 가고 싶은 생각이 들 수도 있을 때가 있습니다. 하지만, 이런 과중한 업무량에도 이러한 것을 견디어 내야 하는 것이 AE입니다. 속담에 바쁠수록 돌아가라라는 말이 있습니다. 그렇다고 돌아가라는 것은 아닙니다. 하지만, 중요한 것은 업무량이 많더라도 분명히 그것을 처리해야 하는 것이 AE에 숙명이므로 업무량을 빠르게 파악하여 롤을 나누고 해결해야 할 방법을 차분하게 정리하여 진행해야 하는 것이 필요합니다. 스트레스 관점에서는 강도가 강하지만 매일 야근과 밤샘을 하는 것은 아닙니다.

[광고가 모든 것을 다 할 수 있다는 생각에서는 벗어나야 합니다]

광고는 마케팅 활동의 일부라는 것을 대부분 알고 있습니다. 더 자세히 이야기하면 제품, 유통, 프로모션, 가격 등 소위 4P라고 하는 기업의 마케팅 활동상에 프로모션에 해당되는 것이고 그 안에서도 다양한 판촉 프로모션 활동에서도 소비자의 인식을 바꾸는 역할을 하는 것이 실무AE들이 주로 하고 있는 광고라는 것입니다. 그런 관점에서 본다면 광고가 할 수 있는 역할은 거시적인 관점에서 제한적일 수 있습니다. 자칫 모든 것을 다 할 수 있는 거처럼 제안하거나 설득하려 한다면 오히려 공감을 얻기보다는 신뢰를 잃을 수도 있다고 생각합니다. 따라서, 이런 현실적인 면을 직시하고 그 관점에서부터 차곡차곡 출발하면 보다 구체적이고 명확한 플랜이 나올 수 있을 것으로 생각이 되며 보다 광고주나 소비자 들과의 공감을 얻어내는 데 효과적이지 않을까 합니다.
[자신이 모든 것을 다할 수 있을 것이라는 생각도 버려야 합니다]

분명 업무의 롤이 있고 각 스텝들이 수행한 결과물이 종합적으로 만들어 내는 결과라고 할 수 있습니다. 우리가 보통 회의를 하면서 기획 쪽에서 만든 전략이 제작물을 바라보는 기준이라고 판단을 합니다. 그렇지만, 어떤 경우는 결과물이 생각한 의도가 안 나오거나 만들어 졌지만, 오히려 그 힘이 약해지는 것이 있을 수 있습니다. 이럴 때 모든 것이 제작물이나 다른 스텝의 문제라고 이야기하기보다는 혹 전략이나 기획 쪽에 문제가 없는지를 되짚어 보는 것도 필요합니다. 기획에서 세운 방향이나 전략이 100% 답이라고 생각하는 것 자체도 열고 바라보는 자세가 필요합니다.

실제 광고회사에 입사하는 사람들이나 지금 일하고 있는 사람들 중 겉으로 보여지는 환상에 기대어 지내는 것을 간혹 보게 됩니다. 그러나, 패션쇼장이나 멋지게 건조된 배나, 건축물들을 지어지는 과정에 보면 밤을 새면서 고민하고 힘들어하는 많은 사람들의 모습을 보게 됩니다. 쉽게 말하면 광고회사의 그러한 환상은 극히 일부분일 수도 있다는 것입니다. 그러한 것 까지도 가지고 누리고 있다면 정말 멋지게 일하는 사람일 것입니다. 하지만, 위대한 것일수록 그만큼 큰 고통이 따르듯이 광고회사에서 처절한 노력과 어려움까지 극복하고 즐길 때 그러한 멋진 모습들은 더 소중하고 의미 있게 느껴질 것이라고 생각합니다.

시간 배분이나 활용을 잘 했으면 합니다.

광고를 잘 모르는 사람이나 일반인들 관점에서는 광고회사는 매우 자유로울 것 같다는 이야기를 듣곤 합니다. 사실 광고회사는 회의 상에서 직급고하 없이 자유롭게 의견을 나누는 측면 등 자유로운 분위기는 있습니다. 또 팀마다 다르기는 하지만 한 팀이 함께 자리에 앉아 자유롭게 의견을 나누는 등 전체적으로 딱딱하지 않은 자유로움이 있습니다. 그러나, 광고회사도 하나의 조직이고 광고주와 커뮤니케이션을 해야 하고 광고 회사 내부적으로 조직적으로 움직이므로 실무AE들은 나름의 룰이 있다는 것을 잊지 말아야 합니다.

[출근 등 기본적인 시간을 지켜야 한다고 생각합니다]

광고회사도 분명 명확한 출근시간이 있고 퇴근 시간이 있습니다. 그러나, 과중한 업무나 바쁜 업무로 인해서 출근시간이 잘 지켜지지 않는 경우가 종종 있습니다. 제작이나 다른 스텝은 제외하더라도 실무AE들은 가급적 이런 기본적인 시간을 지킬 필요가 있다고 생각합니다. 우선 광고주와의 업무 흐름이 비슷하기 때문입니다. 광고주의 경우 광고회사에 비하여 출근시간이 이를 수도 있는데 실제 업무가 시작되는 시간이 광고회사와 차이가 클 경우 업무 진행상에 불편함이 있을 수 있습니다. 따라서, 정확하게 지키지는 않더라도 실무AE들은 업무를 미리 조정해 두거나, 자신이 정한 출근 시간에 맞추어야 합니다.

[서로 간에 약속한 시간을 지켜야 합니다]

경쟁PT를 해야 하는 당일 오전 9시 PT였습니다. 새벽5시까지 작업을 마치고 근처에서 잠깐 잠이 들었는데 그만 8시가 넘은 시간에 일어나고 말았습니다. 부탁을 하지 않고 잠깐 잠이 들어버리는 바람에 PT의 리허설에 늦고 말았습니다. 다행히 다른 사람들이 준비를 하고 진행을 하여 별 문제없이 진행을 하였지만, 실무AE 입장에서는 매우 미안한 상황이 될 수밖에 없었습니다. 이처럼 밤을 새우면서 기다리다 잠깐 책임감을 잊고 약속한 시간을 놓쳐버리게 되면 업무는 진행되더라도 매우 미안한 마음이 크게 들 수밖에 없습니다. 이런 시간 약속은 PT만이 아닙니다. 주말의 회의시간이나 주중에 늦게 하는 회의

시간 등 다른 사람을 생각하지 않고 자신은 좀 늦으면 된다 거나 회의에 임박해서 참석을 못하게 되는 것은 팀 분위기나 회의의 의욕 등까지 떨어뜨릴 수 있는 것이니 실무AE들이 해야 할 회의시간이나 구두로 약속한 것들에 대해 준수하려고 노력해야 합니다.

이런 기본적인 룰들이 지켜진다면 실무AE들은 오히려 시간을 잘 활용하는 능력을 방법을 찾을 필요가 있다고 생각합니다. 시간에 쫒기거나 회의가 매번 많은 것도 아니지만 시간이 남을 때의 여유로움은 광고회사의 실무 AE로서 개인이나 팀내 생각의 유연성이나 자기개발을 할 수 있는 시간 활용을 했으면 합니다. 우선 AE의 특성상 업무가 많고 야근이 잦은 사이에 시간이 난다면, 시간을 잘 활용하여 리프레쉬 하거나 보다 활력이 넘치는 광고회사 생활을 할 수 있는 시간으로 만드는 것이 좋을 것 같습니다. 예를 들어 영화를 보는 것이나 잠깐 직원들과 함께 어디를 다녀오는 것도 많은 것을 보고 느끼는 것도 좋은 방법이고, 사무실 내에서는 차분하게 책을 읽어보는 것도 좋은 방법일 수 있다고 생각됩니다. 또한, 영어 공부나 운동등은 자기개발을 하는데 있어서 매우 도움이 되는 것 같습니다.

업무가 없다고 불안해하지 마세요.

모든 실무AE들이 이런 생각을 하는 것은 아닙니다. 그런데, 어떤 경우는 엄청난 업무량에 시달리다가 갑자기 업무가 빠지는 경우가 있습니다. 또 어떤 경우는 광고주가 다른 광고회사로 가거나 업무량이 줄어들어 일이 없어지는 때가 있습니다. 더구나 부서 실적까지 안 좋아진 경우가 되면 매우 불안해지게 되기도 합니다.

사실 이런 이유로 인해서 무조건 불안해만 하는 것은 적절하지 않다고 생각합니다. 업무 특성상 일이 있을 수 있고 일이 없을 때도 있는데 일이 몰리는 경우를 주로 경험하다 보면 이런 습관 때문에 반사적으로 이렇게 느낄 수도 있습니다. 저는 개인적으로 불안해하기보다는 자신의 업무를 돌아보거나 리프레쉬 할 수 있는 잠깐의 시간을 갖는 것도 필요하다고 생각합니다. 그런 시간을 통해서 보다 업무의 질을 향상시키거나 신선한 아이디어를 얻을 수 있는 기회로 삼을 수도 있다고 생각하기 때문입니다. 하지만, 무조건 적으로 긴 기간 동안 이런 편안한 시간을 갖는 것도 잘 못된 것입니다.

광고주나 광고주 업무가 없이 오랫동안 무조건 지내기만 한다는 것도 빌링이나 실적 관점에서 고려해야 하기 때문에 어느 정도의 시간이 지난다면 광고주 개발이나 경쟁PT에 참여를 하여 그 동안 리프레쉬 했던 역량을 집중해야 할 것입니다.

아날로그 적인 경험과 노력이 필요합니다.

인터넷이나 디지털 기술이 많이 발전하면서 자료의 수집 등이 매우 편리해 진 것은 사실입니다. 이것은 실무AE들뿐만 아니라 제작이나 다른 스텝들도 마찬가지 일것입니다. 다만, 좀 아쉬운 것은 이런 자료들을 너무나 쉽게 얻다보니 생각의 깊이나 노력이 과거에 비하여 많이 줄어드는 것 같아 아쉬운 것 같습니다. 회의를 하다 보면 깊은 생각보다는 남들이 했던 것들을 조금 변형하여 이야기한다 던지 심지어 거의 비슷한 것을 우리의 것으로 만들어 보자는 등 조금은 너무 빠르고 그저 쉽게만 생각하는 것 아닌가 합니다.

저는 저나 실무AE들 모두가 과거에 책이나 발로 뛰는 자료를 얻어 내었던 것처럼 더 많은 고민과 노력을 했으면 합니다. 가장 쉽게는 사무실에서 뭔가를 뒤적 거리기 보다는 프로젝트가 걸리거나 잘 풀리지 않는다면 소비자나 현장을 찾아가 더 많이 물어보고 알아보는 노력을 했으면 합니다. 이와 더불어 단순히 인터넷 등에서 감각적인 영상을 찾기에 급급하기 보다는 많은 책이나 자료를 보면서 스스로 머릿속에서 아이디에이션을 하는 아날로그 적인 생각과 행동이 더 많아 졌으면 합니다. 분명 별것 아니지만 많은 사람들이 디지털화 되어갈 때 이런 아날로그 적인 생각이나 사고는 많은 사람들과 차별화할 수 있는 좋은 방법이 아닌가 합니다.

자신이 요구하기 전에 먼저 노력하세요.

광고회사에 들어오면 오자 마자 광고 전략을 수립하고 광고주에게 프레젠테이션하고, 담당 광고주를 맡기게 해줄 거라 생각하는 신입도 있고 실무AE들도 있습니다. 그런데, 신입의 경우는 광고주에 들여보내는 것도 시간이 걸리며 아무리 실무자라도 업무 진행을 보아가며 담당 광고주를 어카운트 하게 됩니다.

개인적으로 사람마다 역량의 차이가 있다고 생각하며 너무 조급하게 자신의 업무나 업무의 변경을 요청하는 것은 무리가 아닐까 합니다. 조직 간의 업무 돌아가는 패턴이나 광고주 업무 스타일등 다양한 상황이나 조건이 있기 때문에 가급적 조급한 마음에 너무 무리한 요구를 하지 않도록 했으면 합니다. 그렇기 이전에 자신의 역량이 어떻고 어느 정도를 할 수 있는지를 우선적으로 보여주는 것이 필요하다고 생각합니다.

유머는 광고회사 생활에 윤활유와 같습니다.

유머라는 것은 꼭 광고회사에만 적용되는 것은 아니라고 생각합니다. 모든 생활에서 우리에게 활력과 재미를 부여하는 것 같습니다. 그리고 지금의 많은 커뮤니케이션의 콘텐츠들은 이런 재미적인 요소를 반드시 가지고 있는 있는 하나에 트랜드로서도 작용하는 것 같습니다. 광고회사의 힘든 일상속에서 많은 회의와 스트레스트를 받는 AE들에게 있어서는 유머는 대단히 중요한 하나의 '약'과 같은 존재인 것 같습니다. 제작회의를 하더라도, 광고주와의 미팅이나, 외부와의 미팅에서는 일단 유머는 회의의 시작을 부드럽게 풀어주고, 아이데이션에서 보다 창의적이고 상식깨는 것을 뽑아내는 윤활유 역할을 하는 것 같습니다. 따라서, 힘들겠지만, AE는 어찌 보면 생활속에 개그맨 역할을 해야 할 것 같습니다. 광대는 아니더라도, 전체 스텝과 광고주의 업무를 진행함에 있어 보다 좋은 결과물을 뽑아내기 위해서라도 필요한 것 같습니다.

더욱이 재미나 유머를 기반으로 업무를 진행하다 보면 스텝들도 '저 팀과 회의하면 재미있다'라는 호의적인 반응과 함께 일하고 싶은 AE로서도 이미지 메이킹을 할 수 있기 때문입니다.

그렇다고 너무 웃기만 한다는 것은 회의나 업무의 본질을 놓쳐 버릴 수도 있으므로 나름 유머를 구사하는데도 타이밍이라는 것이 있다는 것을 잊지 말아야 할 것 같습니다. 더구나 처음보는 사람들과의 유머는 아이스 브레이킹에 좋지만, 대단히 기술이 좋아야 하는 것 같습니다.

큰 회사만이 좋은 것은 아닙니다.

사람마다 자신이 좋아하는 취향이라는 것이 있습니다. 음식을 비롯하여 운동, 영화 등 다양한 분야에 자신이 좋아하는 것은 누구나 가지고 있는 것일 겁니다. 광고회사 또한 광고라는 똑 같은 업무는 하지만, 분명 나름의 색깔을 가지고 있고, 광고주 또한 그러한 색깔에 맞추어 광고회사를 선정할 때 참조하기도 합니다. 개인의 성향이 분명 다르기 때문에 자신이 일하려는 회사의 칼라가 자신과 잘 맞는다면 보다 좋은 업무 효율과 퍼포먼스를 낼 수 있을 것입니다.

우선 대형 광고회사의 경우는 일단 인원이 많고, 조직이 세분화되어 있는 것이 보통입니다. 그러다 보니, 세분화된 업무 롤과 프로세스에 맞추어 자신이 한 가지 프로젝트를 수행하기 위해 거쳐야할 단계나 의사결정이 필요합니다. 자유로운 성격의 AE에게는 뭔가 답답할 수도 있습니다. 그러나, 서서히 적응을 해 나가다 보면 보다 세심하게 단계별로 익혀 가면서 탄탄함을 쌓아갈 수 있는 나름대로의 장점이 분명이 있을 것 같습니다.

참고로 인하우스 대행사라고 해서도 모두가 같은 스타일이라고 하기는 어렵습니다. 인하우스의 특성상 그룹의 문화를 어느정도는 가지고 있을 수 있다고 보아야 합니다. 이러한 것도 자신과의 스타일과 맞는가를 한번쯤 생각할 필요도 있습니다.

작거나 중견 광고회사의 경우는 개인의 역량이 무엇보다도 더 중요한 것 같습니다. 아무래도 조직이 슬림하다보니 개인이 해야 할 업무 등이 많아지고 AE 스스로가 본연의 분야뿐 아니라 타 분야까지도 커버해야 하는 부담이 있습니다. 그러한 어려움이 있지만, 단기간 내에 더욱 많은 일을 해야 하는 것이 힘은 들지만 더 다양하게 알 수 있다는 장점은 있습니다.

혼자가 아닌 여럿이 한다는 생각이 중요합니다.

어느 직장 생활에서나 '책임감'이라는 것은 중요할 것입니다. 물론 광고회사에서도 마찬가지입니다. 업 관점에서는 광고주의 광고 커뮤니케이션에 퍼포먼스를 위해 책임을 다한다는 일반적인 '책임감'도 있습니다. 개인적으로는 오히려 이런 퍼포먼스는 혼자만의 생각과 노력으로 이루어지지 않는 다는 측면에서 볼 때 개인적인 책임을 다한다는 자세보다는 여러 사람이 함께 하는 비즈니스로서 개인보다는 다른 스텝과의 생활 속에서 책임감이 더 중요하다고 생각합니다.

기획에서 출발하여 제작물까지 전 과정을 실무AE가 관여한다는 측면에서 보았을 때 정말 여러 스텝과 함께 생활하게 되므로 일상적으로 실무AE가 가져야할 중요한 생활 태도가 아닌가 싶습니다.

광고주에게 광고 시안을 제시하였는데 수정이 다시 발생하게 되고 수정 내용 자체가 매우 많아 질 경우 회사로 돌아와 수정사항을 제작 스텝에게 전달하는 회의를 하게 될 것입니다. 일정자체가 있다면 상관없지만, 일정이 다음날 수정하여 다시 제시해야 하는 상황에서 회의만 하고 다음날 확인하려는 마음에 개인적인 약속을 위해 퇴근할 경우 어떤 경우는 밖에 있을 때 제작 스텝이 궁금한 것이 있어 전화를 하게 될 때가 있습니다. 전화로 물론 해결할 수 있는 부분이라면 다행이지만, 보다 구체적인 협의가 필요함에도 구두로 하고 지나쳐 버린 다면 분명 그것은 다음날 결과물에 반영되고 이것에 대한 책임 소재를 놓고 AE와 제작 스텝은 갈등을 하게 될 수 있습니다. 물론 실무AE가 어쩔 수 없는 상황에서 꼭 나가야 하는 상황이라면 미리 양해를 구하고 나가기도 하지만, 제작 스텝에게만 맡겨 두고 개인적인 업무를 보게 될 경우는 결국 이런 책임감 부재로 인하여 더 큰 문제를 야기할 수 있다는 것입니다. 다시 말해 실무AE는 책임을 했다고 할 수 있지만, 제작 스텝은 그 업무를 위해 밤을 새고 진행하는데 확인해 줄 수 있는 실무AE가 퇴근해 버린다면 개인만을 생각한 무책임한 행동이라고 할 수 있을 것입니다.

주말이나 연휴도 마찬가지입니다. 광고업계에서 제일 싫어하는 것 중에 하나는 금요일 오후에 회의를 한다 거나 연휴 전에 회의를 하여 그 다음 주 월요일이나 연휴 끝나고 바로 뭔가를 제시해야 하는 것입니다. 사람마음이 다 같은 것이라 쉬고 쉽고 연인이나 친구, 가족들과 함께 하고 싶은 것은 모두 같은 마음일 것입니다.

책임을 다한다는 것은 함께 일하고, 호흡하고, 함께 결과를 공유하는 같은 방향을 바라보는 것이 아닐까 합니다.

좌절하지 말고 자신감과 주관을 가지세요.

업무를 하다 보면 의견이 무시되거나 질타를 받는 경우가 종종 있습니다. 물론 아이디에이션상에서는 이런 무시나 질타는 금기시해야 할 것입니다. 그렇다고 무시나 질타를 받는 다고해서 우울해하고 있을 필요는 없다고 생각합니다. 자신의 의견이나 주장이 자꾸 그런다고 해서 자신의 의견을 이야기하지 않거나 오히려 '이번에도 무시되겠지'라고 한다면 앞으로 회의에 참석하는 의미가 없을 수도 있습니다.

개인적으로 이럴 수록 더 자신의 의견을 논리적이고 남들이 부정할 수 없도록 명확하게 이야기하는 자신감과 주간이 필요하다고 생각합니다. 한번쯤 자신이 내놓은 의견이 혹시 다른 사람이 받아들이기에 비논리적이거나 약한 것은 아닌지를 오히려 돌이켜 봐야 하지 않을까 합니다. 그런 상황에 처했을 경우 고집보다는 어떤 부분이 부족했는지를 생각하게 되는 것 같습니다. 광고라는 것이 정답이 없듯이 많은 사람들이 공감을 유도해 낸다면 그것이 정답에 가까울 것 같습니다.

자신이 이야기하는 주장이 많은 사람들이 아니라고 한다면 정말 한번쯤 다시 생각해 보아야 할 줄 알고 쉽게 접을 수도 있어야 한다고 생각합니다. 만약 자신의 논리가 정말 정확하고 맞다고 생각하면 그만큼 다른 사람들까지 공감하고 이해할 수 있는 것이어야 할 것입니다. 받아들이지 않는다면 그것은 논리가 아니란 자신만의 고집일 수 있다는 것입니다. 하지만, 그렇다고 해서 앞서 말한 것처럼 우울해할 필요도 없습니다. 많은 사람들이 함께 이야기함으로써 시너지를 내기위한 것이므로 더 많은 아이디어와 의견을 자신감 있게 주관을 가지고 이야기하는 노력이 필요하다고 생각합니다.

광고회사내 회의할 때 개인적으로 두가지 사람이 가장 싫은 것 같습니다. 자신의 주장이나 의견은 없으면서 아니라고만 하는 사람과 아예 이야기하지 않는 사람 당신은 혹시 이 두 사람 중에 아닌지 한번쯤 생각해 보았으면 합니다.

어렵지만 쉽게 흥분하지 마세요.

광고주 업무나 내부적으로 쉽게 흥분할 때가 있습니다. 광고주는 빨리 달라고 하고, 제작 스텝에서는 아직도 작업 중이고 뭐 이런 상황이 아니더라도 실무 AE라면 한번쯤 이런 일 종종 겪을 것입니다. 또한, 제작 스텝과의 회의시 아닌 것 같은데 AE의 의견들이 무시당하고 임의로 만들어져 광고주와 협의도 안되는 결과를 가져올 때는 정말 화도 나고 서운할 수도 있습니다.

개인적인 경험에 비추어 볼 때 화를 내고 싸울 경우도 있지만, 최대한 이성적으로 행동하고 흥분하지 않았으면 합니다. 일단 감정적으로 일이 확산되면 겉잡을 수 없는 것까지 이어질 수 있습니다. 어떤 경우도 업무가 중단될 수도 있고 이로 인해 광고주의 스케줄까지 망가질 수 있기 때문입니다. 저 개인적으로도 감정 컨트롤을 못하여 향후 제작 스케줄까지 문제가 생겼던 적이 있습니다. 그런 일을 몇 번 겪고 난 후 느낀 것은 결국 모든 책임은 AE에게 돌아온다는 사실 하나를 명확히 알게 되었습니다.

따라서, 아무리 문제가 되고 맘에 들지 않는 상황이 오더라도 가급적 이성적으로 일로서 업무진행을 할 수 있도록 이성적으로 이야기해야 한다고 믿게 되었고 가급적 그렇게 행동하려고 애를 쓰는 것 같습니다. 더구나 감정 싸움으로 이어질 경우는 화해하면 상관없지만 그렇지 않았을 경우는 오랜 시간 다른 업무를 하기에도 낯설어 지기 때문에 실무AE 입장에서는 쉽게 흥분하지 않도록 노력해야 합니다. 사실 이렇게 말하더라도 실제 경험하지 않으면 아무런 소용이 없다는 것과 분명히 한 두 번 이상은 이런 경험을 하게 된다는 것에 좀 맘이 불편하기는 합니다.

나름의 인맥관리 노하우를 만들어 보세요.

AE 생활을 하다 보면 많은 사람들을 만나게 됩니다. 다만, 현업에 있다 보면 주로 업무 하는 사람이나 가까이 있는 사람과 주로 연락하게 됩니다. 그러다 보면 자연스레 기존의 선후배 동기들과 연락이 뜸해지고 연락하기 어려워지는 상황도 생깁니다. 앞서도 계속 언급했지만, 사람이 전부인 광고회사 생활에서 관계 유지는 중요합니다. 나름의 인맥관리 노하우를 가지는 것도 좋은 것 같습니다.

(시즌 인사를 챙겨 보세요)

명절이나 연말 시즌이 되면 기존에 정리한 주소록을 바탕으로 가까운 분들이나 중요한 분들 그리고 연락 자주 못 드렸던 분들에게 전화나 통화가 안되면 문자로 라도 연락을 드리면 여러모로 도움이 되는 것 같습니다. 이럴 때 가벼운 인사를 하면, 자주 하지 않더라도 기억하고 자연스럽게 묻게 안부를 됩니다. 시즌 앞에 오면 대부분 광고주 인사를 가기 바쁜데 짬을 내어 명절 전에 폰에 저장된 주소록이나 전화번호부를 적극 활용하여 연락하여 나름 존재감을 보이는 것도 좋지 않을까 합니다.

(정보를 공유하세요)

업계 인맥 관리하면서 사실 일일이 전화하고 그때마다 인사하는 것은 시간이 지나면서 연락처도 늘어나고 쉬운 일은 아닙니다. 그러나, 회사에서 일하면서 이슈가 생기거나 광고와 관련된 사람들이 대부분이라면 돌아다닌 정보를 모아 두었다가 전화시 가볍게 이야기하거나 그쪽 이야기를 들어 정보를 재생산해내는 대화기법을 잘 훈련하면 정보적 채널이나 새로운 기회요인 생길 수 있습니다. 아무 내용 없는 이야기 보다는 이런 정보의 이야기에 관심을 보이기 때문입니다.

상대방이 불편한 사람일 수록 관련 필요한 정보를 공유하는 것들을 모아 인사면 보다 나에게 도움을 주는 사람이구나 하는 생각을 가지게 되고 상대방도 자연스럽게 이야기하면서 업계에 돌아가는 이야기를 더 들을 수도 있어 도움이 됩니다.

(주소록을 만들어 보세요)

인맥관리에 있어서 가장 기본은 주소록 관리라고 생각합니다. 나름대로 주소록 관리를 하게 되는데, 인터넷으로 하든, 별도의 다이어리를 쓰던, 인사를 했던 명함을 주고받았던 사람과의 기록을 남기게 됩니다. 주소록 관리에 있어, 기본 이름, 부서, 직장명, 이메일, 팩스, 핸드폰 등과 함께 어떻게 알고 있는 지인까지 넣어 정리하면 나중에 많아지더라도 무리가 없습니다. 그리고 광고회사 사람은 크게 광고주, 광고회사, 제작사, 미디어사, 기타 등의 순으로 큰 분류를 하면 대게 만나는 사람과의 분류를 대략 하는데 어려움이 없는 것 같습니다. 간혹 연락하게 되면, 이동했는지 진급을 하였는지 확인하여, 변동사항이 있을 경우 변경하고 전화하여 축하하거나 위로할 필요가 있다면 별도로 연락하는 것도 좋습니다. 특히 광고주의 프로필 관리는 수시로 확인하여 변동사항을 기재하는 것이 좋습니다

본인이 회사를 옮기게 되는 경우가 생길 수도 있으므로, 아예 주소록을 만들 때 아웃룩에 자동으로 등록할 수 있는 엑셀시트 형태를 양식화하여 사용하는 것이 좋습니다. 그러면 옮기더라도 일일이 주소록을 별도로 만들 필요없이 분류만 하면 간단하게 조정할 수 있을 것입니다.

(훌륭한 후배를 키워야 합니다.)

인맥관리를 잘 하는 것 중에 업무적 지인, 비업무적 지인, 선배들도 있지만, 자신이 시간이 지나면서 올라가게 되기 때문에 후배들 과의 관계를 만들고 좋은 후배를 키워 나가는 것 또한 중요한 포인트입니다. 좋은 후배를 키워 나가는 것은 추후 자신이 올라갔을 때 함께 일할 수 있고 호흡이 맞아 시너지를 낼 수 있기 때문입니다.

사내에서 있다 보면 괜찮은 후배들이 보이게 됩니다. 우연치 않게 한 팀이 되거나 잘 보고 있다가 좋은 관계로 한팀에서 일하다 좋은 관계를 가지면, 꽤 오랫동안 좋은 호흡으로 높은 퍼포먼스를 만들게 됩니다.

모든 광고회사 후배들 과의 관계는 적절하지 않습니다. 일하다 보면 후배들

의 여러가지 특성이 보이는데, 우선 업무적으로 너무 어그레시브하거나 나태한 후배와 하다 보면 오히려 부딪히거나, 본인이 힘이 들게 됩니다. 개인적으로 볼 때 성실이 기반이고 선배의 의견을 충분히 들으면서 개인적 의견을 꽤 논리적으로 기술하는 후배, 특히 먼저 제안하거나, 손이 빠르게 움직이는 후배는 정말로 귀한 것 같습니다.

일을 못하고 잘하고를 떠나서 예의 없는 행동과 기본이 안된 후배는 아무리 일을 잘해도 함께 하고 싶지 않은 후배일 것입니다. 선배들은 후배가 정말 괜찮으면 일을 잘 할 수 있는 환경을 만들어주고, 후배의 업무 능력을 특화시켜 능력을 키워주는 것이 필요합니다. 괜히 자신보다 잘하는 점 있다고, 후배를 못살게 굴거나 핀잔을 주게 되면 절대 좋은 선배로서의 모습과 관계를 얻지 못하게 됩니다. 좋지 못한 후배와의 관계는 후배들 사이에서 소문이나 앞으로 후배를 얻는데 정말 어려운 상황에 처하게 됩니다.

AE도 유형이 있습니다 당신은 어떤 AE입니까?

AE들 중에도 여러 유형의 AE가 있는 것 같습니다. 갠 적으로 경험한 바에 따르면, 몇 가지 유형이 크게 한 3가지로 나누어 지는 것 같습니다. 뭐 이것 말고도 다르게 규정할 수는 있겠지만은요.

[전투적인 AE(PT, 영업형)]

쉽게 말하면 광고주 개발에 힘쓰는 AE인 것 같습니다. 현재 광고주에 멈추지 않고, 회의 수익이나 비즈니스 창출을 위해 새로운 광고주에 항상 목말라 있는 AE라는 이야기이지요. 이런 분이 팀장이나 본부장이시라면, 밑에 후배들은 개발된 광고주나 개발하려는 광고주의 어카운트를 잘 하는 사람이 있으면 시너지가 나는 것 같습니다. 그런데, 계속 이러한 것에만 몰입하다 보면 혹 호흡이 짧거나, 기존 광고주에 대한 신경을 덜 써지는 문제가 있는 것 같습니다.

[팔로우업형 AE]

큰 광고주나 중요 광고주를 어카운트할 때 좋은 형태의 AE인 것 같습니다. 그러나, 약간은 외향적이지 못할 수도 있는 사람이거나, 현실에 안주하려는 성향이 있어, 조금은 외향적인 성격이 필요할 수도 있는 것 같습니다. 하지만, 분명한 것은 회사입장에서는 꼼꼼하게 중요 광고주를 챙기는 팔로우업형 AE는 필요하다고 생각합니다. 누군가는 챙겨야 할 테니까요. 과거 모 대행사의 CEO께서는 '다 나같이 PT만 해서 따올려고 만하지 챙기려고 하는 사람이 없는 것 같다.' 쉽게 말하면 광고 회사에서 이런 사람도 있어야 하고 저런 사람도 있어야 하지만, 모두가 한쪽을 색깔만 가지고 있는 것도 문제가 있는 것 같습니다.

[내부코디네이션 AE]

팔로우업형 AE와도 비슷할 수도 있지만, 약간 다른게 외향적이지만, 영업적인 성격과는 다르게, 내부에서 코디네이션 즉 제작이나 스텝부서와 원활하게 업무를 진행할 수 있도록 윤활유 역할을 하는 AE가 있는 것 같습니다. 이런 AE도 전체적인 업무 진행을 위해서는 반드시 필요한 AE의 종류인 것 같습니다.

[전략적 AE]

광고주 개발이나, 다른 유형의 AE들과는 다르게 PT도 잘하고 전략을 잘 짜는 AE입니다. 페이퍼도 잘 쓰는 AE이지요. AP적 성향을 가지기는 하지만, 외향적이지는 않고, 뭔가 고집도 세고 나름대로의 날카로움을 가지고 일하는 AE라고 할 수 있을 것 같습니다. 일하다 보면 선후배들이 위의 유형중 하나 정도에는 들어가는 것 같습니다.

반면에 팀장님급 이상에서는 위와는 상관없이 워커홀릭, 쪼기만 하거나 복지부동, 대충대충, 정치적 등 다양한 유형의 사람들이 있습니다. 어떤 유형의 AE가 맞고 어떤 선배가 맞는 다는 것은 어려운 이야기 인 듯합니다. 다만 중요한 것은 서로 간에 다른 성향의 사람이 만나 새로운 시너지를 잘 낼 수 있는 조직인가가 더 중요한 것 같습니다. 이를 위해서는 서로를 위한 배려와 함께 한다는 생각이 들 때 가능한 것 같습니다.

다시 말씀드리지만, 한사람의 유형이 모두 정답이라고 할 수는 없을 것 같습니다. 회사에서 소 같은 사람도 필요하고, 여우 같은 사람이 필요하듯 AE도 다양한 유형의 AE들이 모여 시너지를 내는 것 이러한 측면에서 크게 보는 것이 매우 중요한 것 같습니다.

자기만의 스트레스 관리법을 개발하세요.

AE는 외부적으로 내부적으로 스트레스를 나름 많이 받는 직업인 것 같습니다. 아무리 일을 잘해도 앞을 알 수 없는 상황에서 돌발적인 상황이 많이 발생합니다. 따라서, 개인적으로 AE로서 생활하면 스트레스는 어쩔 수 없이 발생한다고 오히려 편하게 받아들일 생각을 하고, 어떻게 하면 스트레스를 풀 것인지에 대해 고민하는 것이 중요한 것 같습니다.

저 같은 경우는 아침이나 저녁에 운동을 합니다. 뭐 술을 먹고 힘든 상황이 되면 어쩔 수 없이 거르는 경우도 많지만, 헬스클럽이나 밖에서 운동을 하면 일단 몸과 맘은 편해집니다. 또, 주말이면 산에 갑니다. 먼 곳보다는 가까운 산에 2시간정도 운동하면서 스트레스를 풉니다. 영화 쇼생크 탈출을 보면 팀로빈슨이 하루 밤 동안 긁어 모은 돌조각을 바지 아랫단에 접고 걸어 다니면서 털어보는 것을 보면서 미소를 짓는 미래의 꿈과 희망을 생각하며 털어버리는 모습과 동일하다고나 할까요? 그런 식으로 풀어 놓으면 일주일에 대한 힘이 다시 생겨나는 듯합니다. 그렇다고 여럿이 다니게 되면 자치 술 먹고 또 몸을 망치는 경우가 생기므로 그렇지 않기 위해 가급적 혼자 하는 것도 방법입니다. 워낙 함께 하는 작업이 많기 때문에 오히려 혼자 생각할 수 있는 시간과 공간을 찾아 만드는 것이 좋은 방법인 것 같습니다.

커리어 관리를 잘 해야 합니다.

이직은 광고회사에 있어 빈번하게 일어나는 일입니다. 다른 직종에 비하여 이직이 많은 직종이라 그만큼 인맥관리나 커리어 관리가 대단히 중요합니다. 한번 나쁜 평판에 오르면 쉽게 개선되지 못하는 것이 이 업이라 개인의 평판 관리는 이직에 있어 매우 중요하며 이에 따라 이직여부까지 영향을 줄 수도 있습니다. 나름 AE 생활을 하면서 커리어 관리에 대한 기준은 있는 것이 좋은 것 같습니다.

첫째, 이직의 니즈가 생기면 그 이유가 무엇인지 알아야 합니다. 개인사, 사람, 팀내, 비전, 연봉, 광고주, 더 큰 회사 등 여러가지입니다. 문제는 이직의 이유가 우상향이 아니라 회피나 도망이 될 경우는 추후 문제가 생깁니다. 왜냐하면 어떤 조직이나 100% 완벽한 곳은 없으며 해당 조직만에 또 문제가 발생할 수 있기 때문입니다, 따라서, 이직이 이유는 나를 위치를 높이는데 방점을 두는 것이 다른 것들을 상쇄시킬 수 있다고 생각합니다.

두번째로 이직의 이유와 명분이 명확해지면 자신의 평판을 생각해야합니다. 업무능력이나 대인관계 네트워크가 약하면 이직이 쉽지 않고 일반 경력 공채로 들어가면 실패하기가 대부분입니다. 따라서, 자신의 평판과 네트워크를 사전에 충분히 만들어 좋은 평판을 만든 상태에서 옮기는 것이 좋은 것 같습니다. 이는 광고회사로 이직할 때나 업종을 전환할 때도 마찬가지입니다. 채용하려는 쪽에서는 분명 당신을 알아보기 때문입니다.

세번째로 이직하려는 직장이 선택이 되면, 광고주는 무엇인지, 누구와 일하는지를 자세하게 알아봐야 합니다. 사람과의 관계가 너무나 중요한 직종이기 때문에 누구와 일하는지를 파악하지 않으면 가서 후회하게 됩니다.

네번째로 이직하려는 곳이 검토되면, 내부에 친한 사람들과 고민이나 문제를 나누어 이직에 대한 의견을 물어보는 것도 방법입니다. 이직을 하려고 하면 대부분 옮기라는 이야기 보다는 옮기지 말라는 이야기도 하기도 합니다. 이는 특히 직급이 높은 사람과의 이야기에서는 그렇게 됩니다. 만약 팀 내의 문제라면 팀을 옮기는 것도 방법이며, 광고주를 바꾸는 것도 방법이 되므로 그런 문제라면 내부에서 해결하는 것도 방법입니다. 그러나 한 지붕 아래에서 옮기는 것이므로 명분을 조심스럽게 만드는 것이 중요합니다.

다섯번 재로 기간을 두고 옮겨야 합니다. 무작정 결정하고 옮기게 되면 기존 직장에 있는 사람들이 엄청난 실망과 욕을 하게 되어 안 좋은 인상을 남기게 됩니다. 만약 그렇게 되면, 최대한 예를 갖추고 용서와 이해를 구해야 할 필요가 있습니다.

이직은 업계에서 보통 실무들이라면 3~4년마다 고비가 오고 이직의 니즈를 느끼는 것 같습니다. 자주 옮기는 것은 상대 회사에 신뢰를 주지 못합니다. 이직시에는 왔다갔다하는 것 없이 결심하면 비밀리에 완벽하게 정리하여 움직이는 것이 좋은 것 같습니다. 애매하고 모호한 태도는 자칫 자신 이미지만 망가뜨릴 수 있습니다.

크리에이티브 한 AE가 되려고 노력하세요.

앞서 내용중 이야기한 것 중 기획은 크리에이티브 해져야 하고, 제작은 기획적이어야 할 필요도 있다고 이야기했습니다. 이렇게 되는 훈련중의 하나가 '책'입니다. 기획 쪽에 서류함을 보면 전략, 마케팅, 광고관련 책들이 많이 있고, 제작 쪽에 가면 카피나, 소설 등 크리에이티브 한 감성을 자극하는 책들이 있는데, 정해진 것은 없지만, AE들에게 있어서도 이런 제작들의 감성을 자극하는 책들을 좀더 많이 익는 것도 도움이 되는 것 같습니다. 물론 관심분야가 다 달라 읽는 책들도 다르겠지만, AE들에게 있어 책은 크리에이티브 한 감성을 좀더 자극하는데 도움이 되지 않을까 합니다. 어떤 분은 오히려 광고책을 읽지 말라고 이야기합니다. 그 기본에는 너무 이성과 감성을 겸비한 AE를 지향하는 것 때문에 이야기하는 것 일지도 모릅니다.

매너리즘에 빠질 때쯤 초심으로 한번 돌아가보세요.

광고회사에 일하다 보면 다양한 광고주와 프로젝트를 하게 됩니다. 새롭고 재미만 있을 것 같지만, 어느 순간 같은 형식의 제안, 기획서, 비슷한 멘트들 어디선가 보았던 스토리 등 자신도 모르게 루틴해지는 자신을 발견하게 됩니다. 이럴 경우 스스로 내가 너무 매너리즘에 빠진 것 아닌지, 다른 사람들이 새롭지 않는다 라는 제한된 평판을 만들고 있는 것은 아닌지 갑작스럽게 현타가 오기도 합니다.
모든 일이 마찬가지인 것 같습니다. 아무리 재미있고 새로운 일이라도 그것이 반복되면 매너리즘이 온다는 것을 느끼는 것 같습니다.
이런 상황이 생길 때는 그것 자체를 부정하고 또 다른 새로움을 찾아 가기보다는 왜 이 일을 시작했는지 무엇을 위해 하는지를 한번쯤 초심으로 돌아가서 생각해 보면 어떨까 합니다. 바꾸라는 것 보다는 일을 잘 하게 되면 그만큼 익숙해지고 새로움을 느낄 수 없다는 것 때문에 발생할 수 있는 상황일때도 있기 때문입니다. 당신은 이미 프로이고 충분히 잘 하고 있기 때문에 그만큼에 매력적인 동력이 필요할 수도 있습니다.

AE는 계획하는 사람이 아니라 기획하는 사람입니다.

저는 광고기획, 기획자라는 말을 좋아합니다. 광고나 커뮤니케이션을 계획해서 계획한 스케줄대로 집행하는 사람이 아니기 때문이라고 생각합니다. 다만, 어떤 AE실무는 시키는 데로 주워진데로만 일을 하는 AE들을 종종 보게 됩니다. 물론 시키는 일을 잘 하는 것도 중요하지만, 결국 광고기획을 하면서 새로운 전략을 짜고, 컨셉트를 만들고 사람을 움직이는 아이디어를 기획하는 시니어 AE로 성장해야 한다는 관점에서 볼 때는 걱정이 되기도 합니다. 그래서 어떤 경우는 우리의 업을 왜 기획, 기획자라고 붙였는지에 대해 설명해 주기도 합니다. 단순한 광고를 기획하는 것을 넘어 문제에 대해 새로운 생각으로 비즈니스 자체까지 만들 수 있는 능력을 가진 프로라는 생각을 가졌으면 합니다. 그러면 광고 이외에 더 다양한 것들이 보이기도 하는 것 같습니다.

충분히 경험하고 정하는 것도 방법입니다.

광고회사에 입사하기 전에 '나는 ATL/디지털/퍼포먼스/AE야', '나는 제작이야' 희망하고 들어오는 사람들이 있는 가하면, 아무것도 모르고 들어오는 사람도 있습니다. 그런데, 광고회사에서 인턴을 통해, 신입사원으로 OJT를 받는 과정에서 각종 직종을 경험하다 보면 또 생각이 바뀌는 사람이 있고, 실제 AE로 일하다 제작이나 PD로 가능 경우, 또는 반대로 오는 경우도 심심치 않게 발견할 수 있는 것 같습니다.

직군 별로는 약간의 스타일들이 있어 역할이 바뀔 수도 있겠구나라고 생각은 듭니다. 우선 기획은 얌전한 사람보다는 활달하고 사교성이 있는 사람이 보다 유리한 듯합니다. 제작은 아무래도 크리에이터이고 예술적이다보니 감수성이 예민하고, 혹은 자신만의 세계관? 주관이 뚜렷한 사람이 어울리기도 하는 것 같습니다. 그런데, 직군 적성을 찾기 위해 이리저리 쫓아다니기 보다는 사전에 많은 탐색과 선후배들과의 만남, 실제 광고회사에서의 경험을 통해 나름의 스타일과 역할을 명확하게 정리하는 것이 좋은 것 같습니다. 자칫 이리저리 방황을 하다 보면 역할이 모호해지고 자신의 경력 관리에도 문제가 생길 수 있기 때문입니다.

독립적이고 혼자 해야 한다는 느낌이 들 수도 있습니다

AE업무는 팀단위로 보통 진행하게 됩니다. 그러나, 많은 광고주나 많은 브랜드를 어카운트하다 보면 AE입장에서는 독립적으로 움직이는 광고회사를 대표하는 대표자입니다. 따라서, 광고주에서는 광고회사의 의견을 대표하고 회사내부로 돌아와서는 광고주의 의견을 대변하면서 전략적으로 조절을 통하여 최고의 결과물을 뽑아내어야 합니다.

직급이나 상하관계는 분명 존재하지만, 언제까지나 선후배들이 지원하면서 할 수 있는 업무는 어느정도 한계가 있습니다. 담당 업무나 광고주를 효율적으로 효과적으로 컨트롤 하기 위해서는 결국 혼자서 뭔가는 해낼 수 있다는 자신감과 의지가 대단히 필요합니다. 쉽게 말하면 혼자서도 만능으로 해낼 수 있는 마인드가 필요로 한다고 말 할 수 있습니다.

자신이 스텝에 의지하거나 팀내에서 의지하기 보다든 자신의 담당하는 브랜드나 광고주를 위해 분명 자신의 생각을 가지로 서포트를 받는 다는 개념으로 있어 야지 의지하기 시작하면 스텝이나 광고주에게 끌려 다닐 수밖에 없는 상황에 처하게 됩니다. AE나 광고업무를 하면서 이러한 태도는 반드시 가져야할 자세이며 사실상 모든 광고인이 가져야 할 생각인 것 같습니다.

동시 다발적인 사고와 행동이 습관화되는 것 같습니다.

AE들은 광고주에게서 이야기를 듣건 제작과 이야기를 하건 항상 머리가 동시에 여러가지 돌아가야 것 같습니다. 예를 들어 라디오 오티를 받아오면, 이미 현장에서부터 돌아오는 시간동안 여러가지 생각을 하게 됩니다. 아주 자연스러운 반응인 듯합니다.

라디오 건을 언제 회의를 하고 제작물 방향은 이렇게, 광고물도 좀 찾아야 하고, 소재 넘기려면 언제까지는 광고주에게 제시하고 녹음해야 하는지, 성우는 기존에 문제가 없었는데, 있다면 대안을 제시해야 할 것이고, 어느 제작팀하고 해야하지 등 한꺼번에 여러가지를 생각해서 정리하는 것을 습관적으로 떠올리는 것 같습니다. 그리고, 제안한 제작물이 광고주에게 컨펌났다면 제작은 언제하고 견적은 어제 뽑고 미디어에는 언제 알려주고 등 한 단계가 정리될 때마다 그것을 순식간에 떠 올려져야 하고 자신만의 노트에 정리해 둡니다.

업무적인 부분에서는 일을 빠르게 처리한다 차원에서 긍정적인 반응이자 습관일 수 있으나, 돌이켜 보면 조금은 숨차게 일을 만드는 부분도 없지 않아 있는 것 같습니다. 일을 주도하고 리드하는 차원이라면 좋지만 너무 타이트하게 만들 필요는 없는 것 같습니다.

논리적이기 보다는 튀는 생각이 더 좋습니다.

실무AE들이 전략을 만들거나 아이디어를 만들고 회의를 할 때 여러사람이 함께 하면서 반복하다 보면 '어떤 사람은 튀는데 아이디어가 말이 안되고 어떤 사람은 안정적인데 튀지 않다'라는 이런 고민이 들 때 있습니다. 개인적으로는 논리적이고 전략적인 사고는 경험과 시간이 해결해 줄 수 있다고 생각은 듭니다. 튀는 이야기가 더 걸리기는 합니다. 자칫 안정적인 아이디어나 전략만 이야기한다면 발전적이기 쉽진 않은 것 같습니다. 튀는 생각은 다듬어서 완성할 수 있지만, 안정적인 생각은 튀게 만들기가 생각보단 어렵기 때문입니다.

따라서, 실무AE들이 평소에 독특하고 흥미로운 경험들을 많이 했으면 합니다. 선배들은 노멀한 이야기에는 좀더 튀게 만들어주고 튀는 생각은 더 부스팅 해주는 노력도 필요할 듯합니다. 실무AE들도 알 것입니다. 자신이 회의시 이야기하는 상황에서 튀는 수준이 어느 정도인지를….. 아이디어를 이야기하고 그냥 지나치는 상황이 많다면 빨리 한번 고민을 해 봐야 하지 않을까 합니다. 노멀보다는 궤변론자가 타율이 좋을 때가 많기 때문입니다.

프로젝트 앞에 항상 겸손했으면 합니다.

수년간 프로젝트를 하면서 쉬운 프로젝트는 없었습니다. 내용, 일정, 비용 등 다양한 변수들로 인해 프로젝트는 어려웠습니다. 따라서, 해결방안도 그때마다 달랐습니다. 주니어AE들은 광고회사에 입사하고 어느 정도되면 자신이 프로젝트를 수행하고 싶어하는 사람이 있습니다. 물론 준비가 되었다면 사원일지라도 수행할 수 있을 것입니다. 그러나, 어떤 경우는 준비가 안된 상황에서 무리하게 요청하여 프로젝트에 문제를 만드는 경우도 있고, 한번 작은 프로젝트를 시켰는데 이후 좋은 것만 하려는 AE도 있습니다.

광고주, 제품, 브랜드, 프로젝트에 예산이나 경중은 있을 수 있습니다. 다만, 실무AE들은 프로젝트 앞에서 상대적으로 비교하거나 좋은 것만 하려는 자세는 매우 위험합니다. 시간이 지나면서 다양한 프로젝트를 할 수밖에 없습니다. 프로젝트는 당당하게 수행하되 프로젝트를 대하는 개인의 마음자세는 늘 배운다는 자세로 겸손하게 했으면 합니다.

건강한 광고 토양과 문화를 만들었으면 합니다.

본 책에서 어떻게 보면 가장 불편한 이야기 일수도 있으나 광고회사에 있다 보면 누구나 경험하는 것이기 때문에 언급할지 않을 수 없을 것 같습니다. 어느 조직이던 간에 정치하는 사람들이 있습니다. 광고회사도 마찬가지입니다. 일보다는 사내 정치를 통해 남을 누르고 올라가는 사람들이 있습니다. 물론 그렇게 직장생활 하는 것도 나름 방법이라고 생각은 듭니다.

다만, 경쟁을 기반으로 한 건강 문화를 만들기 위한 노력이 함께 동반되었으면 하는 것입니다. 사람이 하는 일이다 보니 더 좋아하는 사람에게 마음과 성과가 갈 수도 있습니다. 다만, 편중되지 않았으면 합니다. 어느정도의 견제장치로 실력이 있으면 성장하고 성과를 받을 수 있는 문화는 만들려고 노력해야 하지 않을까 합니다. 어떤 경우는 수백억을 개발하더라도 정치에 밀려 진급과 자리를 빼앗기는 경우도 보았습니다. 많은 후배들과 동료들이 안타까워하기도 했으며, 이를 보고 더 이상 건강하지 않다는 생각에 이직이나 이탈을 하였습니다.

다양한 사람들이 모여 좋은 광고를 만들기 위해 지금도 노력하고 있습니다. 이러한 노력이 노력과 상관없는 것으로 실망하고 좌절하지 않도록 한번 더 생각했으면 합니다. 밭이 좋아야 좋은 결과물을 얻을 수 있듯 좋은 광고 토양이 될 수 있도록 함께 노력했으면 합니다.

맺음말

실무AE들에게 앞에서 언급한 내용만이 전부는 아닐 것입니다. 광고주의 상황이나 광고 회사별 특성에 따라 천차 만별로 다양한 업무가 있을 것입니다. 다만, 제가 개인적으로 다년간 경험하면서 느낀 것을 팁이 될 만한 것으로 추려서 정리를 해 본 것입니다. 100% 도움이 되리라고는 어렵지만, 분명 이론적으로 AE들이 이런 업무가 있다는 것에서 한발 더 나아가 어떻게 업무를 수행해야 하는지를 다루었다는데 의미가 있다고 생각합니다.

똑같은 업무일 수는 없겠지만, 실무자들이 일하면서 겪을 수 있는 비슷한 상황이나 AE를 지망하는 신입 사원들에게는 이해는 안가지만 '실제 이렇게 돌아가고 있구나'라는 이야기를 전할 수 있어서 나름 선배AE로서 역할을 조금이나마 하는 것이 아닐까 합니다. 마지막으로 본 책을 마무리 하면서 읽는 분들에게 이런 이야기를 하고 싶습니다.

첫째, 언제나 최선을 다한다는 생각과 행동으로 임했으면 합니다. 이정도면 되겠지 라는 타협과 안이한 태도로 일했을 경우는 반드시 그 결과는 AE에게 돌아온다는 것은 모든 AE들이 알고 있을 것입니다. 그런 상황을 알면서도 다시 그런 생각과 태도로 일함으로써 광고주와의 신뢰에 금이 가게 만드는 상황이 되지 않도록 노력했으면 합니다. 물론 아무리 노력해도 광고주와 합의나 협의가 잘 안되는 경우가 있을 것이고 내부에서 어려운 일을 겪게 되는 때도 있을 것입니다. 하지만, 최선을 다하는 아름다운 모습으로 선배나 후배들에게도 귀감이 되는 그런 실무AE로서 기억되고 발전해 갔으면 합니다.

두 번째로, 자신을 사랑했으면 합니다. 저도 단 한순간도 AE일이 쉽다 거나 한 적이 없었던 것 같습니다. 광고주가 크던 작던, 광고주의 성향이 어떻든 간에 매우 힘든 일인 것 같습니다. 그런 과정에서 자신이 힘들어 지고 치지는 경우를 많이 보게 되는 것 같고, 심지어 개인적인 생활까지 어려움을 겪는 경우를 보게 됩니다. AE로서만 모든 것을 집중하다 자칫 자신을 잃고 남는 것이 없는 것 보다는 철저한 자기 관리를 통해서 AE의 삶에 질이 향상되도록 바쁘고 힘든 상황에서도 돌파구를 찾았으면 합니다.

마지막으로 다이나믹하고 변화에 능동적으로 대처했으면 합니다. 과거에는 이렇게 했지 이것은 나만의 방식이야 라고 실무AE를 규정하거나 고집스러운 태도로 일관하는 것은 지금의 시대에 조금은 뒤쳐진 것이 아닌가 조심스럽게 말하고 싶습니다. 들어는 사람들이나 기존의 사람들도 변하는 상황에서 보다 마음을 열고 다양한 의견이나 이야기를 스폰지처럼 흡수하여 변화에 대해 능동적으로 대했으면 합니다. 그래야 타깃을 생각하는 마음이나 그것을 바탕으로 뽑아내는 전략과 아이디어들도 늘 신선할 수 있다고 생각합니다. 부침이 심한 광고업계에서 자신만의 노하우로 성장해 가는 것도 방법이지만, 이렇게 능동적인 생각과 행동으로 보다 크리에이티브 하게 발전해 가는 것이 필요하지 않을까 합니다.

본 책이 얼마나 많은 광고실무자나 후배들에게 도움이 될지는 모르겠습니다. 당초의 시작은 몇년간의 메모를 한번 정리하고 가야겠다는 생각에서 출발한 것이 이렇게 책으로 확장되어 커진 것 같습니다. 누군가에게는 복잡하고 이해하기 힘든 내용일 수 있지만, 분명 누군가에게는 '그래 그런 경험이 있지'라고 생각하게 만드는 내용일 것이라고 생각합니다. 한번도 이렇게 구체적이고 라이브 하게 만들어 본적이 없기에 마무리하는 저에게도 매우 두려운 일이며 어떤 반응을 보일지 걱정이 되기도 합니다. 잘 못되었다, 이건 아닌 것 같다는 논하기 전에 실무AE들이 이렇게 힘들고 노력하고 있구나 라는 따뜻한 시선으로 보아주셨으면 하는 마음 간절합니다.

부족하지만 본 수첩을 마무리하기까지 함께 해 주신 많은 광고주, 광고회사, 그리고 대학생연합광고동아리 애드피아 선후배님들께 진심으로 감사의 말씀을 드립니다. 모든 광고인들 오늘도 파이팅 하시기 바랍니다.